生まれたてから3才までの育児は、この1冊におまかせ!

はじめての育児

監修
細谷亮太先生
聖路加国際病院副院長　小児科部長

CONTENTS

生まれたてから3才までの育児は
この1冊におまかせ!

はじめての育児

監修
聖路加国際病院
副院長
小児科部長
細谷亮太先生

ほそやりょうた●1948年山形県生まれ。アメリカの病院勤務を経て現職に。専門は小児がん、ターミナルケア、育児学など。母親の気持ちに沿った温かいアドバイスで、子育て奮闘中のママを応援しています。3男1女の父。

CONTENTS

STAFF

● カバーデザイン
近江真佐彦
（近江デザイン事務所）
● カバーイラスト
ウマカケバ クミコ
● 本文イラスト
あすみきり　飯山和哉
石崎伸子　いとうまちこ
たきくみこ　chao
はせちゃこ　藤井恵
福田透　宮本和沙
ムラキワカバ　モリナオミ
よしだみぽ
● 本文デザイン
T-Borne
● 企画・編集
(株)サラ・プラス

この本は、学研発行の「おはよう赤ちゃん」のバックナンバーおよび、ムック「育児全百科」「病気全百科」「ステップアップ離乳食」「母乳&ミルク育児安心BOOK」「おはよう赤ちゃんマタニティ2号」に掲載した記事をベースに、細谷亮太先生の監修により構成しています。各誌でご協力いただいた先生方、読者モデルのママ、赤ちゃんたちに、心より感謝申し上げます。

本書は、2008年5月現在の情報をもとに作成しました。

赤ちゃんの成長のようす

0カ月から1才5カ月までのおむつ姿を追っかけ!

男の子と女の子、2人の赤ちゃんの生まれてから約1年半を追いかけました。個性豊かな成長ぶりです。

杉原大知《だいち》くん

0カ月 身長●50.8cm 体重●3,286g

おっぱいの後は手足をパタパタと動かしてごきげん。

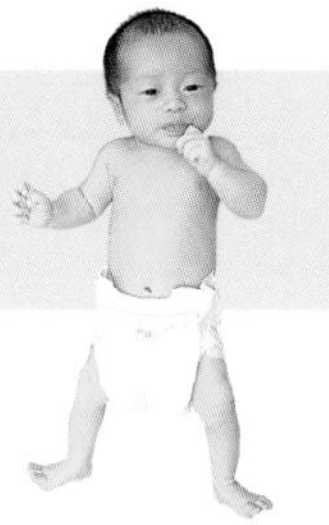

1カ月 身長●52.8cm 体重●4,392 g

起きている時間が増えましたが、夜はぐっすり。

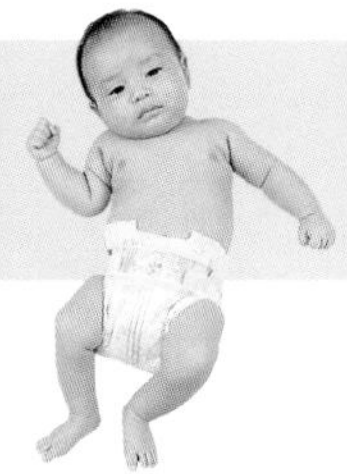

2カ月 身長●58.0cm 体重●6,180g

生まれたときの2倍ぐらいの体重になりました。

大知くんの発育曲線

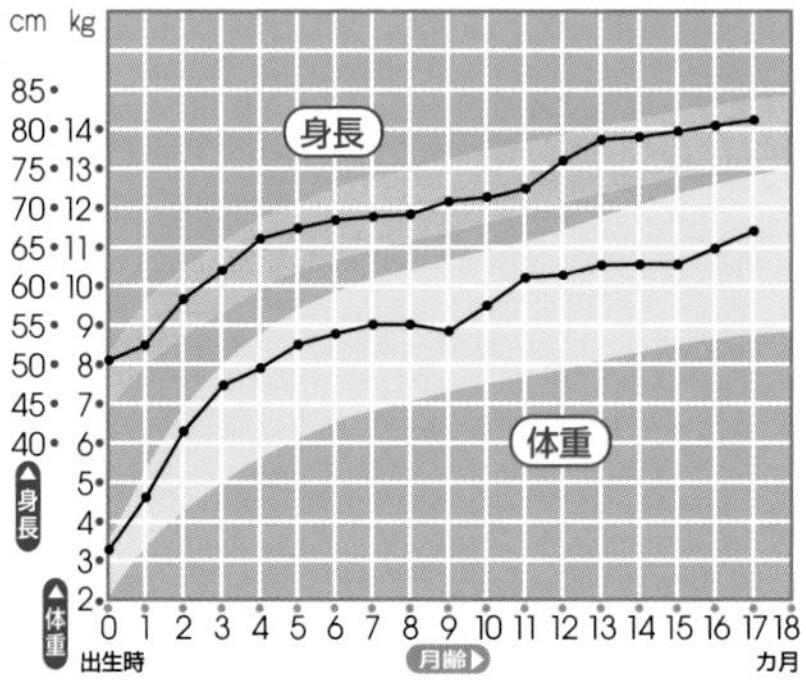

8カ月 身長●69.8cm 体重●9,058g

ストールを使っての「いないいないばぁ」がお気に入り。

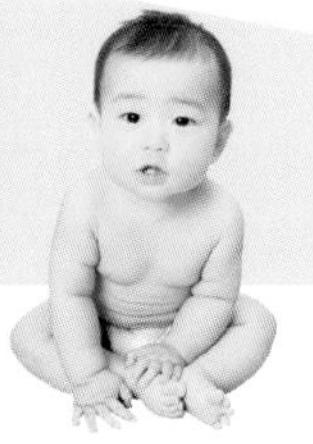

9カ月 身長●71.2cm 体重●8,990g

ハイハイや伝い歩きで、かなり動き回るように。

ラム綺《き》彩《あ》羅《ら》ちゃん

0カ月 身長●49.0cm 体重●3,086kg

2〜3時間おきにおっぱいをたっぷり飲みます。

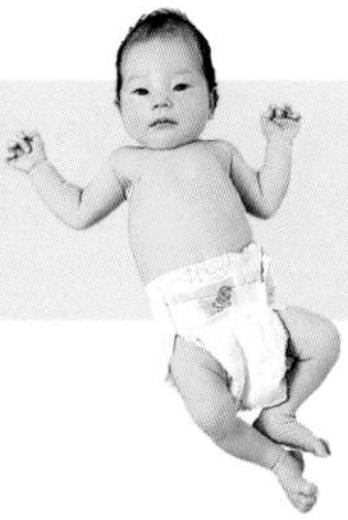

1カ月 身長●54.0cm 体重●3,896g

「アー」と声を出して表情も豊かになりました。

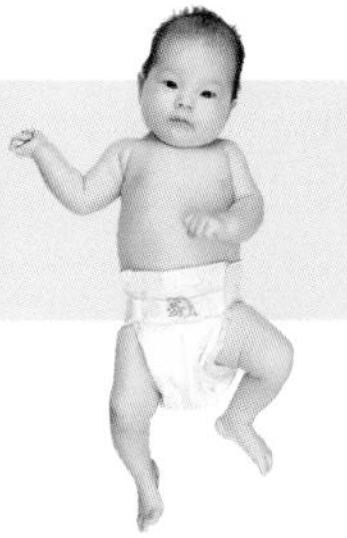

2カ月 身長●57.0cm 体重●5,300g

ベッドメリーを目で追ったり、ねんねで遊ぶように。

綺彩羅ちゃんの発育曲線

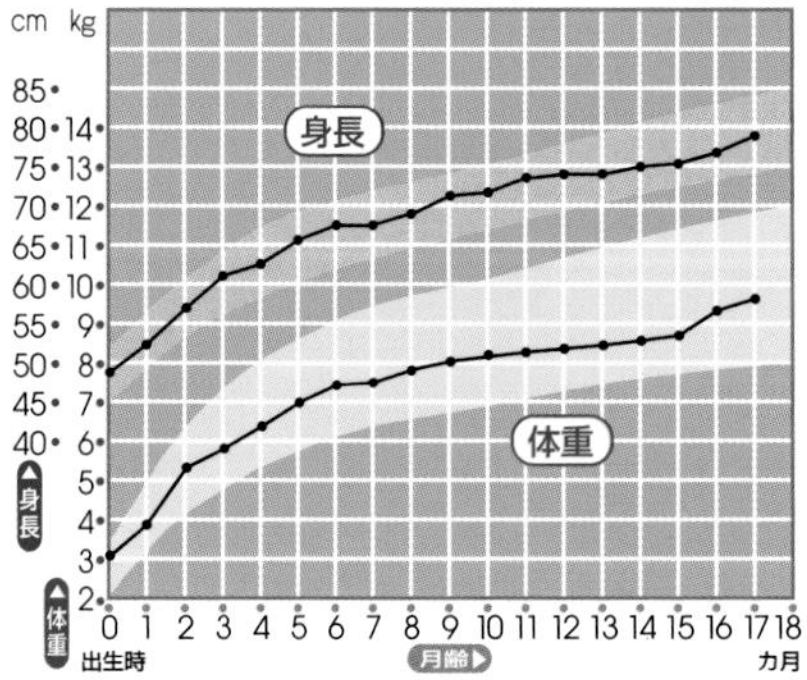

8カ月 身長●69.5cm 体重●7,950g

つかまり立ちも、つかまり歩きもできるように。

9カ月 身長●71.1cm 体重●8,050g

ハイスピードのずりばいで、ママを後追いします。

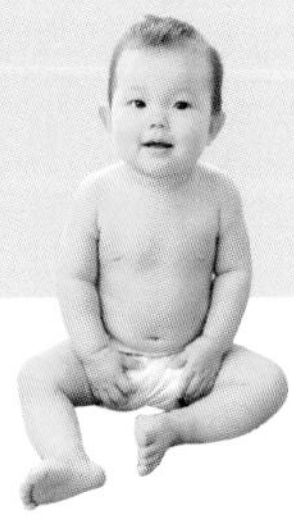

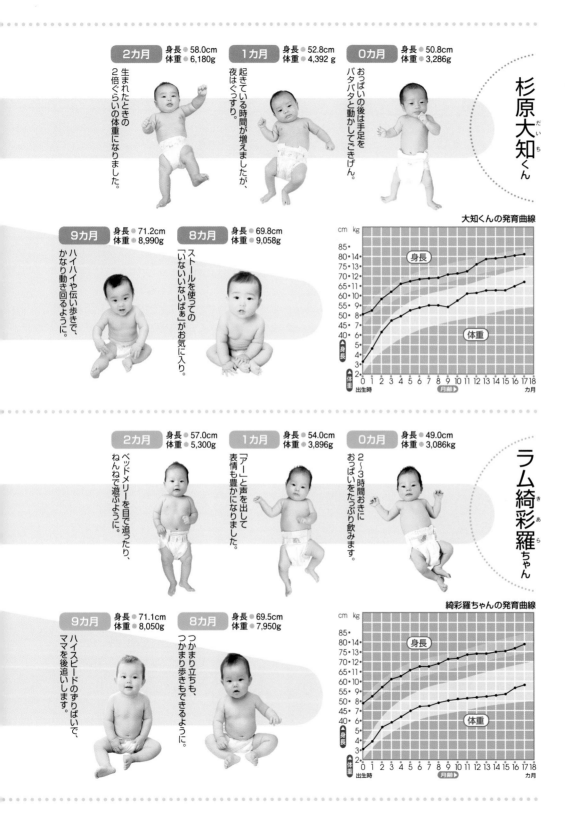

3カ月 身長●62.0cm 体重●7,520g

目をキョロキョロさせて周囲を見回します。

4カ月 身長●65.2cm 体重●7,962g

体をひねって寝返りしそうになることがたびたび。

5カ月 身長●67.3cm 体重●8,532g

離乳食を始めました。腹ばいで遊ぶのも大好きに。

6カ月 身長●68.1cm 体重●8,972g

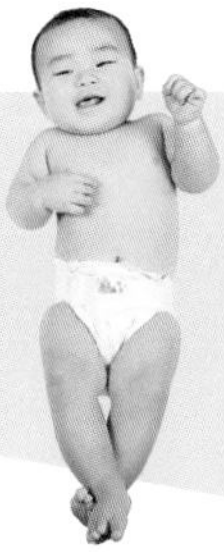

つかまり立ちができるようになりました。

7カ月 身長●68.9cm 体重●9,020g

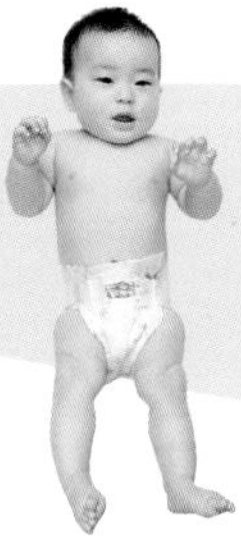

ずりばいで前進を。お座りもしっかりできます。

10カ月 身長●72.8cm 体重●9,600g

ストローに慣れて、上手に飲めるようになりました。

11カ月 身長●73.1cm 体重●10.3kg

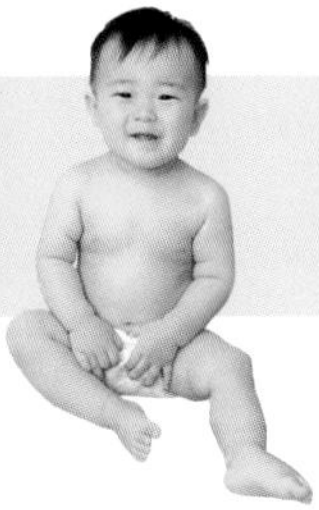

名前を呼ぶと両手をあげて返事をします。

1才1カ月 身長●79.1cm 体重●10.5kg

スプーンを使って自分でごはんを食べられるように。

1才3カ月 身長●79.8cm 体重●10.5kg

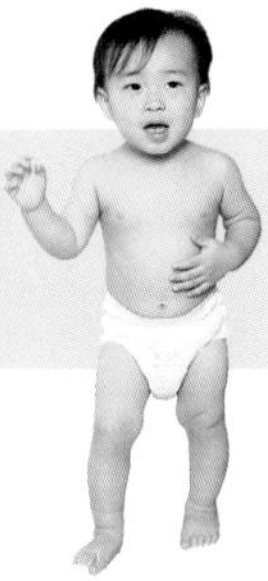

お散歩で公園に行って遊ぶことも多くなりました。

1才5カ月 身長●81.6cm 体重●11.4kg

大人のしていることをまねしたがります。

3カ月 身長●62.0cm 体重●5,910g

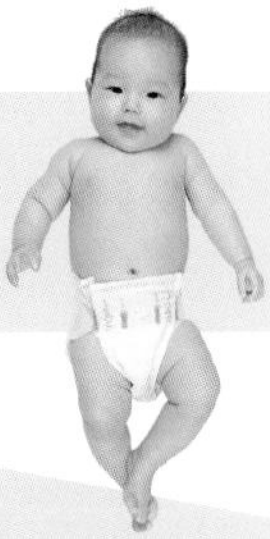

おもちゃをギュッと握って引っ張ったりします。

4カ月 身長●62.9cm 体重●6,265g

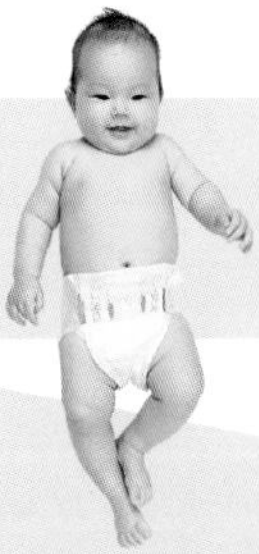

首がすわったので、腹ばいで遊ぶのが得意に。

5カ月 身長●65.8cm 体重●6,940g

歯が生え始めて、離乳食をスタートしました。

6カ月 身長●67.0cm 体重●7,250g

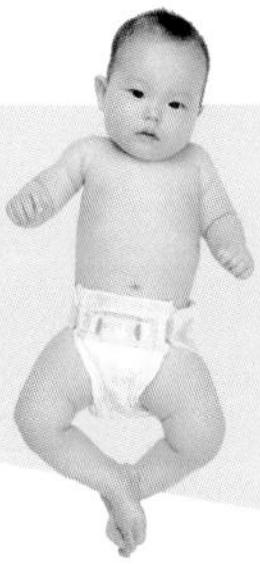

短時間ならひとりでお座りができるように。

7カ月 身長●67.1cm 体重●7,550g

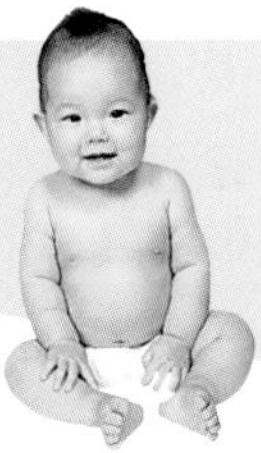

お座りでおもちゃ遊びをするようになりました。

10カ月 身長●71.4cm 体重●8,080g

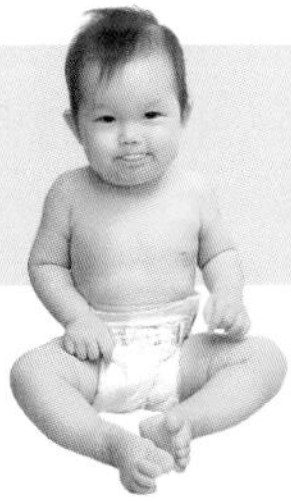

「ちょうだい」と言うと、おもちゃを渡せるように。

11カ月 身長●74.0cm 体重●8,220g

お気に入りの絵本を読んでもらうのが大好き。

1才1カ月 身長●74.0cm 体重●8,400g

歩くスピードが速くなり、食事量も増えました。

1才3カ月 身長●75.5cm 体重●8,850g

「あむ（食べたい）」と言葉で要求を伝えるように。

1才5カ月 身長●79.0cm 体重●9,760g

ものの名前を言いながら、絵をかいたりします。

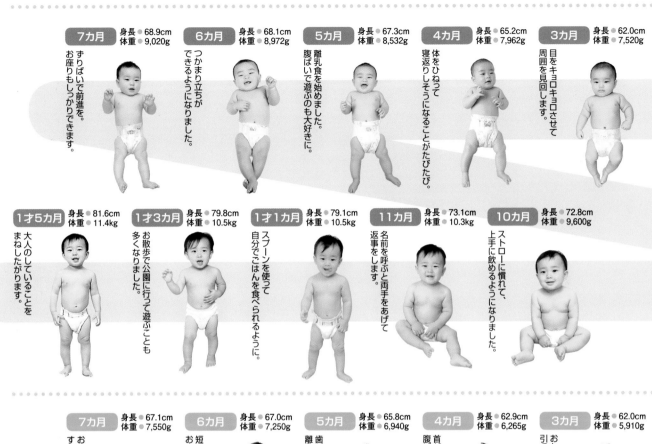

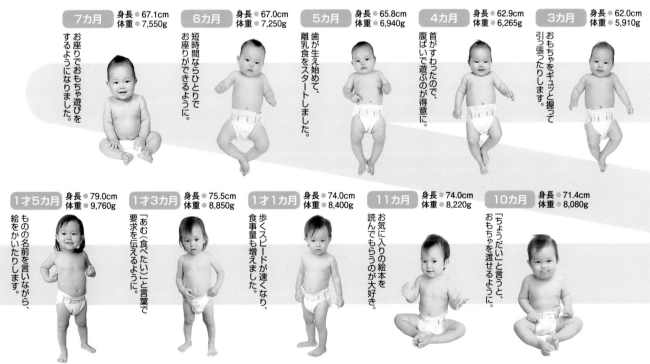

身長と体重の増え方がポイント

赤ちゃんはどんなふうに成長するの？

発育曲線は赤ちゃんの成長をみる目安になります。その見方を知っておきましょう。

発育曲線がゆるやかに上向いていれば順調

母子健康手帳にある乳幼児身体発育曲線（一般に発育曲線といわれています）は、全国の乳幼児の身長、体重、頭囲などを10年ごとに男女別に集計して、曲線で表している男女別のグラフです。

たとえば100人の赤ちゃんを測定した場合、身長、体重の発育曲線の上のライン①は大きいほうから4番目の赤ちゃんの数値、下のライン②は小さいほうから4番目の赤ちゃんの数値をつないだものです。

身長、体重がこのグラフの帯の中で、ゆるやかに上向いていれば、順調に成長しているということです。多少、帯からはずれていても、発育曲線のラインに沿って上向いていれば心配ありません。ある時期の1回の測定値だけで判断するのではなく、どのように変化していくのかを見ることが大切なのです。

生後3～4カ月ころまでは急激に発育します

生まれてから1才までは、人の一生のうちで、もっともめざましく成長する時期です。特に生後3～4カ月ころまでは、発育曲線のカーブからもわかるように、身長、体重ともに大きく増えます。そしてその後はゆるやかなペースで少しずつ増えていきます。

また、身長、体重ともに、同じようなカーブで増えるとは限りませんし、増え方にも個人差があります。身長の増え方は大きいのに、体重の増え方が少なかったり、また、その逆の場合もあります。帯から大きくはずれているなど、気になることがあれば、健診のときやかかりつけの小児科医に相談しましょう。

乳幼児身体発育曲線（男の子）　平成12年調査

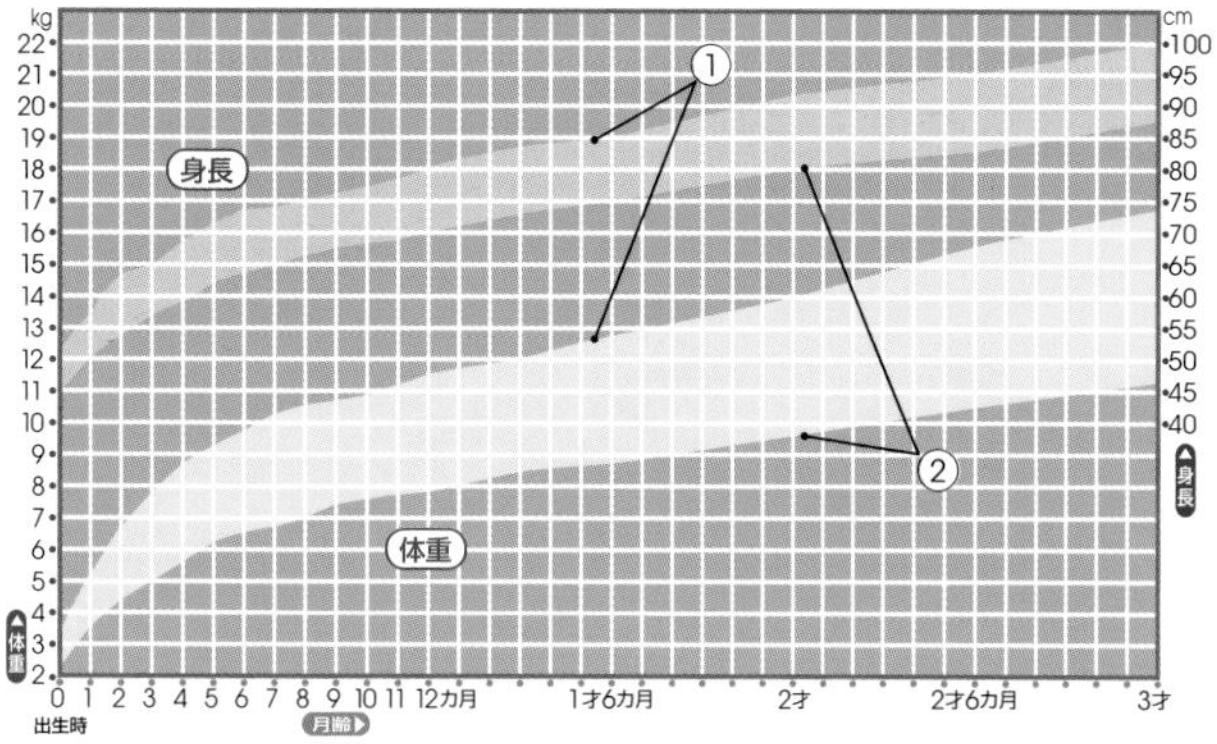

母子健康手帳を上手に活用しよう

母子健康手帳には妊娠週数や体重、妊婦健診の結果などが健診時に記録されます。こうして、妊婦さん自身が妊娠経過を把握することで、自己管理に役立てることができます。

また、赤ちゃんが生まれてからは、乳幼児健診時の身長、体重の変化や、予防接種のデータが順調な発育の記録となります。

胎内での発育状態や出生時の状況も記録されているので、子どもにとっては生涯を通じた健康管理のツールのひとつになるといっていいでしょう。

母子健康手帳は大切な母子の健康記録であると同時に、妊娠中から育児までに必要な情報がコンパクトにつまっています。上手に活用していきましょう。

月齢の数え方

1月15日生まれの赤ちゃんは2月15日に満1カ月、3月15日に満2カ月と数えます。3月15日から4月14日までの間は、満2カ月ということになりますから、かなり幅が広くなりますね。月齢を目安に発育をみるときは、この日数を頭に入れてみることが必要です。

PART
1

新生児（0カ月）の生活と発育・発達

ママのおなかを離れ、
赤ちゃんが自分の力で活動を始める大切な時期です。
小さな手や足は頼りなく見えても、もう立派に一人前。
五感でしっかり外界の刺激を感じて、
新しい環境に適応していきます。

1日中ねんねとおっぱいの繰り返し

新生児ちゃんの1日の過ごし方

待ちに待った赤ちゃんとの生活がスタート！　生まれたて赤ちゃんがどんな1日を送るのかのぞいてみましょう。

赤ちゃんが新しい環境に慣れる時期です

赤ちゃんが家族の一員となって、いよいよ新しい生活が始まります。生まれたばかりの赤ちゃんは、毎日、新しい環境に適応するのに一生懸命。

おっぱいも少しずつしか飲めないので、授乳間隔は短いのがふつうです。ですから今は、泣いたらそのつど母乳を吸わせましょう。まだ昼夜の区別がなく、2～3時間眠ってはおっぱいを飲むことを繰り返します。

おしっこやうんちも頻繁《ひんぱん》。こまめにおむつをチェックしましょう。またこの時期はママの体も本調子ではないので、赤ちゃんがねんねしているときはいっしょに休んでください。

お七夜《しちや》は、生まれた日から7日目の夜に行う命名の儀式で、家族で赤ちゃんの誕生と名前のお披露目《ひろめ》をし、ママの退院のお祝いをします。命名紙などに名前を書き、ベビーベッドや室内の目だつところにはるといいですね。

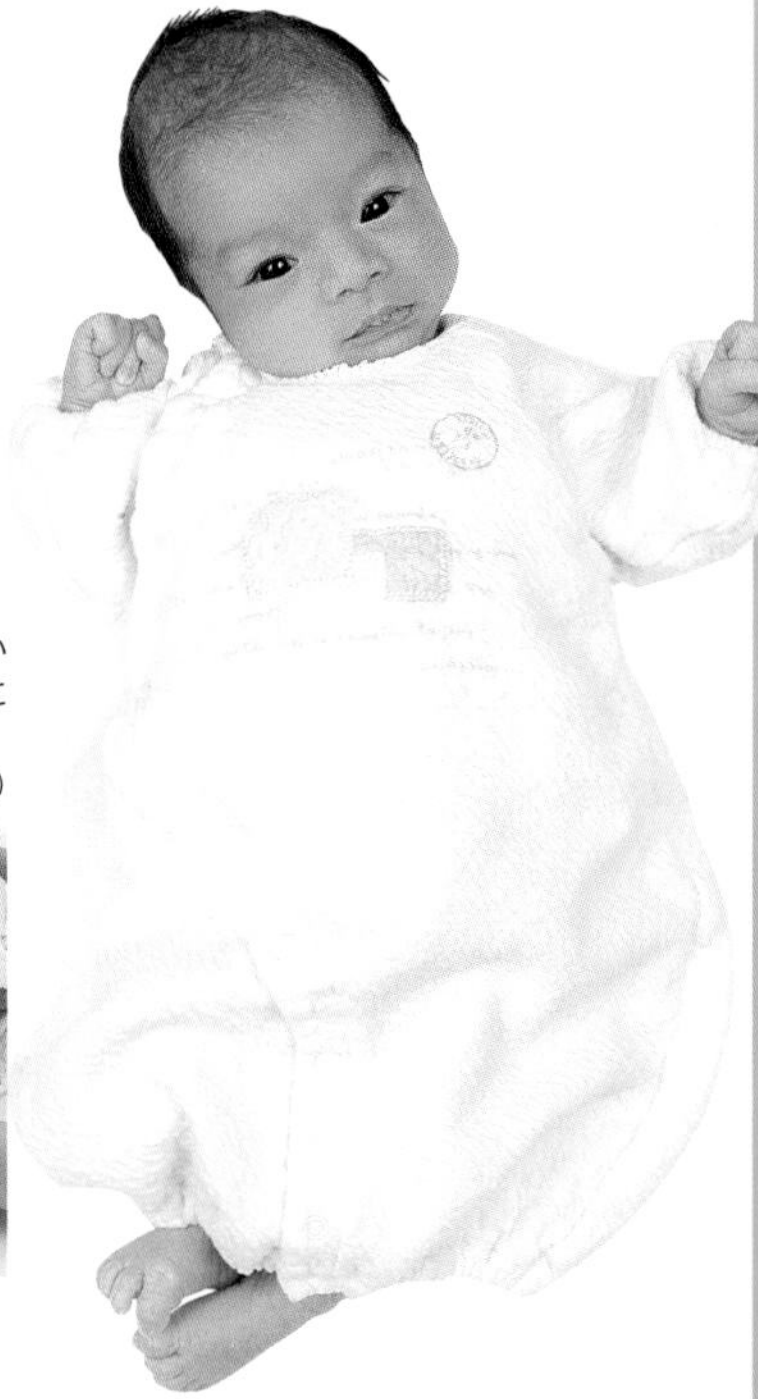

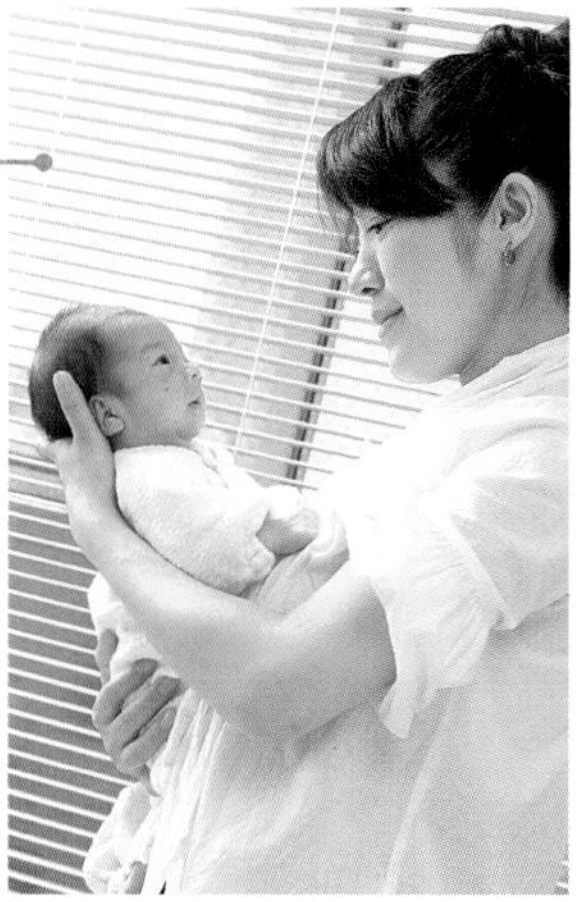

お部屋の中で1日を過ごします

生まれたばかりで、気温の変化にまだ対応できないこのころの赤ちゃんは、お部屋の外には出さないほうがいいでしょう。（外気浴などについては78ページを見てください。）

抱っこしてあやされると、ごきげんです

目覚めているときは話しかけたり、抱っこしたりしてあげましょう。ぼんやりとは見えていますので、あやされると反応します。（抱っこについては66～67ページを見てください。）

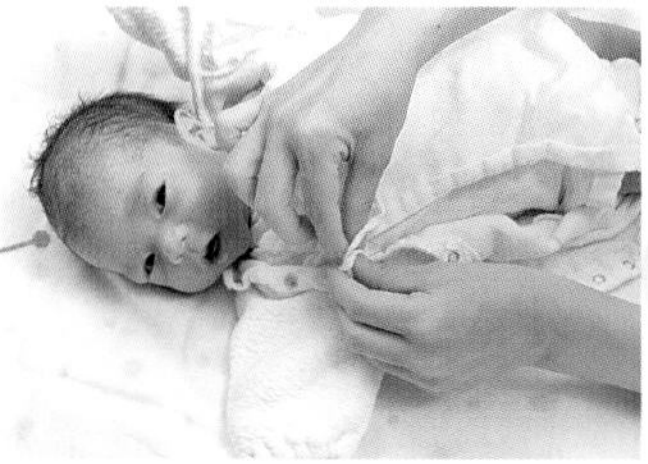

汗をかいていたらこまめに**着替え**を

うまく体温調節ができないころなので、汗をかいていないか、体が冷えていないかなどをこまめに見て、枚数を調節してあげましょう。（着せ方については76～77ページを見てください。）

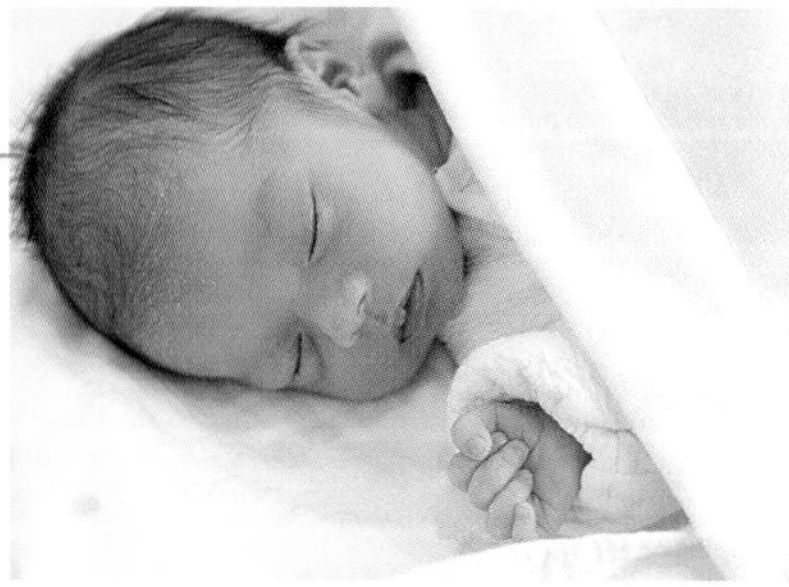

1日の約7割は**ねんね**しています

起きては寝てを繰り返し、まとめて眠ることができません。合わせると1日の約7割を眠って過ごしています。（ねんねについては75ページを見てください。）

新生児ちゃんの1日の過ごし方

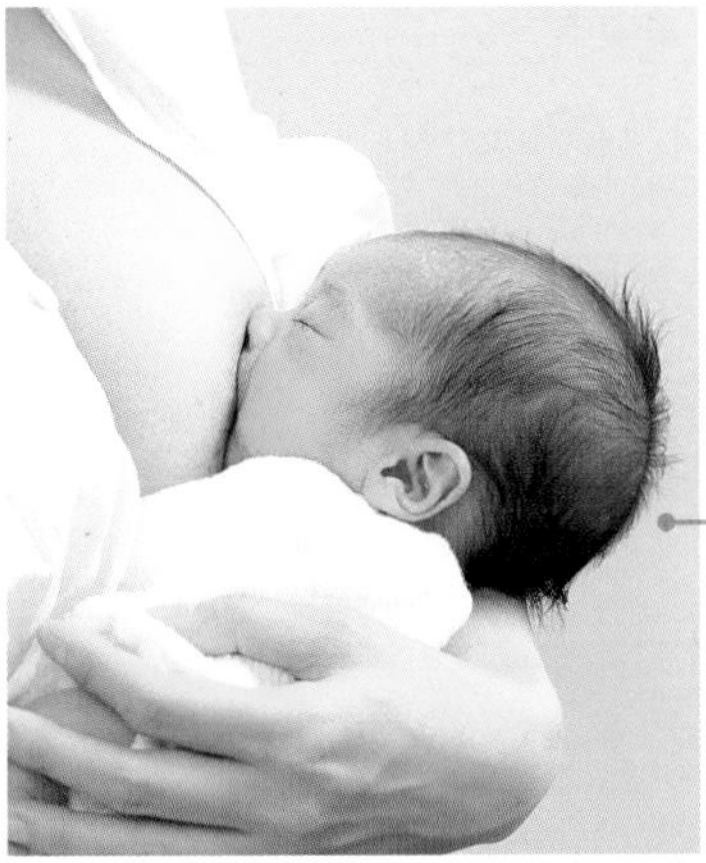

おっぱいは欲しがるたびに与えます

赤ちゃんが欲しがるだけ飲ませます。目安として、母乳の場合は左右合わせて10〜20分ぐらい。抱っこしてやさしく声をかけながらあげましょう。

（母乳やミルクについては62〜65ページを見てください。）

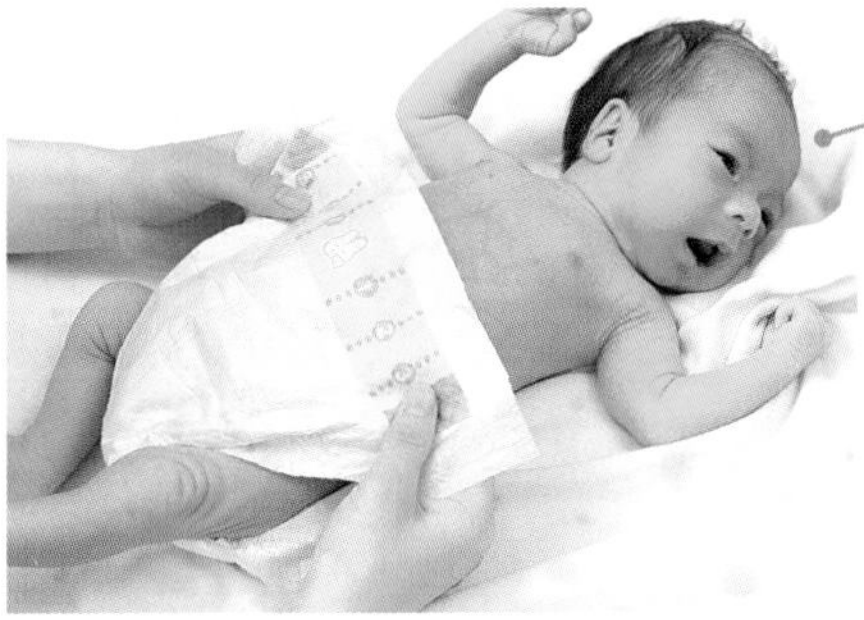

うんちは頻繁。汚れたらおむつを取り換えて

授乳のたびにうんちやおしっこをすることが多いです。おむつかぶれを防ぐため、汚れたらおむつはまめに交換しましょう。

（おむつ替えについては68〜69ページを見てください。）

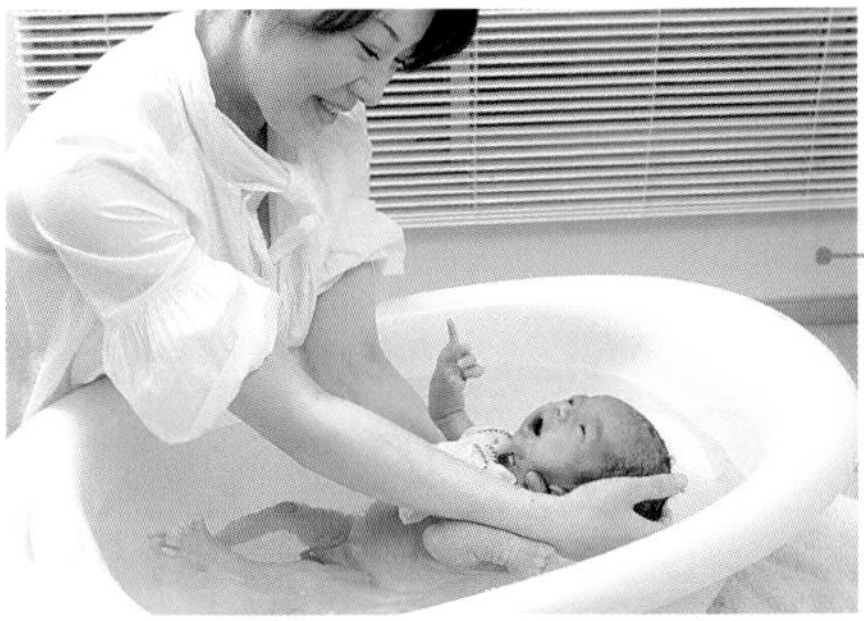

沐浴《もくよく》は1日1回、ごきげんな時間帯に

1日に1回、授乳と授乳の間のごきげんな時間帯に入れてあげて。このころの沐浴は、赤ちゃんがごきげんであればいつでも大丈夫です。

（沐浴については70〜71ページを見てください。）

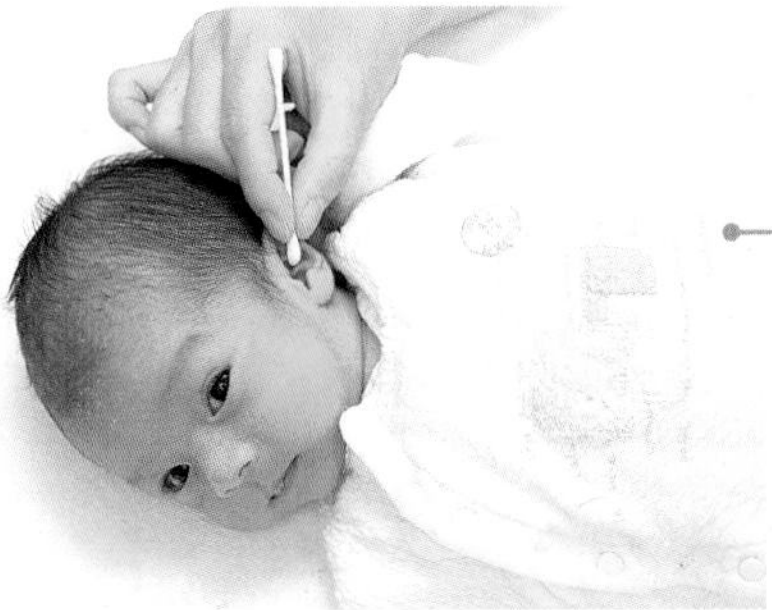

沐浴の後は部分のお手入れを

沐浴の後には、耳、目、鼻、おへそ、髪などのお手入れをします。おへそがまだ乾いていないなら、消毒してあげましょう。

（パーツ別お手入れについては73〜74ページを見てください。）

新生児ちゃんの1日

時刻	授乳・うんち・沐浴	睡眠
AM 0	授乳	
1		ねんね
2	授乳	
3	うんち	ねんね
4		
5	授乳 うんち	
6		ねんね
7	授乳	
8		うとうと
9		
10	授乳	
11	うんち	ねんね
PM 0	授乳	
1	うんち	ねんね
2	沐浴	
3	授乳	
4		ねんね
5		
6	授乳	
7	うんち	
8		ねんね
9		
10	授乳	
11	うんち	ねんね

※目安として参考にしてください。

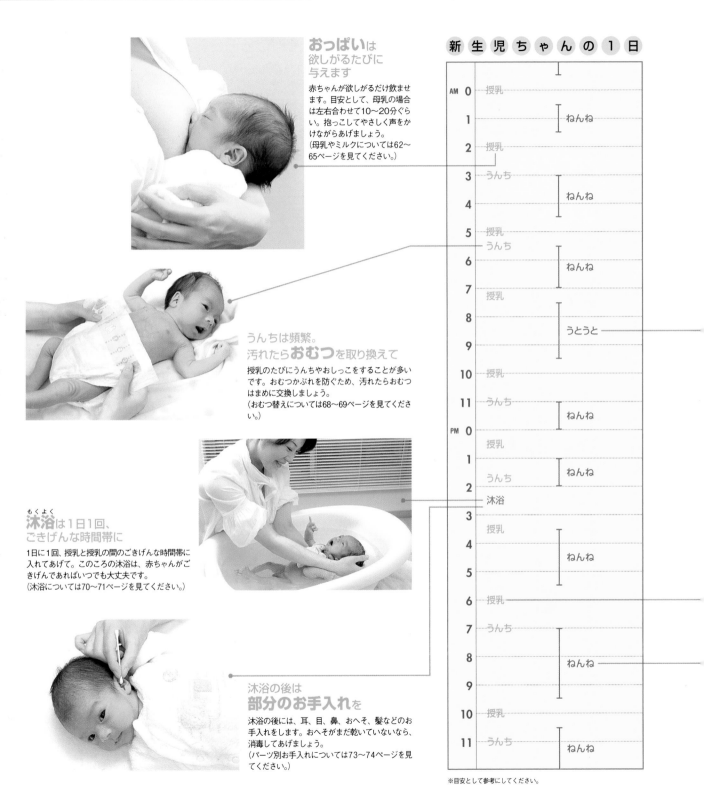

新生児の体・心・運動と五感

すでに五感でママやパパを感じています

生まれたて赤ちゃんの体には、驚きのパワーが秘められています。さあ、のぞいてみましょう！

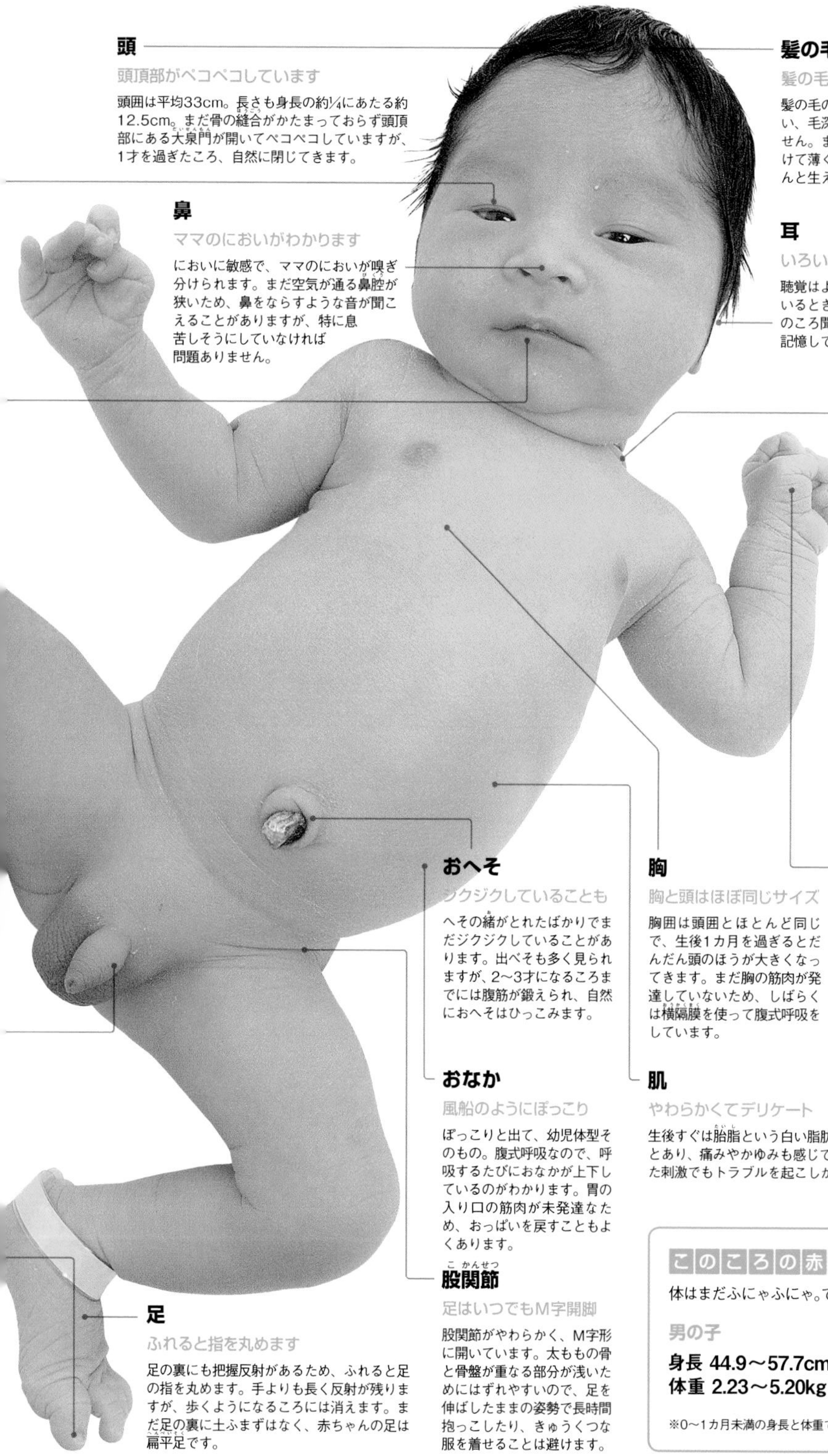

頭

頭頂部がペコペコしています

頭囲は平均33cm。長さも身長の約¼にあたる約12.5cm。まだ骨の縫合《ほうごう》がかたまっておらず頭頂部にある大泉門《だいせんもん》が開いてペコペコしていますが、1才を過ぎたころ、自然に閉じてきます。

鼻

ママのにおいがわかります

においに敏感で、ママのにおいが嗅ぎ分けられます。まだ空気が通る鼻腔《びくう》が狭いため、鼻をならすような音が聞こえることがありますが、特に息苦しそうにしていなければ問題ありません。

髪の毛

髪の毛の量は個人差があります

髪の毛の量は個人差が大きいもの。髪が薄い、毛深いということで悩む必要はありません。また生後しばらくすると髪の毛が抜けて薄くなることがありますが、またちゃんと生えてきます。

耳

いろいろな音を聞いています

聴覚はよく発達していて、ママのおなかにいるときから聞く能力を持っています。そのころ聞いたママの声や音などはしっかり記憶しているようです。

首

首はまだグラグラしています

生後すぐはグラグラしてまだすわっていません。これは、筋肉が未発達で、姿勢を維持する中枢《ちゅうすう》神経が未熟だからといわれています。3〜4カ月ごろには首がすわります。

指

広げる、握るの動きができます

ママのおなかの中にいるころから、指を広げたり指しゃぶりをしています。構造的には完成していますが、指の1本1本で分離した動きができるようになるのは、もう少し後になります。

おへそ

ジクジクしていることも

へその緒《お》がとれたばかりでまだジクジクしていることがあります。出べそも多く見られますが、2〜3才になるころまでには腹筋が鍛えられ、自然におへそはひっこみます。

胸

胸と頭はほぼ同じサイズ

胸囲は頭囲とほとんど同じで、生後1カ月を過ぎるとだんだん頭のほうが大きくなってきます。まだ胸の筋肉が発達していないため、しばらくは横隔膜《おうかくまく》を使って腹式呼吸をしています。

手

手はいつもグーの状態

把握《はあく》反射があるため、手をひらいてもすぐにまたグーの状態になります。右利きか左利きかは遺伝で決まっているといわれていますが、未だにその真相は不明です。

おなか

風船のようにぽっこり

ぽっこりと出て、幼児体型そのもの。腹式呼吸なので、呼吸するたびにおなかが上下しているのがわかります。胃の入り口の筋肉が未発達なため、おっぱいを戻すこともよくあります。

肌

やわらかくてデリケート

生後すぐは胎脂《たいし》という白い脂肪分がついています。感覚はきちんとあり、痛みやかゆみも感じています。皮膚は薄く、ちょっとした刺激でもトラブルを起こしがちなので、清潔に保ちましょう。

股関節《こかんせつ》

足はいつでもM字開脚

股関節がやわらかく、M字形に開いています。太ももの骨と骨盤が重なる部分が浅いためにはずれやすいので、足を伸ばしたままの姿勢で長時間抱っこしたり、きゅうくつな服を着せることは避けます。

足

ふれると指を丸めます

足の裏にも把握反射があるため、ふれると足の指を丸めます。手よりも長く反射が残りますが、歩くようになるころには消えます。まだ足の裏に土ふまずはなく、赤ちゃんの足は扁平足《へんぺいそく》です。

このころの赤ちゃん

体はまだふにゃふにゃ。でも、五感は発達しています。

男の子	女の子
身長 44.9〜57.7cm	身長 45.0〜56.1cm
体重 2.23〜5.20kg	体重 2.25〜4.87kg

※0〜1カ月未満の身長と体重です。

新生児の体・心・運動と五感

体

一時的に体重が減りますが、その後はまた増え始めます

生まれたての赤ちゃんは、おっぱいを飲む量よりもおしっこなどで体から出ていく水分量のほうが多いため、生まれて数日間は一時的に体重が減ります。その後1週間ほどで生まれたときの体重に戻り、それ以降は増加していきます。筋肉が未発達なため、まだふにゃふにゃです。

心

ふれ合うことで安心感を。泣いたら十分応えてあげて

赤ちゃんは、泣くことでしか要求を訴えることができません。このころは、おなかがすいたらおっぱい、おむつがぬれたら交換といった生理的な要求を満たしてあげることが大事です。抱っこされたり声を聞いたりすると安心感を覚えるので、抱っこしてたくさん話しかけてあげましょう。

運動

手足をバラバラに動かしたり原始反射が見られたり

起きているときは、手足をよく動かし、手は軽く握っています。

原始反射とは

大きな音にビクッとして両手をしがみつくように広げる「モロー反射」、手のひらや足の裏に指などを当てると握り返してくる「把握《はあく》反射」、足を床につけると歩くしぐさをする「原始歩行」など、赤ちゃんには無意識に体が動く原始反射がいくつか見られます。この反射は、生後2〜3カ月になると少しずつ見られなくなります。

五感

ママのおなかにいるときから見えない能力がたくさん!

生まれたばかりの赤ちゃんは何もできない無力な存在に見えるかもしれません。でも、実はそんなことはないのです。赤ちゃんの五感はママのおなかにいるときすでに発達していて、視覚以外はほぼ完成した状態で生まれてきます。その五感をフル活動させて、パパやママの存在を認識し、人とのかかわりの楽しさを覚えて成長していきます。

目

ぼんやりと見えています

感覚はほぼ完成しているので、生後すぐから光などに反応し、ぼんやりママの顔も見えています。赤などのハッキリした色や人の顔の形に、より反応を示します。

口

おっぱいを上手に飲みます

おっぱいをくわえた赤ちゃんは唇《くちびる》と舌を上手に使って飲んでいます。ママのひとさし指を赤ちゃんの口の中に入れてみてください。吸引力の強さは驚くほどです。

性器

汚れをためないように注意

女の子は最初、脂肪が少なく小陰唇《しょういんしん》が見えることがありますが、1カ月もすると脂肪がついて隠れます。男の子は、おちんちんの先、皮に包まれた部分に汚れがたまりやすいので、しっかり洗って。

つめ

すぐ伸びるのでこまめにケア

赤ちゃんは新陳代謝が活発なこともあり、つめを切ってもすぐに伸びてきます。手の指のつめは、顔に当たって肌を傷つけてしまうことがあるので、こまめに切ってあげましょう。

1 聴覚

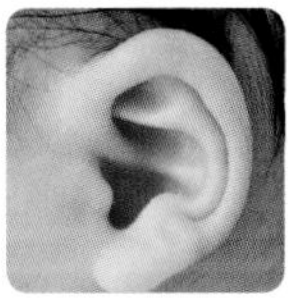

生後すぐからママの声でよく眠ることから、おなかの中にいるときからママの声を覚えているといわれます。また、周波数の高い音に敏感に反応します。語りかける声が高くなるのは、ママがそれを本能的に知っているからかもしれません。

2 視覚

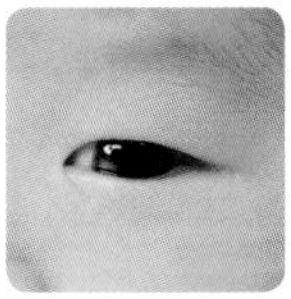

生後すぐの赤ちゃんは視力が0.02ほどなので、ぼんやり見える程度。固視《こし》といって一点をじっと見ます。また新生児期は、人の顔に近い刺激や自分に向いている視線に、より自分の目線を向けようとすることがわかっています。

3 味覚

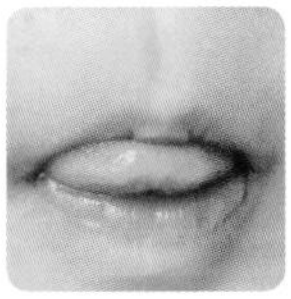

赤ちゃんが甘いものを好むことは、ママの羊水に砂糖を加えて甘みをつけると、胎児が羊水をよく飲むという実験結果からわかっています。逆に苦いものは嫌いです。また、ミルクやおっぱいの味の違いもわかるといわれています。

4 触覚

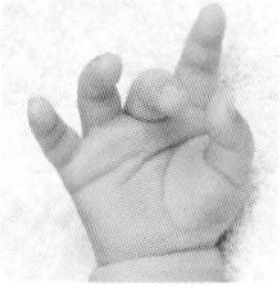

触覚はとても敏感。胎内にいるときから指しゃぶりをしたり、手で体のいろいろな部分を触ることで、自分自身の体の位置や動きを確認しています。赤ちゃんはママやパパにふれられることが大好き。抱っこされると安心し、心拍も安定します。

5 嗅覚

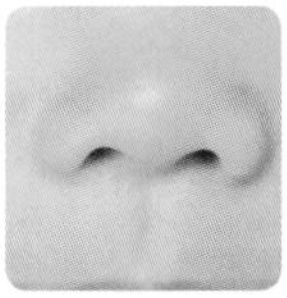

おなかにいるときから発達しています。生後すぐの赤ちゃんのそばにママの母乳とそうでない母乳をひたしたガーゼをおくと、ママのほうのガーゼに顔を向けることから、母親のにおいをかぎ分ける能力があることがわかっています。

気をつけたい3つの環境ポイント

新生児ちゃんを迎えるお部屋

1日のほとんどをねんねして過ごす赤ちゃんにとって、快適なお部屋環境とはどんなものなのでしょう？

赤ちゃんをよく見て触って、暑さ・寒さを確認しましょう

生まれたての赤ちゃんは、外の環境に慣れるまでに少し時間がかかります。このころの赤ちゃんの体温は平熱が36・5〜37・5度くらいで、体温調節がまだ未熟です。体温が外気温の影響を受けやすく、簡単に上がったり下がったりするので、室温には注意が必要です。基本的には、ママが過ごしやすい室温であれば大丈夫ですが、25度くらいが快適な温度と考えていいでしょう。

ただし赤ちゃんの中には、寒がりの子もいれば暑がりの子もいます。室温設定だけでなく、赤ちゃんをよく見て触り、汗ばんでいないかや手足が冷たくなっていないかを、こまめに確認してあげましょう。着せすぎには注意します。

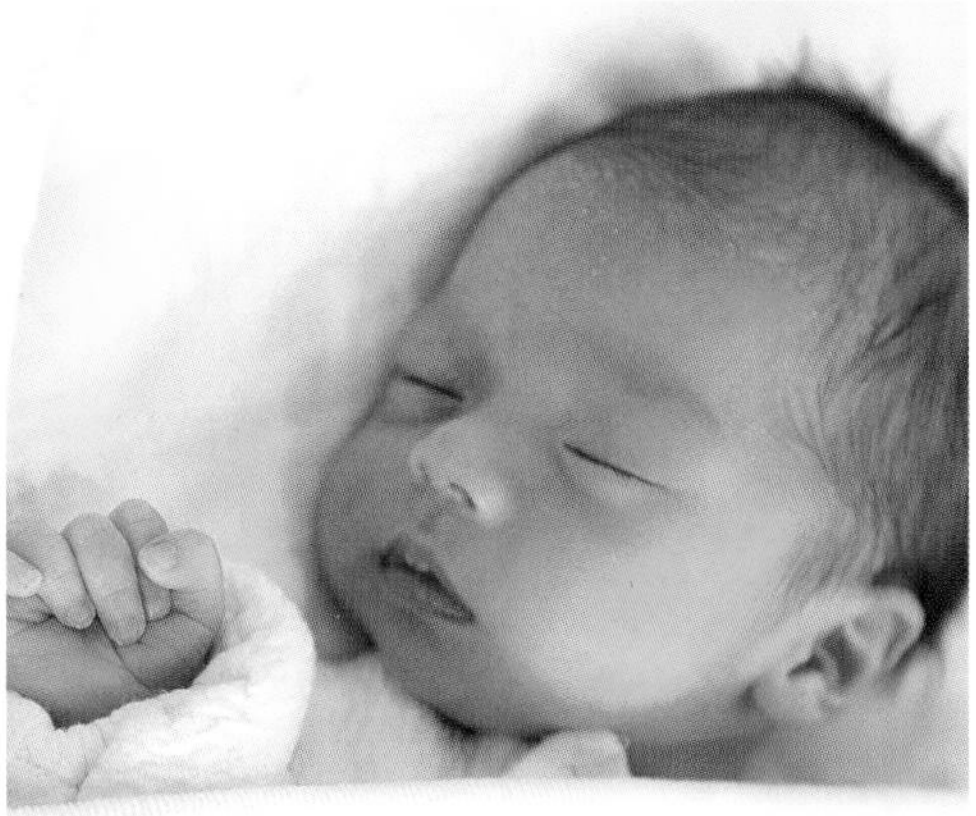

お部屋やふとんは正しく掃除。ダニ・ほこりをカット

赤ちゃんのお部屋環境を考える上で欠かせないのが、ベビーぶとんやお部屋のダニ・ほこりといったハウスダスト対策です。ハウスダストは、喘息《ぜんそく》、アトピー性皮膚炎、アレルギー性鼻炎などさまざまなアレルギーを引き起こす原因になるので、今のうちから気をつけてあげましょう。

ベビーぶとんのお手入れのポイントは、天気のよい日には天日に干し、取り込んだら掃除機をかけること。またシーツは、週1回洗濯機で洗いましょう。

また空気中を舞ったほこりは下のほうにたまりやすくなるもの。掃除機はカーペットや床を重点的にかけることがポイントです。毎日軽くというよりは3日に1回じっくり掃除機をかけるほうが効果があります。カーテンの裏側やエアコンのフィルターなども、定期的にきれいにしましょう。

快適なお部屋環境に必要な3ポイント

- POINT 1 室内を快適な温度に
- POINT 2 ベビーぶとんを清潔に
- POINT 3 室内の空気をきれいに

喫煙はダメ!

赤ちゃんの間接喫煙はリスクがいっぱい!

たとえお部屋のすみで吸っていても、赤ちゃんが間接喫煙することになり、喘息、気管支炎《きかんしえん》、中耳炎《ちゅうじえん》などの病気を引き起こす原因になってしまいます。また喫煙は、乳幼児突然死症候群（SIDS）ともかかわっているといわれています。赤ちゃんのいる家での喫煙は絶対禁止です。

PART 2

月齢別（1カ月〜3才）の発育・発達

ねんねからお座り、あんよへ、
そして自我も芽生え、めざましく成長する時期です。
発育、発達にはそれぞれの個性がありますから、
よその子と比べず、その子なりのペースを
おおらかに見守ってあげましょう。

1 カ月

ふっくらと丸みをおび赤ちゃんらしい体つきに。授乳は頻繁《ひんぱん》です

体重は、1日に30gぐらい、1カ月で1kgぐらい増えます。

昼間起きている時間が少し長くなります。ただ、個人差があります。

少しずつ飲む量が増え、授乳間隔があいてきます。授乳リズムは一定しません。

まだ原始反射が見られますが、手足の動きが活発になります。

このころの赤ちゃん

体つきがふっくらし、手足の動きが活発です

男の子

身長 51.6～60.0cm
体重 3.82～6.09kg

女の子

身長 51.2～58.4cm
体重 3.69～5.63kg

※1～2カ月未満の身長と体重です。

1カ月

手足をバタバタと動かします

新生児のころに比べ、体がしっかりしてきます。きげんのいいときは手足をバタバタと動かすことも。飲むのが上手になり、2～3時間おきぐらいの授乳間隔になります。

視力も少しずつ発達。20～30㎝ぐらいまで顔を近づけるとママの目をじっと見つめるので、赤ちゃんを抱っこしていっぱい話しかけてあげましょう。

そろそろ大人といっしょのおふろに入れてもいいでしょう。顔やおでこに湿疹《しっしん》ができやすい時期なので、石けんでよく洗って清潔にしてあげます。

お宮参《みやまい》りは、生後1カ月ごろに氏神様《うじがみさま》にお参りして無病息災をお祈りするもの。お互いの両親に付き添ってもらってお参りするのも、よい記念になりますね。

話しかけると、時々笑ったような顔を見せてくれることがあります。

手足をバタバタと動かします。服がはだけてしまうようになったら、足が分かれている服が便利です。

体

近くにある、はっきりした色のものを見るように

体重が増えてふっくらし、赤ちゃんらしい体つきになってきます。視力が発達してきて、色のはっきりしたものをよく見るようになります。また目の前にあるガラガラなど音の出るおもちゃを見て、少しなら目で追うことも。ママの顔をじっと見ることもあります。

把握《はあく》反射がまだ見られます。乳児湿疹が出てくる子も

ギュッと握っていたこぶしが、少しずつ開いてきます。しかし、手のひらや足の裏にものがふれると握り返す「把握《はあく》反射」など、原始反射はまだ見られます。皮《ひ》脂《し》の分泌が盛んになり、顔や頭に乳児湿疹や脂漏《しろう》性湿疹が出る赤ちゃんが少なくありません。

心

ママとのスキンシップや話しかけてもらうのが好き

「アー」などの声が、少し出るようになってきます。赤ちゃんが声を出したらママも「アー」と返したり、「おなかすいたのね」などと話しかけてあげましょう。抱っこしたり、体にふれたり、スキンシップも楽しみましょう。

運動

ふっくらしてきた手足を盛んにバタバタ

手足の動きがいっそう活発になり、ふとんをけ飛ばしたり肌着がはだけることもあります。頭の向きも、自分で少しずつ変えることができるようになってきます。

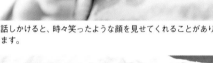

2カ月

声を出したり、笑顔を見せたり。いっしょにいるのが、楽しくなります

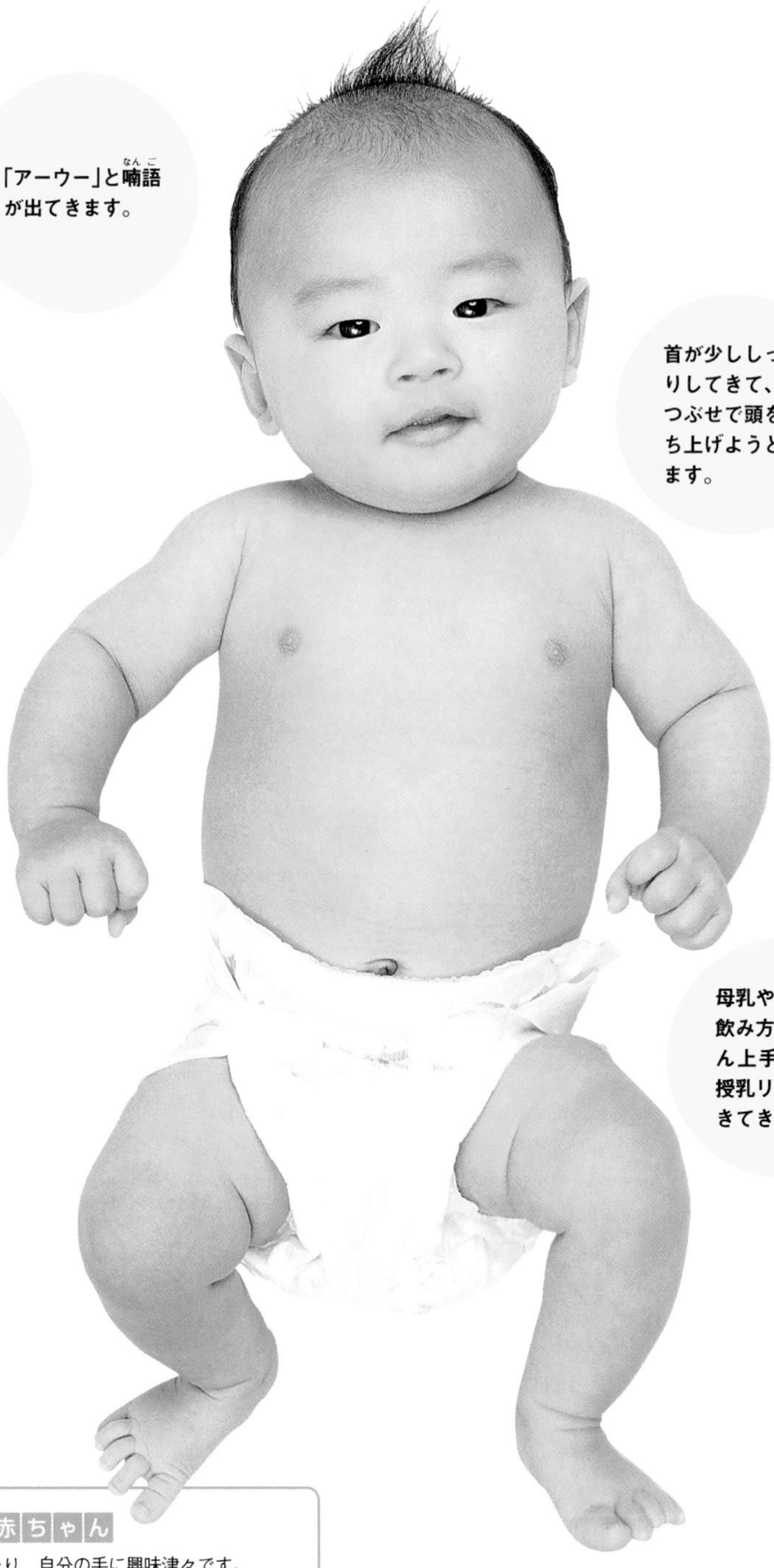

「アーウー」と喃語《なんご》が出てきます。

体重は1日30g前後、1カ月では1kg前後増えます。

首が少ししっかりしてきて、うつぶせで頭を持ち上げようとします。

母乳やミルクの飲み方がだんだん上手になり、授乳リズムができてきます。

このころの赤ちゃん

「アー」と声を出したり、自分の手に興味津々です。

男の子	女の子
身長 55.0～63.8cm	身長 54.5～62.3cm
体重 4.63～7.40kg	体重 4.44～6.81kg

※2～3カ月未満の身長と体重です。

2カ月

ごきげんなときはかわいい声も

まだ首は完全にはすわっていないものの、頭に手を添えれば、少しの間ならたて抱きで姿勢を保てるようになります。

目の前でおもちゃをゆっくり動かすと、目で追うようになります。また、ある程度自分の意思で手を動かせるようになってきて、指しゃぶりを始めたり、両手を組み合わせたりすることもあるでしょう。指しゃぶりは成長のあかしですから、やめさせる必要はありません。

表情がだんだん豊かになり、あやすと笑ったり、「アー」「ウー」などの喃語が出ることもあります。そんなときは、ママも赤ちゃんに応えて話しかけてあげましょう。そうしたやりとりが赤ちゃんの気持ちを落ち着かせ、心や言葉の発達を促します。

盛んにげんこつをなめたり、眺めたり。赤ちゃんにとっては自分を確かめる大事な作業です。

体

口に手を持っていき、げんこつをベロベロ

自分の手を口の前に持ってくることを覚え、しきりに握った手をなめるようになります。皮脂《ひし》分泌はまだ活発で、引き続き顔を中心に乳児湿疹《しっしん》や脂漏《しろう》性湿疹ができやすい時期です。

心

音・声のするほうを見たり、あやすとほほ笑むように

声をかけると、首を回して声のするほうを見るようになります。かまってもらうということがわかってきて、あやすとほほ笑みが見られることも。また眠いときやおっぱいが欲しいときなど、欲求によって少しずつ違う泣き方をするようになります。

ママやパパの声かけに反応し声を出したり笑ったり

あやしてもらうとうれしくて、泣きやんだり笑ったり、「アー」「ウー」と声を出して応えたりします。ママが同じように「アー」と言うと、また声を返すことも。赤ちゃんとのおしゃべりがどんどん楽しくなってきます。

抱っこされ、声をかけられるとごきげんになり、お話するような声を出します。

運動

首が少ししっかりしてきて目でものを追えるように

まだ首はすわっていませんが、少ししっかりしてくるので、首の後ろを支えていれば頭を少し回すことができます。おもちゃに手を伸ばしたり、目の前の動くおもちゃを目で追うこともできるようになってきます。

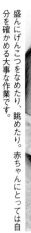

3カ月

体重は生まれたときの約2倍。首がすわり始め、しっかりした体つきに

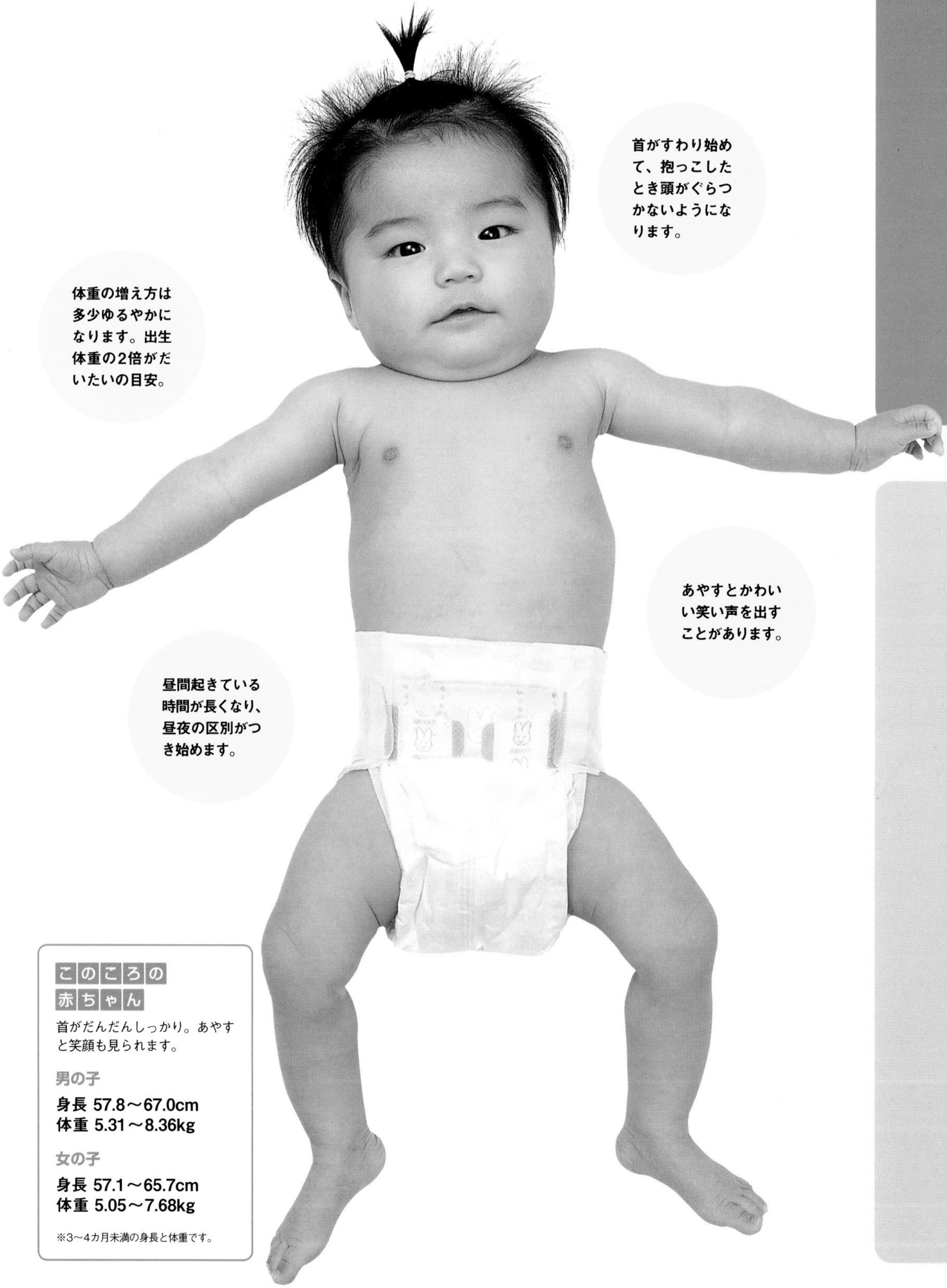

首がすわり始めて、抱っこしたとき頭がぐらつかないようになります。

体重の増え方は多少ゆるやかになります。出生体重の2倍がだいたいの目安。

あやすとかわいい笑い声を出すことがあります。

昼間起きている時間が長くなり、昼夜の区別がつき始めます。

このころの赤ちゃん

首がだんだんしっかり。あやすと笑顔も見られます。

男の子

身長 57.8～67.0cm
体重 5.31～8.36kg

女の子

身長 57.1～65.7cm
体重 5.05～7.68kg

※3～4カ月未満の身長と体重です。

3カ月

そろそろ首がすわる時期です

授乳間隔が3〜4時間ぐらいになり、夜中は授乳がなくなる赤ちゃんも。3カ月の終わりごろには生まれたときのほぼ2倍の体重になります。飲む量が落ちたり飲み方にムラが出てくることもありますが、体重が増えていてきげんがよければ、赤ちゃんのペースにまかせていて大丈夫です。

また首がかなりしっかりしてくるのもこのころ。腹ばいにすると頭をグッと上げたり、たて抱きにしてもグラグラしなくなってきます。

お食《く》い初《ぞ》めの儀式をするのもこのころ。生後100日ごろに、赤ちゃんの健やかな成長と一生食べものに困らないようにとの願いを込めて、家族でお祝いの膳《ぜん》を囲みます。赤ちゃんには食べさせるまねをします。

キャハハと声をあげて笑うようになってくると、ママもあやすのがいっそう楽しくなります。

体

手を合わせたり、持たせればものを握ることも

視力が発達して両目を使って見ることができるようになり、動くものをよく目で追います。また自分が思うように動かせる「手」の存在に気づいて、以前にも増してじっと手を見つめる赤ちゃんが多くなります。両手を体の前で合わせることもできるようになります。ガラガラなど軽いおもちゃを持たせれば、少しの間なら握ることができます。

心

あやすとかわいい笑い声を出すことも

感情が豊かになってきて、あやすと声をあげて笑うようになります。ママと目が合うと、赤ちゃんから笑いかけてくることも。いろいろなものを見たり聞いたりするのが楽しくなってきます。赤ちゃんに話しかけ、ふれながらママがあやすだけでなく、ガラガラなど音がするおもちゃを振ってみたり握らせたりして遊んであげるといいでしょう。

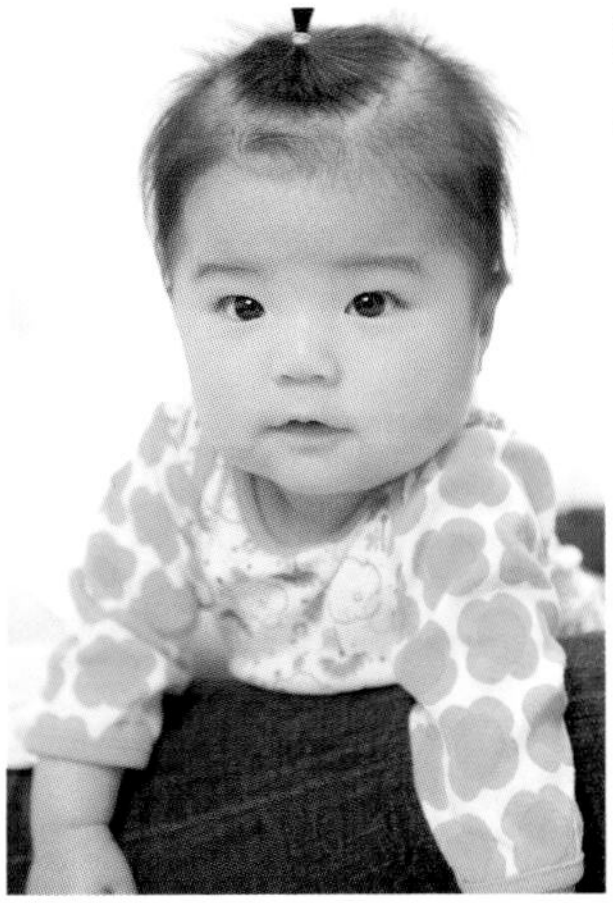

首がしっかりしてきたら、ママのひざに手をかけてうつぶせの練習を始めても。

運動

首がすわり始め、たて抱きがしやすくなります

だんだん首がしっかりしてきて、うつぶせにすると少しの間なら頭を持ち上げられるようになります。首がすわってくる赤ちゃんも。たて抱きしやすくなり、抱っこでのお散歩もラクに楽しめるようになります。

あおむけにすると、足を上に持ち上げて、盛んにバタバタします。

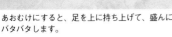

4カ月

あたりをキョロキョロ見回し、興味津々。何でもなめて、チェックも大好き

夕方になると激しく泣く「夕暮れ泣き」が始まる赤ちゃんも。

何でもなめるようになります。

首がすわり、たて抱きやおんぶができるようになります。

昼夜の区別がついてきます。

このころの赤ちゃん

首がしっかりとすわり、視野がぐんと広がります。

男の子

身長 60.6～69.5cm
体重 5.85～9.04kg

女の子

身長 59.1～68.2cm
体重 5.53～8.29kg

※4～5カ月未満の身長と体重です。

4カ月

うつぶせにすると、両手をふんばって頭を起こすように。いやがったら無理しないで。

昼と夜の区別がだんだんとつき始めます

4カ月の終わりごろまでにはほとんどの赤ちゃんの首がすわり、体もしっかりしてきます。首がすわったら腹ばいで遊ぶ時間を少しずつ増やすと、手や胸、背中などの筋肉の発達に役立ちます。

昼と夜の区別がつき始め、夜眠る時間が長くなり、昼寝は午前と午後の1回ずつになっていきます。この時期から昼間はお散歩をしたりいっしょに遊び、夜は暗く静かにして眠りやすい環境を作るなどメリハリをつけて生活リズムを整えていきます。

パジャマもこのころから着せるといいでしょう。夜おふろに入った後にパジャマを着せ、朝目が覚めたらパジャマから日中の洋服に着替えさせれば、生活習慣のしつけにもなります。

体 視野が広がり、手でつかんだものは口へ

首がしっかりとすわってきて、視野が広がる時期です。そして興味のあるものに手を伸ばしてつかもうとするしぐさが見られます。つかんだものは、なめて感触を確かめようとします。

心 周囲への関心が増していく時期です

周囲への関心が増し、おもちゃが見えると好奇心いっぱいで頭を動かしたり目で追いかけたり。手を伸ばす赤ちゃんもいます。感情表現も豊かに。いろいろなものをつかんではなめるので、ねんねでも抱えやすく、水ぶきや洗濯ができるおもちゃを選ぶといいでしょう。首がすわっていっそうラクになったたて抱きで、視界を広げてあげると喜びます。

自分から手を伸ばして、つかむことができるようになります。

首がすわってくると、「高い高い」などができるように。こういった体を持ち上げる遊びが大好きです。

運動 うつぶせにすると、頭をグイッと起こす余裕も

首がすわる赤ちゃんが増えてきます。たて抱きにしても首がぐらつかなくなれば、首はすわっています。うつぶせにすると頭と肩を起こす余裕もでき、少しの間ならその姿勢で遊ぶことができる子も。

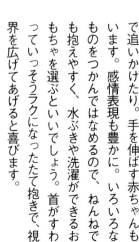

5カ月

手を伸ばして、おもちゃを取ったり。ひとりで遊べる時間も増えます

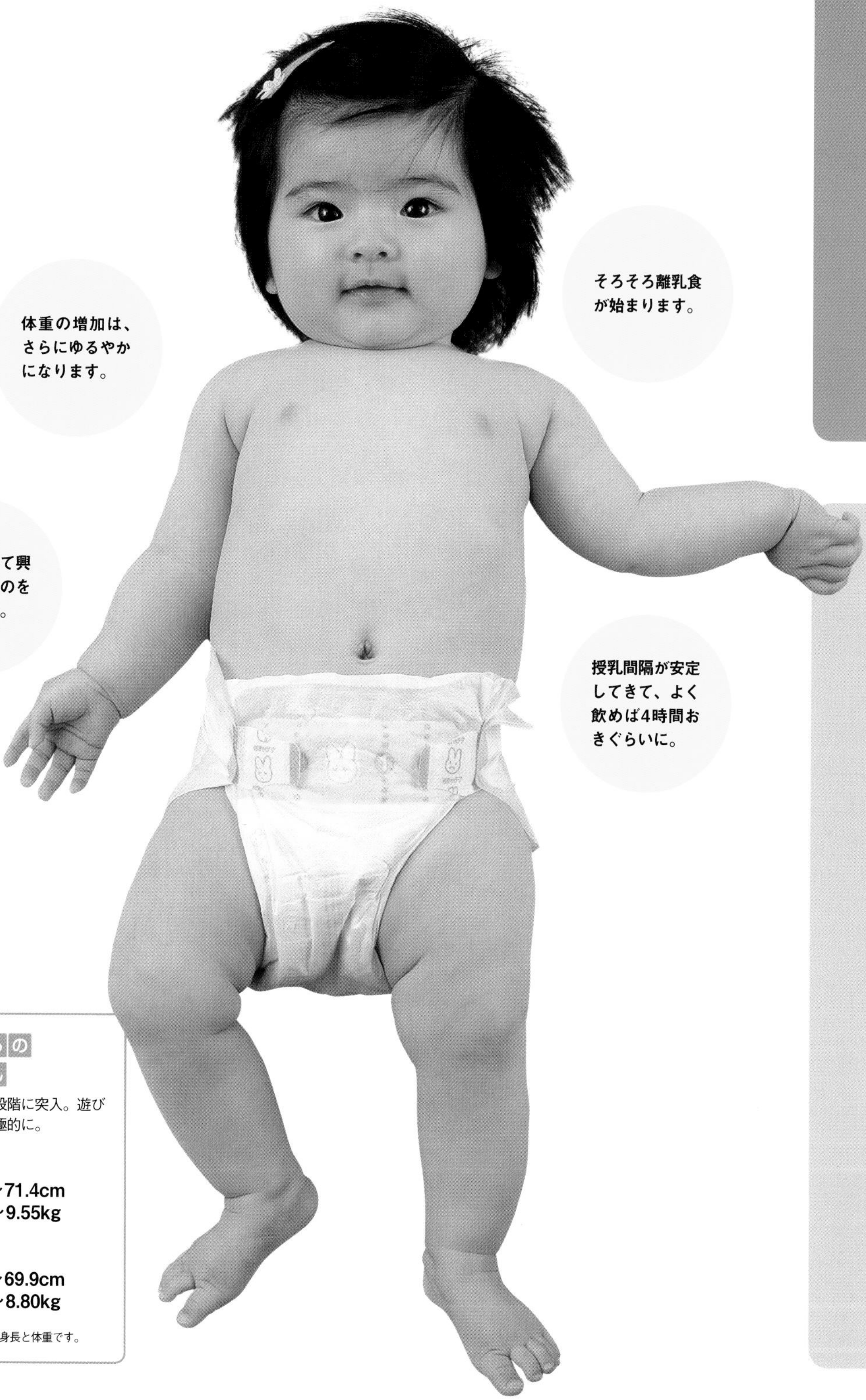

体重の増加は、さらにゆるやかになります。

そろそろ離乳食が始まります。

手を伸ばして興味のあるものをつかみます。

授乳間隔が安定してきて、よく飲めば4時間おきぐらいに。

このころの赤ちゃん

寝返りの準備段階に突入。遊びもどんどん積極的に。

男の子

身長 62.6～71.4cm
体重 6.29～9.55kg

女の子

身長 61.0～69.9cm
体重 5.90～8.80kg

※5～6カ月未満の身長と体重です。

5カ月

そろそろ離乳食をスタートしても

大人が食べているのを見てよだれを出したり、興味を示したりするようになったら、離乳食スタートのサイン。1さじから始め、ようすを見ながら少しずつ量を増やしていきます。最初は口から出してしまうこともありますが、今は離乳食に慣れることが目的。あせらずゆっくり進めましょう。

あおむけから回転して寝返りができるようになる赤ちゃんも。でもこの時期にできなくても問題はありません。ただ、寝返りができるようになると、自由に移動できますし、何でも触って口に入れる時期ですから、危険なものを床の上や手の届くところに置いておかないようにします。ベッドやソファーなどからの転落事故にも注意します。

体

発育が安定。力がつき、うつぶせもラクラク

体重の増えは落ち着いてきます。首や胸、腕にも筋肉がついてきて、あおむけだけでなくうつぶせの姿勢でもしばらくの間、腕で体を支えられるように。また興味のあるものに手を伸ばし、つかめるようになってきます。何でも口に入れたい時期なので、手の届くところに危険なものや飲み込める大きさのものは置かないで。口に運ぶ前にしばらく眺め、確認するようすが見られることもあります。

うつぶせにも余裕が。中には足でけって進もうとジタバタし始める子も。

早い子だと、腰をひねって寝返りできる子もいます。

心

笑ったり怒ったり、感情表現がいっそう豊かに

くすぐると声をあげて笑ったりママのお話にニッコリと反応したり、一方で怒って泣くなど感情表現がいっそう豊かに。おもちゃにもますます興味がわき、近くにあるものに積極的に手を伸ばします。

だんだん重くなってくるので、高い高いはパパの出番ですね。

運動

足を持ち上げて触るなど、寝返りの準備を始めます

寝返りの準備段階に突入し、足を持ち上げてひざを触ったり足を持ったりします。おもちゃに手を伸ばした拍子に、寝返りする赤ちゃんも。ベッドやソファーから落ちないよう、気を配ります。

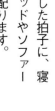

6カ月

寝返りで移動を開始。知らない人をじっと見つめたりも

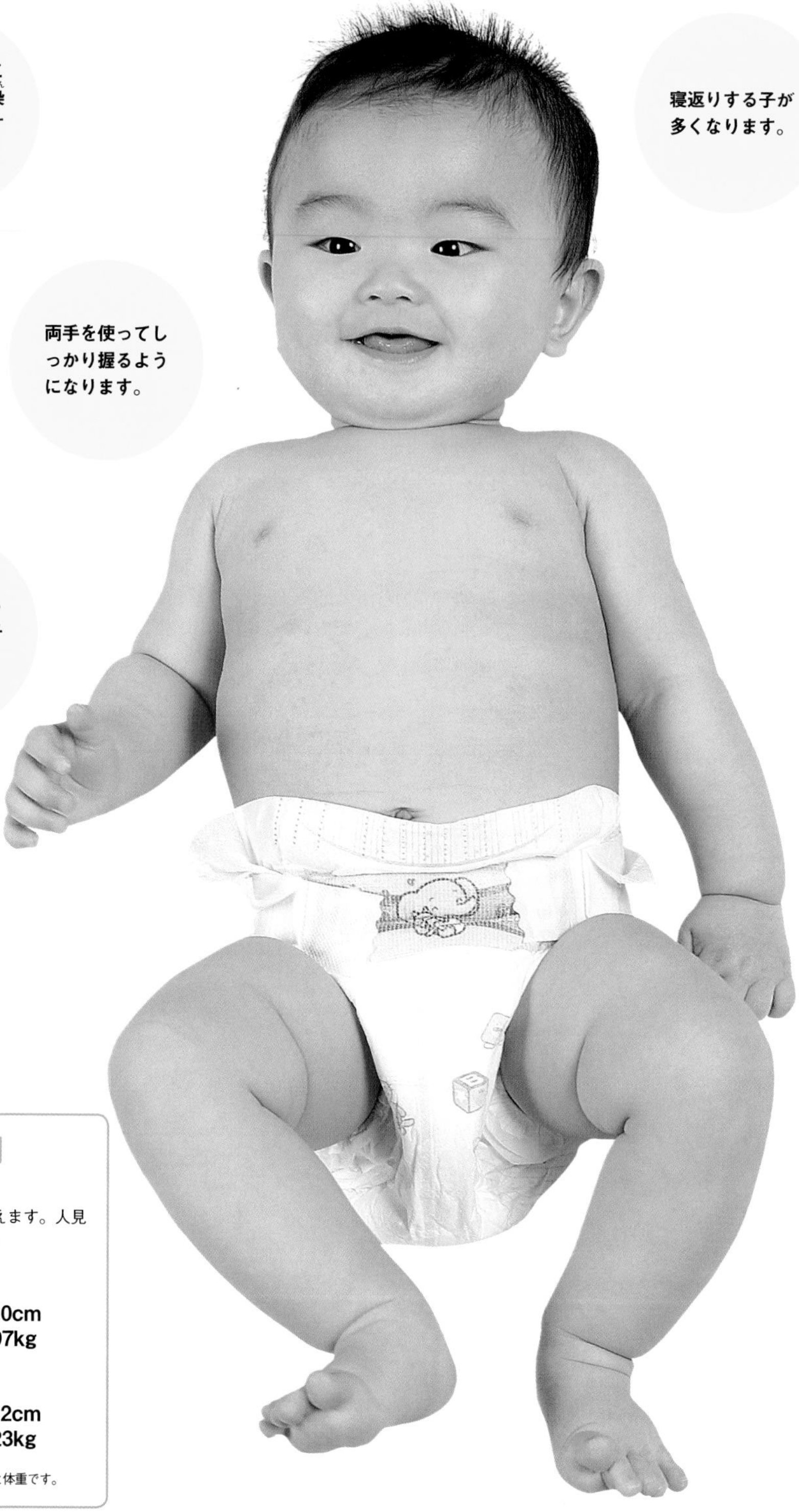

免疫《めんえき》が切れるころなので、感染《かんせん》症《しょう》にかかりやすくなります。

寝返りする子が多くなります。

両手を使ってしっかり握るようになります。

少しの時間ならお座りできる子もいます。

このころの赤ちゃん

寝返りする子が増えます。人見知りが始まる子も。

男の子

身長 64.0～73.0cm
体重 6.66～9.97kg

女の子

身長 62.6～71.2cm
体重 6.23～9.23kg

※6～7カ月未満の身長と体重です。

6カ月

免疫がなくなり病気にかかりやすくなります

少しの間ならお座りができる赤ちゃんも。でも、まだ不安定で、前に傾いたり横や後ろに倒れることが。クッションなどでガードして、目を離さないように。

離乳食はこのころから始めてもかまいません。慣れてきたら少しずつ食材の種類も増やしますが、初めての食材を食べさせるときは1さじだけにして、ようすを見ながら進めていきます。赤ちゃんによっては離乳食が気に入って食後の母乳やミルクが減ることもありますが、赤ちゃんまかせで大丈夫です。

ママにもらった免疫がそろそろなくなる時期です。外出の機会も増えてきて、うつる病気にかかりやすくなります。熱やきげん、食欲、睡眠など、赤ちゃんのようすに注意します。

ママに抱っこされると安心して笑顔を振りまきます。

体

早いと、このころから歯が生え始める子も

早い赤ちゃんでは歯が生え始める子もいて、歯がためをガジガジとかじるように。手はつかんだおもちゃをしっかり握ることが上手になってきます。なめることが好きで、口に持っていきます。

心

ママとほかの人の区別がつき、人見知りを始める子も

ママやパパとほかの人との区別がつき、人見知りが始まります。泣くのだけが人見知りではなく、知らない人を見て表情が変わったり、じっと見るのも人見知りです。ママの姿が見えなくなると探したりもします。

たて抱きや高い高いなど、視界が変わるとごきげん

たて抱きや高い高いをすると、視界が変わって喜びます。体を支えてあげれば、ママのひざの上で跳ねるようにする赤ちゃんも。体の近くにあるおもちゃを寝返りで取り、しばらく遊ぶ姿も見られます。

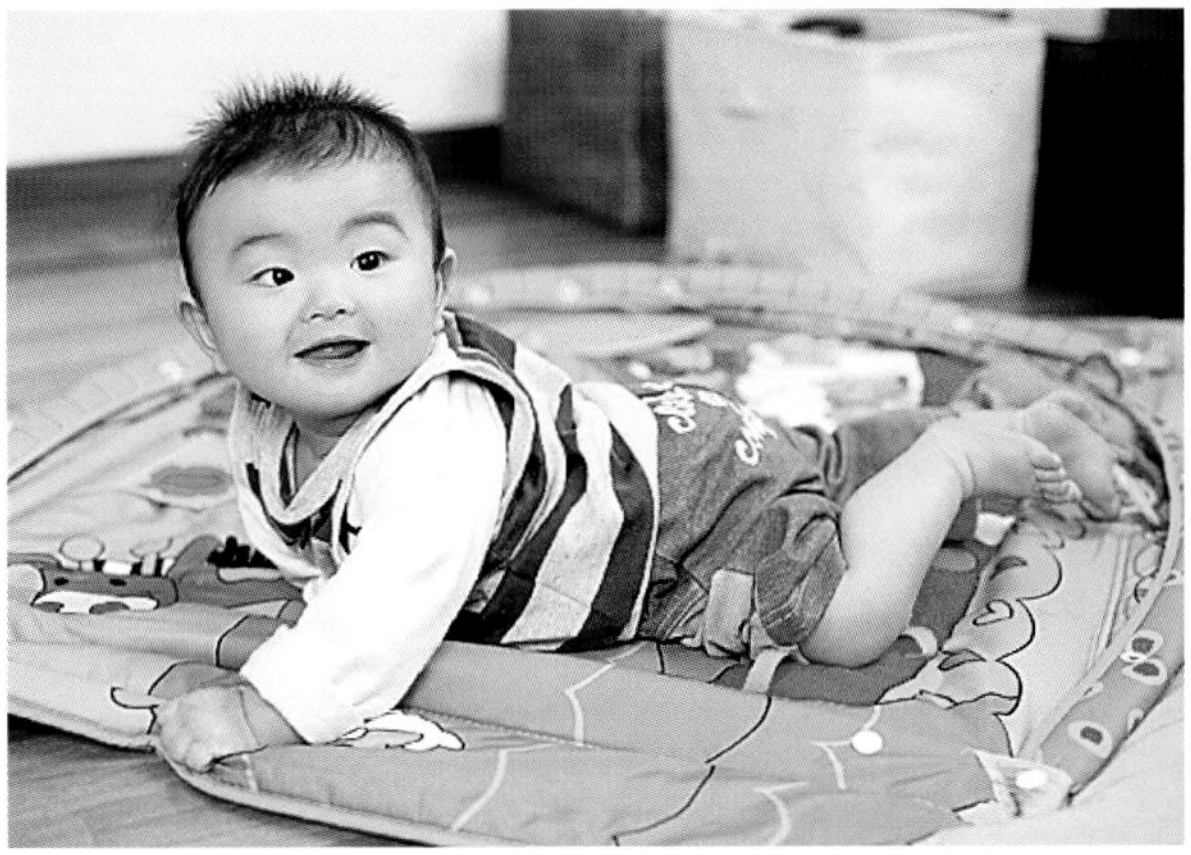

あおむけから体をひねって、クルンと上手に寝返りする赤ちゃんが増えます。

運動

寝返りをして、好きなスタイルで遊ぶように

手足をバタつかせて腰をひねり、最初はあおむけからうつぶせに、次にうつぶせからあおむけにと、だんだん上手に寝返りができるようになってきます。中にはうつぶせが嫌いで、なかなか寝返りしない子もいます。

7カ月

腰がしっかりして、お座りができるように。笑ったり怒ったり、感情も豊かに

「いないいないばぁ」を喜ぶようになります。

離乳食が1日2回になります。

体重の増加はもっとゆるやかに。個人差が大きくなってきます。

腕で体を支えなくてもお座りできる子が増えてきます。

このころの赤ちゃん

お座りがだんだんと上手に。笑う、怒るなど感情も豊かに。

男の子

身長 65.1～74.3cm
体重 6.91～10.26kg

女の子

身長 63.9～72.4cm
体重 6.44～9.53kg

※7～8カ月未満の身長と体重です。

7カ月

表情が豊かになり、キャッキャと声を出して笑います。

お座りが安定してきます

お座りが上手になり、腕で体を支えなくても背すじを伸ばして座れるように。両手におもちゃを持って遊べる時間が増えるでしょう。腹ばいから床をけって、ずりばいを始める赤ちゃんもいます。腰がしっかりしてきたら、B型ベビーカーが使えるようにもなります。

このころ歯が生えてくる赤ちゃんも多いでしょう。でも、歯が生える時期は個人差が大きいもの。まだ生えてこなくても心配しなくて大丈夫です。また、人見知りが強くなる赤ちゃんもいます。ママが特別な存在だということがわかってきたのです。一時期のことなので気にせず、不安な気持ちを受け止めてあげましょう。

お座りで遊べるようになると、おもちゃ遊びも活発に。

体

しだいにスマートな体型に。おもちゃを持ち替えられる子も

体重増加が落ち着き、少しスリムな感じになる赤ちゃんも。おもちゃを片方の手からもう一方の手に持ち替えられるようになってきます。ハンカチなどを顔にかけると、いやがって自分で取ることができるようになります。

心

声をよく出し、何か欲しいと泣いてアピール

何かを要求したいときに、よく声を出してママの注意を引くようになります。欲しいものが手に入らないと怒ることも。ママが離れると呼ぶような声を出したり、泣いたりしてアピールします。また、夜泣きが始まる子がいます。

うつぶせのときとは違った遊びができるようになります。

記憶力が出てきて、「いないいないばぁ」を喜ぶ子も

「いないいないばぁ」を喜ぶようになります。これは、今見えていたママの顔が隠れているのを理解しているということ。穴にものを入れたり落としたりすることや、食器などの日用品で遊ぶことも大好きです。

運動

お座りがだんだんと上手になってきます

お座りできる赤ちゃんが、だんだんと増えてきます。最初は手を前につき、体を支えて前かがみの姿勢でお座り。そのうちに腰がしっかりしてくると、手を離して安定したお座りができるようになってきます。

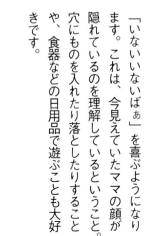

8カ月

お座りが安定。両手を使ったひとり遊びが大好き

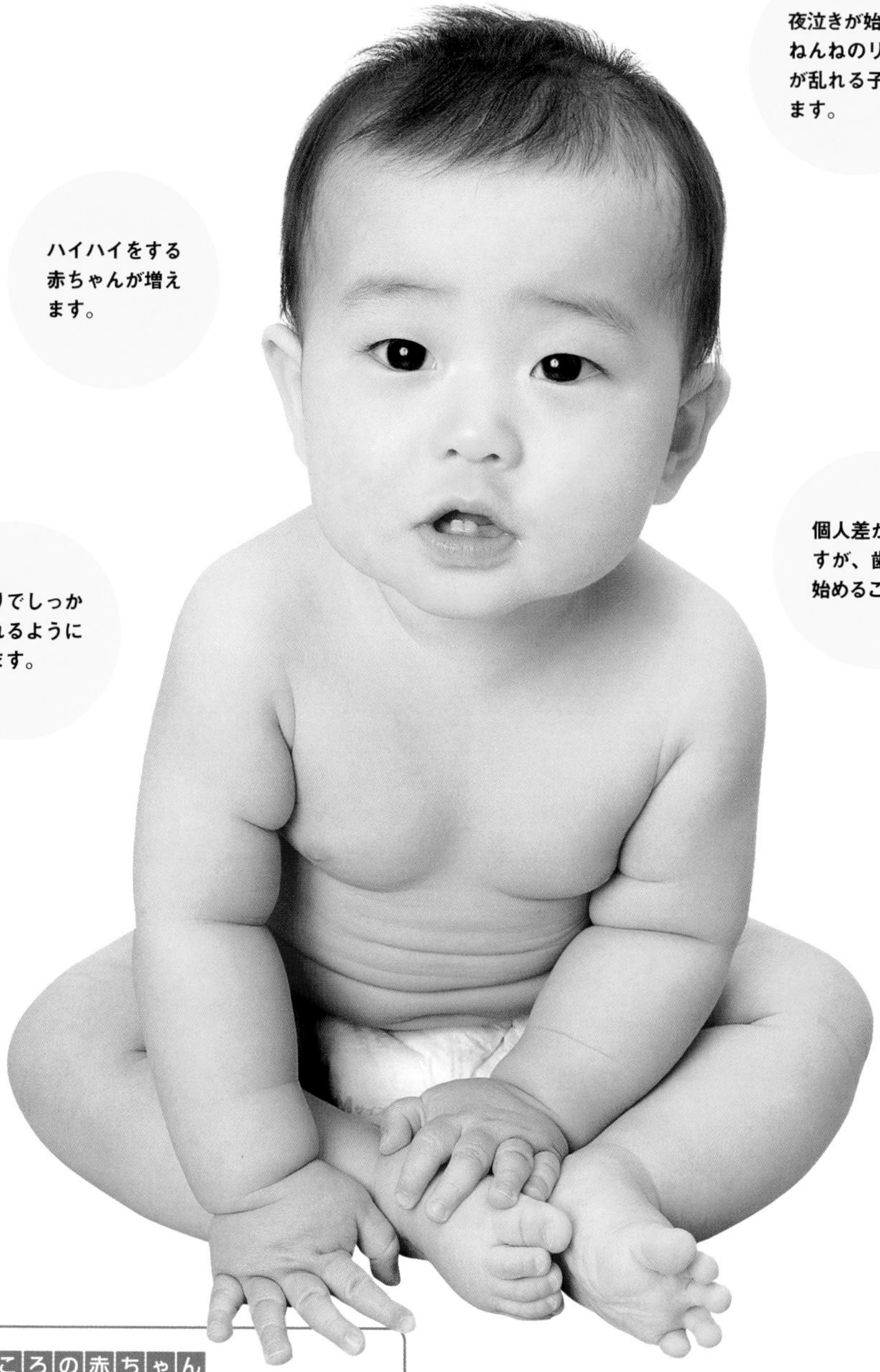

夜泣きが始まり、ねんねのリズムが乱れる子もいます。

ハイハイをする赤ちゃんが増えます。

個人差がありますが、歯が生え始めるころです。

ひとりでしっかり座れるようになります。

このころの赤ちゃん

お座りが安定して、ひとりで遊べるように。

男の子	女の子
身長 66.2〜75.5cm	身長 65.2〜73.5cm
体重 7.15〜10.49kg	体重 6.62〜9.78kg

※8〜9カ月未満の身長と体重です。

8カ月

ハイハイが上手になります

ずりばいが上手になったり、床から胸を離した四つんばいを始めたりする赤ちゃんもいる時期です。最初は前に進めずにグルグル回ったりバックしたりする赤ちゃんもいますが、しばらくすれば前進できるようになります。お座りも上手になり、お座りからハイハイへ、またその逆へと、自由に姿勢を変えられる赤ちゃんもいます。

離乳食は、2回食が定着している赤ちゃんが多いころ。小食の赤ちゃんもいますが、その子なりに食べていて元気なら気にしないで大丈夫です。情緒《じょうちょ》の発達もめざましく、自己主張が目だってきます。思いどおりにならないとかんしゃくを起こすこともありますが、それも心が成長した証拠です。おおらかな気持ちで見守ってあげて。

体 体型の個人差が目立ってきます

体重増加は引き続きゆるやかです。このころになると、赤ちゃんによってぽっちゃり型や小柄タイプなど、いろいろな体型の特徴がはっきりしてきます。

親指の使い方が前より上手になり、顔に布をかぶせると、自分ですぐにはずすことができます。またかぶせると、何度も繰り返して楽しむ子も。また、このころ最初の乳歯が生え始める子もいます。

2回食が定着して、食べる量も増えてきますが、中には小食の子も。

心 名前を呼ぶと振り向くこともあります

大人が話す言葉のニュアンスが少し伝わるようになり、名前を呼ぶと自分の名前とわからなくても振り向いたりします。赤ちゃんからのアピールも盛んで、大声をあげて大人の注意を引くことが増えてきます。お座りできるようになるとひとり遊びをする時間が増えますが、ママとボールをやりとりしたり、紙を破ったりの遊びも大好きです。

運動 お座りが安定。座ったまま両手で遊ぶように

両手を離してのお座りが安定してきます。お座りしたまま振り向けるようになれば、お座りはほぼ完成です。お座りの姿勢で、両手を使って遊べるようになります。でも、まだしっかりお座りできなくても心配ない時期です。

ママと遊ぶのが大好き。ママのそばに行きたくて、ずりばいで近寄ります。

9カ月

何にでも興味を持ち、ハイハイで突進。いつも目が離せません

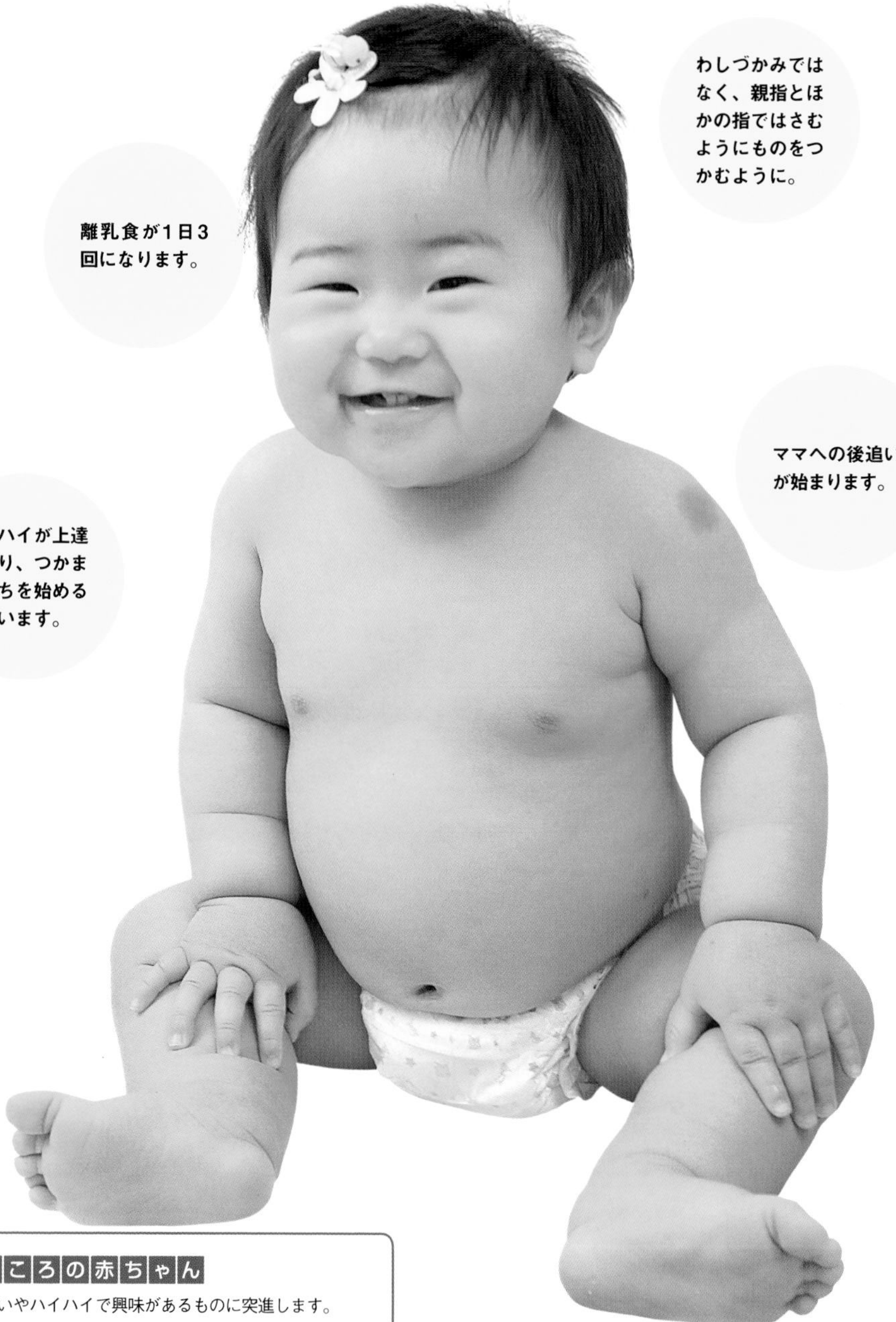
わしづかみではなく、親指とほかの指ではさむようにものをつかむように。
離乳食が1日3回になります。
ハイハイが上達したり、つかまり立ちを始める子もいます。

このころの赤ちゃん

ずりばいやハイハイで興味があるものに突進します。

男の子	女の子
身長 67.3～76.6cm	身長 66.3～74.6cm
体重 7.36～10.73kg	体重 6.78～10.00kg

※9～10カ月未満の身長と体重です。

9カ月

好奇心が旺盛《おうせい》で いたずらもたくさんします

ハイハイが上達して、つかまり立ちを始める赤ちゃんもいることでしょう。好奇心が旺盛で、いたずらが多くなる時期。ヒヤッとする場面が増えてきます。まだしかってもわかりませんから、触られると危険なもの、困るものはあらかじめ片づけておきましょう。

自由に移動できるようになると、後追いが目立ってきます。トイレにまでついてこられると困るでしょうが、一時期のこと。しばらくすればひと声かけると待っていられるようになります。

離乳食はそろそろ3回食に。自分で食べたいという気持ちが強くなってきますから、温野菜スティックのような手づかみメニューを、一品用意してあげるといいでしょう。

手先が器用になり、興味のあるものをつかもうとします。

体 親指とほかの指を使い、上手に遊べるように

運動量が増えるので、体つきが引き締まった感じになってきます。そして下の前歯2本に続き、上の前歯2本が生えてくる子もいます。また、親指とほかの指を上手に使って、ものをつかめるようになります。引き出しを開けて中のものを出すこともできるようになり、ますます目が離せません。

自由に移動して、遊びに夢中になります。

自分で食べたくて、食べ物に手を出します。

心 ママへの愛着が増し、後追いがスタート

ママへの愛着が増し、どこにでもついてくる「後追い」が始まります。ママはたいへんですが、一時期のことです。できるだけついてこさせ、安心させてください。

大人のしぐさを見て、バイバイなどをまねる赤ちゃんも出始めます。大人の声をまねようと「アー」「ウー」だけでなく、いろいろな声を出すこともあります。たくさんお話してあげましょう。

運動 意欲が出てきてハイハイやつかまり立ちを始める子も

興味のあるものに近づこうと、いつのまにかずりばいを始める赤ちゃんが増えてきます。最初はおなかが上がりませんが、そのうちに両手、両ひざで進めるようになります。赤ちゃんの前方におもちゃを置き、ハイハイを促してあげるといいでしょう。つかまり立ちを始める赤ちゃんもいます。

10カ月

後追いでママを困らせる子も。大人のまねをし始めます

つかまり立ちから伝い歩きを始める赤ちゃんも。

ものを打ち合わせたり、指先でつまむように。

いろいろとママのまねをするようになります。

ハイハイのスピードが速くなり、高ばいをする子もいます。

このころの赤ちゃん

ハイハイが上手になり、後追いはピークに。

男の子

身長 68.4～77.8cm
体重 7.56～10.95kg

女の子

身長 67.4～75.8cm
体重 6.96～10.21kg

※10～11カ月未満の身長と体重です。

10カ月

バイバイなど大人のまねも始まります

つかまり立ちからゆっくり伝い歩きを始める赤ちゃんも。でもまだ足もとが不安定で、転んだりつまずいたりしがちです。段差やカーペットのたるみなど、危険ポイントの点検を忘れずに。

ママとの一体感が深まり、ママのまねをするように。バイバイや拍手など、いっしょにまねっこ遊びを楽しんで。また、大人の使う道具にも興味津々です。危なくないものは触らせて、好奇心を満足させてあげましょう。一方で指を器用に使えるようになり、ガスのスイッチをいじるようないたずらも始まります。事故予防にはいっそうの注意をします。

食べムラがあったり遊び食べをしたり、食べ方にも個性があるものです。ある程度食べさせ、遊び始めたら切り上げましょう。

ママやちょうどいい高さのいすなどにつかまって、つかまり立ちをするのが大好きに。

体 体型は少しずつ幼児に近づき、手先は器用に

赤ちゃんらしい丸々とした体型が、少しずつ幼児体型に変わってきます。

それぞれの手に持ったおもちゃを打ち合わせて遊べるようになり、親指とひとさし指を使ってものをつまめるようにもなります。ティッシュペーパーや引き出しの中身を、出したりするいたずらが盛んです。

心 後追いはピークに。大人のまねも始まる

後追いが激しくなってきます。ママの姿が見えないと赤ちゃんは不安になるので、黙って急に目の前からいなくならないようにします。言葉をある程度理解できるので、「どうせわからない」と思わず、離れるときは「すぐ戻るね」と声をかけてあげましょう。どこまでもついてきてママは困るかもしれませんが、付き合ってあげて。大人のすることを、よくまねるようになる赤ちゃんもいます。

高ばいを始める子もいますが、腹ばいでおなかをつけたままの子もいます。

いたずらが大好き。追いかけっこも得意

ハイハイやつかまり立ちを始めると、どこにでも行って、欲しいものに手を伸ばします。しかってやめさせるより危険なものは片づけて、思う存分遊ばせてあげましょう。動くものを追いかけて遊ぶのも大好きです。

運動 ハイハイのスピードがUP。つかまり立ちをする子も

ひざをついたハイハイから足の裏でけって進む高ばいを始めたり、ハイハイの姿勢から、何かにつかまってつかまり立ちをしたりするようになります。

11カ月

行動もおしゃべりも大人をまねっこ。立っちができる子もいます

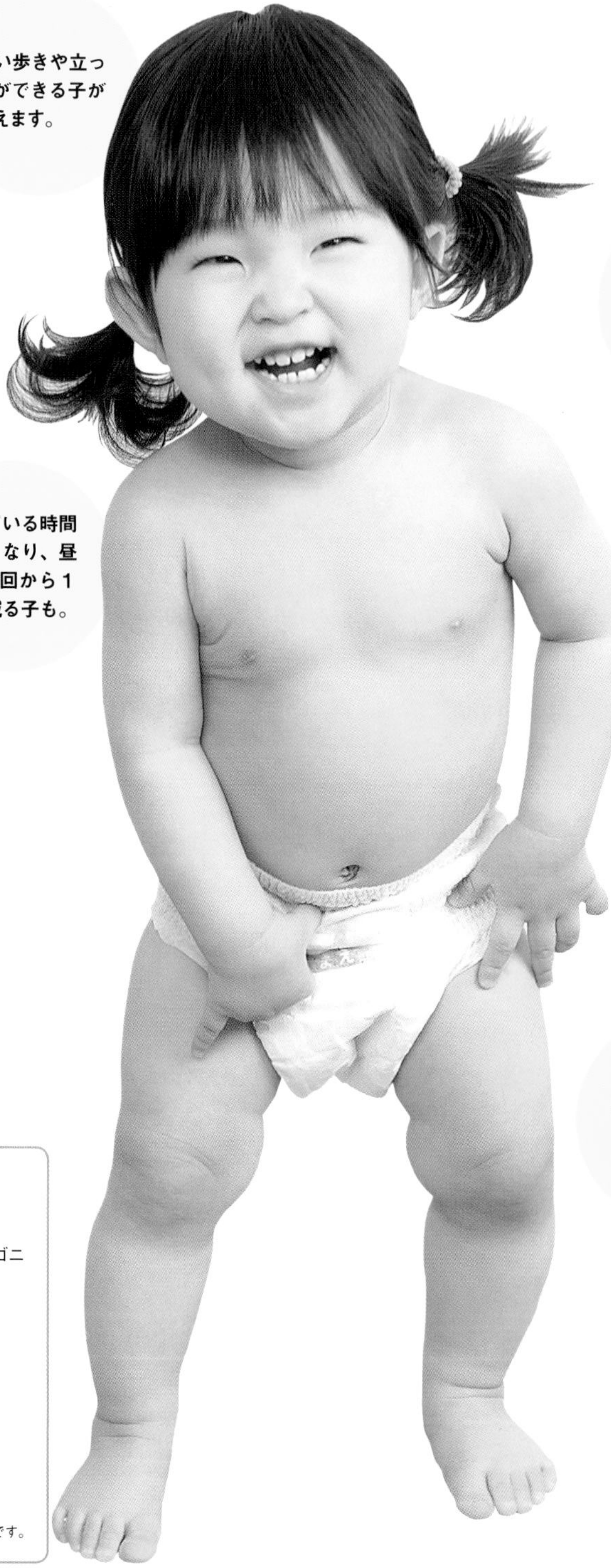

伝い歩きや立っちができる子が増えます。

言葉を理解して、それに合わせて行動できるようになってきます。

起きている時間が長くなり、昼寝が2回から1回に減る子も。

絵本に興味を持ち始めます。

このころの赤ちゃん

言葉の理解が進み、ゴニョゴニョおしゃべりも。

男の子

身長 69.5～78.9cm
体重 7.73～11.18kg

女の子

身長 68.5～77.0cm
体重 7.14～10.45kg

※11カ月～1才未満の身長と体重です。

11カ月

ひとり歩きや言葉ももうすぐ

伝い歩きや立っちができる赤ちゃんが増えてきます。でも、あんよが始まる時期には個人差があります。あせらずに時期を待ちましょう。

生活リズムはかなり規則正しくなり、夜まとめて眠るようになります。反面、大人が夜遅くまで起きていると、つられて夜ふかし生活に。夜9時ごろになったら、赤ちゃんの寝室は暗く静かにし、早寝早起きを続けていきましょう。

言葉が出てくるのはもう少し先ですが、ママの言うことを理解し、指さしなどのしぐさでコミュニケーションをとるようすがあれば、言葉の土台はできています。絵本に興味を持ち始める時期なので、絵本を見ながら言葉をかけ、コミュニケーションを楽しむのがいいでしょう。

一歩、二歩あんよできる子も。でも、あんよが始まる時期はそれぞれです。

体

体つきには個人差が。ふたの開け閉めができるように

体型の個人差がはっきりしてくるころですが、一般的には幼児体型に近くなってきます。指先に力をこめられるようになり、入れものによってはふたを開けたり閉めたりして遊べるようになります。手の動かし方も上手になり、マグカップなどを自分で持って飲むようにもなります。

心

言葉の理解が進む一方、自己主張も増えてくる

言葉を理解し、行動できるようになってきます。「ちょうだい」と言うと渡してくれたり、赤ちゃんとのやりとりが楽しめるようになります。一方で自分が欲しいものがあると指をさしたり、ぐずるなど、自己主張も出てきます。

また絵本に興味を持ち、熱心に見たり指をさしたり声を出したりします。ページをめくるのも得意に。しきりにおしゃべりし、「バーバー」など繰り返す音がよく出てきます。

運動

つかまり立ちや伝い歩きなど発達には個人差が

何かにつかまってひとりで立ち上がり、そのまま伝い歩きをしたり、数秒間なら支えなしで立つことができる子も出てきます。ですが、このころの発達は個人差が大きいもの。まだ伝い歩きをしていなくても大丈夫です。

大人の行動をよく見てまねをします。これは、「もしもし」とケータイのつもり。

大人が使っているものに興味津々で、触りたがります。

1才

発達の個人差が目だつ時期。意味のある言葉が出てくる赤ちゃんも

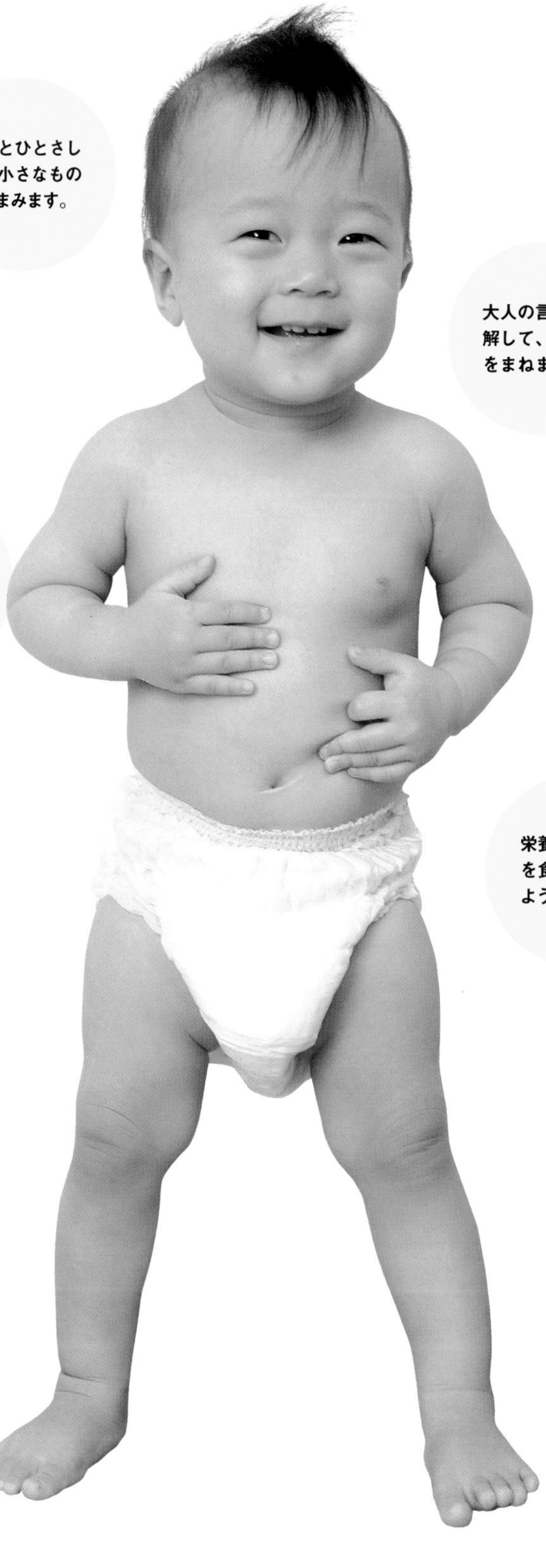

親指とひとさし指で小さなものをつまみます。

大人の言葉を理解して、しぐさをまねます。

ひとりで立てる子が多くなりますが、かなり個人差があります。

栄養のほとんどを食事からとるようになります。

このころの赤ちゃん

つかまり立ちや伝い歩き、あんよなどますます活発です。

男の子

身長 70.4～79.9cm
体重 7.89～11.44kg

女の子

身長 69.5～78.2cm
体重 7.33～10.73kg

※1才～1才1カ月未満の身長と体重です。

1才

栄養のほとんどは食事からとるように

母乳やミルクに頼らず栄養のほとんどを離乳食などでとるようになります。ただ、食事だけでは十分栄養をとれないことも。食間に野菜スティックや乳製品など、おやつを入れてもいいでしょう。

早い子では10カ月ぐらいから歩く場合もありますが、1才の時点で歩かなくても心配はなく、発達が遅いわけでもありません。また手先が器用になって、思わぬものを口に入れたりします。ボタン電池、タバコ、ピーナッツなどの誤飲《ごいん》事故に気をつけましょう。

体

しだいにスリムな幼児体型になります

体重が生まれたときの約3倍、身長が約1.5倍になります。1才を過ぎると体重や身長の増加がそれまでよりゆるやかになる子が多く、活発に動くこともあってスリムな幼児体型になってきます。

親指とひとさし指を使って、ボーロなど小さなものをつまむことが上手になります。ねんね時代は薄かった後頭部の髪は、濃くなっていきます。

心

「バイバイ」「もしもし」などまねが盛んに

大人の言葉がずいぶんわかるようになり、「バイバイ」や「いただきます」など、どんなときに使う言葉かをある程度理解しながらしぐさをまねします。以前にも増して、「ちょうだい」「どうぞ」と、ママの言うことに合わせてやりとりできるようになり、意味のある言葉が出てくる赤ちゃんもいます。はっきりした言葉で語りかけながら遊んであげるといいでしょう。くしや電話といった道具も、使うふりをしながら遊べるようになります。

乗用おもちゃにまたがったり押したり。成長により遊び方はさまざま。

指先が器用になり、知らないうちに電話をかけていることも。

運動

伝い歩き、立っち、あんよと赤ちゃんなりに発達

ひとりで立てる子が増えますが、慎重派だとなかなか手を離せません。このころは、つかまり立ちからあんよまで発達の幅はいろいろ。ほかの子と比べてあせる必要はありません。

1才のお誕生日は、成長のひと区切り。赤ちゃん用のスイーツでお祝い！

KEYWORD

いたずら

コンセントにとがったものを差し込んだり、ガス台のスイッチを器用にいじったりと、このころになるといたずらもグレードアップしてきます。お部屋の安全対策をしっかりするとともに、危険な場面ではその場から離し、しかることも必要です。ただ、いたずらは好奇心の表れなので、危険でなければ大目に見ることも必要です。

1才1カ月～1才3カ月

何にでも挑戦するので目が離せません。誤飲《ごいん》や転倒などの事故に注意

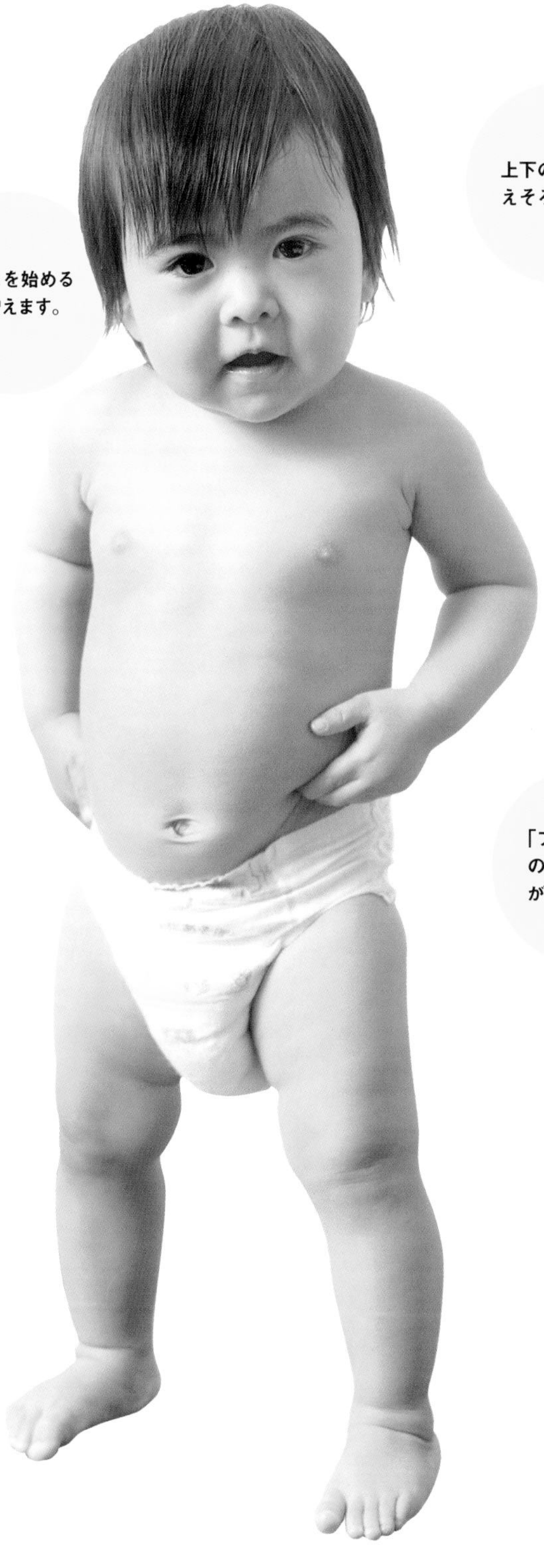

あんよを始める子が増えます。

上下の前歯が生えそろいます。

離乳食は最後の段階に。1日3回の食事＋補食としてのおやつを2回です。

「ブーブー」などの単語が出る子が多くなります。

このころの赤ちゃん

チャレンジ精神が旺盛。体型はぐんとスリムになります。

男の子

身長 71.5～83.1cm
体重 8.04～12.18kg

女の子

身長 70.5～81.7cm
体重 7.50～11.46kg

※1才1カ月～1才4カ月未満の身長と体重です。

1才1カ月〜1才3カ月

くしで髪をとかすまねをしたり、上手に遊びます。

意味のある言葉が出てきます

ひとり歩きをする子が多くなってきます。外遊びを喜ぶので上手に日課に取り入れ、早寝早起きの生活リズムを定着させましょう。

1才を過ぎたころから「マンマ」「ブーブー」など意味のある言葉を話すようになってきます。うまく話せなくても言葉の意味を理解する能力はかなり発達しているので、言葉が意味するものを指で示したりして、やりとり遊びがいっそう楽しくなる時期です。

体

筋肉がつき体や顔がすっきりした印象に

1才過ぎごろから筋肉がついて体が引き締まり、顔つきもすっきりする子が多くなります。歯は上下の前歯が生えそろうでしょう。指先がますます器用になり、シールをはがしたりはったりといった細かい動作ができるようになります。ボールを投げる赤ちゃんも。

心

まねのバリエが豊富に。好奇心も旺盛

絵本を見て「ワンワンは？」と聞くと指さしたり、「ねんね」と両手を合わせて耳にあてたり、言葉をよく理解し、まねのバリエーションが豊富に。「ワンワン」などの単語が出る子も増えてきます。好奇心旺盛《おうせい》で、ゴミ箱をひっくり返すなどいたずらもダイナミックになります。

今まで以上に絵本を集中して見るようになります。

運動

おぼつかない足取りでよちよち歩きのスタート

あんよを始める子が増えてきます。最初は両手を上げてバランスを取りますが、しだいに手を下ろして歩けるように。個人差があり、1才6カ月ごろまで歩かなくても心配する必要はありません。

外であんよするようになったら、サイズの合った靴を用意してあげましょう。

KEYWORD

卒乳

おっぱいの卒業には決まった時期や方法はありません。1才を過ぎてやわらかいごはんが食べられるようになり、コップやストローが使えるようになれば、赤ちゃんの体は母乳を卒業する準備ができたことになります。でも、まだまだママに甘えていたい時期なので急ぐ必要はありません。だいたいの目安は1才半過ぎごろといわれていますが、個人差が大きいのでほかの子と比べてあせらないで。

1才4カ月～1才6カ月

自我が芽生えて何でもやりたがり ママを困らせることも

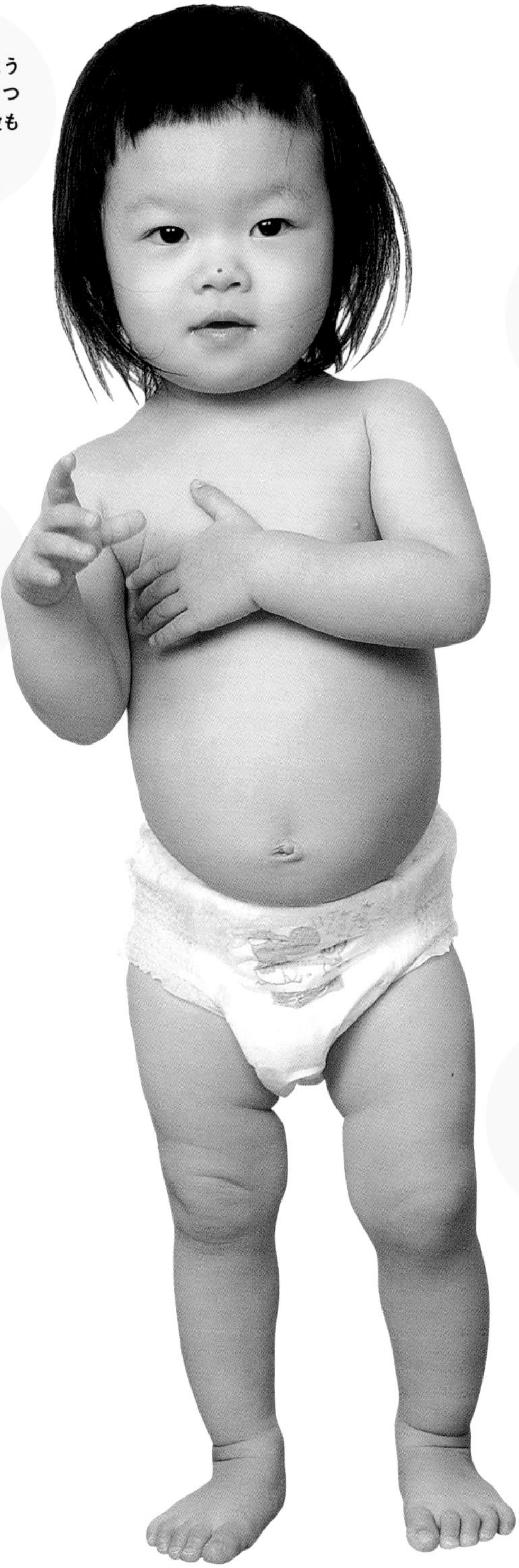

上手に歩くようになり、手をつきながら階段も上ります。

話す言葉の数が増えてきます。

自己主張が強くなり、自分でやりたがります。

積み木を2個ぐらい重ねられるようになります。

このころの赤ちゃん

自分でやりたい気持ちでいっぱいに。「イヤイヤ」も増えます。

男の子

身長 74.1～86.0cm
体重 8.47～12.89kg

女の子

身長 73.2～84.9cm
体重 7.98～12.20kg

※1才4カ月～1才7カ月未満の身長と体重です。

1才4カ月〜1才6カ月

ちょっと大きな道具でも、だんだん使いこなせるように。

少しずつ道具が使えるように

このころになると、生活に必要な動作はだいたいできるようになってきます。ひとり歩きが上手になり、小走りをしたり、あとずさりしたり。指の働きも発達し、少しずつ道具が使えるようになります。

何でも自分でやりたい欲求が出てくるころですが、要求が通らなかったり、うまくできないとかんしゃくを起こすこともあります。怒る、喜ぶ、すねる……感情が豊かに広がっていきます。

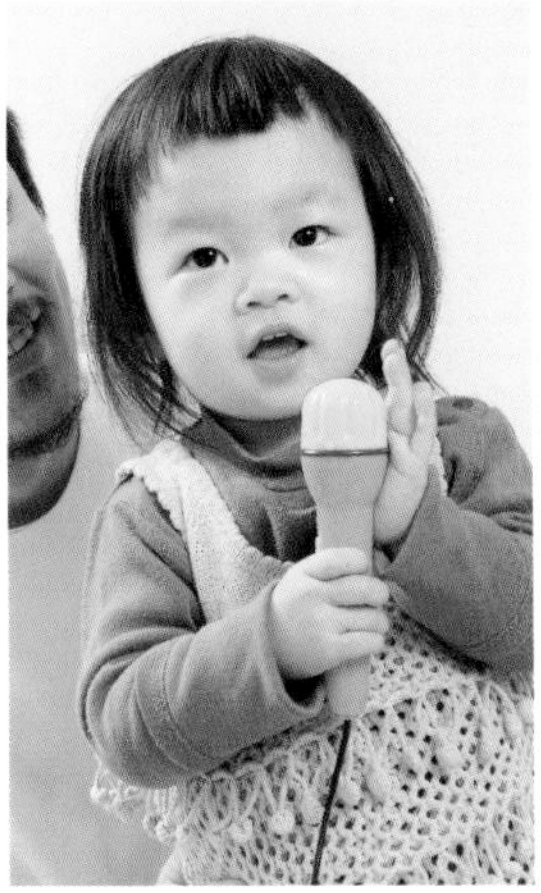

音楽が流れると、いっしょに歌ったり踊ったりして楽しむようになります。

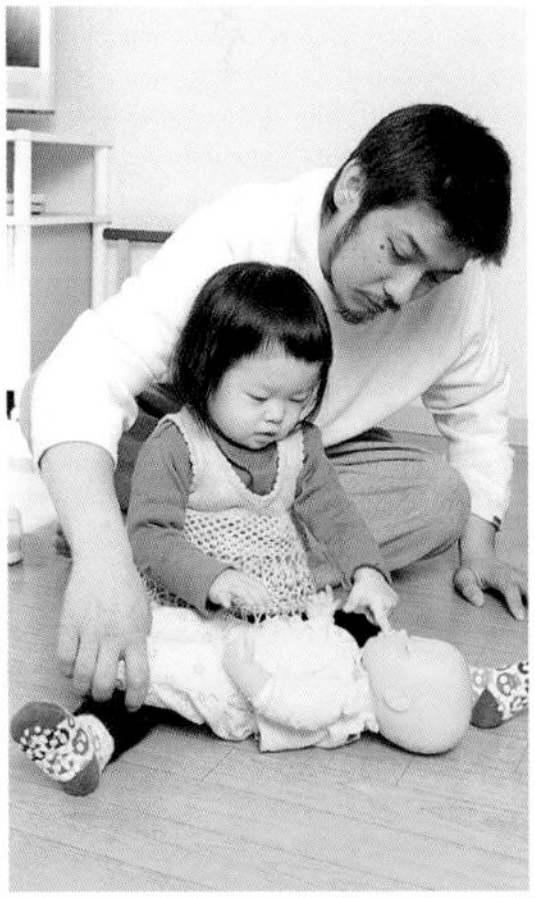

お人形相手にお世話をしてあげたり、ごっこ遊びへの興味が強くなります。

体 体がしまってほっそりする子も

体重の増えがゆるやかで、しかもよく動くので体つきがますますスマートに。そのため、「体重が増えない」と心配するママもいますが、発育曲線に沿って少しでも増えていれば心配いりません。歯は、最初の奥歯が上下の順で生えてくることが多いでしょう。

心 自分でやりたがり、「イヤイヤ」が増える

周囲に興味津々で、気になるものがあると「あー」と指さし。言葉が出てくるころなので、「ブーブーね」などと教えてあげましょう。自動車に見たてて箱を押して歩くなど、ごっこ遊びもし始めます。食事や着替えなど何でも自分でやりたい気持ちが育ってくるころですが、まだうまくできません。また要求を言葉で思うように伝えることができないため、かんしゃくを起こしたり、「イヤイヤ」することが増えてきます。

運動 あんよが上手になり、階段を上れる子も

歩くことが上手になり、手をつきながら階段を上ったり、ちょこちょこと小走りできる子もいます。腰がしっかりし、立ったりしゃがんだりもできます。リズムに合わせ、手、足、体を動かすこともよくします。

KEYWORD

お友だち

このころになると、同じくらいの子どもや少し大きい子に関心を示すようになり、早い子ではいっしょに遊ぶことに興味を持ち始めます。でも、仲よく遊べるようになるのはまだまだ先です。おもちゃの取り合いなどのトラブルは、ママが仲立ちをしてあげます。2才代でようやく一対一で遊べるようになり、3才ごろから複数の子ども同士で仲よく遊べるようになります。

1才7カ月～2才

跳んだり走ったり、動きがパワーアップ。自己主張も増します

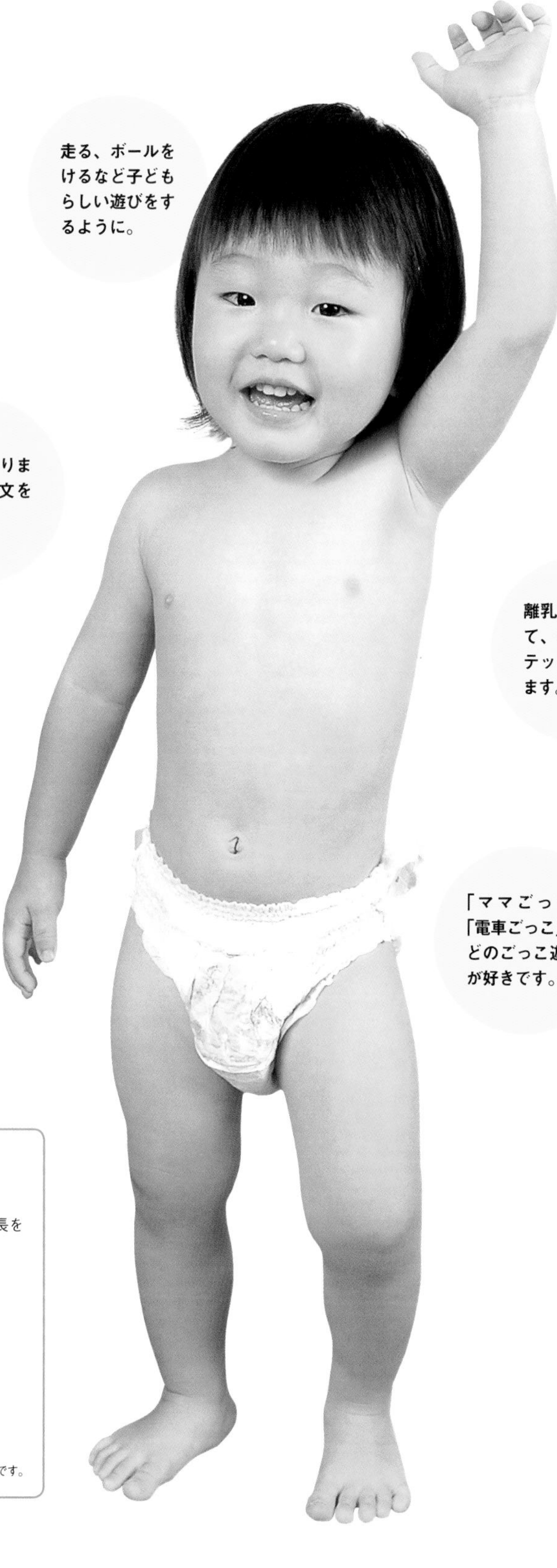

走る、ボールをけるなど子どもらしい遊びをするように。

個人差がありますが、2語文を話す子も。

離乳食を卒業して、幼児食にステップアップします。

「ママごっこ」「電車ごっこ」などのごっこ遊びが好きです。

このころの子ども

赤ちゃんから子どもへと成長をとげるときです。

男の子

身長 76.6～91.0cm
体重 8.93～13.92kg

女の子

身長 76.1～89.5cm
体重 8.45～13.33kg

※1才7カ月～2才未満の身長と体重です。

1才7カ月〜2才

子どもらしい遊びを楽しむように

運動能力がますます発達し、体を使った遊びが楽しくて、ちょこまか動き回ります。ぴょんぴょん跳んだり走ったり、ボールをけったり。もう赤ちゃんというより子どもらしい遊びができるようになってきます。食事も離乳食を卒業して、幼児食に移行します。「ブーブー、きた」「マンマ、ちょうだい」など2語文が話せるようになってきて、会話らしいやりとりができる子も。指先がさらに器用になり、2才ごろにはスプーンを使ってどうにかひとりで食事をするようになる子もいます。

とにかく走るのが好きな時期です。部屋でも外でも駆け回っています。

体　体重の増加より身長の伸びが目だつ時期です

身長が伸びる時期なので、体型はすっかりスリムな幼児体型に。乳犬歯が生えてきて、歯の本数が16本ぐらいになる子が多いでしょう。また、おしっこが出るときの感覚がわかる子も。

心　大人のまねをしてごっこ遊び

大人のまねをしたい気持ちが高まり理解力も育つので、かなり適切にまねて、遊びに取り入れたりするのが大好きに。ぬいぐるみを寝かしつけたり、ごっこ遊びができるようになります。言葉の数が増え、2語文を話す子もいます。

足をトンネルに見立てて「ガッタン、ゴットン」。これもごっこ遊びのひとつです。

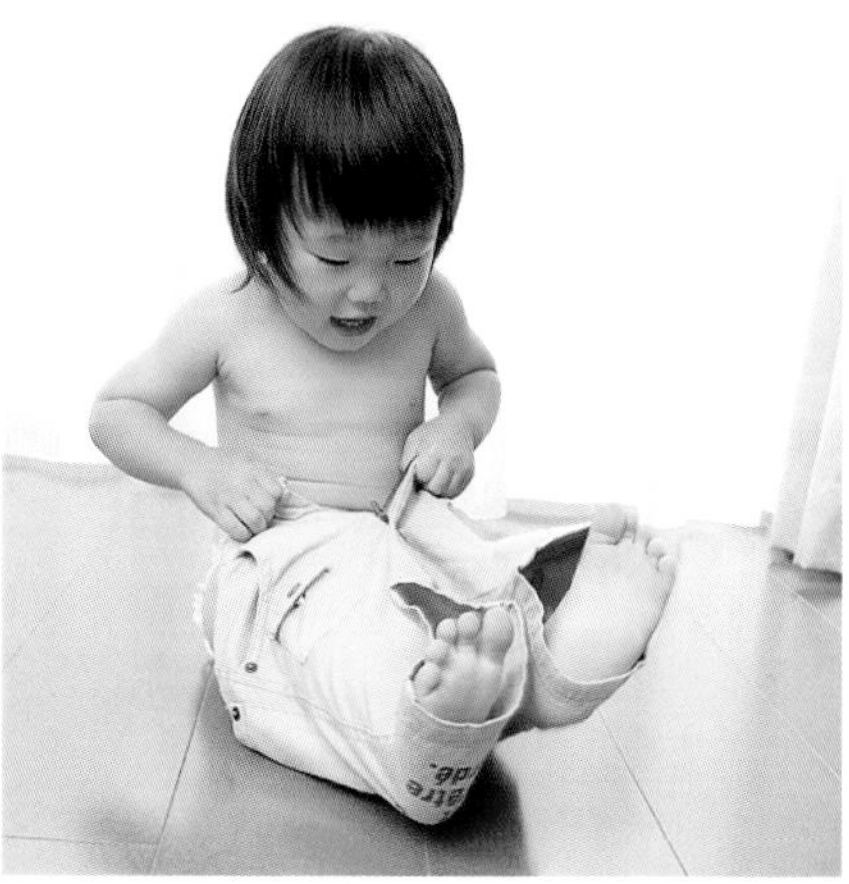

着替えの練習は、まず脱ぐことから。早い子では写真のようにズボンをはく子も。

運動　後ろ向きに歩いたり階段を立ったまま上ったり

両足をそろえてジャンプしたり後ろ向きに歩いたり、自由に動けるようになります。大人と手をつなげば、立ったまま階段を上れるようにもなります。

KEYWORD

かんしゃく

1才代は、やりたいことがはっきりしているのに、うまく伝えられずにかんしゃくを起こしたりかみついたりすることが多い時期です。何か欲しいときは「ちょうだい」と身ぶりで示せばいいことなど、気持ちの表し方を教えましょう。そして「○○が欲しいのね」とママが代弁してあげると、気持ちが落ち着きます。

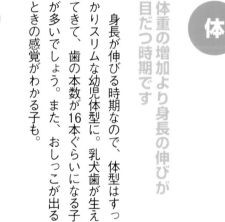

2才1カ月～3才

「これなに？」と知りたいことがいっぱい。自立心も旺盛《おうせい》です

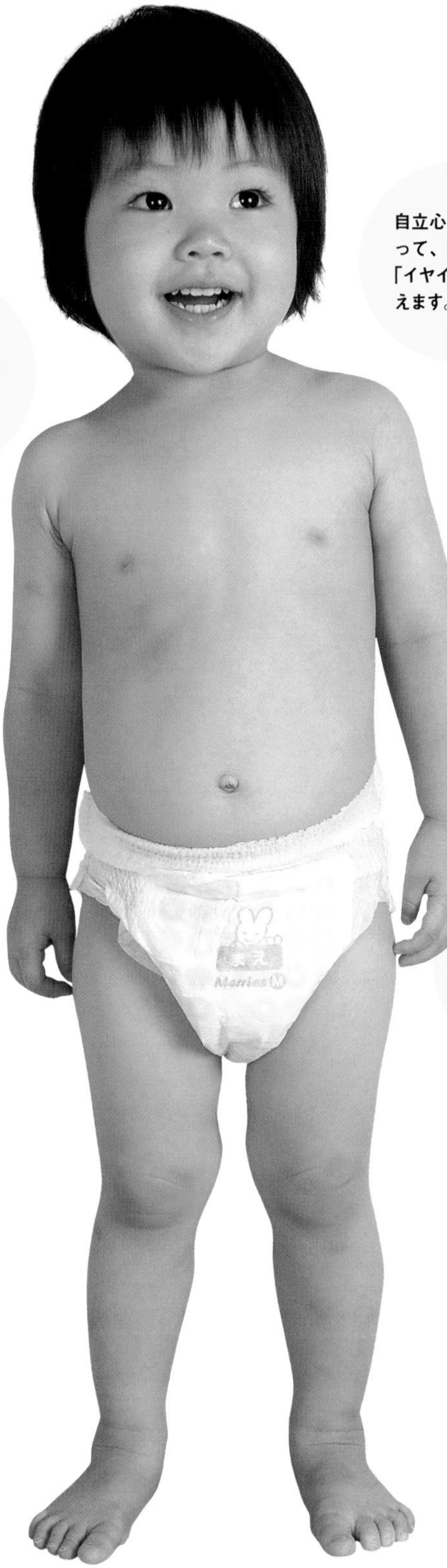

3語文を話せるようになってきます。

自立心が強くなって、ますます「イヤイヤ」が増えます。

公園の遊具などでダイナミックに遊べるように。

昼間はおむつがはずれる子が多くなります。

このころの子ども

ますます「自分で！」が増え、何でもやりたがります。

男の子

身長 81.2～97.2cm
体重 9.97～16.04kg

女の子

身長 80.7～96.0cm
体重 9.45～15.57kg

※2才～3才未満の身長と体重です。

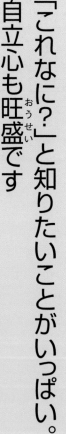

2才1カ月～3才

公園の遊具遊びが楽しめるように。うんていは、つかまらせると少しぶら下がれる子も。

遊びがぐんとダイナミックに

ブランコや滑り台などの遊具でも上手に遊べるようになり、公園での遊びが一段とダイナミックになります。

何でも自分でやりたがる時期ですが、まだ上手にできずにイライラしたり、途中で投げ出したり。2才代は反抗期、嵐の時代などといわれて、ママもたいへん。でも3才近くなると待つことやがまんすることが少しずつできるようになるので、それまでは辛抱強く受け止めて。片づけや着替え、歯みがき、手洗いなどの生活習慣も、教え込むというより遊びの延長で楽しく続けます。3才ごろには昼間のおむつが取れる子が多くなります。

体
足が伸びて子どもらしい体型に

身長、特に足が伸びて4頭身から5頭身へと、よりスマートな体つきになります。乳歯が生えそろい、大人とほぼ同じものが食べられるようになります。

ブランコはまだ自分ではこげませんが、揺らしてもらうと喜びます。

心
好奇心が強くいろいろなことを吸収

2才代前半では、「ブーブー、キタ、アッチ」というようなたどたどしい3語文も、3才ごろにはなめらかに話すように。また好奇心が強く、「これな～に？」「どうして？」を連発する子も。記憶力も発達するので、「○○したら、○○しようね」という条件をつけたお話も理解できるようになります。

お箸《はし》は2才半ごろから練習を始めても。3才ぐらいになると少しずつ使えるように。

運動
運動機能が発達し、複雑な動きも可能に

スキップしたり階段の上り下りをしたり、低い台からなら飛び降りたりと複雑な動きができるようになり、3才ごろには運動機能がほぼ完成します。

KEYWORD

トイレトレーニング

2才ごろになると、おしっこの間隔が2時間以上あくようになり、「出た」「出したい」感覚がわかり始めます。これがトレーニング開始の目安です。さらに言葉や指さしで自分の意思が伝えられる、トイレに間に合うように小走りできるといったことも必要です。いざ、おまるやトイレに誘うときは時間を決めてではなく、食事や外出の前後といった生活の節目で誘うのがコツ。出なくても失敗しても、しからずに気長に取り組みましょう。

全国500人の赤ちゃん事情

発育・発達リアルデータ

成長の過程は赤ちゃんによってさまざま。ちょっと気になるほかの赤ちゃんのようすをのぞいてみましょう。

Q デビューはいつから?

	1才6カ月	1才5カ月	1才4カ月	1才3カ月	1才2カ月	1才1カ月	1才0カ月	11カ月	10カ月	9カ月	8カ月	7カ月	6カ月	5カ月	4カ月	3カ月	2カ月	1カ月	0カ月
あんよ	0%	0%	1%	4%	3%	11%	11%	24%	23%	16%	5%	1%	1%	0%	0%	0%	0%	0%	0%
ひとり立っち	0%	0%	0%	2%	2%	2%	4%	13%	26%	17%	19%	8%	5%	2%	0%	0%	0%	0%	0%
つかまり立ち	0%	0%	0%	0%	1%	1%	1%	1%	8%	15%	14%	27%	21%	10%	1%	0%	0%	0%	0%
ハイハイ	0%	0%	0%	0%	0%	0%	1%	1%	3%	4%	14%	26%	29%	17%	4%	1%	0%	0%	0%
お座り	0%	0%	0%	0%	0%	0%	0%	0%	0%	2%	1%	6%	26%	34%	25%	6%	0%	0%	0%
寝返り	0%	0%	0%	0%	0%	0%	0%	0%	1%	0%	1%	4%	3%	13%	22%	33%	19%	4%	0%

「し始めたとき」を調べたので、それぞれ、かなり低月齢から挑戦を始めるベビーが目だっています。

Q 人見知りはした?

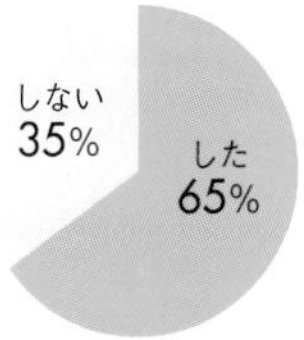

ママと別の人との区別がつくようになって起こるのが、人見知り。6カ月前後で始まることが多いようです。多くの赤ちゃんが経験しています。不安に感じるママもいるようですが、これも成長過程のひとつ。一過性のものですから悩みすぎずに！

いつから?

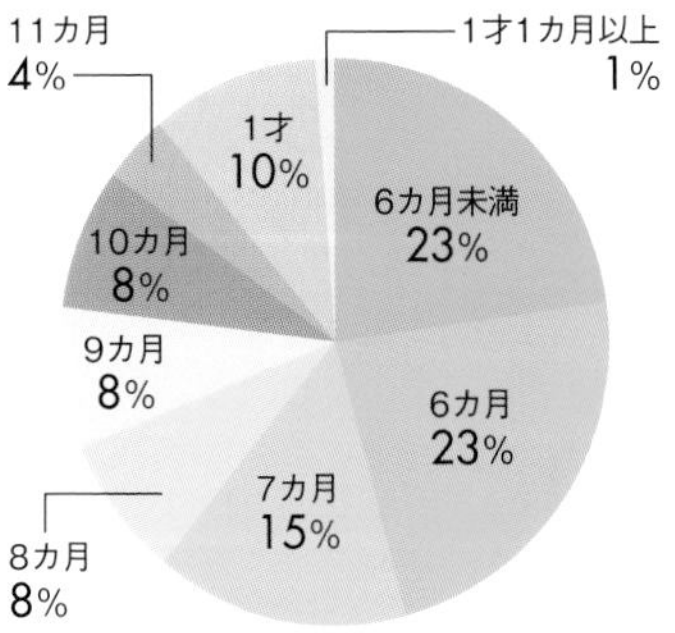

Q 後追いはした?

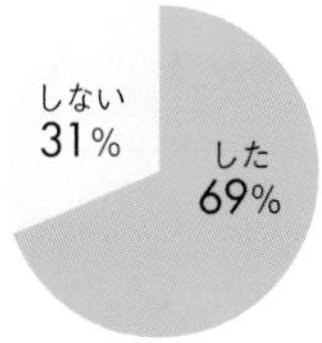

ママがどこかに行こうとすると号泣したり、追いかけてくる赤ちゃん。どこまでも追いかけてくるので、お疲れ気味なママも。でも後追いは、ママが大好きだからこそ起こるもの。その時期だけのことですから、その時を楽しむくらいの気持ちでいたいですね。

いつから?

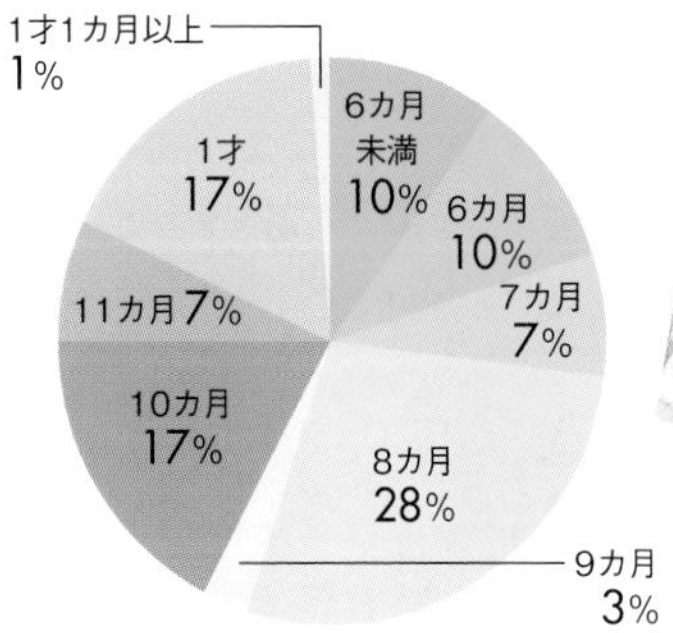

お座り、ハイハイができるようになると、遊びの世界がぐんと広がります。

※全国500人のママに聞いた赤ちゃんの発育・発達データです。（編集部調べ）

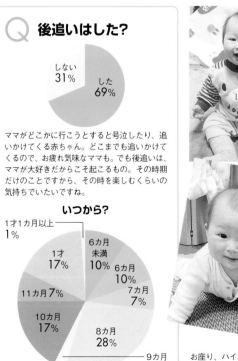

発育・発達リアルデータ

おっぱいの卒業

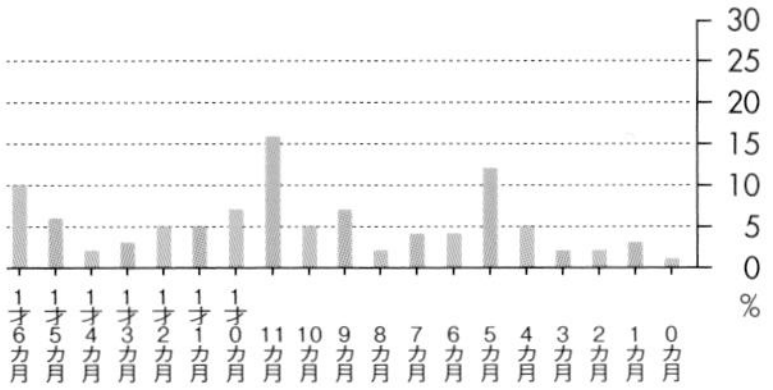

離乳食開始の5カ月、1才直前の11カ月、1才半健診のある1才6カ月と、卒業には3つの山が。

大人のまねっこ

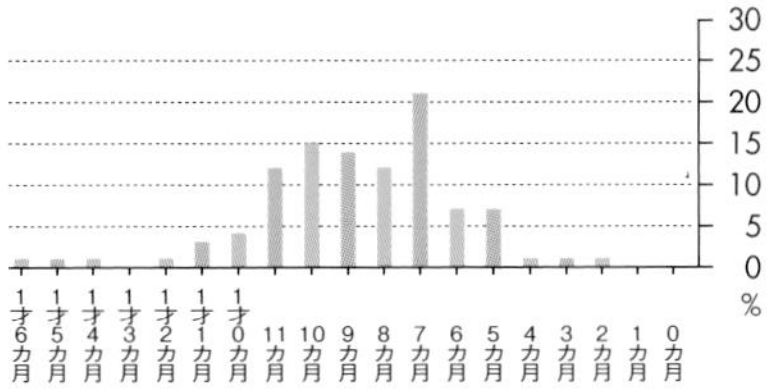

こんなことができるようになったんだと実感できる、まねっこ。「ありがとう」と頭を下げたり、名前を呼ぶと「ハーイ」と手を上げたりがスタート。

初めての発熱

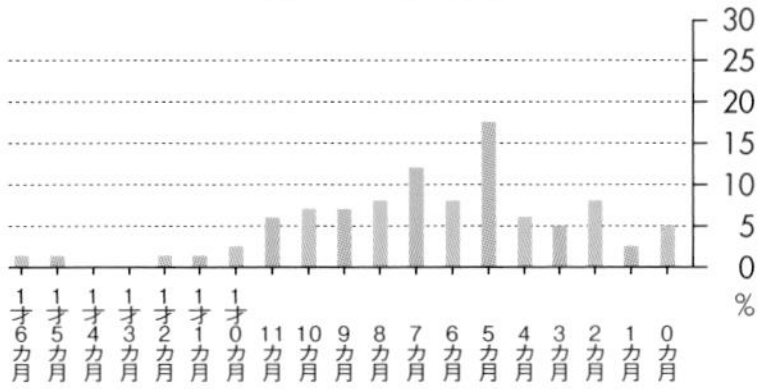

育児最初の試練ともいうべき初めての発熱は、不安がいっぱい。「発熱を乗り越えて母親としての自信がついた」というママも。

絵本の中に大好きな犬を見つけると、夢中になって「わんわん」を連呼。

はっきり言葉を話した

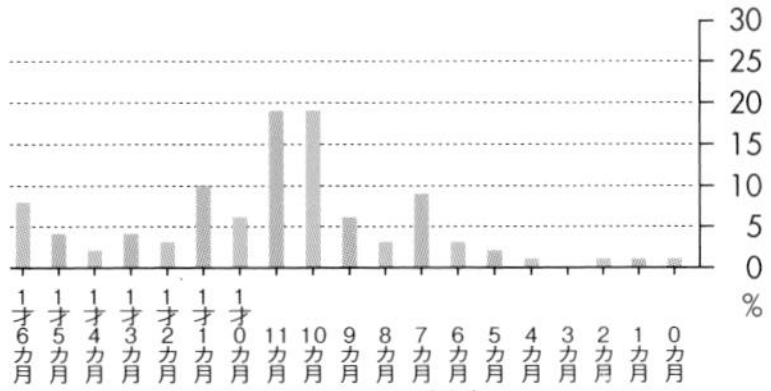

「マンマ」「アー、ウー」など喃語《なんご》が出たときと、はっきり言葉を話したときは、ママもパパも感動です。

歯の生え始め

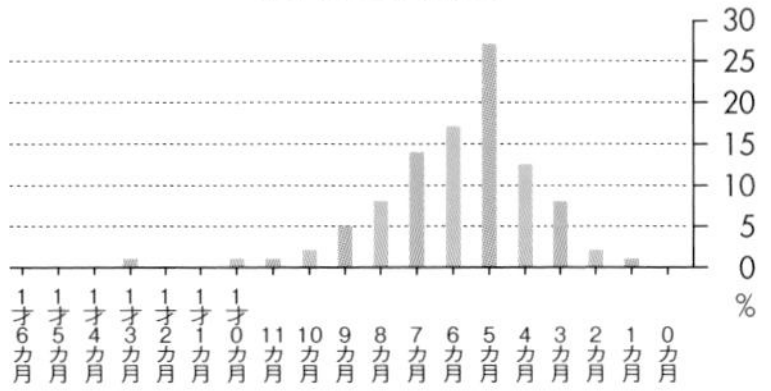

1カ月から生える子がいたり、個人差が目立ちました。5カ月前後に山が。

引き出しを開けられるようになると、いたずらもエスカレート。

Q 好きないたずらは？

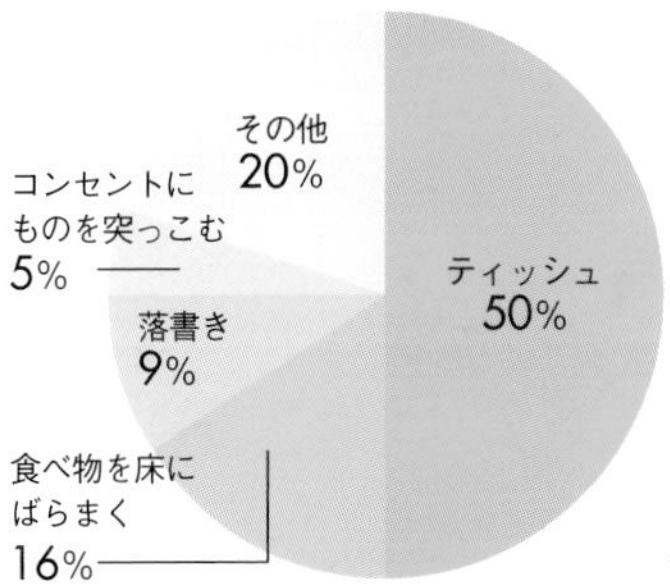

机にものを落とす、ビデオテープを入れるところにおもちゃを入れるなど。ベビーにねらわれると困るものは早めに片づけるなど対策を。

Q 指しゃぶりはする？

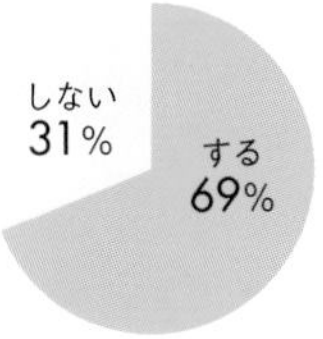

親指とひとさし指が人気！　「ひとさし指のときもあれば、ピースでしゃぶったり、日によって変わります」というフリースタイルベビーもいるようです。

どの指？

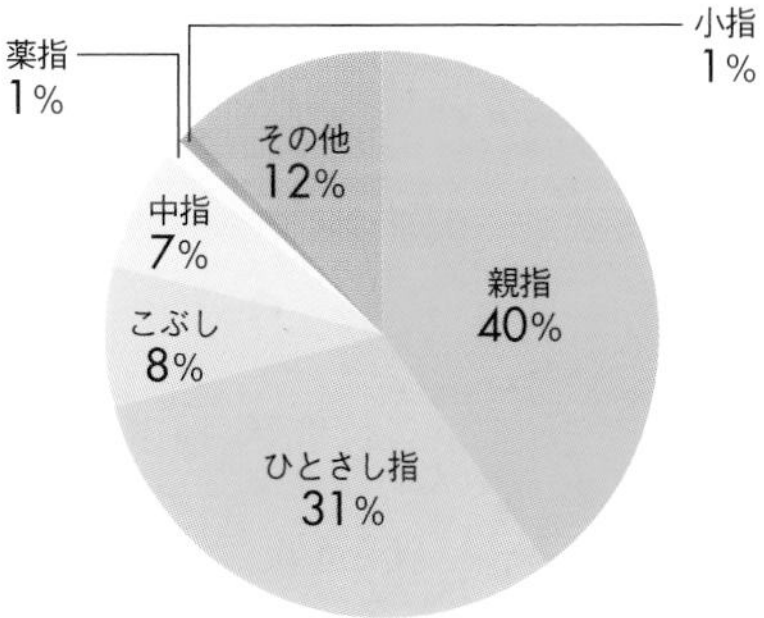

Q よくするクセは？

1位　なめる

2位　口に入れる

3位　投げる

なめなめベビーが堂々の1位。「気づくとママの靴下までなめていました！」と、その幅の広さはかなりのもの。3位以下には、頭をぶつける、机をたたく、体をそらすなどが上位にランクイン。

Q 利《き》き手はどっち？

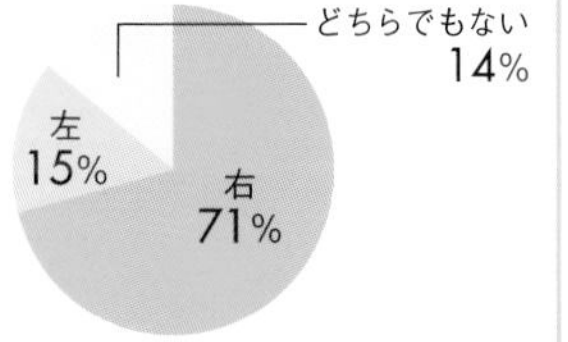

えんぴつは握らないまでも、ハーイと手をあげる側、指しゃぶりをする側などで利き手が見えてくるようです。「右手でおしゃぶり、左手でマグを持つ」という器用な赤ちゃんも。

写真の赤ちゃん／野澤路威くん、金武美澪ちゃん、中田紗ちゃん

小さめ赤ちゃんの発育・発達

小さめに生まれた赤ちゃんの不安を解消し、赤ちゃんの成長を見守るコツをご紹介します。

小さめに生まれても元気に育ちます

赤ちゃんはママのおなかの中で約40週かけて育ち、3000g前後の体重で生まれるのが一般的です。ところが何らかの原因で出産が早まり、体の機能が未熟で体重も軽い状態で生まれてきたり、おなかの中に十分いても大きくなれずに小さく生まれてきたりする場合があります。小さめに生まれた赤ちゃんは、抵抗力や免疫《めんえき》力などの予備力が少ないため注意が必要です。

おなかの中にいたのが37週未満の早く生まれてきた赤ちゃんを早産児と呼び、生まれてきたときの体重が2500g未満の赤ちゃんを低出生体重児といいます。赤ちゃんが小さく生まれた原因は複雑で、決してママのせいではありません。最近の小児医療の技術はすばらしく、NICU（新生児集中治療室）やGCU（継続保育室）に入院しながら大部分の赤ちゃんが正期産《せいきさん》の赤ちゃんと同様に育ちます。

医学的に見た低出生体重児・早産児の分け方

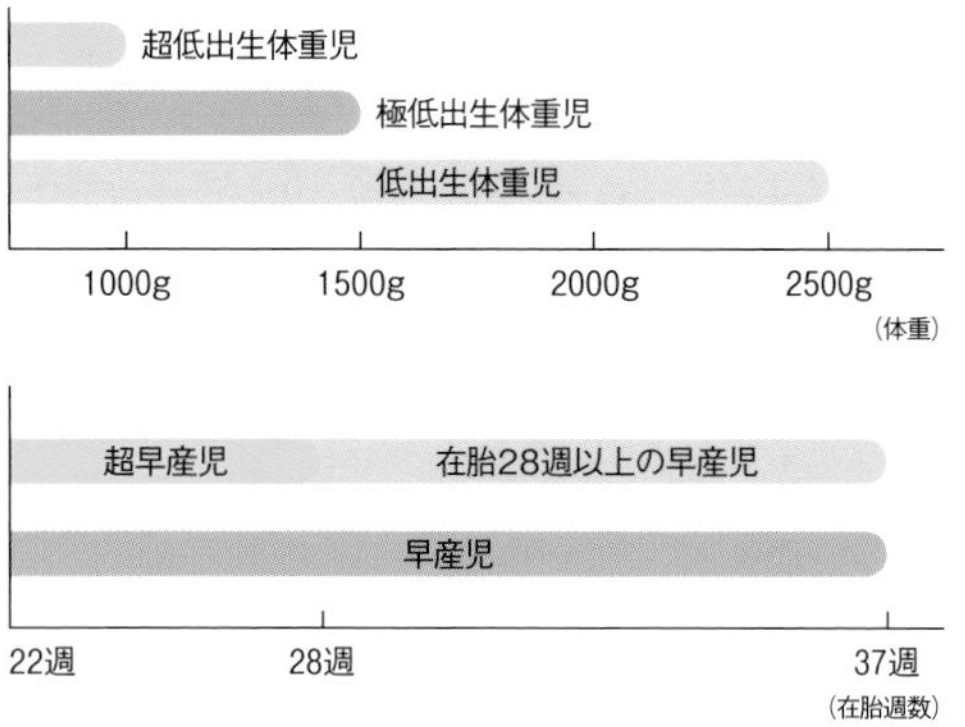

医学的には2500ｇ未満で生まれた赤ちゃん全体を低出生体重児、おなかの中に37週未満しかいなかった赤ちゃんは早産児と呼びます。

あせらずゆっくり育児を楽しんで！

「小さめに生まれた赤ちゃんの発育・発達は正期産の赤ちゃんより遅いの？」と心配になるかもしれません。でも、発育・発達は出生体重で決まるわけではなく、一人ひとりのスピードや特徴があるものです。数カ月の間に急激に成長し、正期産の赤ちゃんに追いつく子もいれば、小さいながらも母子健康手帳の発育曲線に沿ってゆっくり健康に育つ子もいます。

どの赤ちゃんも、日々がんばって大きくなろうとしています。ママはその成長がほかの子とちょっと違っても、少しゆっくりしていても、それはわが子の個性だと受け止め、あせらず楽しく育児に取り組んでください。

NICU & GCUって？

低出生体重児や早産児などをケアする部屋

NICUは新生児集中治療室、GCUは継続保育室のこと。出生体重が2500g未満の赤ちゃんや在胎週数が36週未満の赤ちゃん（※）、また生後すぐに集中治療を必要とする赤ちゃんなど、入院治療が必要な赤ちゃんが入ります。

出生直後やさまざまな処置が必要な間はNICUに入院となり、状態が落ち着いてくるとGCUに移り、帰宅の準備や必要に応じて他の科へ移る準備をします。赤ちゃんの状態によっては、最初からGCUに入ることもあります。

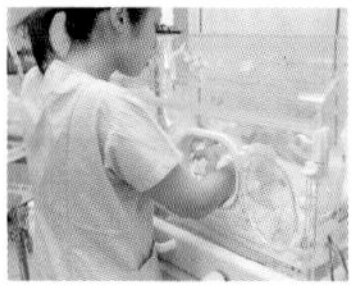

NICUの保育器はママのおなかの中と同じくらいの温度に保たれています。ベビーは異変がすぐにわかるよう裸です。

※施設によって入院基準は決められています。

PART
3

お世話の基本

抱っこ、授乳、おむつ替え…
慣れないお世話はちょっとたいへん。
そこで、お世話の基本とコツをわかりやすくまとめました。
毎日のお世話で、赤ちゃんとの絆も深まります。
自信をもってお世話してあげてください。

母乳・ミルク

初めは泣いたら飲ませます

初めのころは、赤ちゃんもまだ慣れていなくてうまく飲めないことがありますが、だんだん上手になってきます。

母乳

母乳育児は赤ちゃんにもママにもいいことが

　母乳は、赤ちゃんにとって必要な免疫《めんえき》物質や栄養がまんべんなく含まれる上、特に準備しなくても、赤ちゃんが求めたらすぐに与えられます。また肌と肌とがふれ合うスキンシップの機会を自然にたくさん持てるのも、母乳育児のよさです。さらにママにとっても、おっぱいを吸われるとホルモンの働きで子宮が収縮し、産後の体の回復が促されるという利点があります。

　1回の授乳の目安は、両方のおっぱいを飲ませて計10～30分程度。数時間おきの授乳はたいへんですが、母乳は赤ちゃんに吸われることでよく出るようになるので、どんどん飲ませてあげましょう。

あると便利なもの

ガーゼハンカチ
赤ちゃんの口をふいたりします。

搾乳器《さくにゅうき》
手動のほか、電動タイプも。

母乳パッド
もれた母乳が服にしみるのを防ぎます。

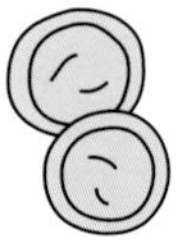

飲ませ方の基本

① 声をかけて抱っこ

最初は、赤ちゃんが泣いたら母乳の合図。視線を合わせ、声をかけながら抱っこしてあげましょう。

② 乳輪《にゅうりん》までくわえさせる

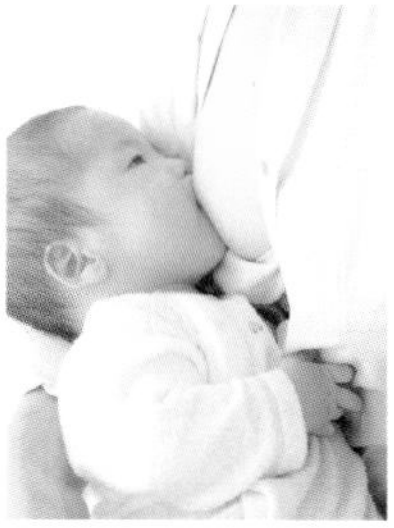

下あごが乳房にふれるような角度で、乳首だけでなく乳輪が隠れるぐらい深くくわえさせます。

③ 反対側も飲ませる

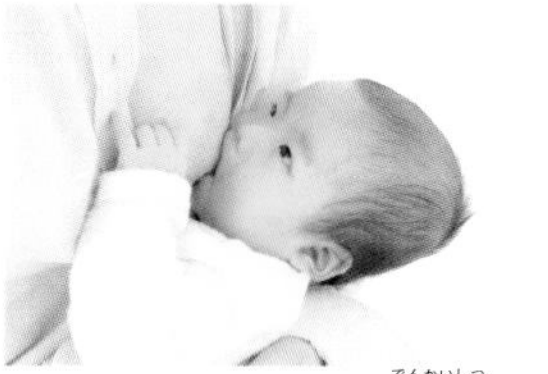

最初のうちに出る母乳には電解質《でんかいしつ》が、後のほうに出る母乳には脂肪分が多く含まれるので、左右両方とも最後まで飲ませるのが理想です。

④ ゲップを出させる

飲み終えたら、母乳といっしょに飲み込んだ空気を出します。たて抱きにしてママの肩に赤ちゃんのあごを乗せ、背中をさすります。

[授乳時の抱き方]

　乳房や乳首の形により、赤ちゃんが飲みやすい姿勢があります。いろいろなポーズを試し、ママもラクな姿勢を探してみて。時には抱き方を変えて飲ませると、母乳トラブルの予防にもなります。

たて抱き

胸が小さめの人や乳首が短めの人でも、飲ませやすい抱き方です。ひざの上に赤ちゃんを座らせ、首と背中を支えます。

よこ抱き

いちばん一般的で、赤ちゃんが大きくなってからもできる抱き方です。乳首に対し、体ごと正面を向くように。

ラグビー抱き

首の位置を手で調節しやすく、大きな胸や扁平乳頭《へんぺいにゅうとう》の人でも飲ませやすい抱き方です。赤ちゃんをわきの下に抱えます。

母乳・ミルク

母乳トラブルQ&A

Q 母乳が十分出ていない気がします

A 吸ってもらうことがいちばんの解決策

母乳は赤ちゃんに吸われることでよく出るようになるので、どんどん飲ませてあげましょう。開通していない乳管も、吸ってもらううちに開通します。またママがリラックスしたほうがよく出るので、できる限り体を休めて。栄養や水分も十分にとりましょう。

Q 乳首の形が悪くて吸いにくそうですが…

A 張りが少ないうちに、なるべく吸わせて

扁平や陥没《かんぼつ》乳頭だと、赤ちゃんがうまく吸えないことがあります。でも、生まれて間もないころのほうがおっぱいの張りが少なく皮膚が伸びやすいので、月齢が低いうちになるべく吸わせるようにします。少し搾乳すると、くわえやすくなることがあります。

Q 乳首が切れたときはどうすればいい?

A 吸わせ方を再確認して

乳首を奥までしっかりとくわえていれば切れにくいので、くわえ方が浅くないか見直しましょう。切れて痛んでも、深くくわえさせたり少し搾乳してから飲ませると痛みがやわらぎます。バーユやラノリンといった、保湿効果のあるクリームをぬってケアするのもいいでしょう。

Q おっぱいが張って痛みます

A 赤ちゃんになるべく飲ませるのが最善策

母乳の分泌がよすぎて胸がパンパンに張って痛むときは、赤ちゃんになるべく何度も吸ってもらうのがいちばんです。でも、パンパンだとくわえにくいですし、出がよすぎて赤ちゃんがむせることも。そんなときは授乳前に少し搾乳してから飲ませるといいでしょう。搾乳の仕方は下を参考にしてください。

Q うつ乳・乳腺炎《にゅうせんえん》になってしまったら?

A うつ乳はなるべく吸わせて。乳腺炎は受診を

母乳が出きらず、しこりが残るのがうつ乳。何度も飲ませたり、いつもと違う方向から乳首をくわえさせるとたまった母乳を吸ってもらえます。乳腺炎は炎症を起こしているので、発熱することもあります。産婦人科を受診して。

知っておきたい

搾乳の仕方

赤ちゃんがうまく乳首を吸えないときや母乳の出がよすぎるときなどは、飲ませる前に少し搾乳すると、赤ちゃんが飲みやすくなります。また赤ちゃんに直接飲ませられないときなども搾乳します。手で搾るほかに、市販の搾乳器を使ってもいいでしょう。

① 手をきれいに洗います。乳房や乳頭を消毒したり、ふく必要はありません。

② 乳頭から約2cm外側に親指とひとさし指を当てて、肋骨《ろっこつ》に向かって軽く押し、その場所から乳頭の中心に向かって、親指の腹とひとさし指の腹が乳頭の真下で合うようにします。

▼横から見ると

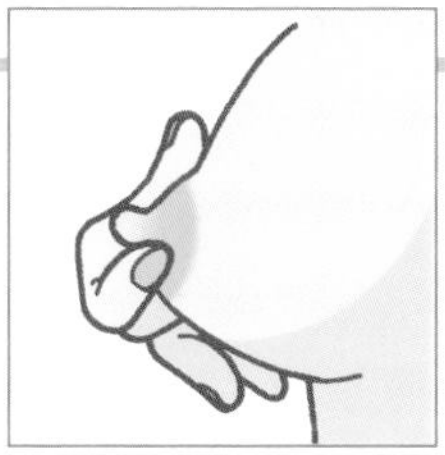

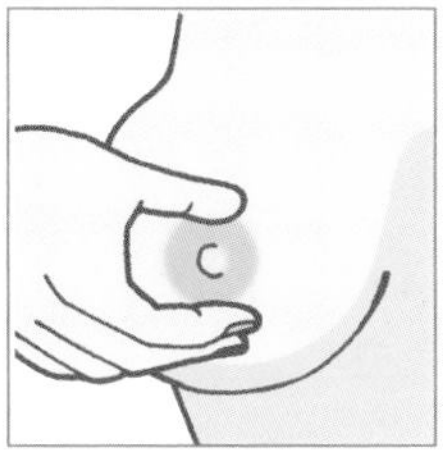

▲正面から見ると

③ 同じ場所を10回程度搾乳したら、指の位置を変えて、いろいろな方向から搾りましょう。

※乳頭をひねったり、引っ張ったり、しごいたりしてはだめです。組織を傷めてしまいます。

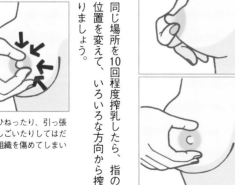

ミルク

必要なときには自信を持ってミルク育児

母乳での育児には利点がたくさんありますが、母乳が足りないときやママの病気などでどうしてもミルクが必要なときには、自信を持ってミルクを与えましょう。栄養面では母乳とほとんど変わりません。

母乳不足かどうかは体重増加などが目安になりますが、まずは小児科医に相談します。混合栄養になっても、最初はおっぱいが張らない夕方だけにしたり、なるべく母乳を続ける方向で足していきます。ミルクを足す場合は、母乳を先に飲ませ、次にミルクという順番で。ミルクは授乳を始める前に作っておくとあわてません。

用意するもの

調乳・授乳

哺乳びん、粉ミルクなど

哺乳びんやニプルには、素材や形状などの違いがあります。

洗浄

哺乳びん用洗浄ブラシ、洗剤など

清潔が肝心なので、専用のブラシと洗剤を。

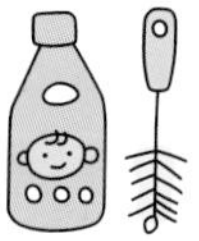

消毒

お鍋、トングなど

煮沸消毒には哺乳びんが入る大きさのお鍋とトングを。

★調乳前に必ず石けんと水で手を洗い、清潔なふきんで水をふき取りましょう。

ミルクの作り方

① 哺乳びんにお湯を入れる

一度沸騰させ適温（70度以上に保つ）に冷ましたお湯を、作りたい量の半分くらい入れて。後でミルクを溶かしやすくなります。※注

② ミルクを正確に計量

缶に付属の計量スプーンで、すりきりにして量ります。メーカーにより1さじの量が違うので、必ず缶の表示で必要量の確認を。

③ 哺乳びんにミルクを入れる

こぼさないよう、哺乳びんにミルクを入れて。何杯入れたのか途中でわからなくならないよう、数えながら入れましょう。

④ ダマにならないよう溶かす

哺乳びんを軽く回すように揺らし、ミルクを溶かします。ダマにならないよう、しっかりと溶かして。上下に振ると泡立つので注意。

⑤ 湯ざましを足す

でき上がりの量まで、一度沸騰させた湯ざまし（70度以上に保つ）を足して。乳首をつけてから、再度哺乳びんをゆっくり揺らしてよく溶かします。

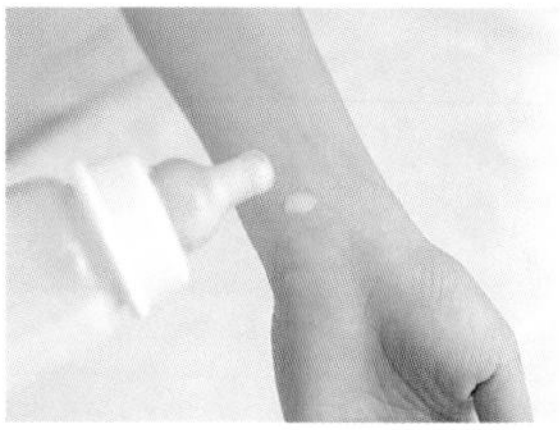

⑥ 人肌まで冷ます

腕の内側にミルクをたらし、少し温かいなと感じる温度か確認します。熱いときは、流水や水をはったボウルに入れて冷まします。

※注…先に粉ミルクを入れるメーカーもあります。調乳の方法はメーカーにより異なるので、必ず確認を。

ミルクの飲ませ方

① 乳首の閉めぐあいを確認

きつく閉めると出が悪くなり、ゆるいと出すぎに。傾けたとき、ポタッ、ポタッと一定のリズムでたれるぐらいがベスト。

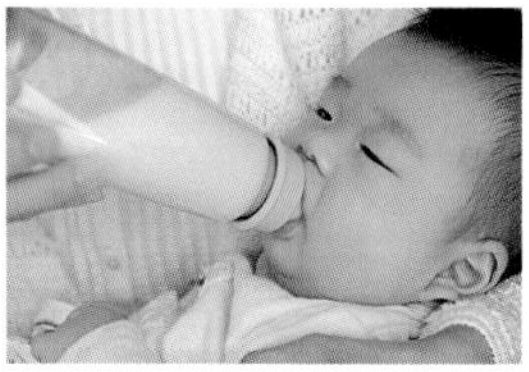

② 乳首を深くくわえさせる

よこ抱きにして、母乳の場合と同様に根もとまで深くくわえさせます。乳首部分に空気が入らないよう、哺乳びんはしっかり傾けて飲ませます。

③ ゲップを出させる

赤ちゃんをたて抱きにするだけで、ゲップが出ることも。背中をトントンすると、出やすくなります。また肩にもたせかけると、おなかが圧迫され、ゲップが出やすくなります。

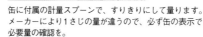

母乳・ミルク

[哺乳びんの種類]

素材は月齢や用途で使い分け

哺乳びんは、ガラス製とプラスチック製があります。ガラスは熱に強く汚れが落ちやすいので、消毒回数が多い時期の赤ちゃん向き。また、プラスチック製は軽くて外出に便利です。月齢や用途に合わせて使い分けるといいでしょう。

成長に合わせて容量を変える

容量はメーカーにより多少違いますが、果汁や湯ざまし用の50mℓのほか、120～240mℓまで種類があります。赤ちゃんが飲む量に合わせて、容量を変えていきましょう。

[ニプル(乳首)の種類]

素材は赤ちゃんに合ったものを

おっぱいのようにやわらかい天然ゴム製、劣化しにくくゴム臭がないシリコーン製、両者の中間のかたさのイソプレンゴム製があります。赤ちゃんのようすに合わせて、吸いやすいものを選ぶようにしましょう。

吸う力によって穴の形も変えて

赤ちゃんの成長に合わせてSサイズ・Mサイズ・Lサイズと穴の大きさが変えられる丸穴、吸う力に応じて出る量が変わるクロスカット、スリーカットがあります。

哺乳びんの洗い方・消毒の仕方

① 哺乳びんを洗う

一般の食器用洗剤でも大丈夫ですが、食品原料で作られた哺乳びん専用洗剤もあります。ブラシやスポンジで底まで洗って。

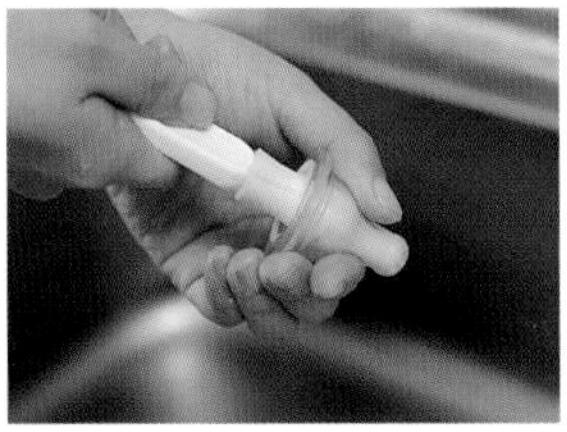

② 乳首もよく洗う

乳首はミルクの残りが付着しやすいので、やはりスポンジやブラシで洗います。外側だけでなく、内側もしっかりと。

③ 両方ともよくすすぐ

洗い終えたら、洗剤が残らないよう流水で十分にすすぎます。乳首はできれば裏返して、もむように洗うといいでしょう。

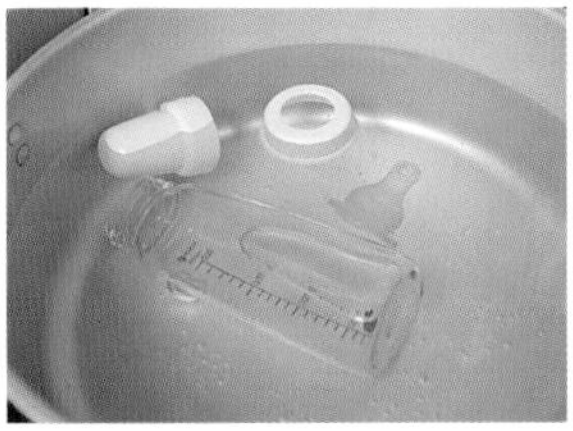

④ しっかり沈めて煮沸消毒

鍋のお湯が沸騰したら、洗った哺乳びんと乳首を入れます。哺乳びんは浮き上がりやすいので、中にお湯が入るように沈めます。

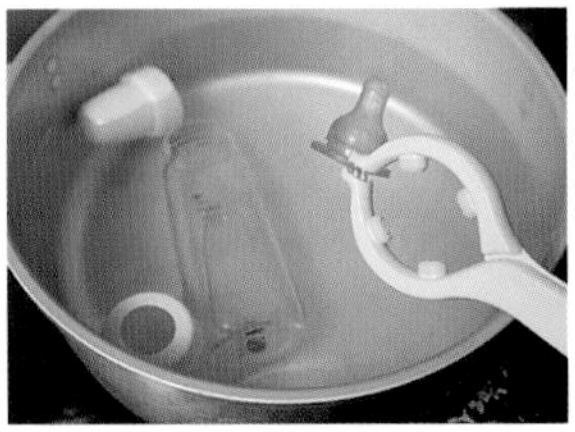

⑤ 時間差で取り出す

煮沸して3分ほどたったら、先に乳首を取り出します。哺乳びんは5分ほど煮立たせるといいでしょう。

電子レンジ消毒や消毒液での消毒も

チンするだけで簡単消毒

電子レンジで加熱するだけで消毒できる専用のケースが市販されています。いずれも、哺乳びんや乳首を洗ってから使用します。

消毒液で消毒

調整した消毒液に哺乳びんや乳首をつけておけばいいものや、洗浄・殺菌するタブレットが市販されています。消毒後、そのまま調乳できるものもあります。

ミルクトラブル Q&A

Q 赤ちゃんが哺乳びんをいやがるときは?

A 口当たりが違う状態に慣れさせて

母乳を少し搾って哺乳びんに入れたもので練習を。いろいろなニプルを試してみてもいいでしょう。また、母乳のときと同じ姿勢で飲ませたり、ママ以外の人が飲ませてみたりと、いろいろ試してみましょう。

Q 飲みムラが気になるけれどいいの?

A 1回1回でなく、1日のトータルで考えて

赤ちゃんも食欲にムラがあるので、あまり飲まないことも。そんなときは10～15分たったら切り上げて。飲む量は1日のトータルで考え、少しずつでも飲めていて体重が増えていれば問題ありません。

Q だらだらとずっと飲んでいます

A ミルクの間隔をきちんとあけてみます

泣いたからといって、赤ちゃんはつねにミルクを欲しがっているとは限りません。だらだらと飲ませているとかえっておなかがすかず授乳リズムが乱れることも。あまりにもずっと飲み続けてしまうときは、ママが意識的に授乳時間を決めて。

赤ちゃんとのスキンシップを楽しんで

抱っこ

正しい抱っこテクを押さえておけば、今後ずっと続く抱っこタイムが、もっともっと楽しくなります。

抱っこは、赤ちゃんに「安心」というやすらぎを与えます

赤ちゃんは、たくさん抱っこされスキンシップを重ねるなかで、みんなに愛され守られているという安心感を得ていきます。その安心がベースとなって、はじめて赤ちゃんは外の世界へと出ていけるのです。抱きぐせを気にする必要はありません。抱っこの時期はほんの数年。できるときに、たくさん抱っこしてあげてください。

最初は、上手に抱っこできなくてとまどうかもしれませんが、ママが怖がっていると赤ちゃんも不安になります。コツさえ学べば難しいことはありません。リラックスして、赤ちゃんとのふれ合いタイムを楽しんでみてください。

ママの抱っこで赤ちゃんは安心します。

よこ抱き

新生児期の抱っこの基本です。慣れないうちも、この抱き方だけはマスターしましょう。

① 頭に手をさし入れる

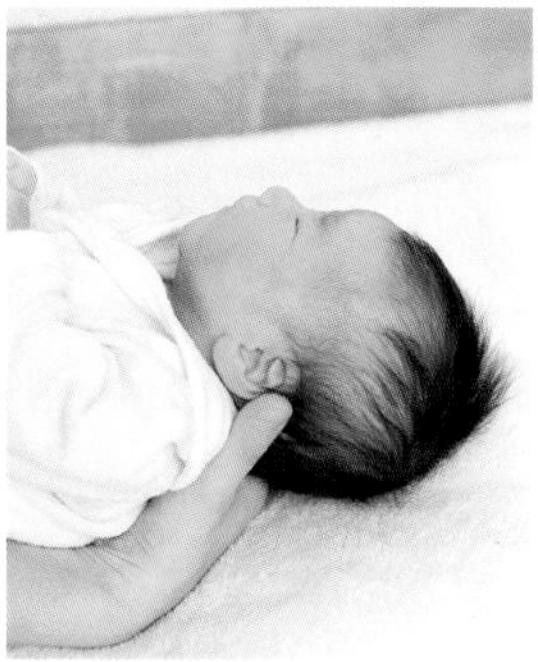

頭を支えるほうの手を、ゆっくりさし入れます。このとき頭だけでなく、首もしっかり支えてあげてください。

② おしりを支える

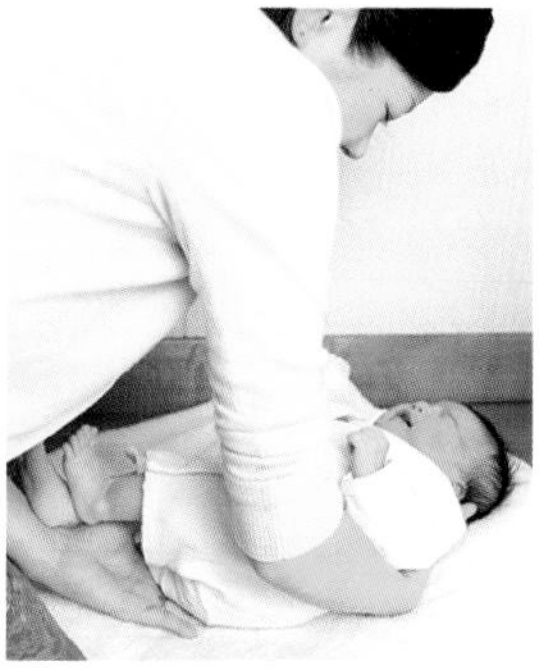

反対の手でおしりを支えます。このとき、おまた側から上下をはさむようにすると、安定感が増します。

③ そっと抱き上げる

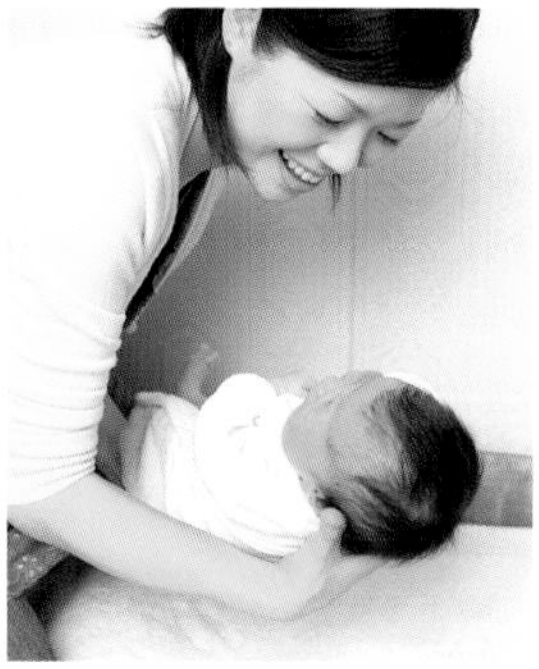

赤ちゃんがビックリしないよう、「抱っこしようね～」と声をかけながら、ゆっくりと抱き上げます。

④ 胸に引き寄せる

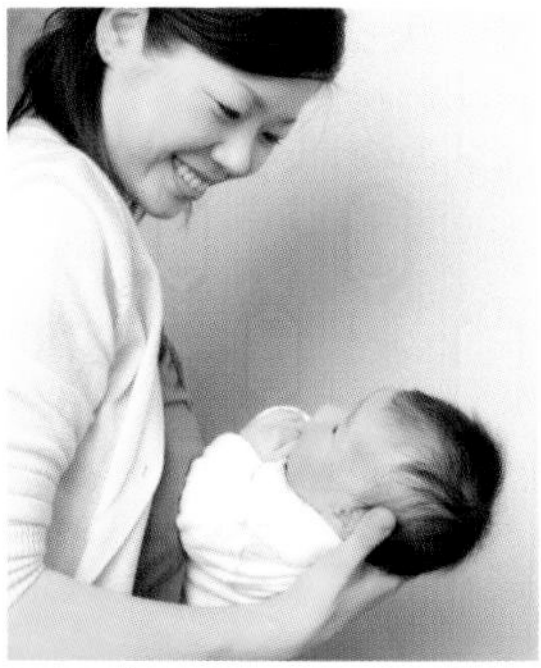

抱き上げたら、ママの胸に抱き寄せます。ママとぴったりくっついて赤ちゃんは安心、ママも疲れません。

⑤ 頭をママのひじの内側に

手のひらで支えていた頭をママのひじの内側までずらし、胸に密着させます。なるべく腕全体で支えて。

⑥ おしりを支えて完成！

おまたをはさんでいた手を赤ちゃんの体にぐるっと回して、赤ちゃんの背中とおしりを支えます。

抱っこ

たて抱き

首すわり前でも、しっかり支えればたて抱きも大丈夫。授乳後にゲップをさせるときや、腕が疲れたときなどに。

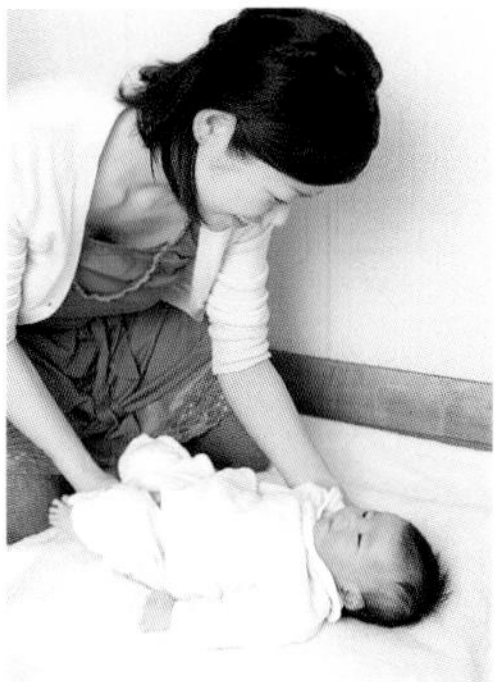

① 頭とおしりを支える

よこ抱きと同じ要領で頭とおしりを支えます。たて抱きでは首がぐらつかないようしっかり支えることが大切。

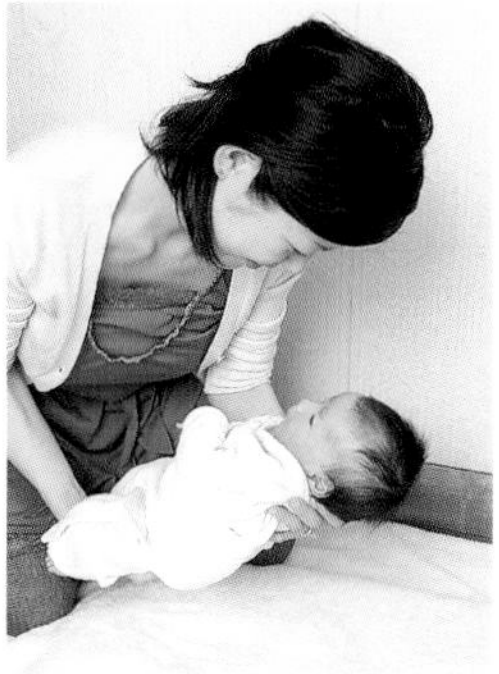

② 抱き上げる

ママの体を赤ちゃんに近づけ、いっしょに体を起こすようにゆっくり抱き上げると、赤ちゃんも安心です。

③ 胸に引き寄せる

首をしっかり支えながら赤ちゃんの体を起こし、ママと赤ちゃんの顔が向き合うように抱き寄せます。

④ またの手をおしりに移動

またを支えている手を赤ちゃんの体に回して、おしりを支えます。ママの腕におしりをのせるとより安定します。

⑤ 首と背を支えて完成

もう一度赤ちゃんの頭と首がぐらついていないかを確認したら、たて抱きが完成。頭を腕で支える方法もあります。

抱き下ろす

抱き下ろしたとたん、赤ちゃんが目を覚まして泣いてしまうことも。眠ったまま抱き下ろすテクです。

① 頭をひじからずらす

下ろしやすいよう、頭をひじから手のひらにずらします。頭をひじにのせたままだと段差で頭がガクッとなるので注意します。

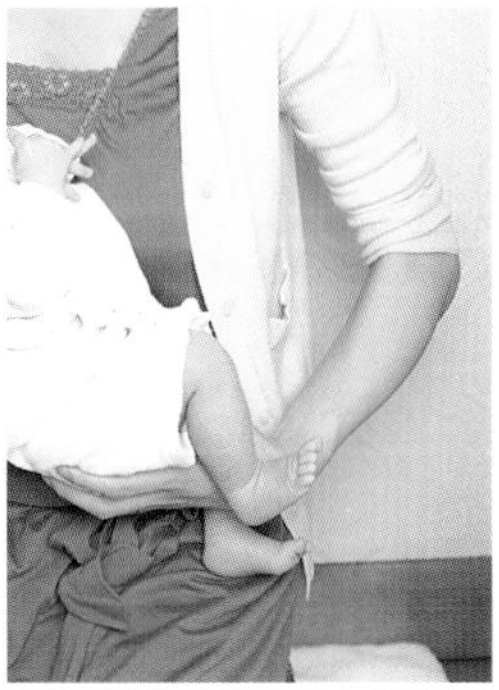

② 反対の手でまたを支える

抱き上げるときと逆の手順で体を支えていたほうの手をずらし、赤ちゃんのまたを上下からはさみこむようにします。

③ おしりからそっと下ろす

下ろすときは体を密着させたまま、おしりからゆっくりと。ママは、腰ではなくひざを曲げながら体全体で下ろして。

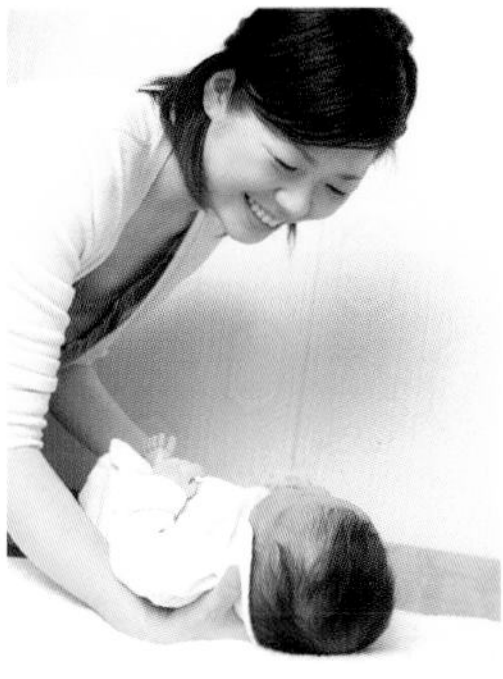

④ 頭を下ろし、手を抜く

頭をゆっくりと下ろし、手はしばらくそのままで。次に頭がガクッと落ちないように、ゆっくりと手を抜きます。

[抱き換えのポイント]

左右の抱き換えは、慣れないとたいへん。おしりを軸にする、頭をしっかり支えるなど、ポイントを押さえて。

おしりを支えていた手を首に

頭側の手でおしりまでをしっかり支えます。そして、おしり側の手をはずし、首へと持ちかえます。

↓

おしりを中心にゆっくり回す

おしりを回転の軸にしながら、頭を支えた腕側に頭をゆっくり移動。軸となるおしりは、ママのおなかにつけて。

↓

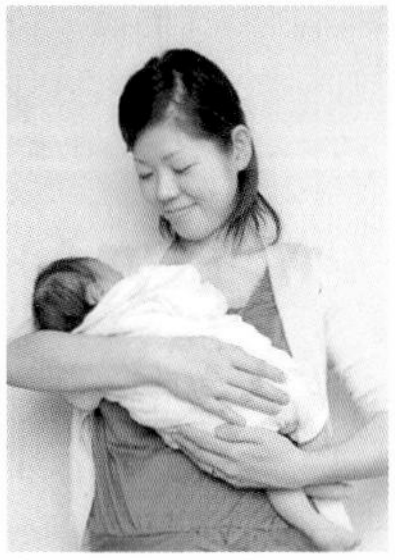

頭をひじのほうへずらす

頭を反対側に移動させたら、ママの腕の負担が少なくなるよう、頭をひじぐらいの位置にまでずらします。

こまめに替えておしりを快適に

おむつ替え

おむつを替えるときは声かけをしながら、赤ちゃんとママのコミュニケーションタイムとして活用しましょう。

おむつかぶれを防ぐためにも汚れたらまめに交換

おむつは、汚れたら替えるというのが基本です。初めは、授乳のたびにおむつをチェックしてみるといいでしょう。うんちはにおいでわかります。うんちのときは汚れをきれいに落とし、おしりをよく乾燥させてから新しいおむつを当てます。汚れを落とすときにゴシゴシふくと肌を傷めてしまうので、やさしくふくか、お湯で洗い流して押しぶきを。

また新生児のうんちはゆるいので、おむつからもれることがあります。背中や脚周りからもれやすいので、ぴったりつけましょう。

紙おむつの捨て方

うんちのときは、うんちだけトイレに流します。そして汚れたおむつを手前からくるくる丸めます。

紙おむつのサイドテープでしっかり留めて処分します。

紙おむつ・テープ型

新生児から、寝かせたまま手早く替えられます。

① 準備が肝心! 必要なものを用意

新しいおむつ、おしりふき、汚れたおむつを処理するためのビニール袋などを用意します。

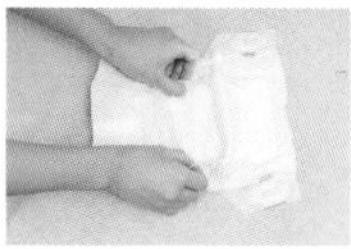

POINT
新しいおむつはしっかり広げて、ギャザーを起こしておく。

② おむつを開けておしりをふく

女の子は前から後ろへ。男の子はおちんちんの裏側やしわの間もていねいにふきます。

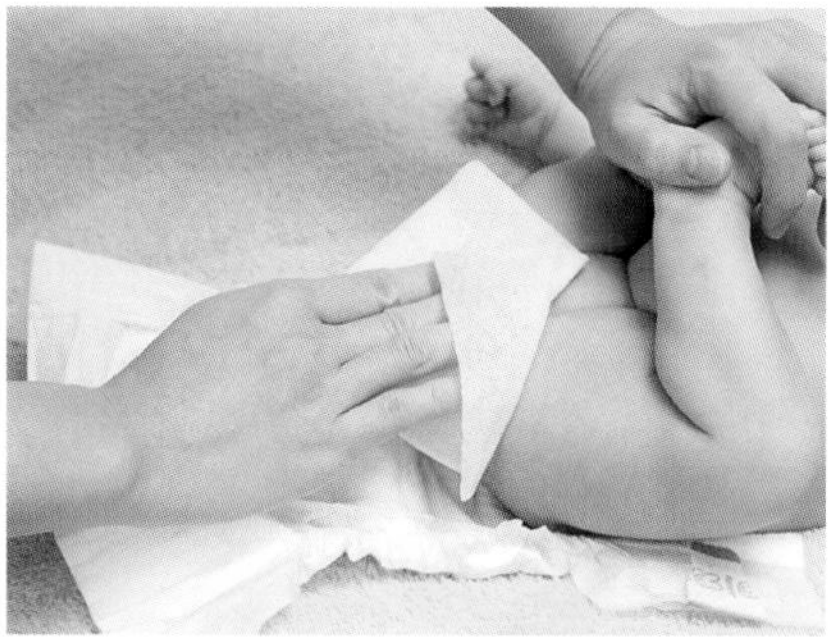

③ 新しいおむつを当てる

おしりを少し浮かせて、新しいおむつを差し入れます。脚を引っ張り上げてはダメです。

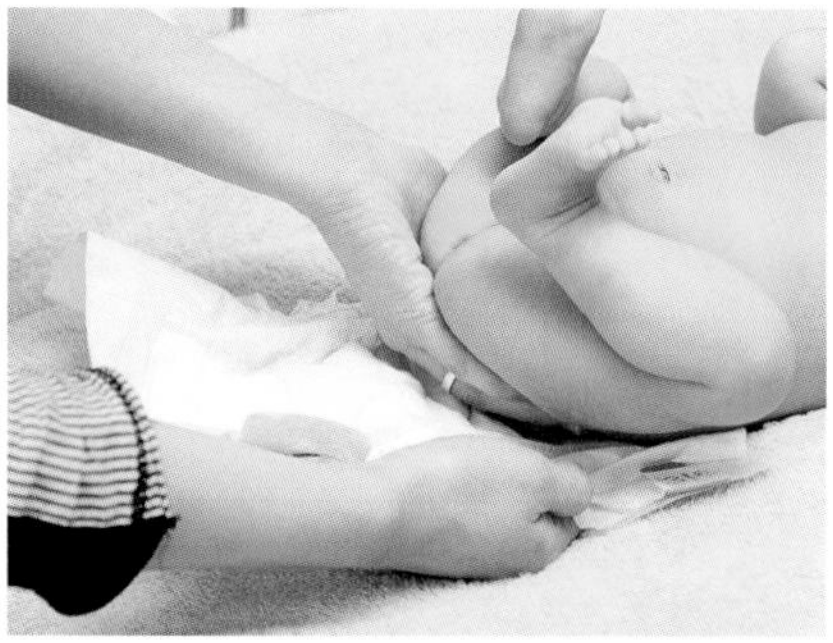

④ 体に合わせてテープを留める

おむつの端を片手で押さえ、もう片方の手でテープを左右対称に留めていきます。

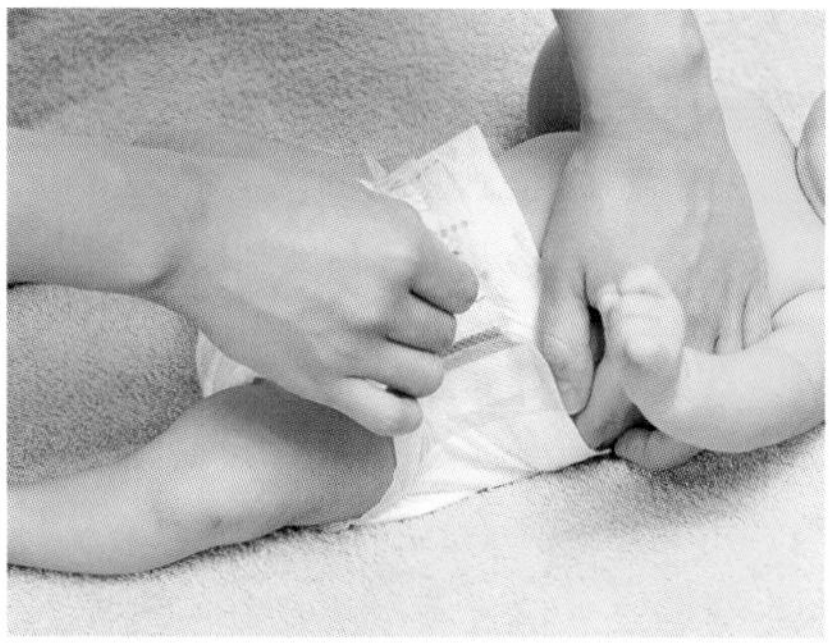

⑤ おむつの形を整える

脚周りのギャザーが内側に折り込まれないように確認しながら、形を整えます。

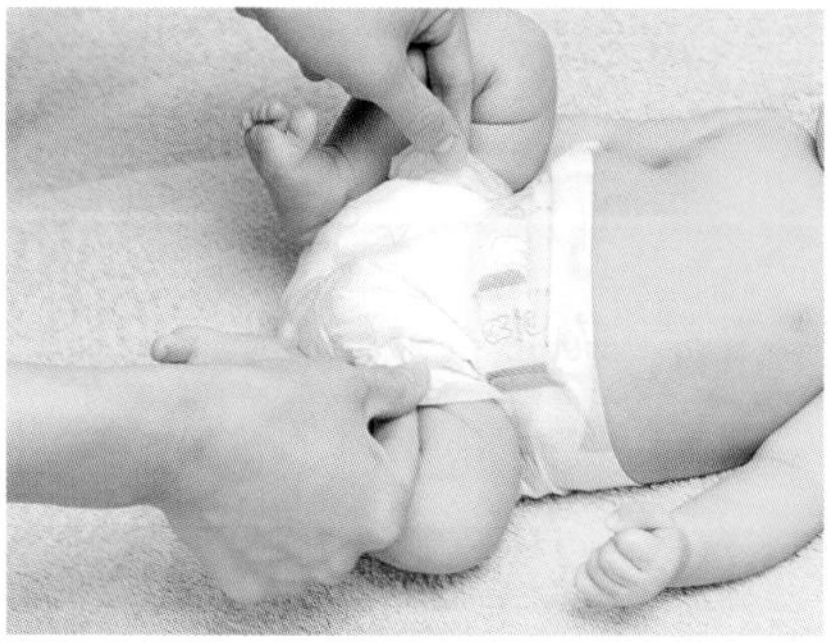

おむつ替え

紙おむつ・パンツ型

おむつ替え中に、寝返りやつかまり立ちで動き回るようになったら、パンツ型が便利。

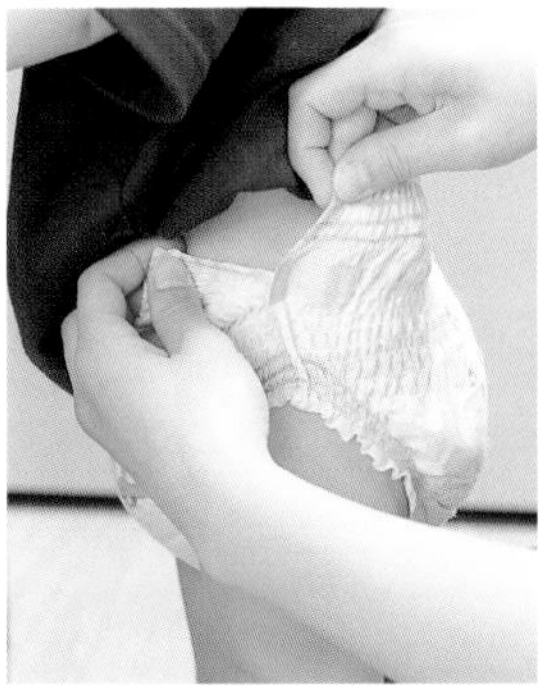

① わき部分をやぶる

片方のわきを上から手でやぶります。おしっこだけのときはやぶらずに脱がせても。

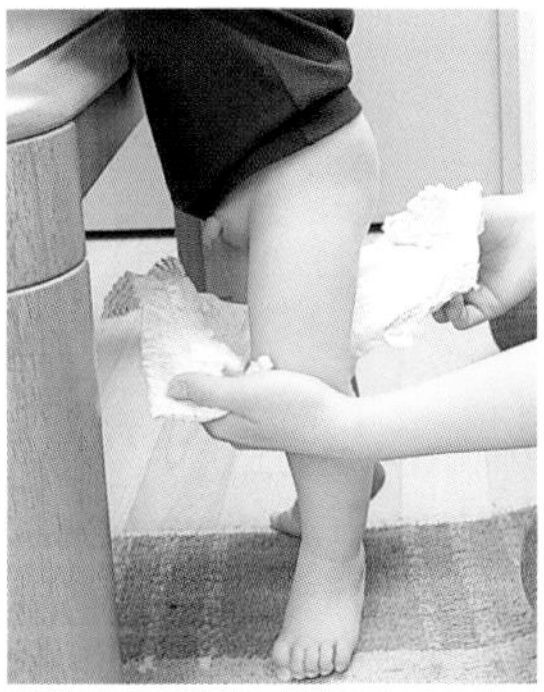

② おむつをはずす

うんちのときは特に、服や脚を汚さないように注意しながらおむつをはずします。

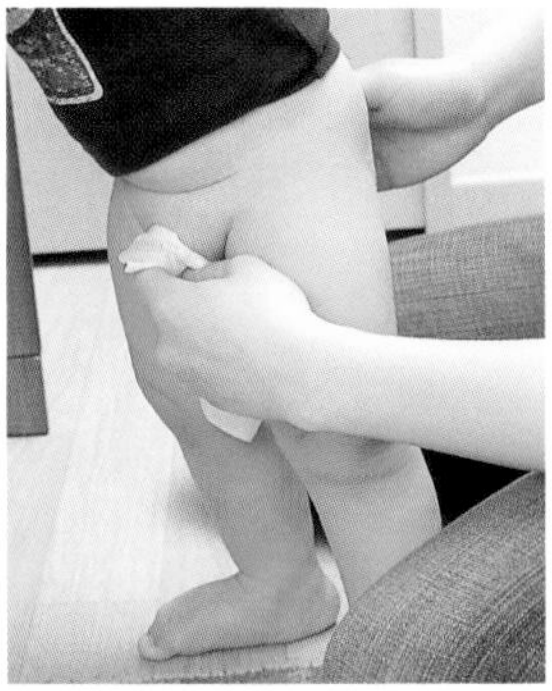

③ おしりをふく

つかまり立ちをさせたまま、おしりふきなどできれいにふきます。

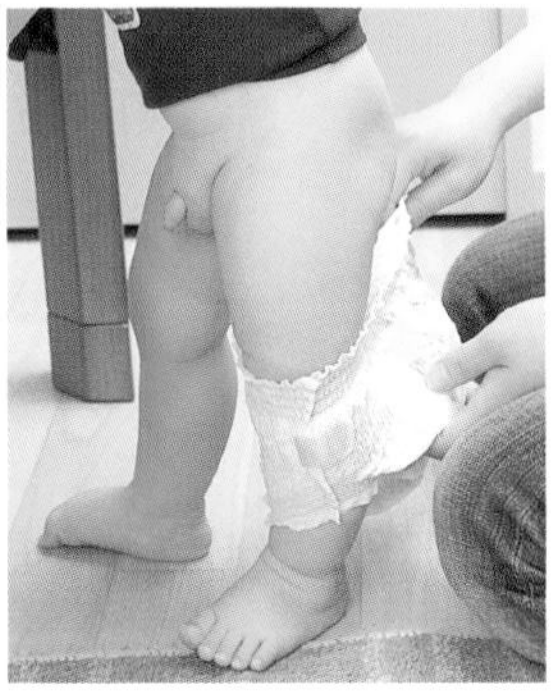

④ 片足ずつはかせる

両手でウエスト部分を広げながら、片方ずつ足を通しておむつをはかせます。

⑤ おなかまで上げる

次におへそまでおむつを引き上げます。太ももにぴったりフィットさせます。

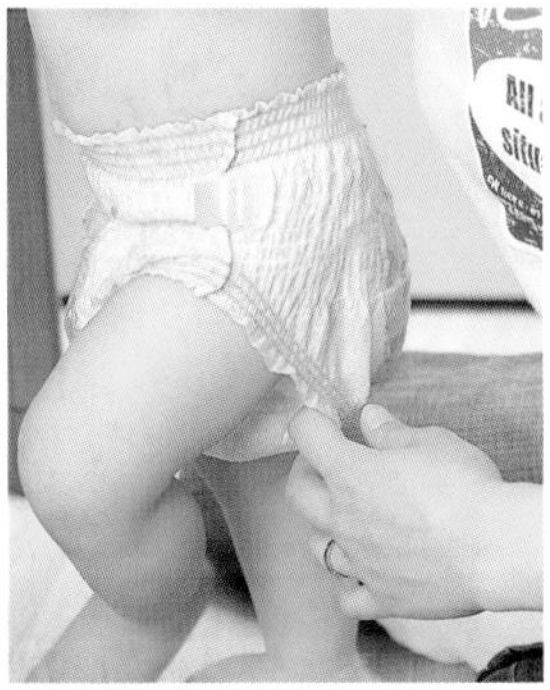

⑥ ギャザーの向きをチェック

ギャザーが内側に入り込んでいたら指を入れて外向きにします。

布おむつ

布おむつには繰り返し使えるよさがあります。

① おむつカバーにセット

輪型おむつの場合、おむつを縦長に2つに折り、さらに長さが半分になるように折ってからおむつカバーの上にのせます。

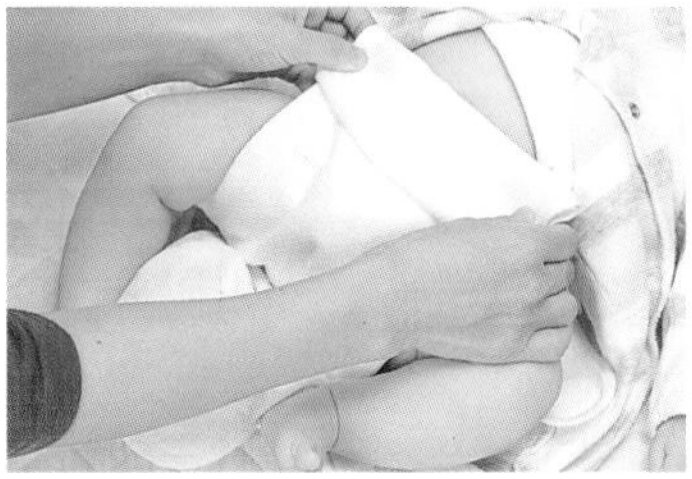

② おむつを当てる

おしりをおむつの上にのせ、おむつがおへそにかからないようにします。余った分を男の子は前を厚く、女の子は後ろを厚く折ります。

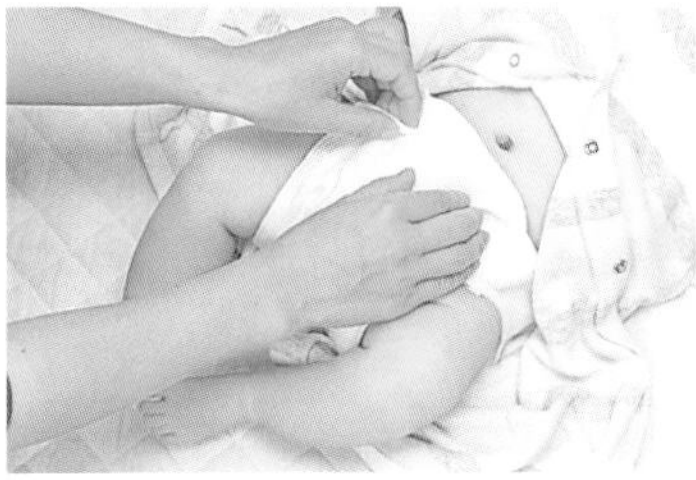

③ カバーのベルトを留める

おむつをカバーからはみ出ないように収め、おなか周りに指2本分ぐらいのゆとりをもたせてベルトを留めます。

寝返りやハイハイ期は

ねんねの状態でパンツをはかせるときは、ママが足ぐりから手を入れてから、赤ちゃんの足を持ってはかせます。

[おしりのふき方ポイント]

おしりのふき方は、女の子と男の子でポイントが少し違います。

●男の子
裏をチェック
男の子は陰嚢《いんのう》やおちんちんの裏側に汚れがたまりやすいので、ママがそれぞれ持ち上げて、ていねいに汚れをふきます。

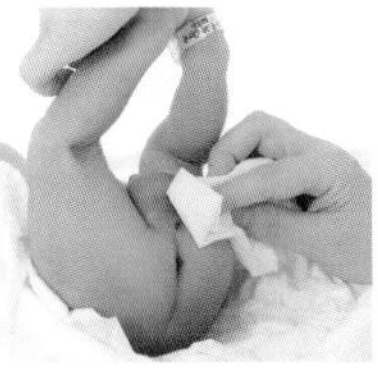

●女の子
前から後ろへ
外陰部《がいいんぶ》はうんちが入りやすい部分。大腸菌が尿道へ入ると炎症を起こす可能性があるので、ふくときは必ず前から後ろへ。

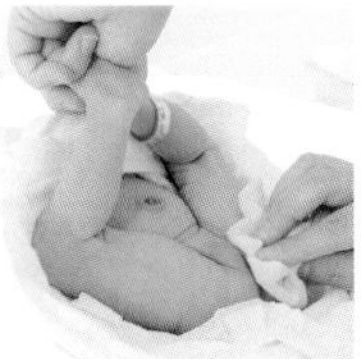

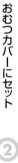

ダンドリよくスムーズに

沐浴・おふろ

沐浴は、最初は緊張しがち。それだけに準備が肝心です。おふろは、声をかけながら楽しい雰囲気で。

沐浴

1カ月過ぎまではベビーバスで沐浴を

赤ちゃんは新陳代謝《しんちんたいしゃ》が盛んなので、なるべく毎日おふろに入れてあげたいのですが、新生児は抵抗力が弱いため1カ月を過ぎるころまでは大人といっしょではなく、ベビーバスで沐浴させます。

沐浴の場所は、浴室でもリビングでも入れやすいところならどこでもかまいません。できるだけ毎日同じ時間帯に、授乳と授乳の間がいいでしょう。お湯につかるのは体力を使うので、5分を目安にお湯から上げるようにします。

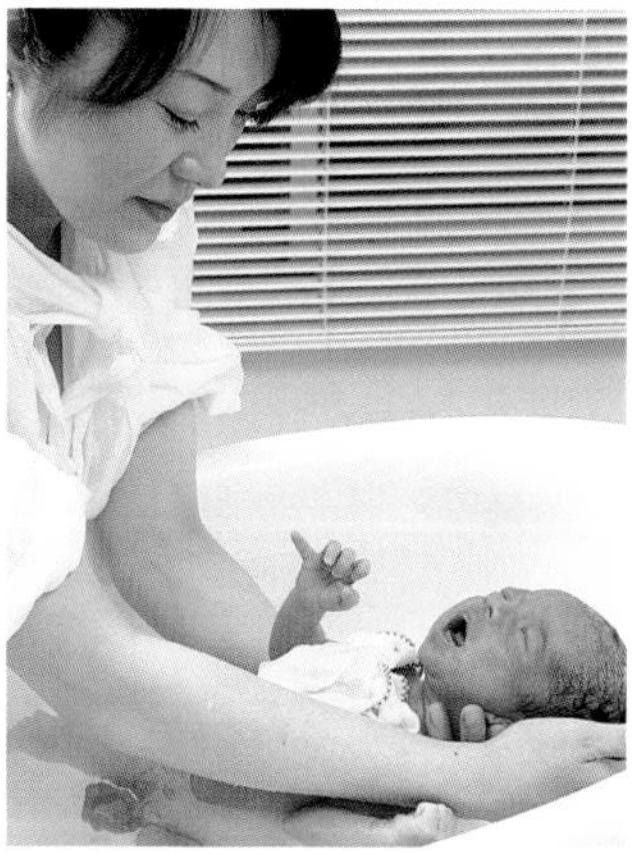

まずはママが肩の力を抜き、リラックスして。

準　備

用意するもの

ベビーバス：沐浴場所に合ったサイズのものを用意
洗面器：あらかじめ、上がり湯用のお湯を入れておく
レジャーシート：お部屋の防水用。ベビーバスの下に敷く
ベビーソープ：赤ちゃんの肌に低刺激のものを用意
バスタオル＆タオル：赤ちゃんの体をくるむ＆ふく用に何枚か用意
ガーゼ＆沐浴布：沐浴布はガーゼやさらしの手ぬぐいなど
湯温計：お湯の温度はきちんと測っておくと安心！
おむつ＆着替え：上がってすぐ着せられるよう、袖を通しておく

POINT

お湯の量はおしりが底につくくらい

お湯は赤ちゃんのおしりが底についたとき胸にくる程度の量にします。多いと体が浮いて不安定に。

浴槽のふたの上での沐浴は危険

浴槽のふたにベビーバスを置くと、重さでふたがずれて落ちる心配が。絶対にやらないように。

いよいよ沐浴

① 湯温を確認

38度程度が適温ですが、冬はやや高めの39〜40度でも。湯温計で測ったあと、ママのひじをお湯につけ、熱くないか最終確認しましょう。

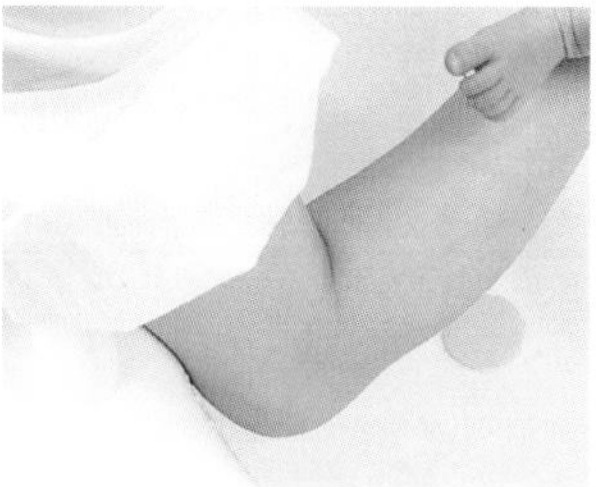

↓

② 沐浴布をかけ、抱き上げる

沐浴布を胸からおなか、手をカバーするようにかけて。片手で首をしっかりと支え、もう片方の手をまたの間から入れ抱き上げます。

↓

③ 足から少しずつお湯の中へ

「気持ちいいね」など声をかけながら、足から順にゆっくりお湯につけていきます。おしりをベビーバスの底につけ、落ち着かせましょう。少しくらいお湯が耳にかかっても心配ないので、耳を押さえながら沐浴させなくても大丈夫です。

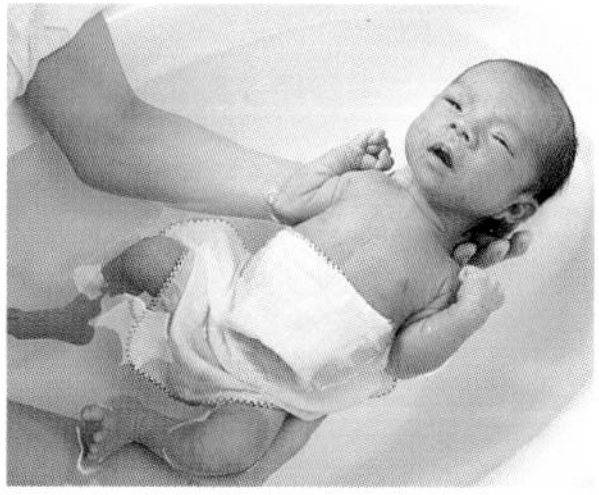

湯上がりのケア

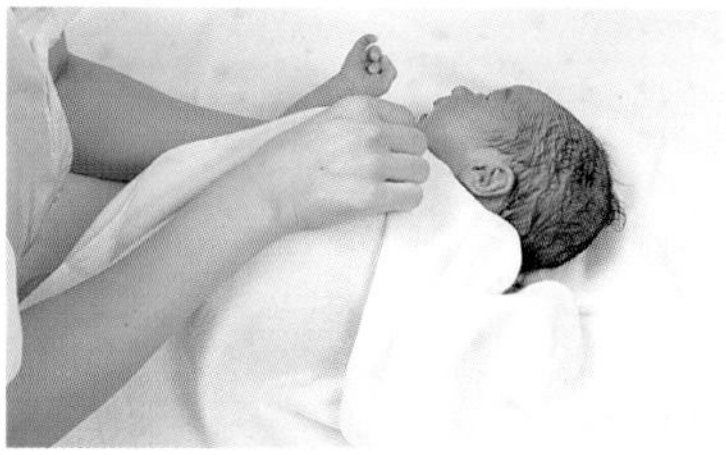

バスタオルで押しぶき

お湯から上げたら、バスタオルにくるんで押さえるように水分をふき取ります。特に首やわきの下、おまたなどのくびれ部分は念入りに。

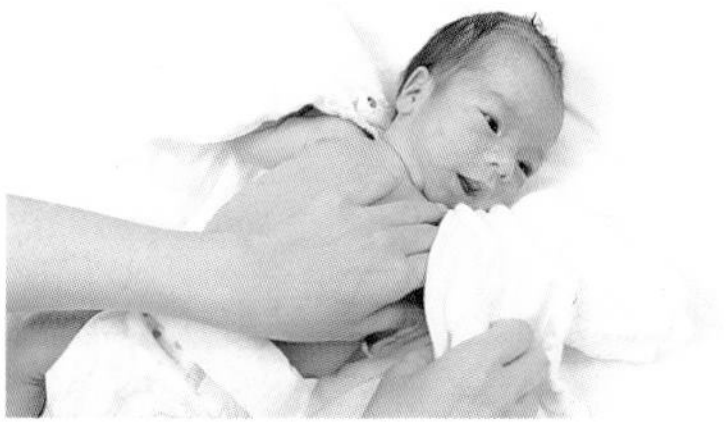

おむつを当て、服の袖を通す

おふろ後はおしっこをすることが多いので、まずはおむつを当てて。次に前開きの服の袖だけ通し、前は留めずに開けておきましょう。

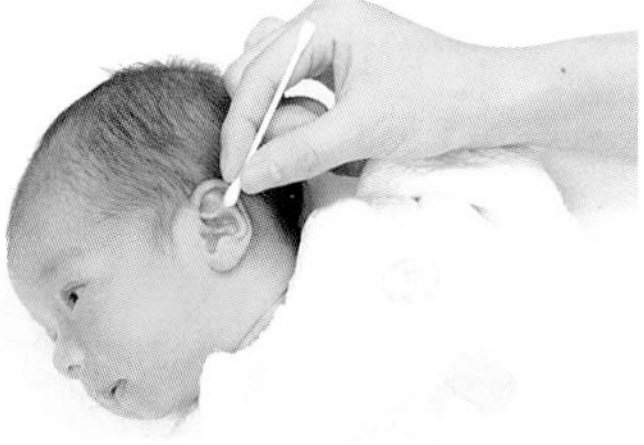

おへそ・鼻・耳のケアを

おへそは乾いていなければ処方してもらった薬で消毒を。（鼻は73ページ、耳は74ページを見てください。）

服を着せ水分補給

体のほてりが治まったら服のスナップやひもを留めます。髪は水分をぬぐい、ブラシでとかして乾かして。母乳やミルクで水分補給をします。

"上から下へ"の順番で洗います

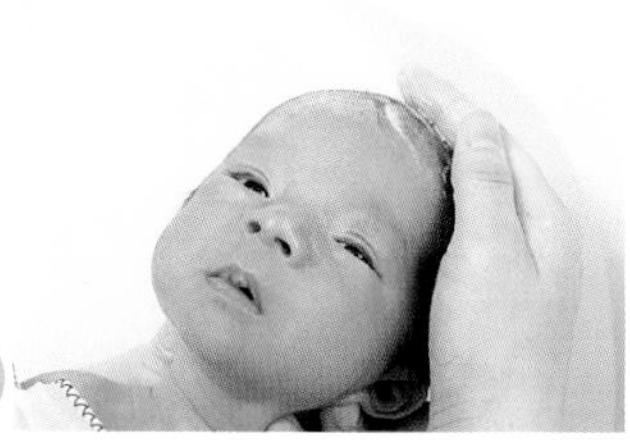

④ 顔・頭を洗う

絞ったガーゼで目やにをふき、次に目じりから目頭に向けてぬぐいます。顔は泡立てた石けんの泡をつけて指の腹で洗い、お湯でぬらしたガーゼで石けん分を洗い流します。頭や耳の裏も石けんの泡をつけ、指の腹で洗い流しましょう。

↓

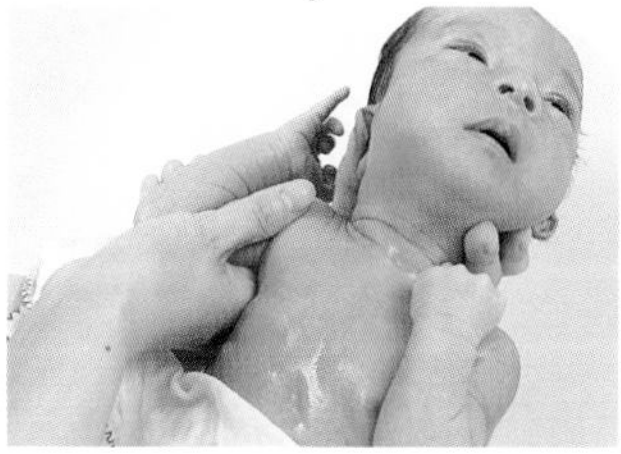

⑤ 首・胸・わきの下を洗う

首やわきの下などは、くびれの奥まで洗いやすいように開き、石けんの泡でしっかり洗います。胸もなでるようにやさしく洗って。

↓

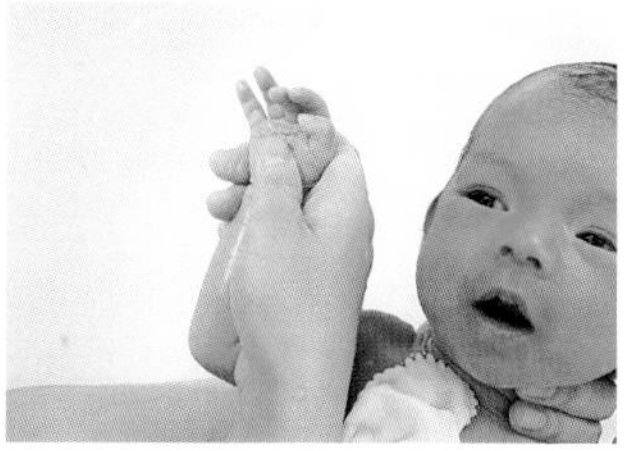

⑥ 手・腕を洗う

腕は握ってなでるように洗います。握った手の内側も汚れているので、開かせて手のひらや指を石けんの泡で洗いましょう。

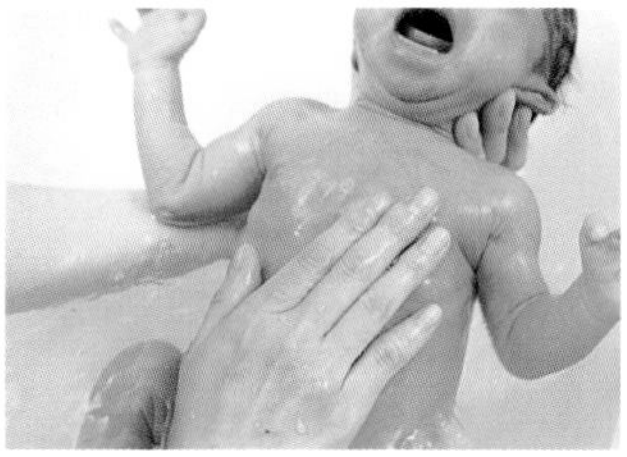

⑦ おなかを洗う

おなかも、石けんの泡を手のひらで伸ばすようにやさしく洗いましょう。おへそはまだ強くこすらないようにします。

↓

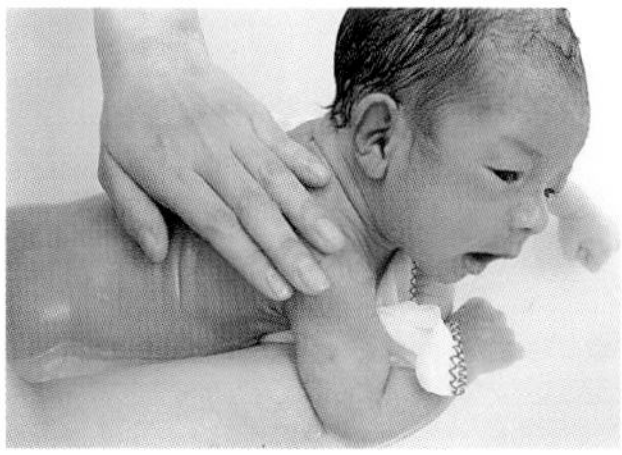

⑧ ひっくり返し、背中を洗う

あいた手でわきをつかみ、その腕にもたれさせるように赤ちゃんをひっくり返します。背中が上になったら、あいた手で背中と首の後ろ、おしりを洗います。

↓

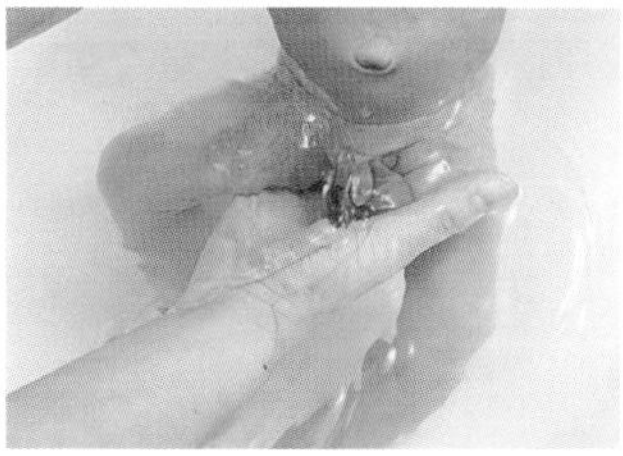

⑨ またひっくり返し、足・性器を洗う

前と逆の手順でひっくり返したら、足と性器を洗います。おちんちんは軽くつまむように、女の子は指の腹でやさしく洗います。

↓

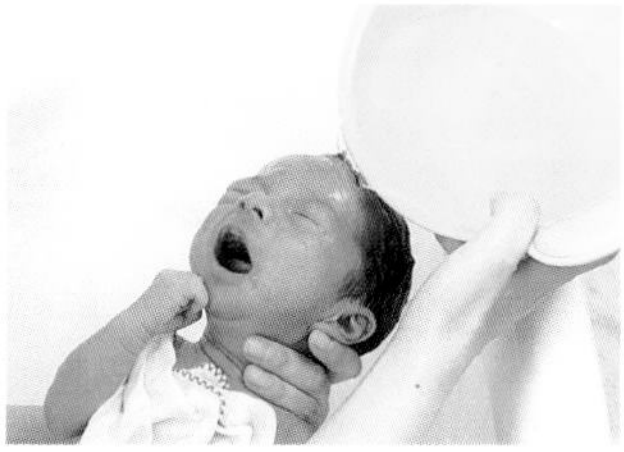

⑩ 上がり湯をかける

赤ちゃんを片腕で湯から持ち上げ、洗面器に用意しておいたお湯を頭と体にかけます。シャワーでもいいですが、熱くないよう温度に注意して。

赤ちゃんの手の開かせ方は

大人の指を、赤ちゃんの小指のほうからグーの中に滑らせるようにすると、手を開きます。

おふろ

1カ月ごろからは大人といっしょに入浴できます

おへそのジクジクがなくなれば大人といっしょのおふろに入れます。1カ月健診を目安にしましょう。お湯がきれいないちばんぶろに入れます。湯温がぬるめなので、親がかぜをひかないように気をつけて。

準　備

着替えを準備

着替えはあらかじめ準備しておきます。マットなどの上に肌着の袖をパジャマに通して広げ、おむつも早くつけられるように広げておきましょう。

湯温は38～39度ぐらい

湯温は38～39度程度が目安です。冬の寒い間は、40度くらいでもいいでしょう。大人には、ちょっとぬるめに感じられるぐらいが適温です。

いよいよ入浴

① 体にお湯をかける

急にお湯につけては赤ちゃんも驚きます。清潔のためにもまずお湯をかけて汚れをざっと流し、お湯に慣らして。

↓

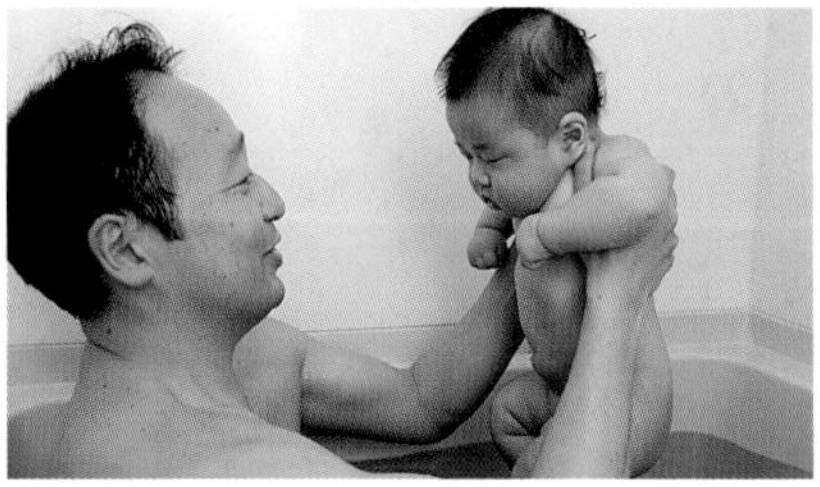

② 抱っこして浴槽の中へ

赤ちゃんを抱っこし、いっしょに浴槽に入ります。赤ちゃんはのぼせやすいので、お湯につかっている時間は30秒～1分程度で。

"上から下へ"の順番で洗います

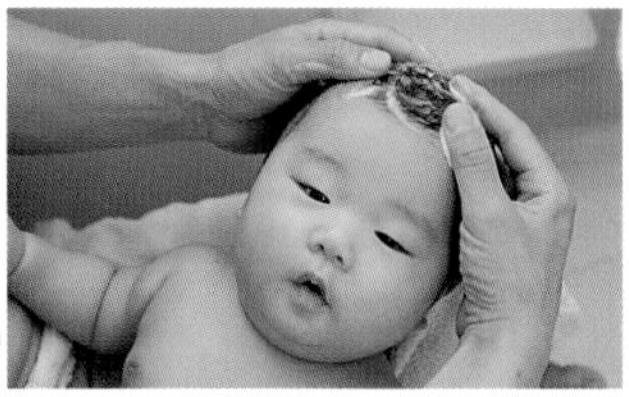

③ 顔・頭を洗う

ほおや額、口の周りなどをていねいに石けんの泡で洗います。湿疹《しっしん》ができやすい頭や髪の生え際は、指の腹を使ってしっかり洗ってあげて。

↓

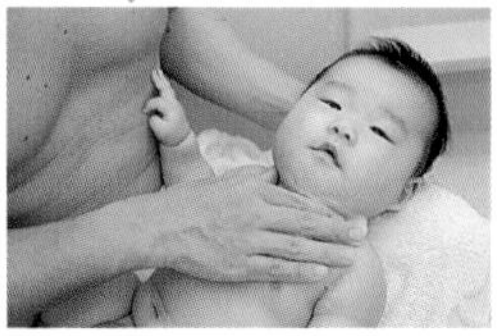

④ 首・わきの下などくびれをよく洗う

首やわきの下など、汗をかいて汚れがたまりやすいくびれは、特に念入りに洗います。しわを伸ばし、奥にたまった汚れも洗いましょう。

耳や首の後ろも忘れずに!

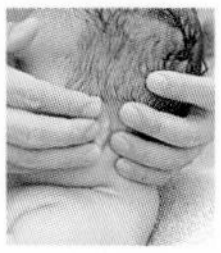

洗い忘れて汚れがたまりやすい場所。耳や首の後ろも、背中を洗うときに忘れず洗います。

↓

⑤ 手・腕・おなかを洗う

腕はひじの内側など、汗をかく部分を念入りに。手は開かせ、手首のしわの奥も洗い忘れないで。おなかはやさしくなでるように洗います。

↓

⑥ 背中を洗う

ねんねの赤ちゃんは大人のももの上にうつぶせに寝かせ背中を洗います。お座りを始めたらお座りで、立っち以降はお座りや立っちで洗います。

↓

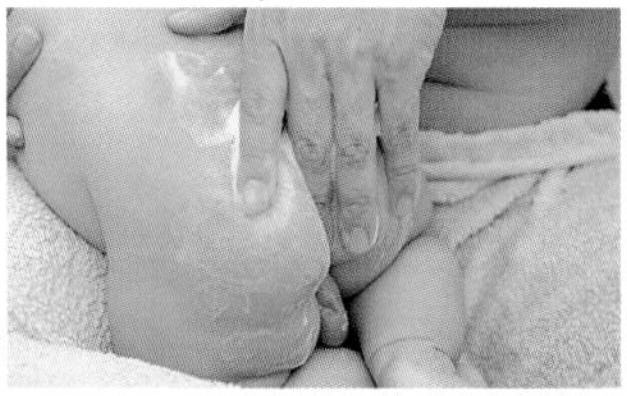

⑦ おしり・性器・足を洗う

ももの付け根、おしりなど、くびれは広げて洗いましょう。おちんちんは根もとまでやさしく、女の子は性器の間の汚れを指でそっとなで洗いを。足は全体をなでるように洗うだけでなく、汚れがたまりやすいひざの裏も念入りに。

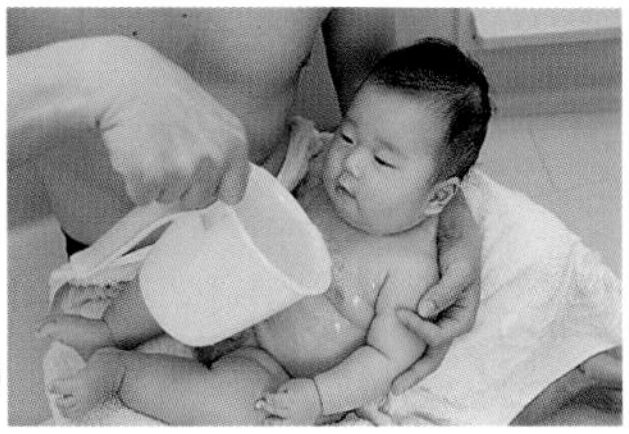

⑧ 石けん分を流す

石けん分が残っていると湿疹の原因になるので、かけ湯やシャワーできれいに流します。特にくびれ部分は、念入りに洗い流しましょう。

↓

⑨ もう一度お湯につかる

最後に1分ほどお湯につかり、体を温めます。

湯上がりのケア

バスタオルで押しぶきし、おむつをつける

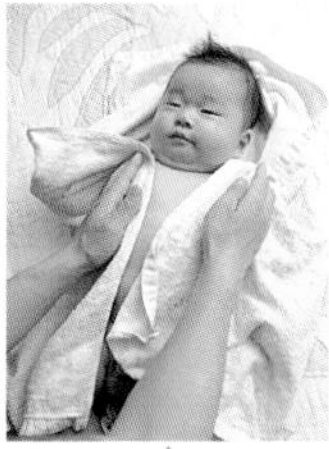

水分がついたままだと体温が奪われるので、すぐバスタオルにくるみ押さえるようにふきます。おしっこする子もいるのでおむつは早くつけます。必要に応じて保湿剤なども。

↓

ほてりが冷めてから、ボタンをかける

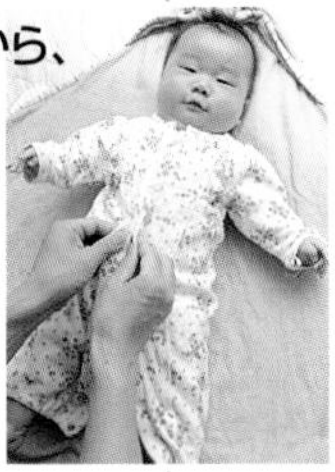

体がほてっているうちに着ると、汗をかいてかえって冷えてしまいます。パジャマのボタンは、ほてりが冷めてからかけてあげましょう。

↓

鼻と耳のケアを

鼻は73ページ、耳は74ページを見てください。

↓

水分補給する

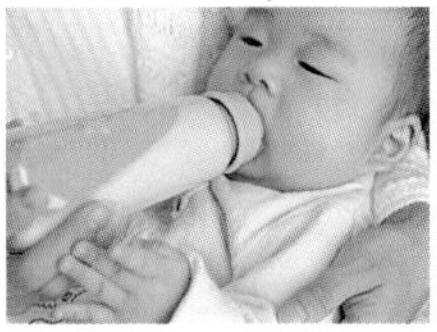

おふろ上がりはのどが渇くので、水分補給をします。母乳やミルクを好きなだけ飲ませてもいいですし、湯ざましや麦茶でもかまいません。

パーツ別お手入れ

回数を重ねていくうちに手早くできるように

毎日の目・鼻・耳・つめ・おへそ・髪の毛のお手入れはこうします。必要なときに行うケアもあわせてご紹介します。

お手入れはおふろ上がりが効果的

おふろ上がりは体がふやけていて、目や鼻、おへそなどの小さなパーツのお手入れがしやすいときです。つめもやわらかくて切りやすくなっています。もちろん慣れなくて時間がかかるようなら何回かに分けたり、赤ちゃんが動いてやりにくいときは、眠っているときにお手入れをしてもかまいません。毎日繰り返すうちに、だんだんコツをつかんでいくでしょう。

目

おふろで洗う以外は、目やにがあるときにふくだけで大丈夫。ぬらして軽くしぼったコットンやガーゼなどを使います。

① 赤ちゃんの顔を押さえて固定する

頭が動かないよう、片方の手で額やあご、首のあたりをやさしく押さえます。

② ひとさし指にガーゼを巻く

湿らせたガーゼをひとさし指に巻きます。あまり厚く巻かないのがポイント。

③ 目がしらから目じりにかけてふく

清潔にするために、1回ふくごとに別の面を使うようにします。

④ 上まぶたを引き上げて汚れを取る

ガーゼを別の面にし、赤ちゃんの目じりを引き上げて、斜め上の方向にふきます。

⑤ 下まぶたを引き下げて汚れを取る

さらにガーゼを別の面にし、目じりを引き下げて斜め下に向かってふきます。

目薬をさすとき

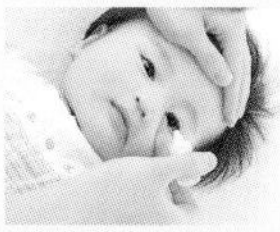

下まぶたを引き下げて白目に1滴たらす

下まぶたを中指で引き下げ、目薬は親指とひとさし指ではさんで。

鼻

おふろ上がりに、見える部分だけ綿棒でふきます。鼻の奥の鼻くそは、自然に下りてくるまで取る必要はありません。

① 赤ちゃんの頭を固定する

頭が動かないよう、片方の手で額やあご、首のあたりをやさしく押さえます。

② 綿棒を短く持つ

穴の奥に入り込まないように、綿棒は綿球の根もとのあたりをしっかり持ちます。

③ 鼻の穴に沿ってくるっと回す

綿棒を鼻の入り口に当てて穴に沿って回し、外から見える汚れだけを取ります。

鼻水が多いとき

① 赤ちゃんの体を固定

ママのひざで赤ちゃんの体をはさみ、両腕で手を押さえて動かないように。

② 鼻吸い器を入れる

鼻吸い器の先端を鼻の穴に。直角ではなく、少し斜めにさすと吸い出しやすくなります。

③ ママの口で吸う

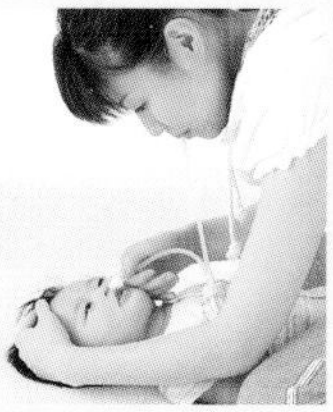

鼻吸い器にママの口をつけてそっと吸います。いやがらないうちにすばやく。

（注）お持ちの鼻吸い器の取り扱い説明書に従って、正しく使用してください。

耳

おふろでは耳の後ろやくぼみをよく洗って。耳あかを取るのは、1カ月に一度くらい。

① 横を向かせ、耳の裏をふく

おふろ上がりに横を向かせて、ガーゼやタオルで押さえてふきます。

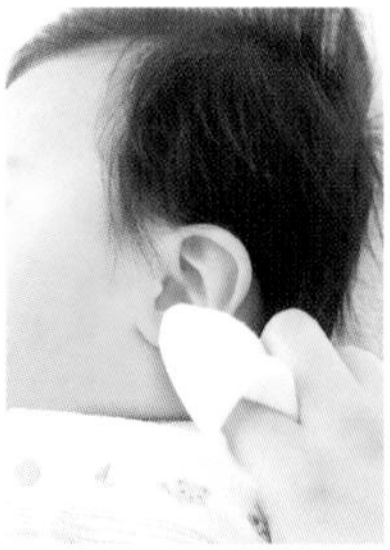

② 穴の周りの水滴をふく

耳の穴の周辺についた水滴を、ガーゼやタオルでやさしく押さえながらふきます。

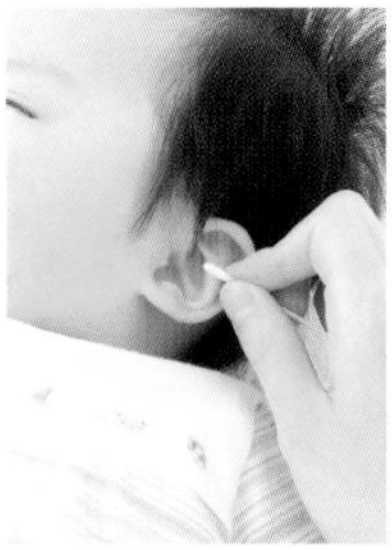

③ 溝の水分を綿棒でふく

耳の溝に残った水分は、綿棒を短く持ってくるくると動かしながらふき取ります。

耳あかを取るとき

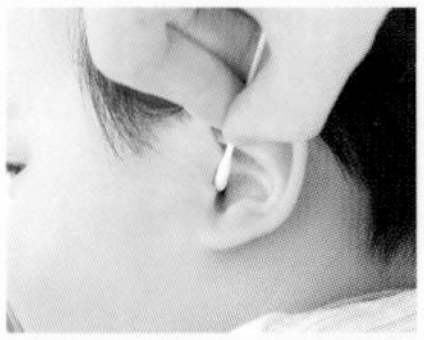

綿棒を短く持って取る

穴に沿って回し、見える部分の耳あかだけを綿棒につけるようにかき取ります。

おへそ

おへそがしっかり乾いてからは、おふろ上がりに水分をよくふくだけで大丈夫です。

① ガーゼを指に巻く

ガーゼやキメの細かいタオルをひとさし指と中指に巻き、おふろ上がりに体といっしょにふきます。

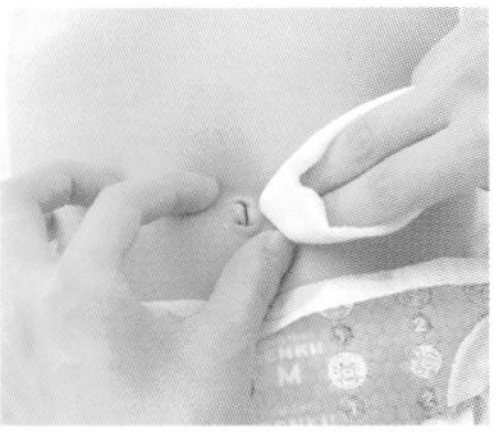

② おへその水分を取る

くぼみに水分がたまりやすいので、おへそを指で広げながらやさしく押さえます。

おへそが乾いていないとき（1カ月健診まで）

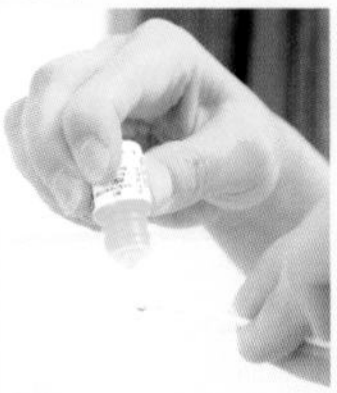

① 消毒液を準備

沐浴《もくよく》後、消毒用アルコールをつけた綿棒で消毒。綿棒はおへそに斜めに当てます。

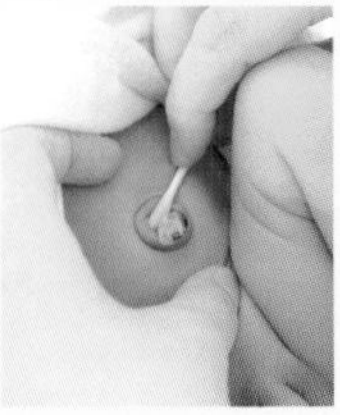

② 消毒液で消毒

片方の手でおへそのしわを伸ばしながら、しわの間までしっかり消毒液をつけます。

つめ

赤ちゃんのつめは伸びるのが早いので、2～3日ごとにチェックします。

① 赤ちゃんをひざの上に抱っこ

赤ちゃんの手をママの体のそばに引き寄せて。寝ている間に切っても。

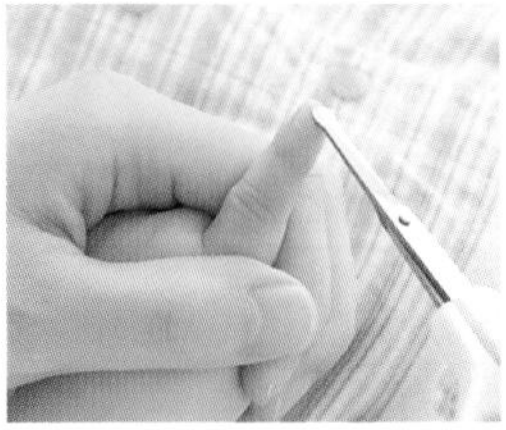

② ママの手で包む

つめを切る指だけ出し、その他の指は動かないようにママの手でやさしく包みます。

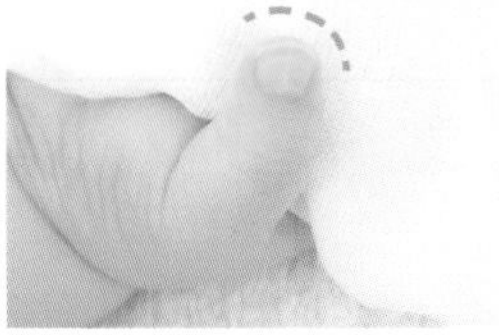

③ 1本を4～5回に分けて切る

深づめにならないよう、白い部分が少し見えるくらいに残して切ります。

足のつめを切るとき

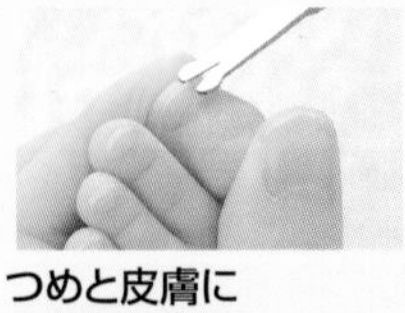

つめと皮膚にすき間を作る

ママの親指で赤ちゃんの指を押さえ、ひとさし指を引き下げてつめと皮膚の間にすき間を作ります。

髪の毛のケア

つめを立てないよう指の腹で地肌をこするように洗います。

① タオルでやさしくふく

おふろ上がりに、ガーゼやタオルで地肌をやさしくふいて水分を取ります。

② ベビー用ブラシでとかす

くしやブラシで毛の流れに沿ってとかします。髪がまだ少ない子は手でなでつけても。

脂漏性湿疹《しろうせいしっしん》ができているとき

① オリーブオイルで湿布

オリーブオイルをコットンにつけて湿疹の部分につけ、15分ほどおいてふやかします。

② 指の腹で洗ってかさぶたを取る

ベビー用のシャンプーで地肌を洗ってかさぶたを取ります。無理にはがさないように。

ねんね

赤ちゃんのねんねの環境を整えましょう

赤ちゃんの快適な眠りのために覚えておきたいねんねのリズムの変化や、ねんね環境を紹介します。

寝かせる環境や寝かせ方に注意して

赤ちゃんがぐっすり眠るためにはねんね環境を整えることが大切です。また、赤ちゃんは呼吸がラクにできるように、基本的にあおむけで寝かせます。うつぶせ寝は乳幼児突然死症候群（SIDS）の発症率が高いという報告もあります。生まれたての赤ちゃんはおっぱいやミルクを吐きやすいので、よくゲップさせた後で、頭を少し横向きにして寝かせて。

快適なねんね環境、ここがポイント

室温・湿度

基本は大人が心地よい温度&湿度でOK

基本的には大人が快適に眠れる温度や湿度で問題ありませんが、時々、汗をかいていないか、寒くないかなどをチェックしてあげましょう。

敷きふとん・掛けふとん

不慮の事故が起こらないよう注意して

敷きふとんは体が深く沈みこまないかためのものをセレクト。掛けふとんは、赤ちゃんがうずまって窒息《ちっそく》などの事故が起こらないように胸あたりまで掛けます。手は出ていてもかまいません。

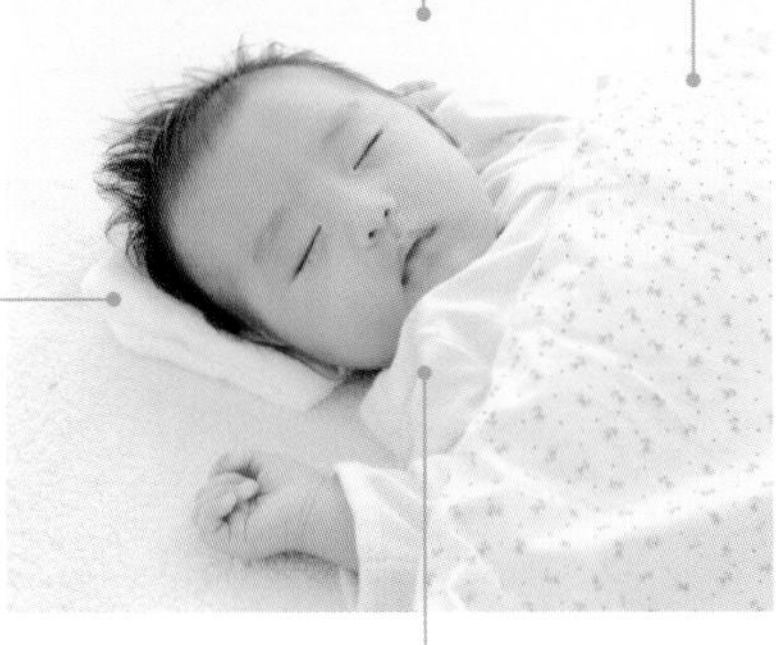

まくら

タオルをまくらの代わりに使う

生まれたての赤ちゃんにまくらは必要ありません。代わりに白いタオルを頭に敷いて。白いタオルなら汚れたらすぐ取り替えられますし、白いので吐いたときに吐《と》しゃ物をチェックできます。

着せるもの

厚着にしすぎて汗をかくことも

涼しくなると厚着にさせがちですが、暑いと寝苦しく、ぐずることもあります。着せるものは吸水性がよく肌にやさしい天然素材のものを選びましょう。

ねんねとお世話　ワンポイントレッスン

お昼寝

「昼間は明るい」ということがわからなくなるので、お昼寝のときはカーテンを閉めたり、電気を消して暗くする必要はありません。

おふろ

寝る前のおふろは、ぬるめのお湯に入れてあげましょう。熱いお湯で体温が上がりすぎると、なかなか寝つけなくなることが。

母乳・ミルク

母乳やミルクでおなかがいっぱいになると眠くなります。ぐずぐずしてなかなかねんねしないならおっぱいやミルクが足りないのかもしれません。

【月齢別眠りのリズムの変化】

0〜2カ月
昼夜の区別はまだなく、泣いたり、おっぱいを飲んだり以外の時間はほとんど眠っています。

3〜4カ月
寝たり起きたりの間隔が少しずつ長くなり、夜のねんねがまとまってきます。

5〜6カ月
お昼寝の回数が減り、夜、まとまって眠れるようになる赤ちゃんも。

7〜8カ月
夜のねんねがまとまり、お昼寝の時間が減ってきます。中には夜泣きが始まる赤ちゃんも。

9〜11カ月
お昼寝がだいたい1日1回にまとまってきます。1日の睡眠はトータルで10〜13時間ぐらい。

1才〜1才6カ月
夜は10時間ほど眠って朝まで起きない子も。起床と就寝の時間を決めたい時期です。

着せ方

吸湿性のよい素材を選んで、こまめに調節を

着るものは、難しく考えずにママを基準にします。赤ちゃんは汗をかきやすいので、まめに着替えさせて。

服はママと同じ枚数か少なめでも

生後1カ月までの赤ちゃんは体温調節が未熟なので、ママと同じか1枚多く着せます。ねんねの時間が多いので、かけるもので調節しても。1カ月を過ぎたら大人と同じ枚数に。4カ月ごろになればママと同じか1枚少なめに。背中を触って汗ばんでいるようなら1枚減らしたり素材を薄手にし、寒いときはベストをプラスしたりボトムの丈を長くして調節を。

着せ方の基本

肌着+ウエア

前開きタイプは赤ちゃんを寝かせたまま着せられるので、まだ慣れていないママにも安心&簡単です。

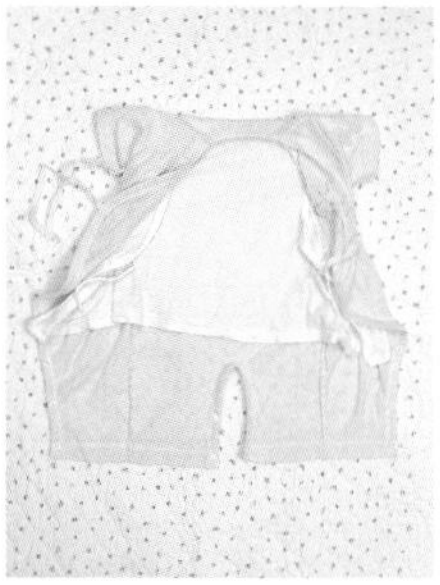

① 重ねてセット

肌着とウエアは重ねて、袖を通しておきます。

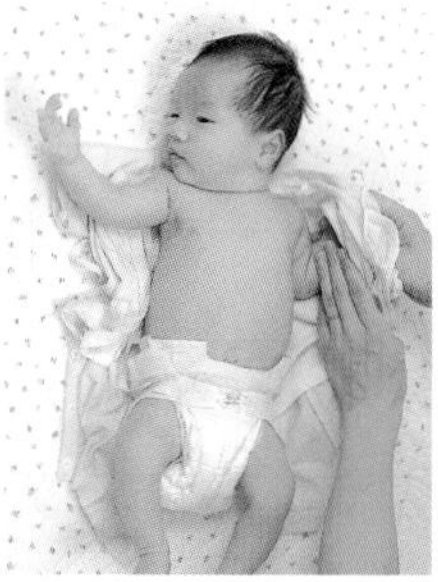

② 手を袖に通す

内側から手を取り袖に入れたら、袖口からそっと手をひいて通します。

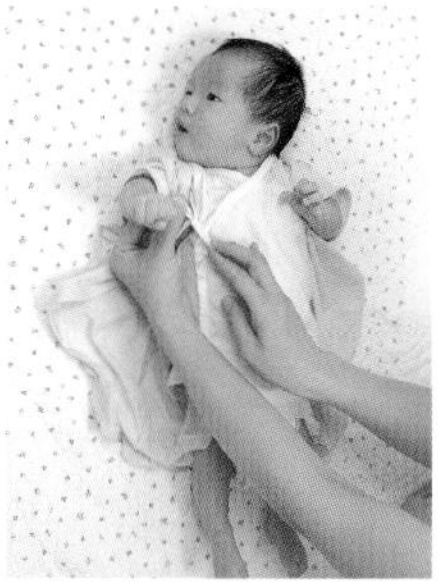

③ ひもを結んで留める

襟もとがだぶつかないよう前をきっちり合わせて留めます。

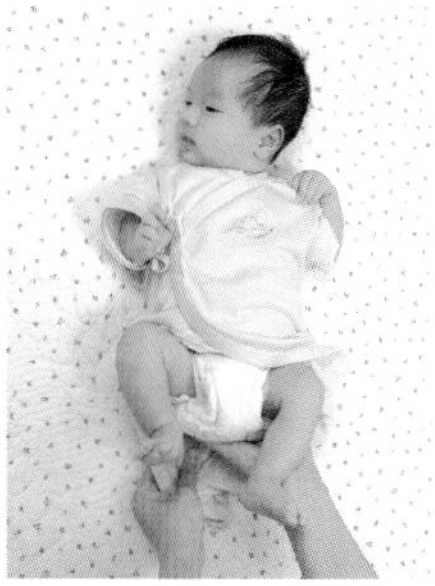

④ 衣類のよれを直す

おしりを少し持ち上げ、肌着とウエアを下にひっぱってよれを直します。

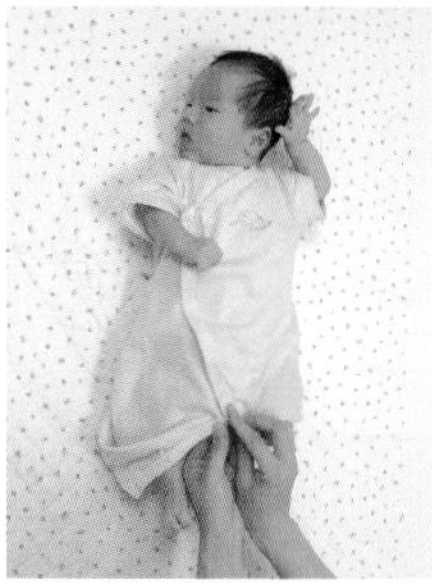

⑤ スナップを留める

スナップを留めるときは、赤ちゃんに押しつけないよう、手を添えて。

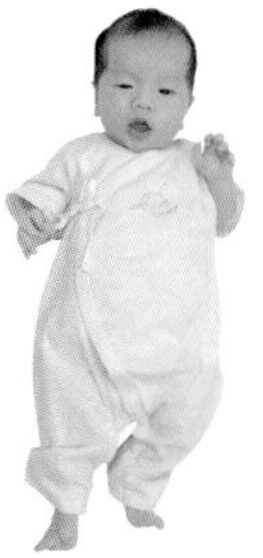

⑥ スナップをすべて留めたら完成!

毎日着替えを繰り返すうちに、ママも赤ちゃんも慣れてきます。

かぶり型

かぶりタイプは難しいと思われがちですが、頭の通し方さえ慣れてしまえば簡単です。

① 頭を通す

あらかじめ服を丸めておきます。両手で頭を持ち上げて片手で支え、もう一方の手で服をおでこから、頭に通します。

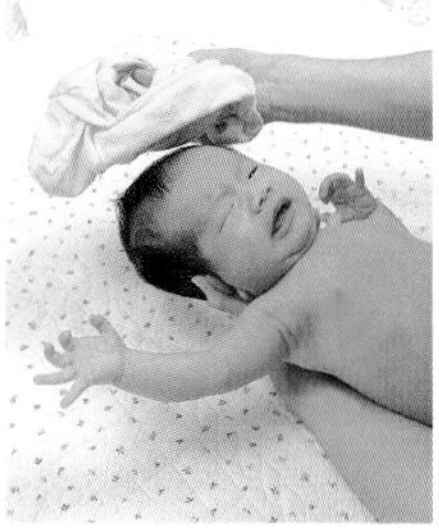

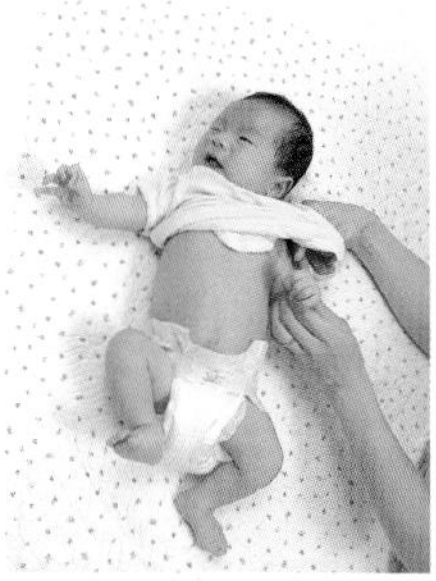

② 袖を通す

襟もとのよれを直し、袖の内側から手を送りだし、袖口から手をひいて通します。

③ スナップを留めて完成!

また下でスナップを留めたら完成です。衣類がよれていないか確認します。

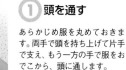

季節別 着るものの目安

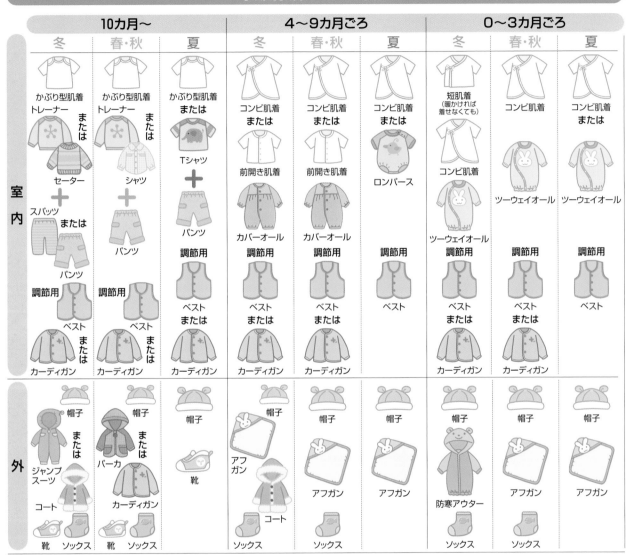

	10カ月〜			4〜9カ月ごろ			0〜3カ月ごろ		
	冬	春・秋	夏	冬	春・秋	夏	冬	春・秋	夏
室内	かぶり型肌着 トレーナー または セーター ＋ スパッツ または パンツ 調節用 ベスト または カーディガン	かぶり型肌着 トレーナー または シャツ ＋ パンツ 調節用 ベスト または カーディガン	かぶり型肌着 または Tシャツ ＋ パンツ 調節用 ベスト または カーディガン	コンビ肌着 または 前開き肌着 カバーオール 調節用 ベスト または カーディガン	コンビ肌着 または 前開き肌着 カバーオール 調節用 ベスト または カーディガン	コンビ肌着 または ロンパース 調節用 ベスト	短肌着（暖かければ着せなくても） コンビ肌着 ツーウェイオール 調節用 ベスト または カーディガン	コンビ肌着 ツーウェイオール 調節用 ベスト または カーディガン	コンビ肌着 または ツーウェイオール 調節用 ベスト
外	帽子 ジャンプスーツ または コート 靴 ソックス	帽子 パーカ または カーディガン 靴 ソックス	帽子 靴	帽子 アフガン コート ソックス	帽子 アフガン ソックス	帽子 アフガン	帽子 防寒アウター ソックス	帽子 アフガン ソックス	帽子 アフガン

※表はだいたいの目安です

ウエアの種類

ロンパース
トップスとボトムスがつながっている遊び着。

カバーオール
足のスナップを留めるとズボンのようになるつなぎ型のウエア。

ツーウェイオール
スナップの留め方でドレス型とカバーオール型に。

肌着の種類

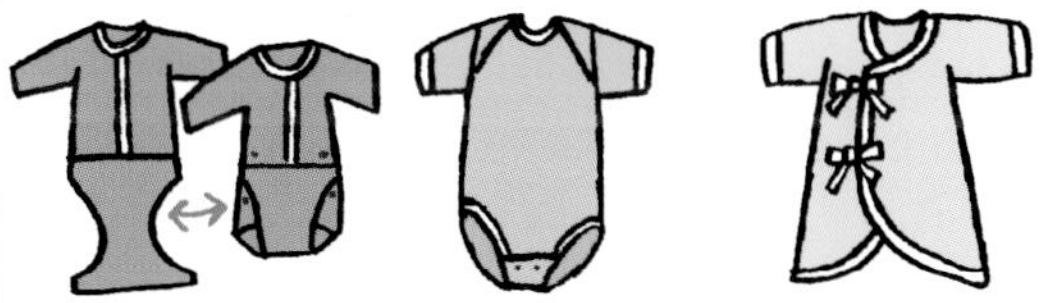

ラップアップ
前あてをはずすと全開になり、おむつ替えがラク。

ボディスーツ
またの部分をスナップ留め。体にフィットしてはだけません。

コンビ肌着
裾が二またに分かれていてスナップで留めるタイプ。

※肌着はほかに短肌着（おなかを覆《おお》うくらいの着丈）などがあります。

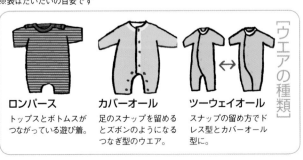

赤ちゃんはお外が大好き!

外気浴・外遊び

外に出ると赤ちゃんもママも気分転換でき、運動にもなります。楽しみながら生活に組み込んでみましょう。

外遊びやお散歩で生活にメリハリを

外気浴や外遊び・お散歩をすることで、家で過ごすことが多い赤ちゃんの生活にメリハリがつきます。

まず1カ月ごろの赤ちゃんは、外気浴を。成長するにつれ、外遊びを取り入れていきます。決まった時間に外に出て赤ちゃんを遊ばせると、その後の睡眠や食事の時間がすんなり決まるので、生活リズム作りに役立ちます。

外気浴

1カ月ごろ

短時間の外気浴から始めます

1カ月健診が終わるまでは、お散歩などの外出は避けましょう。天気のよい暖かい昼間に、窓を開けて外気を感じさせるだけで十分です。外の空気やにおい、音などに少しずつ慣らして、時間を長くしていきましょう。ただし、直射日光には当てないように。

外遊び

2～4カ月ごろ

天気のいい日に時間を決めて

2カ月を過ぎたら、少しずつお散歩を。天気のよい昼間に、時間を決めて出るのが理想的です。直射日光が当たらないように工夫して、月齢に合った抱っこベルトやベビーカーを使いましょう。天気が悪い日は、お散歩はお休みにします。

自然を楽しむ

季節によって外の景色は変わります。空気の温度や草木、花、ときには水の温度や動物など、室内では味わえない感覚を刺激することができます。帰宅したら手をふいたり洗ったりして、清潔にしましょう。

5～10カ月ごろ

外の雰囲気を楽しむ

お散歩では、室内とは違う雰囲気を楽しめます。街の音や花の香り、ベビーカーの振動、地面に足がふれたときの感触など、ママもいっしょに思いっきり楽しみましょう。赤ちゃんに合わせたゆっくりペースで。

公園の遊具で

公園では、月齢が低いころはママもいっしょに楽しみます。抱っこでブランコに揺られたり、滑り台をいっしょに滑り降りたりして遊びましょう。手を口に入れるころは、砂場で遊ぶのは避けたほうがいいでしょう。

11カ月過ぎごろ

あんよの練習も

広い場所ではあんよの練習もできますし、遊べる遊具も増えてきます。赤ちゃん同士や異年齢のお友だちとふれ合うこともいい刺激になります。室内とは気分も変わります。

歯のケア

乳歯をむし歯から守るには?

歯みがき習慣は、1本目の歯が生え始める赤ちゃん時代から。規則正しい生活もむし歯予防のポイントです。

無理せず遊びの延長で楽しく続けましょう

赤ちゃんの乳歯はいずれ永久歯に生え変わりますが、だからといって手入れをおこたると永久歯に影響を与えます。むし歯は、糖質をえさにする口腔《こうくう》内の細菌が出す酸によって歯が溶けていくことにより起きます。まずはだらだら飲ませない、食べさせないという規則正しい生活を。離乳食後には湯ざましなどを飲ませて口の中をすっきりさせます。そしてガーゼみがきもブラシみがきも、やさしく声をかけたり歌をうたいながら遊びの延長で楽しく習慣づけて。

月齢別 歯みがきの手順

6～8カ月 最初の歯が生え始めるころ

① 0～6カ月ごろ 歯が生え始める前

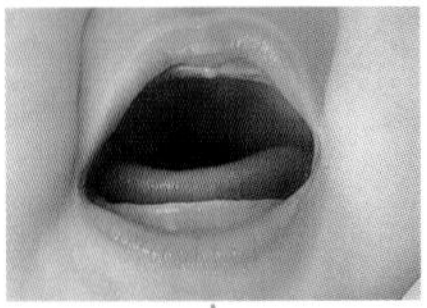

② 6～8カ月ごろ 最初の乳歯が生え始める

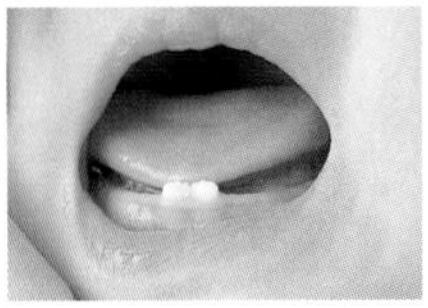

ガーゼでみがきます

最初の歯が生えてきたら、歯みがきの準備段階としてガーゼみがきを始めましょう。食後に麦茶や湯ざましを飲ませて、口の中をさっぱりさせてから行います。

口の周り、歯をふく

ママは手を洗い、ひとさし指にガーゼを薄く巻いて、ほかの指で押さえます。ガーゼはぬれていても乾いていてもどちらでもかまいません。まずは赤ちゃんの口の周りや唇にガーゼを当てて慣れさせ、次に口の中にそっと指を入れて歯やその周辺に指を当て、軽くふきます。慣れたら汚れをぬぐい取るように少し強めに。

8カ月～1才 上下の前歯がそろうころ

③ 8～10カ月ごろ 上下2本ずつ前歯が

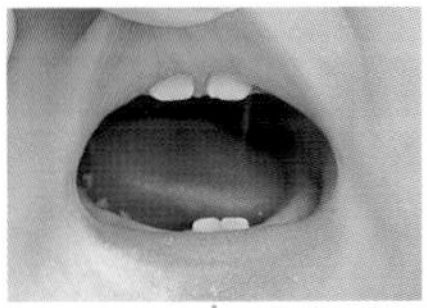

④ 10カ月～1才ごろ 上下4本ずつ前歯が

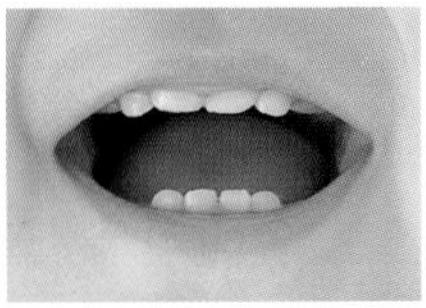

ブラシみがきに挑戦!

赤ちゃんが興味を持ったらベビー用の歯ブラシを持たせて、遊びながら歯ブラシに慣れさせていきましょう。ママ・パパが歯みがきのお手本を見せ、いっしょにみがくと効果的です。

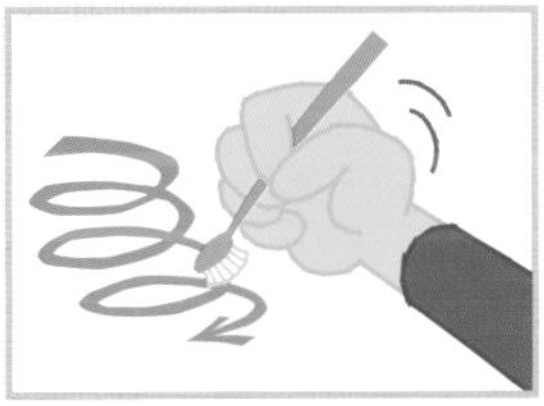

細かく歯ブラシを動かす

ママ・パパのひざの上に頭をのせてあおむけに寝かせます。ママ・パパの手を赤ちゃんのほおにのせ、ひとさし指で上唇を巻き上げるようにめくります。ペンを握るように歯ブラシを持ち、ブラシの先端2列くらいの毛先を使って、歯の表面にらせんを描くように細かく弱めの力でブラシを動かします。1本につき5まで数えて。

1才～2才 奥歯、乳犬歯が生えるころ

⑤ 1才～1才6カ月ごろ 最初の奥歯が生える

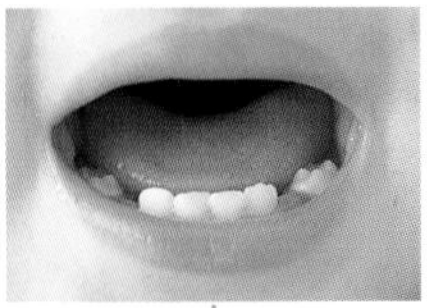

⑥ 1才6カ月～2才ごろ 乳犬歯が生える

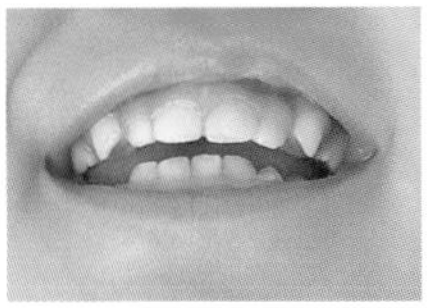

仕上げみがきもしっかり

習慣づけのためには、赤ちゃんの自分でみがきたいという気持ちを抑えないことが大事。ただし、仕上げみがきはママ・パパがしましょう。1才半を過ぎたらぶくぶくの練習を。

歯の表も裏もみがく

赤ちゃん用歯ブラシを持たせ、まずは自分でみがかせて。次に赤ちゃんをひざに寝かせ、汚れがたまりやすい歯の溝、歯の間、歯の裏側などをていねいにみがきます。みがき残しがないように、「左上の奥歯から」など順番を決めて。歯にブラシをきちんと当て、毛先が広がらない程度の力加減で小刻みに動かし、1本の歯につき10数えます。

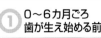

成長の節目を祝いましょう

赤ちゃん・子どもの行事

赤ちゃんや子どもの健やかな成長と健康を願って、昔から節目ごとに家族でお祝いしてきました。

お七夜《しちや》

生後7日目

お誕生のお祝いと名前のお披露目《ひろめ》

赤ちゃんが生まれた日から数えて、7日目がお七夜。古く平安時代からあった習わしのひとつです。この日赤ちゃんに名前をつけ、命名書に名前を書いて部屋にはり出し、誕生と名前のお披露目をしてお祝いします。

お宮参《みやまい》り

生後1カ月ごろ

氏神様《うじがみさま》への初参拝《さんぱい》をします

産土神《うぶすながみ》をもうで、新しく氏子となる赤ちゃんを氏神様に引き合わせるのがお宮参り。誕生後、男の子なら31日目、女の子の場合は33日目（地方によって異なります）に行います。近くの神社に参拝し、おはらいしてもらうのが一般的。参拝は、天候がよくてママと赤ちゃんの体調のいい日にすればいいでしょう。

習わしではパパ側の母親が赤ちゃんを抱いていきますが、あまり形式にとらわれずに行う人が多くなっています。

お食《く》い初《ぞ》め

生後100・120日目

食べものに困らないようにと祈願

お食い初めは生後100日目、または120日目に、赤ちゃんが一生食べものに困らないようにという願いを込めて行うお祝い。正式には漆塗《うるしぬ》りの膳《ぜん》とおわんなどをそろえ、尾頭付きのたいなどを含む一汁三菜の料理を用意しますが、しきたりにこだわらず、その家庭なりのメニューで行えばいいでしょう。

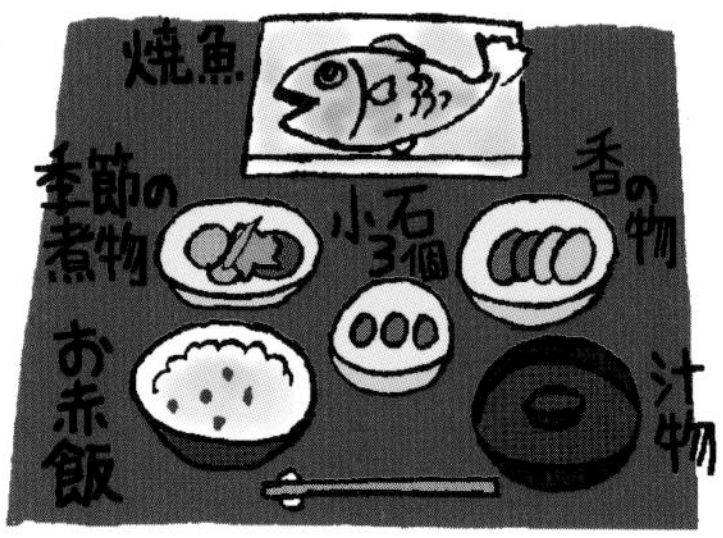

漆器はこのためだけに新調しなくても。これを機に離乳食用の食器をそろえ、代用してもいいでしょう。

初誕生《はつたんじょう》

生後1年

満1才の誕生日を祝う

赤ちゃんの満1才の誕生日をお祝いする行事です。正月にひとつ年を重ねる数え年が一般的だった日本では、欧米のようにお誕生日を祝う風習はありませんでしたが、1才を迎えた初誕生だけは盛大に祝う習わしがありました。地方によりさまざまですが、初誕生を祝ってついたもちを赤ちゃんに背負わせたりします。

初節句《はつぜっく》

3月3日・5月5日

桃の節句、端午《たんご》の節句にお祝い

子どもが初めて迎えるお節句が初節句。女の子は3月3日の桃の節句、男の子は5月5日の端午の節句です。いずれも平安時代には行われていたもので、子どもの健康と厄《やく》よけを願った行事です。女の子にはひな人形、男の子には武者人形やこいのぼりを飾ります。

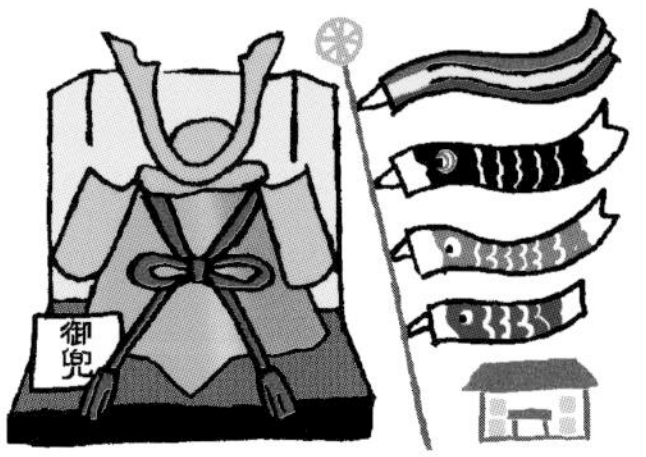

七五三《しちごさん》

3才・5才・7才

健やかな成長を祈る儀式

3才、5才、7才の11月15日に神社に参拝して、子どもの成長を祈ります。その後に、内輪で祝宴《しゅくえん》を開くことが多いようです。男の子と女の子を祝う年齢についてのしきたりは、地域により違います。数え年で祝うところもあります。

PART 4

赤ちゃんの食「母乳・ミルク」「離乳食」

赤ちゃんにとって大切な栄養源である母乳・ミルク、
そして、5、6カ月ころの離乳食スタートから
幼児食まで、各ステップごとに解説します。
量などにこだわりすぎず、
なによりも食事を楽しむ雰囲気作りを心がけたいですね。

食べることは生きること！

赤ちゃんを育てる「母乳・ミルク」「離乳食」

赤ちゃんの体だけでなく心をもはぐくむ〝食〟。その大切さについて考えてみましょう。

母乳・ミルク・離乳食は赤ちゃんの〝食〟の基礎

毎日の忙しさのなかで、つい見過ごされがちですが、赤ちゃんにとっても大人にとっても〝食〟は生きていくうえで欠かせないものです。

しかし、コンビニエンスストアなどで24時間食べものを手に入れることができたり、子ども連れの外出の機会が増えて外食が多くなったり、朝食抜きで登校する子どもが問題になったりと、社会の環境や食生活は大きく変化しています。

授乳や離乳食を与えるという、毎日の生活を通して、あらためて〝食〟の大切さを意識する必要があります。

食べる楽しみ、食べる意欲を伝えたい

赤ちゃん時代の〝食〟は将来の〝食〟の基礎になります。授乳やおいしい離乳食で、赤ちゃんは空腹を満たされるだけでなく、人への信頼や家族と囲む食卓の楽しさなど、さまざまなことを学んでい

1日に飲む量・食べる量の目安

このころの授乳・離乳食の与え方のリズムについて確認しておきましょう。

	0～2カ月	3～4カ月	5～6カ月
母乳を飲む量・回数	欲しがるときに好きなだけ。1回10～20分を8～12回程度。	欲しがるときに好きなだけ。1回15～20分を5～6回程度。	1回15～20分を離乳食後も含め5～6回程度。
ミルクを飲む量・回数	欲しがるときに好きなだけ。1～2カ月の赤ちゃんで700～900mℓ程度。	欲しがるときに好きなだけ。1日800～1000mℓ程度。	離乳食後のほか4～5回ぐらいで、1日800mℓ程度。
離乳食を食べる量・回数	まだ始めません。	まだ始めません。	1日1～2回、1さじずつから。(量は88ページを見てください。)
体重増加の目安	1日30g前後増加するが、毎日体重を気にするようなことはしないで。少しでも増えていればOKと考えて。	増え方は多少ゆるやかになるものの、依然、増え方は大きい。出生体重の2倍がおよその目安だが、少しずつでも増えていればOK。	増加の仕方がさらにゆるやかに。ひとつの目安はおよそ2カ月間で1kg前後だが、女の子のほうがよりゆるやかになる傾向が。

●PART4は厚生労働省「授乳・離乳の支援ガイド（2007年）」に基づいて制作されていますが、各STEPの名称、月齢や進め方はあくまでも目安です。赤ちゃんの食べる量や進み方には個人差がありますので、赤ちゃんの発育を見ながら対応してください。また、食物アレルギーのない赤ちゃんを対象としていますので、アレルギーのリスクが疑われる場合や、診断されている場合は、医師の指導に従ってください。

きます。このように〝食〟は体を育てるだけでなく、心をはぐくむ意味でも重要なのです。

赤ちゃんとともに、毎日楽しい雰囲気で食卓に向かいましょう。食べる楽しさを感じさせることで、やがて食べる意欲、生きる力をはぐくむことにもつながります。それが、この時期の「食育」といってもいいでしょう。

このころの食のポイント

1 急速に成長する重要な時期。バランスや量を意識して

栄養の偏りを避け、いろいろな食品をバランスよく。その月齢、年齢に必要な量を食べさせてあげることが大切です。

2 正しい食習慣を身につけ、将来の肥満や生活習慣病を予防

きちんと3食とるリズムを築き、偏食や好き嫌いをなくすことは、将来の生活習慣病予防の意味でもとても重要です。

3 食べる意欲を育て、食べる喜びを伝えたい

「いっぱい飲んで（食べて）すごいね」など声をかけ、楽しい雰囲気を作り〝食〟を待ち遠しく楽しみなものにしてあげましょう。

1才7カ月～3才	1才～1才6カ月	9～11カ月	7～8カ月
卒乳の状況に応じて。	飲みたいときに飲むだけ。	離乳食後のほか欲しがるときに。	1回15～20分を離乳食後も含め3～5回程度。
卒乳の状況に応じて。	牛乳やミルクやフォローアップミルクを1日300～400mℓ程度。	離乳食後のほか2回ぐらいで、1日400～600mℓ程度。	離乳食後のほか3回ぐらいで、1日600～800mℓ程度。
幼児食を1日3回と間食1～2回。（幼児食については98ページを見てください。）	1日3回と間食1～2回。（量は88ページを見てください。）	1日3回。（量は88ページを見てください。）	1日2回。（量は88ページを見てください。）
2才ころは生まれたときの体重のおよそ3～4倍、3才ころはおよそ4～5倍くらいだが、大きな個人差あり。	1才ころには生まれたときの体重のおよそ3倍がひとつの目安だが、大きな個人差あり。	およそ3カ月間で500g程度以上増えるのがひとつの目安だが、大きな個人差あり。	増え方はおよそ2カ月間で500g～1kg以上と個人差あり。男の子より女の子のほうが増え方はさらにゆるやかになる傾向が。

※この表は編集部が作成したもので、ひとつの目安です。量や回数などには個人差があります。

母乳の力

「初めてのごはん」は母乳です

赤ちゃんとママの心と体を育てる、母乳のパワーを探ってみましょう。

赤ちゃんが吸う刺激で出るようになる母乳の不思議

赤ちゃんが誕生し、吸われることによって出てくる不思議な母乳。どんなしくみになっているのでしょう。

乳腺《にゅうせん》は妊娠中から発達して授乳準備を始めますが、胎盤《たいばん》から分泌されるホルモンの働きで母乳が出るのを抑えています。それが出産で胎盤がなくなると、母乳を抑えていたホルモンもなくなり、今度は脳下垂体《のうかすいたい》から、母乳を作るプロラクチンというホルモンが出てきます。

さらに赤ちゃんがママの乳首を吸い始めると、その刺激でオキシトシンという母乳を外に押し出すホルモンが分泌されます。そしていよいよ母乳が出てくるのです。このように母乳分泌には、赤ちゃんが一生懸命吸ってくれることがとても大切なのです。

母乳は赤ちゃんに最適な完全栄養食品

母乳のもとは、実は血液。ママの体内を流れる赤々とした血が、乳白色の母乳に変身して赤ちゃんに届けられるのですから本当に神秘的です。

乳房には乳腺があり、母乳はその中にある乳腺葉《にゅうせんよう》で作られます。乳腺葉は毛細血管で取り囲まれ、ここで血液から必要な成分が細胞に取り込まれ合成されて母乳ができます。

母乳はたんぱく質や脂肪、ビタミンなど、赤ちゃんの成長に必要な成分のすべてが最適なバランスで含まれた完全食品です。

たとえば驚くことに、低出生体重児のママの母乳は組成が異なり、小さな赤ちゃんに特に必要な成分が多く含まれているのです。

栄養面だけではない初乳の大事な役割

母乳、特に初乳にはさまざまな免疫《めんえき》物質が含まれていて、赤ちゃんを病気から守ってくれます。

出産後の数日間に出る初乳には、IgAという分泌型免疫グロブリンが多く含まれていて、初乳を飲ませることで赤ちゃんに受け渡すことができます。

生後間もない赤ちゃんの消化管は細菌などが侵入しやすい不完全な状態です。IgAは消化管の表面を覆《おお》い、消化管からの感染を起こりにくくする効果があるのです。

母乳のここが大事

1. 母乳分泌は赤ちゃんとママとの共同作業
2. 母乳は赤ちゃんに必要な栄養がバランスよく含まれた完全食品
3. 初乳に含まれる免疫物質はママから赤ちゃんへの贈り物

母乳の力

母乳が持つさまざまな力

母乳での育児が推奨されるのには、ほかにもたくさんの理由があります。母乳のミラクルパワーとは?

赤ちゃんの体を守る免疫物質がいっぱい

出産後、数日間出る初乳には、IgAという分泌型免疫グロブリンがたっぷりと含まれています。ですから、ぜひ飲ませてあげたいものです。また、初乳でなくても、母乳には、赤ちゃんを病気から守る多くの抗菌・抗ウイルス・抗炎症・免疫物質が豊富に含まれています。またリボ核酸やポリアミンといった物質が、アレルギー反応を防ぐ働きをしてくれます。

人が作るたんぱく質だから消化吸収がバツグン

母乳は、ママの体内で赤ちゃんの成長のために作られる食品です。ですから、たとえば含まれるたんぱく質も、赤ちゃんの体に合う量・組成になっているから不思議。消化・吸収がとてもよく、まだ未熟で発達段階にある赤ちゃんの胃腸や腎臓《じんぞう》にも負担が少ないようにうまくできているのです。このほか母乳に含まれる鉄分も、ミルクに含まれる鉄分より吸収されやすいことがわかっています。

スキンシップの機会が増え、精神的充足感が得られる

母乳のメリットは栄養面に限りません。求められるたびに母乳を飲ませることで自然と肌をふれ合わせる機会が増え、赤ちゃんはママの体温を感じ、包まれるような安心感を得ることができます。また要求すればすぐ求めに応じてもらえるということは、赤ちゃんのママに対する信頼感を深めます。母乳は、赤ちゃんにとって心の栄養剤。母子関係の基礎作りにも役立ちます。

母乳を出すホルモンは、産後のママの体の回復も促す

赤ちゃんにおっぱいを吸われると、その刺激でママの体からは母乳を外に出そうと筋肉を収縮させるオキシトシンというホルモンが分泌されます。このホルモンは子宮を収縮させ出血を止める働きもあるので、産後の体の回復を早めてくれます。また母乳をせっせと作って栄養として赤ちゃんに受け渡すことは、カロリー消費効果大。妊娠中に増えた体重が元に戻りやすいという利点もあります。

ピタッと泣きやむ最強、最高のあやしグッズ

母乳は赤ちゃんにとって、最強のあやしグッズでもあります。いつでも適温で、直接飲ませるので衛生面でも安心なうえ、手軽に飲ませることができ、たいていピタリと泣きやんでくれるのですから大助かりです。赤ちゃんにとっては気持ちが静まる精神安定剤の役割もありますから、寝かしつけにもパワーを発揮します。また育児に慣れず不安なママも、母乳で泣きやむ赤ちゃんを見れば、自信につながることでしょう。

限りなく母乳に近い栄養源・ミルク

母乳にかわる大切な栄養

ミルクは牛乳が主な原料ですが、最新の研究によって成分・カロリーなどが非常に母乳に近いものになっています。栄養的には限りなく母乳に近いと考えていいでしょう。

母乳のように免疫物質は含まれていませんが、赤ちゃんはママの胎内にいるときに、胎盤《たいばん》を通してママの免疫を受け取っています。免疫がまったくないというわけではありませんから、ミルクで育てたからといって、病気にかかりやすいということはありません。

ミルクのウワサを検証

ミルクで育つと太りやすい、ミルクのほうが消化が悪い、といわれることがあります。しかし、ミルクは母乳にかなり近づけて調整してあるので、太りすぎたり、消化が悪いということはありません。

こうしたウワサはほとんどが根拠のないものです。母乳が不足したときには、安心してミルクを飲ませましょう。

ミルクを足すタイミング

母乳不足を見極めるポイントとしては、まず赤ちゃんの体重の増加がよくないことがあげられます。また、30分以上おっぱいをくわえて離さない、20分ぐらい飲ませたのに1時間おきに泣いておっぱいを欲しがるなどです。どの場合も本当に母乳不足かは、小児科医に相談してみましょう。母乳とミルクの混合栄養にする場合は、必ず毎回、先に母乳で次にミルクという順で飲ませます。(64ページも見てください。)

初めてのひと口から卒業まで

離乳食の基本

離乳食はどんなふうに進めたらいいのか、その役割や進め方・基本のレシピなどを知っておきましょう。

形のあるものが食べられるようになるまでのプロセス

母乳やミルクを飲んで栄養をとってきた赤ちゃんが、形のある食べものをかみつぶすことができるようになり、必要な栄養の大部分を母乳やミルク以外からとれるようになる。そのための練習のプロセスが「離乳」です。そして、その練習のための食事が「離乳食」です。

満5~6カ月ごろになると、パパやママの食事に興味を示したり、自分も食べたそうに口を動かしたりする赤ちゃんが多くなります。まずはなめらかにすりつぶした1さじからスタート。そして約1年かけて1才半ごろには自分でスプーンを持ち、食べようとするまでになるのです。

赤ちゃんなりのペースを尊重して

赤ちゃんの口腔《こうくう》の発達や咀嚼力《そしゃくりょく》に応じて、1回食、2回食、3回食へと進めていきますが、階段を上るようにスムーズ

離乳食の役割6

役割1 固形物を食べる練習

固形物を食べる動作というものは、練習で獲得していきます。成長に合った食べる動作を、段階を追って進めることで、赤ちゃんは、それを徐々に身につけていくのです。

5～6カ月ごろは舌を前後に動かして飲み込む、7～8カ月ごろは舌と上あごでつぶして食べる、9～11カ月ごろは舌で食べものをわきに寄せ、歯ぐきでつぶして食べる……など、発達の段階を知っておくと、適切に対応できるようになります。

役割2 成長のための栄養補給

赤ちゃんは体を維持する分に加え、成長のための栄養をとる必要があります。月齢の低い赤ちゃんにとって母乳やミルクは理想的な栄養ですが、5～6カ月ごろになり消化・吸収能力が高まってくると、母乳やミルクだけでは栄養が不足し始めます。また、7カ月ごろになると胎児期にママからもらった貯蔵鉄も底をついてしまうので、6カ月中には離乳食から栄養をとる練習を始めたいものです。

役割3 かむ力を育てるトレーニング

赤ちゃんが固形物を食べられるようになるためには、成長の段階に合わせた大きさ、かたさのものを与えて、かむ力を育てることが大切です。そのためには、「食べたい」という意欲を育てることも大事です。赤ちゃんの口の動きをよく見て、食べる意欲を引き出すようなその時期にぴったりのメニューを与えます。かむ力を育てることは、離乳食の役割の中でも特に重要です。じっくり、ゆっくりトレーニングしていきましょう。

役割4 食べものの味・香りの経験

離乳食には食べものの味や香りを経験させるという役割もあります。味には、甘み、塩味、うまみ、酸み、苦みなどがありますが、成長によって食材を広げていき、そのような味を少しずつ経験させていきます。赤ちゃん時代は、舌にある味細胞（味の信号を受け取る細胞）が最も多いといわれます。食材のおいしさを引き出すメニューで、素材本来の味を十分に経験させて、豊かな味覚をはぐくみましょう。

役割5 食べる楽しさの体験

「おいしい」と感じて幸せな気分になるのは大人だけではありません。赤ちゃんは食べものの味、香り、食感以上に、ママのやさしいまなざしや声、食卓の楽しい雰囲気を敏感に察知して、おいしさを感じとります。ママが遊び食べにイライラしたり、食べないことに強い不安を持っていると、赤ちゃんは敏感に感じるもの。リラックスして食事をしましょう。3回食に進むころからは、家族で食卓を囲むといいですね。

役割6 和食をベースにした食文化の経験

離乳食の役割はどこの国でも同じですが、食の基本は、風土に沿ったものを食べること。その国の人が昔から食べている料理をベースに展開し、食文化を親から子へと伝承していくことも大切です。和食は世界中が注目する健康食です。今、問題になっている肥満や生活習慣病の原因のひとつは食生活の欧米化にあるといわれています。赤ちゃんの将来の健康のためにも、家族みんなで和食をとる習慣をつけていきましょう。

P.86～98指導／女子栄養大学生涯学習講師・管理栄養士　小池澄子先生

離乳食の基本

に進む子は少なく、行きつ戻りつしながら経験を重ね、少しずつ成長していきます。赤ちゃんの成長や発達パターン、食欲などは一律ではありませんから、赤ちゃんの口の動き、表情、声などをよく観察し、一人ひとりの成長に合わせてゆっくり進めていきましょう。

ママは「食べさせる」ことについ必死になりがちですが、「赤ちゃんが自分で食べることをサポートする役割」なのだということを忘れずに、ゆとりを持って接することが大切です。

将来の豊かで健康的な食生活のために

離乳食の役割は栄養補給だけではなく、将来の食生活の土台作りでもあります。離乳食タイムを楽しい時間にすることによって、「食事は楽しい！」という感覚を赤ちゃんは味わうことができるようになります。豊かで健康的な食生活を身につけるための基本といっていいでしょう。

食物アレルギーの基礎知識

赤ちゃんの〝食〟を考えるとき、食物アレルギーについての基本情報をきちんと知っておくことが大切です。

特に気をつけたい5大アレルゲン

アレルギーの発症例が多く、しかもショック症状など重い症状が現れやすいため、5大アレルゲンと呼ばれています。むやみに恐れる必要はありませんが、初めて与えるときは慎重にしましょう。

卵
鶏卵は赤ちゃんの食物アレルギーの原因になることが多く、症状を起こす0才児の約60％のアレルゲンとなっています。

牛乳
牛乳がアレルゲンのときは、アレルギー用ミルクで代用します。

小麦
食物アレルギーの0才、1才児の7％の原因抗原《こうげん》となっています。

落花生
誤飲すると肺に入って肺炎を引き起こす心配もある食品なので、赤ちゃんには食べさせないほうがいいでしょう。

そば
強いアレルギー症状を起こす心配がある食品なので、家族のアレルギー歴などのリスクがない場合でも、そばを赤ちゃんに与えていいのは1才以上です。

ほかに、次の食品もアレルゲンになる可能性がありますので、慎重に。もも、りんご、バナナ、オレンジ、キウイフルーツ、ゼラチン、豚肉、牛肉、鶏肉、さば、さけ、えび、かに、大豆、やまいも、イクラなど。

初めての食品デビュー3つのルール

アレルゲンかどうかを見定めるために、きちんと心得ておきたいルールです。

ルール1 初めての食品は1さじからようすを見ながら進める

初めて与える食品は、1さじからが大原則。たくさん与えると、アレルゲンだった場合、アレルギー症状がより強く出てしまいます。また、1日に初めてのものを2種類以上与えないようにしましょう。

ルール2 いやがったら要注意。赤ちゃんの自己防衛かも

口に含ませたとき、赤ちゃんがいやがったら注意が必要。単に口に合わない場合もありますが、口の中がピリピリするなど、違和感を感じていることがあるからです。無理に食べさせず、ようすを見て。

ルール3 変わった食品を早くから食べさせない

消化・吸収能力がまだ未熟な〝食〟の練習段階で、変わった食品に挑戦する必要はありません。わざわざ食べさせなくてもいい食品は多数あります。心配が少ない無難なものから始めましょう。

食物アレルギー指導／順和会山王病院小児科部長　鈴木五男先生

離乳食の進め方ポイント

赤ちゃんの発達段階に応じて、離乳食の進め方の見通しを4つのステップに分けました。上の進め方ポイントと合わせて、離乳食作りに役立ててください。

ポイント 1 かむ力を育てよう！

食べものをひと口サイズに取り込み、すりつぶしてだ液《えき》と混ぜ、ひとまとまりにして飲み込む動きは自然には身につきません。舌や歯ぐきで食べることを十分に経験させましょう。

ポイント 2 栄養バランスを意識しよう！

STEP1は離乳食に慣れることがメインですが、STEP2からは主食（ごはんやパンなど）、主菜（肉や魚など）、副菜（野菜など）の3種類がとれるように、栄養バランスを意識して。

ポイント 3 味覚をはぐくもう！

離乳食には食べものの味や香りを経験させる役割もあります。素材に含まれる甘み、塩味、うまみ、酸みなどや香りを経験させましょう。また旬のおいしい食材を使って食べる意欲を引き出して。

離乳食見通し表

		STEP 1 5〜6カ月ごろ	STEP 2 7〜8カ月ごろ	STEP 3 9〜11カ月ごろ	STEP 4 1才〜1才6カ月ごろ
口の動きと食べ方		 口に入れたものを前から奥へ少しずつ移動させ、飲み込む。	 口の前のほうで食べものを取り込み、舌と上あごでつぶす。	 舌と上あごでつぶせないものを、歯ぐきの上に移動させてつぶす。	 前歯が生え、奥歯も生え始めるが、引き続き歯ぐきでかみつぶす練習が必要。
1回あたりの量	炭水化物	穀類1さじずつ（つぶしがゆ）	穀類50g（全がゆ）〜80g（全がゆ）	穀類90g（全がゆ）〜80g（軟飯）	穀類90g（軟飯）〜80g（ごはん）
	たんぱく質	肉は×　白身魚1さじずつ 豆腐1さじずつ 乳製品は×　卵は× （いずれか一品）	肉10〜15g　白身魚10〜15g 豆腐30〜40g 乳製品50〜70g 卵は卵黄1個分〜全卵$\frac{1}{3}$個分 （いずれか一品）	肉15g　魚15g　豆腐45g 乳製品80g 卵は全卵$\frac{1}{2}$個分 （いずれか一品）	肉15〜20g　魚15〜20g 豆腐50〜55g 乳製品100g 卵は全卵$\frac{1}{2}$〜$\frac{2}{3}$個分 （いずれか一品）
	ビタミン・ミネラル	野菜・果物1さじずつ	野菜・果物20〜30g	野菜・果物30〜40g	野菜・果物40〜50g
調味料の目安		調味料は使用せず、食材の味や香りを体験させます。食が進まないときは、だしや野菜スープ、果物などで風味やコクをプラスして。	8カ月ごろからは、塩、しょうゆ、砂糖、みそなどが使えますが、味つけというよりは風味づけと考え、ごく少量にとどめます。	野菜などを植物油やバターで炒め、水を加えふたをして煮る「炒め煮」がおすすめ。少量のマヨネーズ、トマトケチャップも使えます。	味つけは大人の$\frac{1}{3}$程度が目安。濃い味を覚えると薄味に戻しにくいので注意。香辛料は無理ですが、カレー粉はごく少量なら使えます。

※この表は目安です。量や進みぐあいには個人差があります。

おかゆとスープの基本レシピ

離乳食のメインとなる米のおかゆ、そして、離乳食のレシピによく出てくるスープやだし汁の作り方です。

野菜スープ

材料 (作りやすい量)

- キャベツ……½枚
- かぶ……½個
- 水……2カップ
- にんじん……20g
- かぶの葉……少々

作り方

野菜を切る

❶キャベツはざく切り、にんじん、かぶは皮をむいていちょう切りにする。かぶの葉は5㎜幅に切る。

アクを取りながら煮る

❷鍋に分量の水と①を入れて中火にかけ、煮立ったら弱火にしてアクを取りながら10〜15分煮る。

こし器でこす

❸こし器でこしてスープをとる。

10倍がゆ (ごはんから作る場合)

材料 (3〜4回分)

- ごはん……大さじ2
- 水……1カップ

作り方

ほぐしながら煮立てる

❶鍋に分量の水とごはんを入れて中火にかけ、かたまりをほぐしながら煮立たせる。

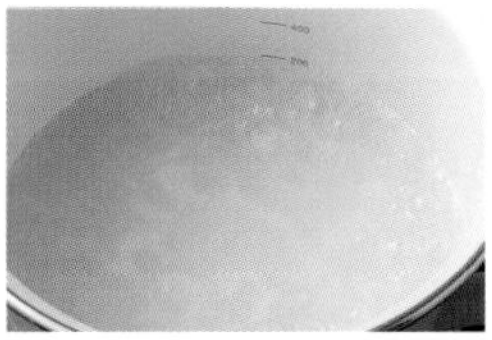

弱火でコトコト煮る

❷煮立ったら弱火にし、ふたをして約15分煮る。途中でふたをずらしたりして、ふきこぼれないように注意する。

※7倍がゆと5倍がゆの場合、煮る時間は10分、軟飯の煮る時間は4〜5分です。

ふたをして蒸らす

❸ごはんがやわらかく煮えたら火を止めてふたをし、10分ほど蒸らす。STEP1のつぶしがゆの場合は、この後、すりつぶすか裏ごしをする。

※7倍がゆと5倍がゆの蒸らす時間は7〜8分、軟飯の蒸らす時間は4〜5分です。

昆布だし

昆布2㎝角1枚を水½カップに入れて1時間以上つけておくだけ。必ず加熱して使います。

かつおだし

削り節小さじ1を茶こしに入れて、熱湯½カップを注ぐだけ。大人用より薄めに。

離乳食作りにあると便利な道具

離乳食作りの基本である「すりつぶす」「すりおろす」「こす」「裏ごしする」「絞る」ができる調理道具があると便利です。

7倍がゆ の材料 (5〜6回分)

- ごはん… 60g
- 水…1 ½カップ

5倍がゆ の材料 (2〜3回分)

- ごはん… 60g
- 水…1カップ

軟飯 (作りやすい量)

- ごはん… 60g
- 水…¼カップ

●レシピは特記以外、1回分です。●小さじ1は5㎖、大さじ1は15㎖、1カップは200㎖です。赤ちゃんに食べさせるときの1さじは赤ちゃん用スプーンです。●電子レンジの加熱時間は出力500Wのものを基準にしています。●火加減や加熱時間はあくまでも目安です。様子を見ながら調理してください。

STEP 1

5～6カ月

いつごろ？タイミングは？

前半　5～6カ月になると首がしっかりとすわり、支えがあればいすに座れるようになる子が多くなります。大人が食事をしているのを見て、声やよだれを出すようになったら、そろそろ離乳食スタート。赤ちゃんのきげんがよく、ママも気持ちに余裕がある時間帯なら何時でもいいのですが、万が一、食後にぐあいが悪くなった場合に病院が開いていると安心なので、午前中の授乳タイムの1回をあてるといいでしょう。遅くとも6カ月中には開始しましょう。

後半　離乳開始から1カ月ほどたち、米がゆ、野菜、いもに慣れてきたら、たんぱく質源をプラスしてもいいでしょう。

どんなものをどれくらいあげる？

前半　まずは米の10倍がゆをすりつぶしたものからスタート。赤ちゃん用スプーンでごく少量（1さじ程度）を与えます。赤ちゃんがいやがらなければ、にんじんやじゃがいもなど、くせの少ない野菜やいも類をトロトロのポタージュ状にしてプラス。初めてのものは必ず1さじから始め、皮膚やうんちに変化がなければ徐々に量を増やします。

後半　たんぱく質源として、脂肪が少なくて消化・吸収がよい白身魚を赤ちゃん用スプーンで1さじからスタートします。3日ほど続けて皮膚やうんちに変化がなければ徐々に量を増やします。豆腐も同様で、1さじから始めます。かたさは飲み込むようすを見ながら、少しずつ水分を減らしていき、ヨーグルト状のものも加えていきます。個人差がありますが、離乳開始から2カ月くらいで、全部で10さじ程度食べられるようになるのがだいたいの目安です。

組み合わせてこんな献立に

スタートして1カ月たったら、10倍がゆと野菜をベースに、白身魚などのたんぱく質源をプラスした献立を。ひとつの器に盛ってもいいでしょう。

献立例
●トマトがゆ（左）
●白身魚のすり流し（右）

タイムスケジュールの例

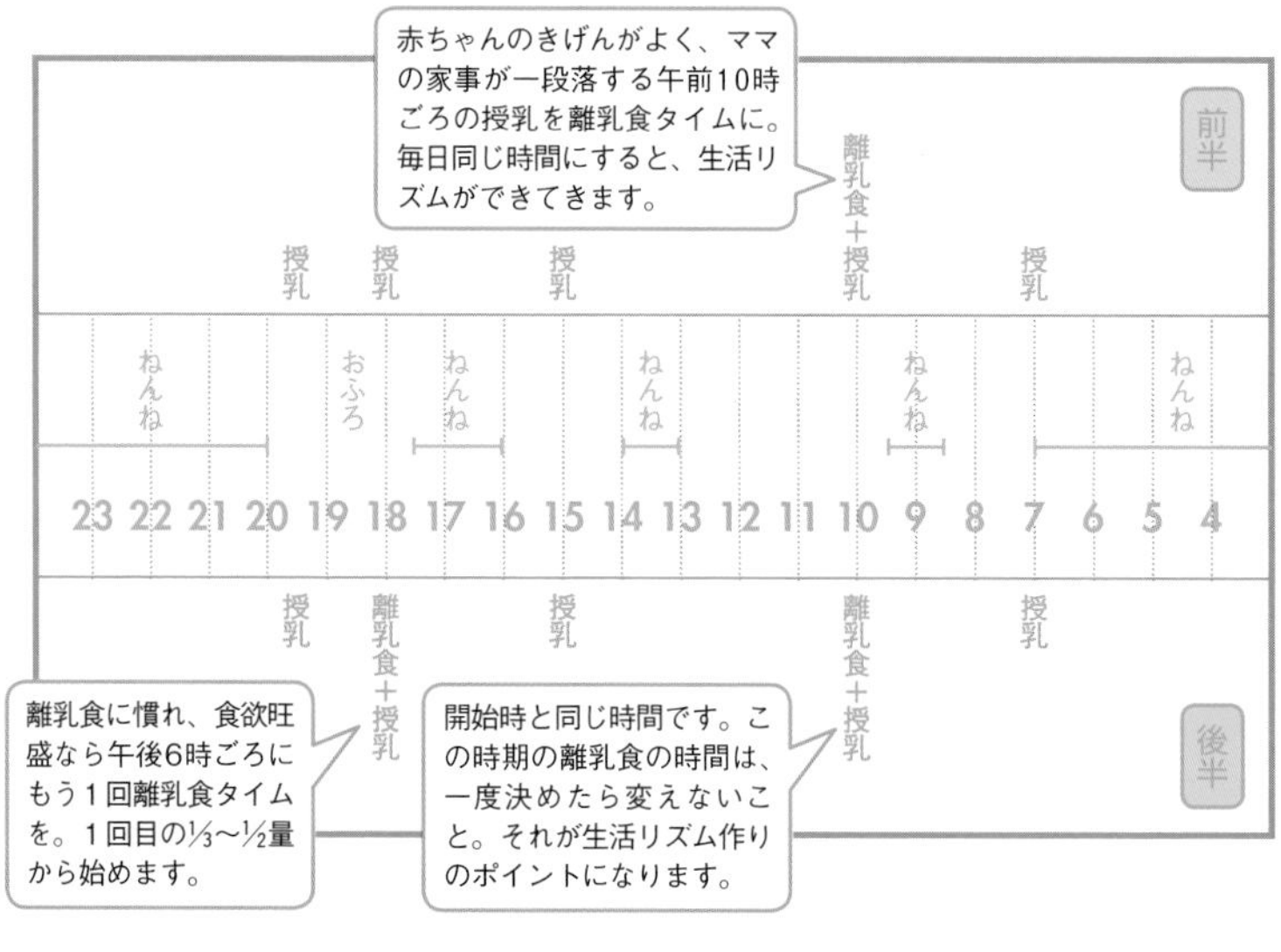

前半
後半
23 22 21 20 19 18 17 16 15 14 13 12 11 10 9 8 7 6 5 4
ねんね
おふろ
授乳
離乳食＋授乳
赤ちゃんのきげんがよく、ママの家事が一段落する午前10時ごろの授乳を離乳食タイムに。毎日同じ時間にすると、生活リズムができてきます。
離乳食に慣れ、食欲旺盛なら午後6時ごろにもう1回離乳食タイムを。1回目の1/3～1/2量から始めます。
開始時と同じ時間です。この時期の離乳食の時間は、一度決めたら変えないこと。それが生活リズム作りのポイントになります。

食べさせ方のヒント

1　食べやすい姿勢

ねんねしたままだったり体を起こしすぎていると食べにくいものです。口を開けたときに舌がほぼ水平になり、取り込んだ後、口を閉じると、やや傾斜がついて食べものが自然とのどのほうに動く角度で食べさせましょう。抱っこなら、ママの腕で赤ちゃんの背中を支えます。

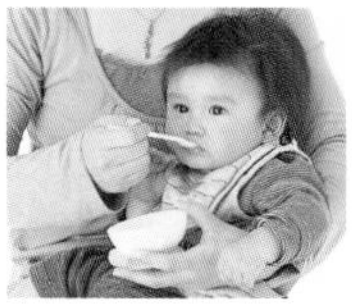

2　食べさせ方

スプーンの前のほうに少なめに盛り、スプーンを唇《くちびる》にチョンと当てて、口が開くのを待ちます。赤ちゃんの口にスプーンを押し込んではいけません。

離乳食の基本

STEP 1 5〜6カ月

前半 スタートしてから1カ月ごろまで

この時期の調理のポイント

すりつぶしをいやがるときは裏ごしでなめらかな食感にしても

最初は液体に近いトロトロのポタージュ状のものから始めます。米がゆはすりつぶして与えますが、練ると粘りが出て飲み込みにくくなるので、軽くたたいてつぶし、サラッとした状態に仕上げます。ツブツブをいやがる赤ちゃんもいるので、食べない場合は裏ごししてなめらかな食感にして与えてみます。

湯を加えてなめらかに

じゃがいもマッシュ

材料

- じゃがいも…… 5〜10g
- 湯…………………… 適量

作り方

❶じゃがいもは皮をむいて半月切りにし、水にさらしてからやわらかくゆでる。
❷①を熱いうちにすり鉢ですりつぶし、湯を少しずつ加えてなめらかにのばす。

最初はなめらかなペースト状にして

ほうれん草ペースト

材料

- ほうれん草(葉先) ……………… 5〜10g
- 湯…………………… 適量

作り方

❶ほうれん草はやわらかくゆで、水にさらしてから細かく刻む。
❷①を裏ごしし、湯を少しずつ加えてなめらかにのばす。

大きさ・かたさ

おかゆの場合

米と水の量が1:10の10倍がゆに。

にんじんの場合

ゆでて裏ごしし、水分でベタベタ状に。

後半 スタートして1カ月たったころから

この時期の調理のポイント

たんぱく質源は必ず加熱を。湯でのばしてパサつきを防いで

赤ちゃんは消化能力が未熟なので、たんぱく質の摂取が早すぎたり量が多すぎたりすると、体に負担がかかります。また、細菌への抵抗力も弱いので、必ず加熱して与えましょう。白身魚は加熱するとパサつきやすくなるので、湯を加えてなめらかにのばしたり、おかゆとあえて食べやすくするのがポイントです。

3種類をミックスしたバランス満点メニュー

かぶとブロッコリーの豆腐がゆ

材料

- かぶ…………… 1/6個
- ブロッコリー……… 1房
- 絹ごし豆腐……… 5g
- 10倍がゆ(89ページ参照) …………大さじ2

作り方

❶かぶは皮をむき、ゆでてすりつぶす。
❷ブロッコリーはゆでて花《か》蕾《らい》の先だけを切り取り、すりつぶす。
❸豆腐はゆでてすりつぶす。
❹10倍がゆに①、②、③を加える。

パサつく白身魚をかぼちゃであえて食べやすく

かぼちゃ白身魚

材料

- かぼちゃ ………… 10g
- 白身魚(かれいなど) ……………… 5〜10g
- 湯…………… 大さじ1

作り方

❶かぼちゃはやわらかくゆでて皮を除き、フォークで粗くつぶす。
❷白身魚はゆでて、皮と骨を取り除き、湯を加えてすりつぶす。
❸②に①を加えて混ぜ合わせる。

大きさ・かたさ

おかゆの場合

米と水の量が1：8の8倍がゆに。

にんじんの場合

ゆでてすり鉢ですりつぶし、水分で少しのばす。

STEP 2 7～8カ月

いつごろ？タイミングは？

前半　STEP1に引き続き2回食に慣れていく時期。今までは舌を前後に動かして飲み込むだけでドロドロのペースト状のものを飲み込んでいましたが、STEP2では舌を上下にも動かして、やわらかい小さなかたまりを舌と上あごでつぶして食べる練習を始めましょう。

後半　2回食に進めてから1カ月くらいが経過し、2回とも量をしっかりと食べられ、みじん切り程度のやわらかいつぶ状のものを舌でつぶして飲み込めるようになったら、モグモグしないと飲み込めないものを増やします。

どんなものをどれくらいあげる？

前半　水分の少ないポッテリとしたいものマッシュや、やわらかく煮てみじん切りにした野菜、角切りにした絹ごし豆腐などを増やしていきます。納豆、鶏ささ身、レバーなど、いろいろな種類のたんぱく質源も少しずつ食べられるようになります。食品のバリエーションを広げていきましょう。

後半　フォークで粗くつぶした野菜や、粗くほぐした白身魚など、ランダムな大きさや形のものを増やしていきます。やわらかくてふわふわしている絹ごし豆腐や卵焼きなどは、大きめにすくって挑戦を。やわらかいけれどそのままでは飲み込めない、形のあるものを加えていきます。

卵白はアレルゲンになりやすいので、7～8カ月ごろまでは控えますが、卵黄に慣れたらごく少量ずつ全卵に進んでいきます。スクランブルエッグや茶碗蒸しは、STEP2の赤ちゃんに向くメニューですが、卵は必ず卵黄→全卵の順に進めます。皮膚やうんちに変化がなければ、ようすを見ながら量を増やします。

組み合わせてこんな献立に

この時期はおかゆから単品食べへ。7倍がゆに魚、豆腐、肉などのたんぱく質源や野菜をトッピングしたり、別々に盛って一つひとつの味を覚える単品食べも。

献立例
- 白身魚とキャベツのおかゆ（左）
- 豆腐とほうれん草のとろ煮（右）

タイムスケジュールの例

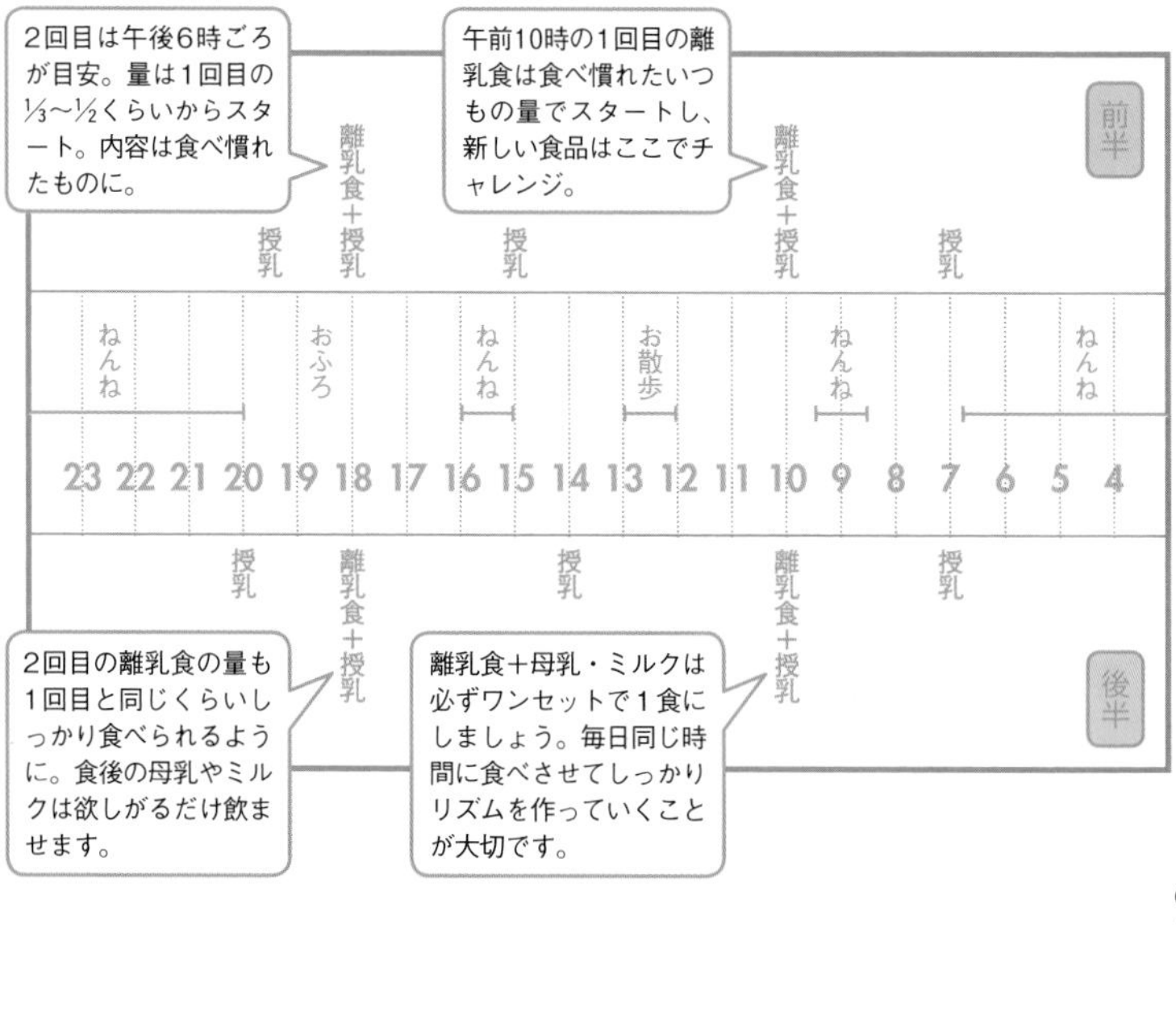

前半
後半
23 22 21 20 19 18 17 16 15 14 13 12 11 10 9 8 7 6 5 4
ねんね
おふろ
ねんね
お散歩
ねんね
ねんね
授乳
離乳食＋授乳
授乳
離乳食＋授乳
授乳
授乳
離乳食＋授乳
授乳
離乳食＋授乳
授乳
午前10時の1回目の離乳食は食べ慣れたいつもの量でスタートし、新しい食品はここでチャレンジ。
2回目は午後6時ごろが目安。量は1回目の1/3～1/2くらいからスタート。内容は食べ慣れたものに。
離乳食＋母乳・ミルクは必ずワンセットで1食にしましょう。毎日同じ時間に食べさせてしっかりリズムを作っていくことが大切です。
2回目の離乳食の量も1回目と同じくらいしっかり食べられるように。食後の母乳やミルクは欲しがるだけ飲ませます。

食べさせ方のヒント

1 食事に集中できる姿勢
体が前かがみになったり、寝かせすぎにならないように、ラックの背もたれの角度を調整します。赤ちゃんがふらつく場合は、すき間に丸めたタオルなどを入れて支えても。テーブル付きのものにすると、手が置けて姿勢が安定します。

2 ゆっくり食べさせる
飲み込むのを確認してから、ゆっくりと次の1さじをお口に運びます。

3 いろいろな形や大きさのものを
ひとつの食材でも形状を変えてみたり、同じサイズでも食材違いを経験させてみて。よい咀嚼《そしゃく》の練習になります。

離乳食の基本 STEP 2 7〜8カ月

前半
スタートしてから1カ月ごろまで

この時期の調理のポイント

パサつきやすい食品はとろみづけでサポート

この時期、少しずつ細かく切った野菜や魚にチャレンジしていきますが、水分の少ない葉もの野菜や白身魚などは、モグモグしているうちに上あごにくっついてしまったり、パサついて上手に飲み込めなかったりします。切り方に注意するとともに、片栗粉やヨーグルト、BFなどでとろみをつけてあげるのがコツです。

しらすのうまみでだしいらず

レタスとしらすのおかゆ

材料

- しらす干し…… 小さじ2
- レタス(葉先) …… ⅓枚
- 7倍がゆ(89ページ参照) ………… 40〜50g

作り方

1. しらす干しはゆでて塩抜きし、水けをきって粗く刻む。
2. レタスはやわらかくゆでてみじん切りにする。
3. 7倍がゆに①、②を加える。

ふわふわの卵でかむ練習

卵とトマトのふわ煮

材料

- トマト …………… ¼個
- 水 …………… 大さじ1
- 卵黄 ……………… ⅓個

作り方

1. トマトは湯むきして皮と種を除き、粗く刻む。
2. 鍋に分量の水と①、溶いた卵黄を入れてひと混ぜしてから火にかけて十分に火を通す。

大きさ・かたさ

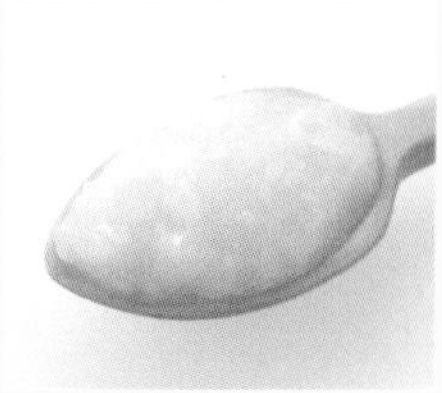

おかゆの場合
米と水の量が1：7の7倍がゆに。

にんじんの場合
やわらかくゆでて4㎜角程度に切る。

後半
スタートして1カ月たったころから

この時期の調理のポイント

大きめに調理したものをフォークでつぶして与えて

徐々に粗つぶし、粗ほぐしをプラスしていきます。にんじんやいも類などのやわらかいものはフォークで縦横両方向から筋目をつけるようにつぶし、白身魚はフォークの先で身をくずすように粗くほぐします。赤ちゃんがすぐに飲み込んでしまうようなら、大きさ・形をいろいろと工夫してみましょう。

※BFはベビーフードのことです。

卵黄は必ずかたゆでにして少量から始めて

卵黄野菜がゆ

材料

- 卵黄(かたゆで) ………………… ⅓個
- にんじん ………… 5g
- キャベツ(葉先) …… 5g
- 7倍がゆ(89ページ参照) ………… 70〜80g

作り方

1. 卵黄は裏ごしする。
2. にんじんは皮をむき、キャベツとともにゆでる。にんじんはフォークで粗くつぶし、キャベツは細かく刻む。
3. 7倍がゆに①、②を加える。

BFのレバーペーストで手軽に栄養価をアップ

レバーと豆腐のベタベタグラタン

材料

- じゃがいも ……… 10g
- 絹ごし豆腐 ……… 10g
- ブロッコリー …… 1房
- レバーペースト(BF) ……………… 大さじ1
- ホワイトソース(BF・粉末) ……………… 1袋
- パン粉、粉チーズ ……………… 各少々

作り方

1. じゃがいもは皮をむき、豆腐、ブロッコリーとともにゆでる。
2. BFのホワイトソースは、表示どおりの湯で溶かす。
3. ①の豆腐とじゃがいもは粗くつぶし、ブロッコリーは粗く刻み、②、レバーペーストを加えて混ぜる。
4. 耐熱容器に③を入れ、パン粉と粉チーズをかけ、オーブントースターで軽く焼き目がつくまで焼く。

大きさ・かたさ

おかゆの場合
米と水の量が1：6の6倍がゆに。

にんじんの場合
やわらかくゆでて6㎜角程度のつぶを混ぜる。

いつごろ？ タイミングは？

前半　いよいよ3回食です。この時期になると、舌が前後・上下に加え、左右に動くようになります。舌でつぶせない食べものは左右に寄せて歯ぐきでつぶして食べられるようになるので、バナナのかたさを目安に、指でつぶせる程度のものを徐々に増やしていきます。にんじんなどはやわらかく煮て1cm弱の角切りで与え、咀嚼《そしゃく》を促します。また、同じにんじんでも、やわらかくゆでてスティック状に切ると、自分で持って食べる練習になります。

後半　手づかみが十分できるようになったら、徐々に離乳食の間隔をあけ、大人の食事時間に近づけていきます。1才のお誕生日過ぎごろには、午前7時半、12時、午後6時となるよう目指していきます。

どんなものを どれくらいあげる？

前半 後半　消化・吸収能力が発達してくるこのころは、あじ、さんまなどの青魚や、牛、豚の赤身肉などにも少しずつ挑戦させてみましょう。赤身の肉、魚、レバーなど、鉄分が豊富な食材を意識して取り入れて。少量の植物油やバターが使えるようになるので、メニューのバリエーションが広がります。野菜は焼いたり炒めたりするだけではやわらかくなりにくいので、炒めてから水で溶いた調味料で蒸し煮にする「炒め煮」がおすすめです。

また、このころになると離乳食を食べることに飽きてきて、食欲が「中だるみ」になることがよくあります。遊んでばかりで食べない、好き嫌いが出てきた、などの悩みも増えるころ。食べにくさが嫌いという場合も多いので、調理法を工夫してみましょう。

組み合わせて こんな献立に

主食、主菜（肉、魚、大豆製品がメイン）、副菜（野菜がメイン）の3つのグループに、食べる意欲を育てるための手づかみ用野菜スティックをプラス。

献立例
- 5倍がゆ（左下）
- 魚の煮つけ（右下）
- スティック野菜（左上）
- しらすとチンゲンサイのさっぱりあえ（右上）

タイムスケジュールの例

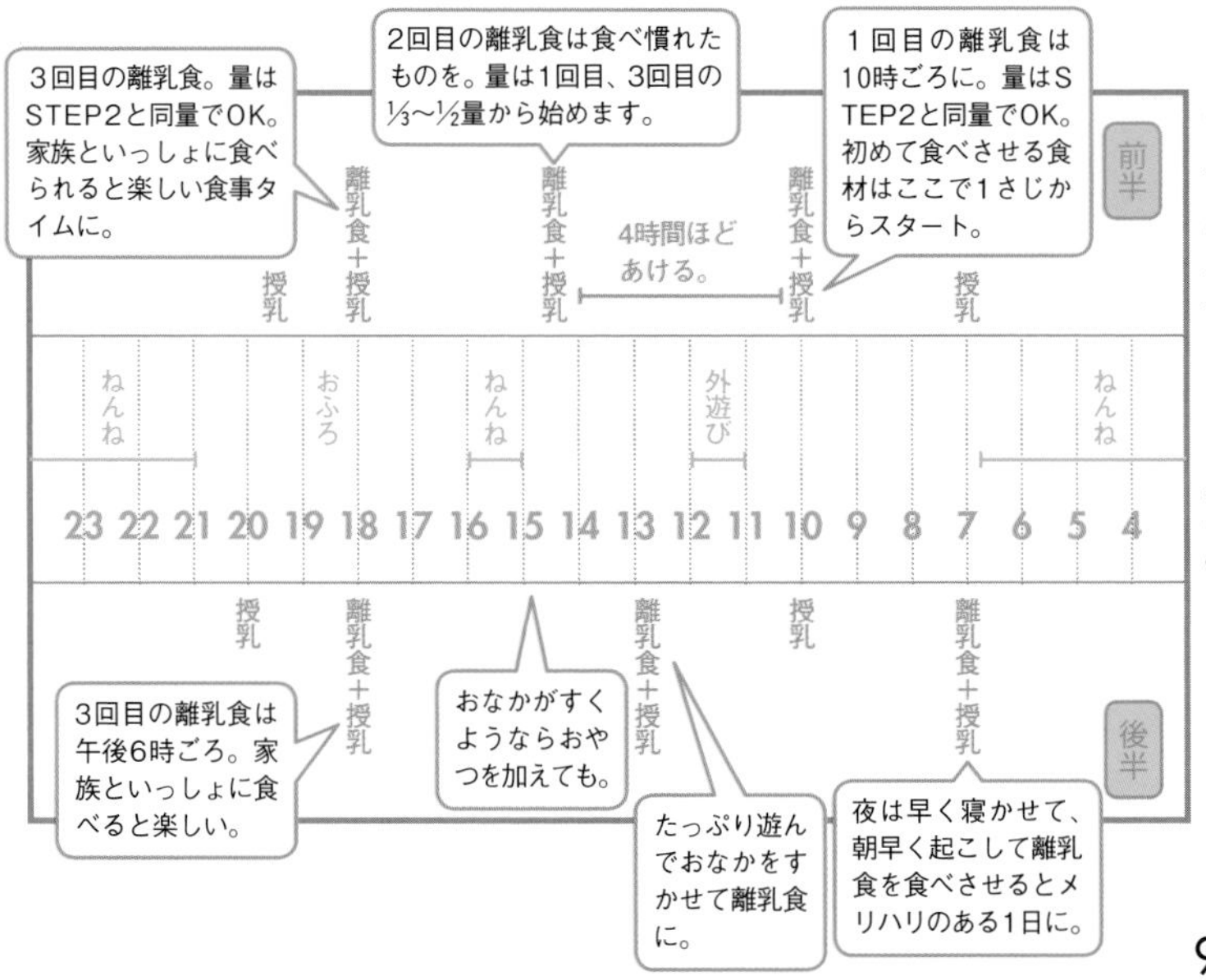
前半
1回目の離乳食は10時ごろに。量はSTEP2と同量でOK。初めて食べさせる食材はここで1さじからスタート。
2回目の離乳食は食べ慣れたものを。量は1回目、3回目の1/3～1/2量から始めます。
3回目の離乳食。量はSTEP2と同量でOK。家族といっしょに食べられると楽しい食事タイムに。
授乳
離乳食＋授乳
4時間ほどあける。
離乳食＋授乳
離乳食＋授乳
授乳
ねんね
外遊び
ねんね
おふろ
ねんね
4 5 6 7 8 9 10 11 12 13 14 15 16 17 18 19 20 21 22 23
離乳食＋授乳
授乳
離乳食＋授乳
離乳食＋授乳
授乳
後半
夜は早く寝かせて、朝早く起こして離乳食を食べさせるとメリハリのある1日に。
たっぷり遊んでおなかをすかせて離乳食に。
おなかがすくようならおやつを加えても。
3回目の離乳食は午後6時ごろ。家族といっしょに食べると楽しい。

食べさせ方のヒント

1 口の前のほうで取り込ませる
前歯の近くには食べものの質感や温度、大きさを察知するセンサーがあるので、舌・あご・歯ぐきがスムーズに反応します。奥のほうに入れてしまうと、かまずにすぐ飲み込んでしまうので、気をつけましょう。

2 かめているかをチェック
ちゃんとかんでいるときは、かんでいる方向に唇《くちびる》がねじれます。

3 手づかみ食べで意欲をはぐくむ
自分で口に運ぶことは食べる意欲につながるもの。スティック野菜など、自分で持てるようなメニューの工夫を。

離乳食の基本 STEP 3 9～11カ月

前半 スタートしてから1カ月ごろまで

この時期の調理のポイント

スティックに向く食材と向かない食材を上手に選んで

このころの赤ちゃんは手の力の加減が上手にできず、手のひら全体でぎゅっと握りしめてしまうので、つぶれやすいいも類はスティックには向きません。にんじん、大根、トーストなどがおすすめです。めかじきなどの身がしまった魚もスティックに向いています。折れにくくなるよう、繊維《せんい》に沿って切るのがコツです。

いちょう切りや角切りなどいろいろな形を体験

けんちんうどん

材料

- うどん(ゆでたもの)……60g
- 絹ごし豆腐……30g
- かぶ……1/6個
- にんじん……10g
- 白菜(葉先)……1/4枚
- かぶの葉……少々
- だし汁(89ページ参照)……1カップ
- しょうゆ……少々

作り方

❶うどんは洗って1cm長さに切る。豆腐は7～8mm角に切る。
❷かぶとにんじんは皮をむいていちょう切りにする。白菜はざく切りにする。
❸かぶの葉はゆでて粗みじん切りにする。
❹鍋にだし汁と②を入れて煮、やわらかくなったら、①、③を加えて煮込み、しょうゆを加えて味を調える。

繊維に沿って切ると折れにくくなる!

めかじきスティック

材料

- めかじき(切り身)……1/4切れ

作り方

❶めかじきの切り身は、身の繊維に沿って1cm角、7cmの長さのスティック状に切る(長さや太さは赤ちゃんによって好みがあるので、持ちやすいように調整を)。
❷熱湯でゆでる。

大きさ・かたさ

おかゆの場合

米と水の量が1：5の5倍がゆに。

にんじんの場合

6mm角程度の指ですぐつぶせるくらいのかたさに。

後半 スタートして1カ月たったころから

この時期の調理のポイント

スティック以外の手づかみメニューもプラス

最初のころは手のひら全体でギュッと握りしめるだけだったのが、平たいものをはさむように持ったり、指先で小さなものをつまんだりできるようになります。野菜スティックばかりでなく、小判形のお焼きやボール形のおにぎりなどをプラスして、手づかみメニューのバリエーションを増やしましょう。

手づかみで食べる意欲を育てよう

ひじきおにぎり

材料

- ひじき(乾燥)……少々
- 5倍がゆ(89ページ参照)……50g
- にんじん……5g

作り方

❶ひじきは大きめの耐熱容器に入れて水でもどし、電子レンジで約1分加熱する。
❷にんじんは皮をむいてやわらかくゆで、粗みじんに刻む。
❸ひじきは粗みじんに切る。
❹②、③を5倍がゆと混ぜて、3等分して丸める。

手づかみ食べと丸飲みを防ぐメニュー

ベジタハンバーグ

材料

- 絹ごし豆腐……10g
- にんじん……10g
- サラダ油……少々

A
- 豚ひき肉(赤身)……小さじ1
- パン粉……大さじ1
- 牛乳……小さじ1

B
- しょうゆ……少々
- 水……大さじ1

作り方

❶豆腐はラップに包んで電子レンジで約20秒加熱し、水けをふいてつぶす。
❷にんじんはゆでてせん切りにする。
❸①、②、Aを混ぜ合わせて2つに分け、小判形に整える。
❹フライパンにサラダ油を熱し、③を入れて両面を焼き、Bを合わせて加え、ふたをして弱火で蒸し焼きにし、中まで火を通す。

大きさ・かたさ

おかゆの場合

米と水の量が1：4の4倍がゆに。

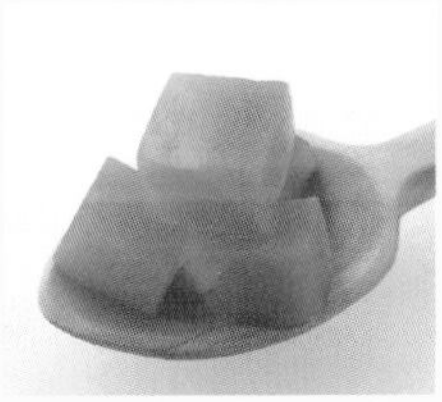

にんじんの場合

8mm角程度の指でラクにつぶせるかたさで。

STEP 4

1才〜1才6カ月

いつごろ？タイミングは？

前半 そろそろ1日3食をしっかり定着させる時期を迎えます。朝食は生活リズム作りのためにとても重要なもの。朝、脳や体のエネルギー源である炭水化物源をしっかりとることで、午前中を活発に過ごす準備が整います。また、うんちもスムーズに出るようになり、自然と生活リズムが整っていきます。

後半 前歯が生えそろい、奥歯も生え始める時期。少しずつひと口量を調節して前歯でかじり取り、歯ぐきや奥歯でつぶして食べられるようになります。大人の食べ方とほぼ同じになるわけですが、まだかむ力は弱く、食べものによってかみ方を調整するのは難しいので、かたすぎるものや食べにくい形状のものは避けましょう。

どんなものをどれくらいあげる？

前半 このころの赤ちゃんは多くのエネルギーを必要とするのに、まだ一度にたくさん食べることができません。食事と食事の間にエネルギーが不足しがちなので、間食が必要になってきます。間食＝おやつ＝お菓子と思いがちですが、赤ちゃんの場合は、ごはん、パン、めん、いも類などの炭水化物源をメインに、果物や牛乳などを添えるといいでしょう。

後半 だんご程度のかたさを目安に、手づかみで食べられるものや、いろいろな大きさ、形のものを与えてかむ練習をさせましょう。

また、自分でやりたい欲求が強くなる時期。手づかみ食べを存分にさせたら、スプーンで食べる練習にチャレンジさせて。縁がなだらかな器は食べものが外にこぼれてしまうので、ココットのような立ち上がりのある器を使いましょう。

組み合わせてこんな献立に

主食、主菜、副菜の3つのグループを意識しましょう。STEP3に引き続き手づかみメニューを用意し、自分で食べる意欲を育てます。

献立例
- 軟飯おにぎり（左下）
- さんまのかば焼き（右下）
- チンゲンサイとにんじんの白あえ（左上）
- 二色ポテト（右上）

タイムスケジュールの例

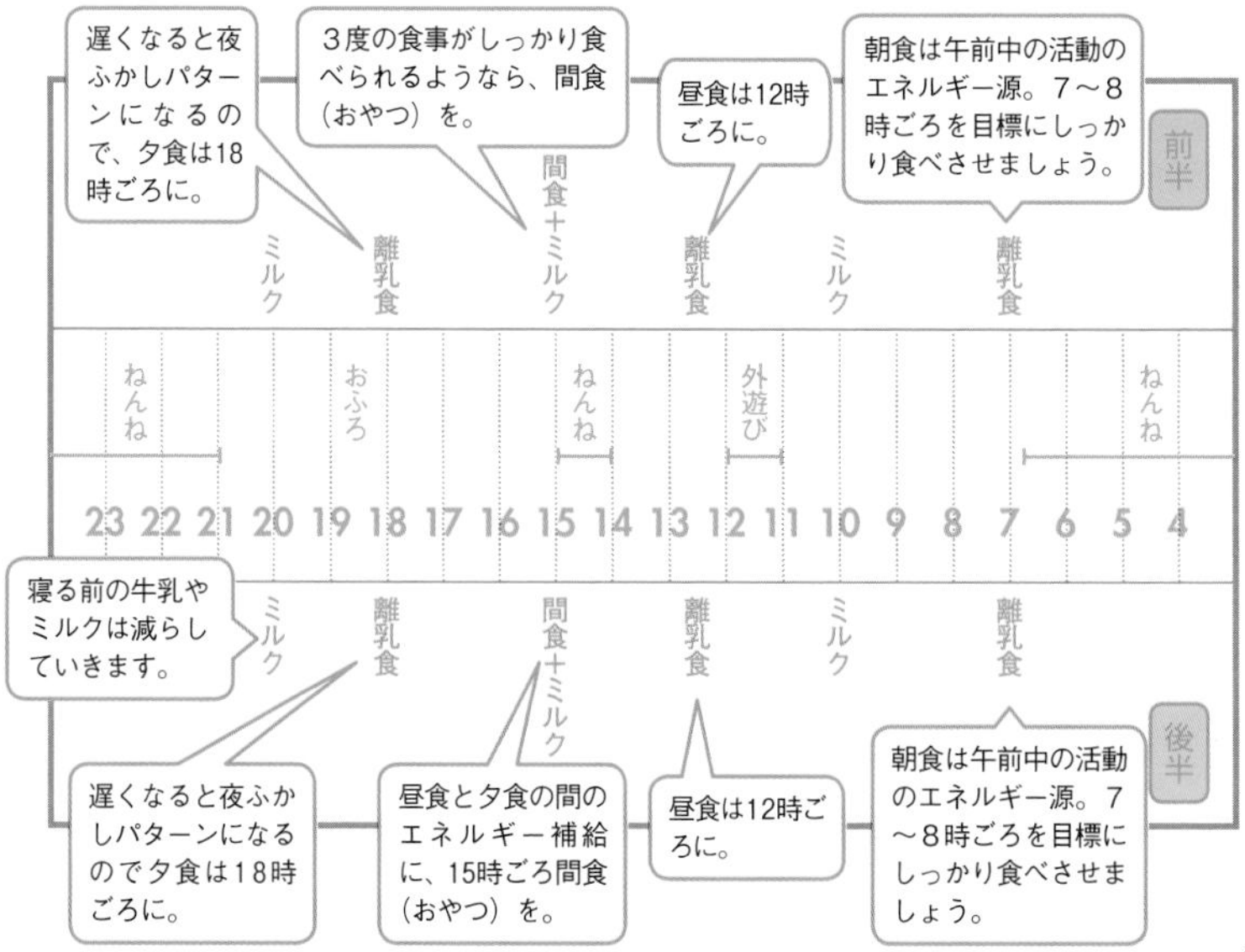

前半
朝食は午前中の活動のエネルギー源。7〜8時ごろを目標にしっかり食べさせましょう。
昼食は12時ごろに。
3度の食事がしっかり食べられるようなら、間食（おやつ）を。
遅くなると夜ふかしパターンになるので、夕食は18時ごろに。
離乳食
ミルク
離乳食
間食＋ミルク
離乳食
ミルク
ねんね
外遊び
ねんね
おふろ
ねんね
4 5 6 7 8 9 10 11 12 13 14 15 16 17 18 19 20 21 22 23
離乳食
ミルク
離乳食
間食＋ミルク
離乳食
ミルク
寝る前の牛乳やミルクは減らしていきます。
後半
朝食は午前中の活動のエネルギー源。7〜8時ごろを目標にしっかり食べさせましょう。
昼食は12時ごろに。
昼食と夕食の間のエネルギー補給に、15時ごろ間食（おやつ）を。
遅くなると夜ふかしパターンになるので夕食は18時ごろに。

食べさせ方のヒント

1 自分から進んで食べる子に
食べものをつぶしたり、口に入れたり出したり。何でも試してみたい欲求と考えて「なんだろうね」とママもいっしょにかかわり、食べる意欲につなげましょう。

2 遊びから食事へ興味を
遊びに熱中しているときは「プーさんもごはんが食べたいって。いっしょに食べようか」などと食事に興味が向くように話しかけてみます。

3 食べやすい食器とスプーン
赤ちゃんの手で握りやすく先の丸いフォークや、立ち上がりのある器を用意します。

離乳食の基本 STEP 4 1才〜1才6カ月

前半

この時期の調理のポイント

風味豊かな食材や手づかみメニューで食欲アップ!

この時期の赤ちゃんの毎日はとても刺激的。食事よりも興味をひかれることがたくさんあるので、食欲が落ちることがあります。一方、食べすぎが心配、というママもいて、食事量に個人差が目立つ時期です。食が進まなければ、削り節や桜えびなどの風味豊かな食材をプラスして目先を変えるといいでしょう。

食材のうまみや甘みがいっぱいの炒め煮

そうめんチャンプルー

材料

- そうめん(ゆでたもの)……50g
- にんじん……10g
- 玉ねぎ……10g
- 小松菜……10g
- ツナ(水煮缶)‥大さじ1
- サラダ油……少々
- 水……大さじ1
- 卵……½個
- しょうゆ、塩…各少々

作り方

❶そうめんは水洗いし、食べやすい長さに切る。
❷にんじん、玉ねぎは2〜3cm長さのせん切りに、小松菜は2~3cm長さに切る。
❸ツナは汁けをきってほぐしておく。
❹フライパンにサラダ油を熱して玉ねぎ、にんじんを炒め、分量の水を加え、小松菜、ツナを加えて炒め煮にする。
❺卵を加えて炒め、そうめんを加え、しょうゆ、塩で調味する。

食べにくい葉ものをわかめのとろみで食べやすく

ほうれん草と白菜のわかめ煮

材料

- ほうれん草……1株
- 白菜……½枚
- わかめ(乾燥)……小さじ¼
- しらす干し……小さじ½
- 水……¼カップ

作り方

❶ほうれん草はさっとゆでて粗く刻む。
❷わかめは水でもどして細かく刻む。白菜は細かく刻む。
❸鍋に②、しらす干し、分量の水を入れて煮立て、①を加えて煮る。

大きさ・かたさ

軟飯の場合

米と水の量が1：1.5〜2の軟飯に。

にんじんの場合

1cm程度のフォークですぐ切れるかたさに。

後半

この時期の調理のポイント

食べにくいものは食べやすく 味つけは大人の⅓程度に

たいていのものは食べられますが、奥歯が生えそろう2才半〜3才ぐらいまでは、まだ上手にはかめないので、食べやすい調理法を心がけます。かみにくいものは、食べやすく切って与えましょう。野菜は輪切り、せん切りなど、いろいろな切り方でカミカミの練習を促します。味つけは大人の⅓程度が目安です。

持ちやすい太めのスティックで前歯でかじる練習

トマトチーズトースト

材料

- トマト……⅛個
- 粉チーズ……少々
- マヨネーズ‥‥小さじ1
- 食パン(8枚切り)……1枚

作り方

❶トマトは湯むきをして粗みじんに刻む。
❷①、粉チーズ、マヨネーズを混ぜる。
❸食パンに②をぬり、オーブントースターで3〜4分焼く。
❹③を縦に3等分に切る。

せん切り野菜でかむ練習を

カレースープ

材料

- 玉ねぎ……10g
- ピーマン……10g
- パプリカ(黄、赤)……各10g
- サラダ油……少々
- 豚ひき肉(赤身)……大さじ1
- 水……⅔カップ
- 塩、カレー粉…各少々

作り方

❶玉ねぎ、ピーマン、パプリカは約3cm長さのせん切りにする。
❷鍋にサラダ油を熱し、ひき肉を炒め、①を加えてさらに炒め、分量の水を加えて煮る。
❸塩、カレー粉で味を調える。冷えてもおいしい。

大きさ・かたさ

ごはんの場合

やわらかめのごはんに。

にんじんの場合

いろいろな切り方、かたさに。

料理撮影/馬場敬子、安井真喜子

幼児食
1才6カ月ごろ～

将来の食生活習慣の基礎を作るとき

離乳食を卒業したからといって、すぐに大人と同じ食事ができるわけではありません。このころは、基本的な生活習慣を身につけていく時期。幼児期の「食事」は食物から栄養をとる「栄養補給」であるだけでなく、「将来の健康的な食生活習慣」を身につけるための基盤になるものです。そのためには、1日3食を規則正しく食べる習慣を身につけましょう。食事は生活リズムの基本です。そのうえで、幼児期の食事のキーワードは5つ。**①いろいろな種類の食品を、②バランスよく、③薄味で、④適量を、⑤楽しくです。**この5つのキーワードをもとに食事を工夫するといいでしょう。

雰囲気や気分で食べたり食べなかったりするムラ食いや偏食など、ママを悩ませるトラブルも多くなりますが、あせらずに、栄養のバランスをよくして、なごやかで楽しい食卓を心がけていくうちに解消していきます。

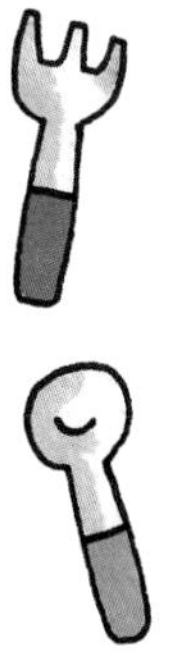

幼児食のポイント4

POINT 1 食べやすさのひと手間を忘れずに

歯の生え方も食べ方の習得も、早い子、のんびりな子と個人差が大きいものです。1才6カ月を過ぎたからといって、いきなり大人と同じメニューにするのではなく、3才くらいまでは、かたすぎるものや食べにくい形状のものは避け、食べやすい調理方法を心がけましょう。いろいろな切り方や形を経験させて、かむ力やかみ方を調整する力を育てていきましょう。

POINT 2 味つけは大人の$\frac{1}{3}$～$\frac{1}{2}$が目安

1才6カ月を過ぎたら、少しずつ、調味料の幅を広げていきましょう。カレーなど刺激の強いものや、味の濃いものはまだ無理。味覚の発達のためには薄味が基本です。味つけは大人の$\frac{1}{3}$～$\frac{1}{2}$くらいを目安に考えます。レトルトなどの加工食品を使う場合は、子ども用のものを選びます。また大人の食事から取り分けるときは、味がしみこんでいない内側の部分だけを食べさせるなど、臨機応変に対応を。

POINT 3 食べる意欲をはぐくむ楽しい環境作りを

自分で食べたい気持ちが高まってくるので、スプーンを持たせましょう。最初は上手にすくうことができませんが、だんだん自分で食べられるようになっていきます。一生懸命食べたときや上手に食べられたときは、たくさんほめてあげましょう。情緒も豊かになる時期なので、食事が楽しくなる言葉、会話を心がけます。

POINT 4 空腹がいちばん！生活リズムを整えて

幼児食は、栄養や咀嚼《そしゃく》だけを見るのではなく、「食生活」としてトータルに考えます。食事は、睡眠、おふろ、遊びなどとつながる生活のひとコマ。早寝早起きをして朝食を食べれば午前中から元気に遊べますし、うんちのリズムも整います。おなかをすかせてごはんを食べることは何よりのごちそう。よい生活習慣作りのために生活を見直していきましょう。

PART 5

生活リズムとしつけ

赤ちゃんには、それぞれの月齢に応じた、
生活リズムがあります。
規則正しい生活リズムを作り、
その月齢に応じた生活習慣を無理なく身につけさせるための
環境作りを考えましょう。

月齢別に生活リズムの作り方、整え方をレクチャー

赤ちゃんの生活リズムの作り方

今は将来の生活リズムの基礎を作る大切な時期。どんなふうにリズムを作っていったらいいのでしょうか。

ねんねと授乳のリズムは個人差が大きいもの

生後間もない赤ちゃんの1日は、昼夜なくおっぱいを飲んではねんねの繰り返し。成長するにつれ、しだいに夜眠る時間が長くなり、授乳時間が定まってきます。でも中にはなかなか授乳回数が減らなかったり、夜中に何度も授乳が必要な赤ちゃんも。リズムができない……と、あせるママも多いことでしょう。でも、心配しないで。これは大人でも満足できる睡眠時間に差があるように、赤ちゃんの睡眠・授乳リズムにも個人差があるため。ペースは赤ちゃんによりさまざまで、「これが正解！」というお手本はありません。特に生まれてしばらくは、ママががんばってもリズムを作れないもの。赤ちゃんに合わせてあげればいいのです。

赤ちゃんのペースに合わせて、生活リズムを整えること

個人差があるとはいえ、朝起きて夜眠る基本的な生活リズムは、親がサポートしながら作らなくてはいけません。授乳や睡眠は赤ちゃんに合わせながらも、朝はカーテンを開けて部屋を明るくし、昼間は赤ちゃんが寝ていても無理に静かにせず、ふだんどおり生活します。夜になったら室内を暗くし、静かな眠りやすい環境を整えてあげて。

そして、離乳食が始まったら、できるだけ時間を決めて食べさせましょう。ごきげんなうちに散歩へ出かけたり室内でもたくさん遊べば、赤ちゃんは疲れて夜ぐっすり眠れます。特別なことをするというより、こうした規則的な毎日をただ繰り返すことで、生活リズムが身についていくのです。

大人の生活に付き合わせてはダメ リズムが乱れると弊害が

近年、生活はいっそう夜型になり、パパの遅い帰宅につられてママも赤ちゃんも夜型に傾いている家庭が少なくないようです。でも、赤ちゃんの夜型生活は考えもの。赤ちゃんがたくさん眠るのは、脳と体の休息と発達にそれが必要だからで

生活リズム見通しマップ

	0〜1カ月	2〜4カ月	5〜6カ月
睡眠・授乳・離乳食など	昼夜の区別なく、おなかがすいたら泣き、おっぱいを飲み、またねんねを繰り返します。	少しずつ夜のねんねがまとまってきます。 授乳が3〜4時間おきになる子も。	そろそろ離乳食をスタート。 夜泣きが始まる子も。
排泄《はいせつ》・おふろ・遊びなど	ベビーバスで沐浴《もくよく》。 もう大人といっしょのおふろも入れます。 授乳のたびにうんちという子も。おしっこもうんちも回数が多い時期。	抱っこやベビーカーでのお散歩もOK。	離乳食を始めると、便がかたくなったりゆるめになることも。 1日1回はお散歩を。

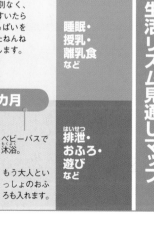

赤ちゃんの生活リズムの作り方

す。それもただ長く眠ればいいわけではなく、たとえば発育に欠かせない成長ホルモンは、早寝早起きのリズムが整ってこそ睡眠中に十分分泌されるようになると考えられています。

また夜ふかしをすると、自律神経やホルモンバランスが乱れる原因になることも。そのため昼間ぼんやりしたり、イライラ感が増してキレやすくなるなど、さまざまな弊害が起こると指摘されているのです。

赤ちゃん時代は生活リズムの基礎を築く準備期間と考えて

朝ごはん抜きで登園・登校する児童が増え、社会問題のひとつになっています。朝ごはん抜きだと元気がなくなるばかりか、血糖値が下がるので物覚えが悪くなり学習意欲が低下してしまいます。

また、空腹時間が長くなるとエネルギーをためやすい体質になり、肥満を招くとも考えられています。学校に通うのはまだ先だから……と朝寝坊を習慣にしていては、発育・発達の面で心配ですし、集団生活が始まっても急に対応するのは難しいでしょう。

赤ちゃん時代は、将来の生活リズムの基礎を作る準備期間。こうした学童期に心配な問題を防ぐためにも、赤ちゃん時代から早寝早起きのリズムを整えてあげましょう。

赤ちゃんの生活リズム 改善のコツ⑩

生活が乱れてしまったら、どうすればいいの？
改善のコツをチェック！

1. 朝はカーテンを開けて朝の光を取り込み、昼夜の区別をつける。
2. 6カ月以降は、なるべく朝7～8時ぐらいの同じ時間に起こす。
3. 離乳食をある程度時間を決めて、1日の予定に組み込み実行する。
4. 昼は元気に、夜は静かに過ごすようにして、昼夜のメリハリをつける。
5. 昼間はお散歩や外遊びに積極的に出かけて、活動量を増やす。
6. 就寝時間に影響しないよう、昼寝は遅くとも午後4時を過ぎないようにする。
7. 11カ月以降のおふろは、寝る1時間前ぐらいにする。
8. 大人の生活が夜型の場合は、そのリズムに赤ちゃんを付き合わせない。
9. 夜ふかしの翌朝でもいつも通り起こして、リズムの乱れを引きずらない。
10. 就寝時間になったら、部屋を暗くして眠りやすい環境を整える。

	7～8カ月	9～11カ月	1才～1才6カ月	1才7カ月～2才	2才1カ月～3才
	離乳食を1日2回に。授乳は食後にたっぷりと。	お昼寝の時間が減り、夜眠る時間がまとまって長くなってきます。 離乳食を1日3回に。	お昼寝が1日1回になる子が多数。 1日3回の食事のほか、おやつで栄養を補給。	夜は9時ごろには寝て、翌朝は7～8時ごろ起こすようにします。	お昼寝の時間は短くなるか、寝ない子もいます。
	その子なりの排便ペースができてきます。	昼間は家の中や外でしっかり遊び、生活にメリハリを。 眠る前にパジャマに着替えさせても。	あんよが始まり、外遊びが楽しくなる時期です。 入浴は眠る1時間くらい前が理想。	1日1回、2時間ぐらいはお散歩か公園遊びを。 排便ペースはほぼ大人と同じ回数に近づきます。	昼間はたっぷり公園などで外遊びを。

0～1カ月

赤ちゃんが欲しがるときに飲ませ、眠くなったらねんねのペースで

この時期の赤ちゃんは、昼夜の区別はまだできず、眠ってはおっぱいを飲み、またうとうとすることを繰り返します。おっぱいが上手に吸えず、母乳の出方も一定でないので、授乳時間は不規則になりがち。でも時間にこだわらず、赤ちゃんが泣いて欲しがったら飲ませていれば、しだいに赤ちゃんなりの授乳間隔ができてきます。排泄機能は未熟なので、うんちもおしっこも頻繁《ひんぱん》で、授乳のたびにおむつ替えが必要なことも。

ママはたいへんですが、上手に休憩をとりながら、赤ちゃんの生活リズムに合わせてください。

このころの赤ちゃんの1日

生活リズム作りのポイント付き

時刻	赤ちゃんの様子	ポイント
AM0	授乳	
	ねんね	
2	授乳・うんち	うんちもおしっこも頻繁です。汚れていたら早めに替えてあげて。
4	ねんね	
	授乳・うんち	赤ちゃんが泣くのを合図に、欲しがるときに授乳します。
6	ねんね	
	授乳・うんち	
8	ねんね	
	授乳・うんち	
10	ねんね	
PM0	うとうと	お散歩はまだ。ときどき新鮮な空気を室内に入れるだけで十分です。
	授乳・うんち	
2	ねんね	
	沐浴《もくよく》・授乳	1日1回、授乳と授乳の合間に沐浴させます。
4	ねんね	
6	授乳・うんち	
8	ねんね	
	授乳・うんち	
10	ねんね	昼夜区別なくうとうと。ねんねは赤ちゃんのペースに合わせて。

※目安として参考にしてください。

2～4カ月

まとめて眠れるようになる赤ちゃんも。でも、まだリズムは赤ちゃんまかせです

2カ月ごろになると夜の睡眠時間が長くなってくる赤ちゃんもいますが、まだ頻繁《ひんぱん》に泣いて起きる子も。この時期の睡眠時間には個人差がありますが、生活リズムは赤ちゃんまかせで大丈夫です。少しずつ昼と夜の区別がついてくるので、昼間起きているときはできるだけいっしょに遊んで、昼と夜の違いを教えてあげてください。

3～4カ月になるとおなかのすき方が規則的になり、授乳の間隔が徐々に定まってきます。授乳のペースをつかむと、それをきっかけに生活リズムを作りやすくなります。

このころの赤ちゃんの1日

生活リズム作りのポイント付き

時刻	赤ちゃんの様子	ポイント
AM0	授乳	
	ねんね	
2	授乳	3～4カ月になったら、徐々に3～4時間おきの授乳ペースに。
4	ねんね	
6	授乳・うんち ごきげん	新生児のころに比べてうんちの回数が減りますが、生理的なものです。
8	ねんね	
10	授乳・うんち 散歩・ママと遊ぶ	ベビーカーか抱っこで、1日1回、30分くらいのお散歩を習慣に。
PM0	ねんね	
2	授乳	
	ねんね	おふろはなるべく時間を決めて。夜遅くならないように注意します。
4	授乳・うんち おふろ・ぐずぐず	
6	ねんね	
8	授乳	
10	ねんね	少しずつ昼夜のメリハリを。昼間は遊び、夜は部屋を暗くして。

※目安として参考にしてください。

赤ちゃんの生活リズムの作り方

5～6カ月

生活リズムの基礎作りの時期。朝起きる時間を決めて1日の流れをスムーズに

そろそろ離乳食を始めます。1日1回、ママがゆったりと向き合える時間帯を選びましょう。タイミングをつかめたら、時間帯をなるべく決めると食事のリズムができてきます。

夜はだいぶまとまって眠るようになり、授乳の時間もだいたい決まってきます。

お昼寝の時間も一定になってくるので、離乳食やお散歩の時間を赤ちゃんに合わせて、生活リズムを作っていくとよいでしょう。

ポイントは早寝早起きを実行すること。朝起きる時間を決めると自然と授乳タイムも決まり、1日の流れがスムーズです。

このころの赤ちゃんの1日

生活リズム作りのポイント付き

AM0
- ねんね
- 授乳・うんち
- ママと遊ぶ
- ねんね
- 離乳食＋授乳
- 散歩

PM0
- ねんね
- 授乳・うんち
- ぐずぐず
- ねんね
- 授乳
- おふろ・パパと遊ぶ
- 授乳
- ねんね

（時刻目盛り：AM0・2・4・6・8・10・PM0・2・4・6・8・10）

- 7～8時にはカーテンを開けたりして、目が覚めるよう働きかけましょう。
- 離乳食は毎日同じ時間帯にあげるのが理想ですが、無理強いは禁物。
- お散歩大好き。1日1回は日光を浴びてたっぷり遊びたいですね。
- 離乳食に慣れないうちは、便の回数が増えたりゆるくなることも。
- 夜の睡眠時間がまとまってきて、夜中の授乳がなくなる赤ちゃんも。

※目安として参考にしてください。

7～8カ月

よい生活リズムのお手本は、パパやママ。家族みんなで規則正しい生活を！

少しずつ大人の生活に近づいてきます。離乳食も1日2回に進み、うんちも定期的に出るようになってくるこの時期は、生活リズムを整えるいいチャンス。赤ちゃんの生活リズムはパパやママに影響されることが多いので、家族そろって規則正しい生活をするよう心がけましょう。

また、このころになると、夜泣きでねんねのリズムが乱れる赤ちゃんが出てきます。ママは睡眠不足になりがちなので、疲れたら無理をせず、赤ちゃんが昼寝しているときはいっしょに休んだりして乗り切ってください。

このころの赤ちゃんの1日

生活リズム作りのポイント付き

AM0
- ねんね
- ぐずぐず
- 授乳・うんち
- ママと遊ぶ
- ねんね
- 離乳食＋授乳
- 散歩

PM0
- 授乳・うんち
- ねんね
- 離乳食・授乳
- おふろ・パパと遊ぶ
- 授乳
- ねんね

（時刻目盛り：AM0・2・4・6・8・10・PM0・2・4・6・8・10）

- 夜泣きが始まったら、抱っこなどで赤ちゃんを落ち着かせます。
- うんちが2～3日出ていないようなら、マッサージや綿棒浣腸《かんちょう》を。
- 抱っこしてもらえば、公園の遊具に乗ることもできるように。
- 2回目の離乳食を夕食の時間に合わせて、家族みんなでの食事タイムを。
- 入浴後はパジャマに着替えて、夜の睡眠とお昼寝との区別をつけて。

※目安として参考にしてください。

9～11カ月

昼は活動的に、夜は静かに眠れる雰囲気を。生活にメリハリがついてきます

朝は決まった時間に起こし、午前中外で遊ばせ、帰宅したら昼食、お昼寝と、1日の流れをだいたい決めておくと赤ちゃんもそのペースにしだいに慣れてきます。つかまり立ちや伝い歩きで行動範囲が広がり、動きもますます活発になるので、昼間は公園などで体を動かしてたっぷり遊ばせると、夜はぐっすり眠れるようになります。

離乳食は1日3回。食事と食事の間は4時間くらいあけると、おなかがすいてよく食べるように。大人と同じ食事時間にすれば、家族でテーブルを囲む楽しみも出てきます。

このころの赤ちゃんの1日

生活リズム作りのポイント付き

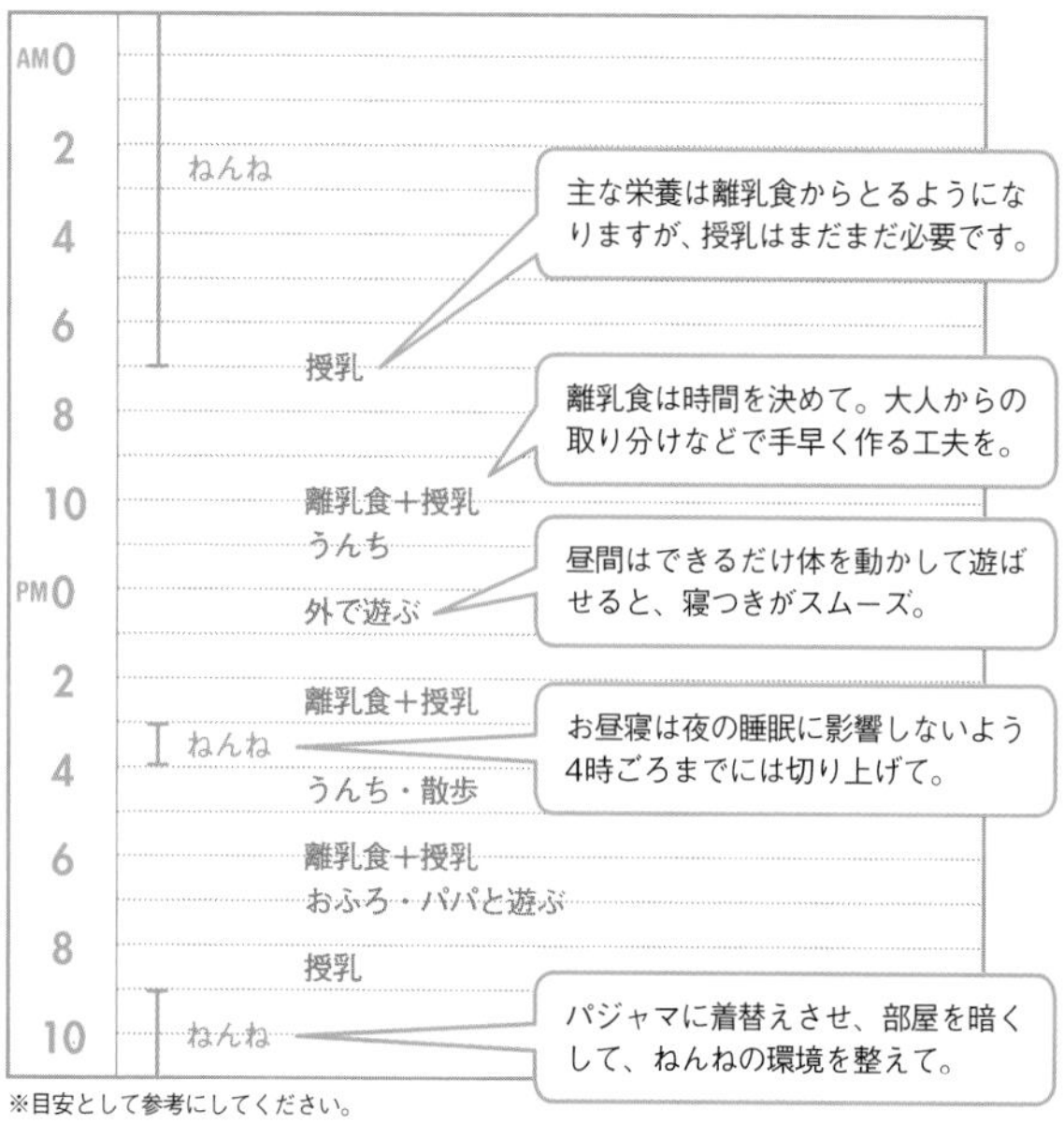

AM0
2
4
6
8
10
PM0
2
4
6
8
10
ねんね
授乳
離乳食＋授乳
うんち
外で遊ぶ
離乳食＋授乳
ねんね
うんち・散歩
離乳食＋授乳
おふろ・パパと遊ぶ
授乳
ねんね
主な栄養は離乳食からとるようになりますが、授乳はまだまだ必要です。
離乳食は時間を決めて。大人からの取り分けなどで手早く作る工夫を。
昼間はできるだけ体を動かして遊ばせると、寝つきがスムーズ。
お昼寝は夜の睡眠に影響しないよう4時ごろまでには切り上げて。
パジャマに着替えさせ、部屋を暗くして、ねんねの環境を整えて。

※目安として参考にしてください。

1才～1才6カ月

寝る時間と起きる時間を決めて守れば、生活リズムが崩れません

寝る時間、起きる時間、食事や遊びの時間がだいたい決まってきます。大人の生活リズムに合わせて夜型になってしまう赤ちゃんも見られますが、まだまだ赤ちゃんのリズムを優先させて。夜は遅くとも9時には寝かせられるよう、夕食、入浴の時間を調整します。就寝時間が近づいたら、いったんはテレビを消して静かに眠れる雰囲気にするなど、せっかく身についたよいリズムを保てるような環境を作りましょう。

1日3回の離乳食の時間をほぼ決めてリズムを整えると、自然とうんちのリズムも整ってきます。

このころの赤ちゃんの1日

生活リズム作りのポイント付き

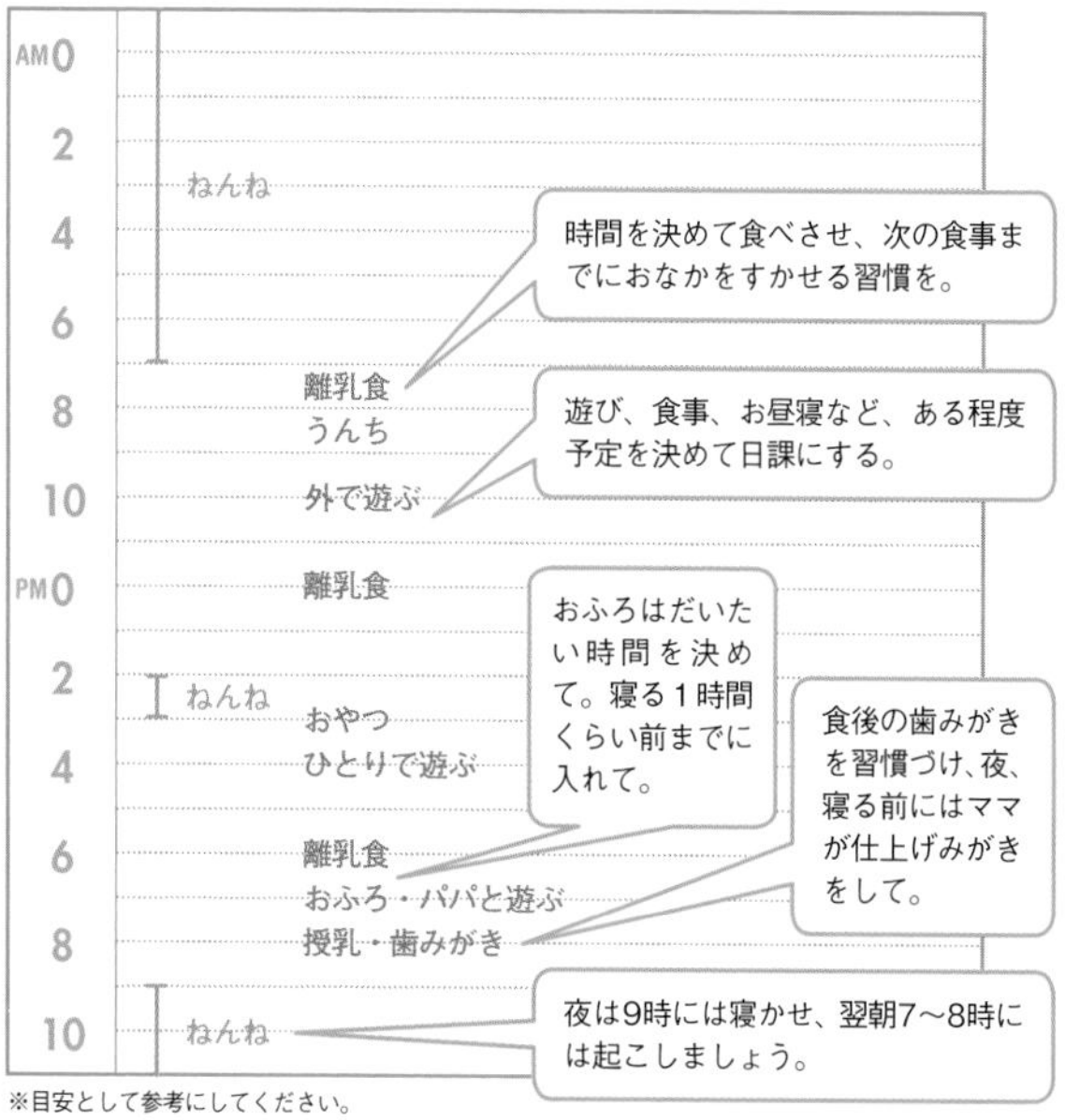

AM0
2
4
6
8
10
PM0
2
4
6
8
10
ねんね
離乳食
うんち
外で遊ぶ
離乳食
ねんね
おやつ
ひとりで遊ぶ
離乳食
おふろ・パパと遊ぶ
授乳・歯みがき
ねんね
時間を決めて食べさせ、次の食事までにおなかをすかせる習慣を。
遊び、食事、お昼寝など、ある程度予定を決めて日課にする。
おふろはだいたい時間を決めて。寝る1時間くらい前までに入れて。
食後の歯みがきを習慣づけ、夜、寝る前にはママが仕上げみがきをして。
夜は9時には寝かせ、翌朝7～8時には起こしましょう。

※目安として参考にしてください。

1才7カ月～2才

早寝早起きの習慣をつけましょう。毎日の同じリズムが情緒の安定にもつながります

早寝早起きなど、同じ生活リズムの習慣を身につけるようにしていきましょう。そうすることによって、だんだん子どもなりに次の行動への見通しがたてられるようになり、情緒《じょうちょ》の安定にもつながります。

食事は幼児食になり、自分ひとりで食べたい意欲も出てくるころ。お昼寝はだんだん短くなりますが、4時ぐらいまでにはすませるように。長く眠りそうなときは、一定の時間で起こします。夕方から寝てしまったりしたときには、夜に眠れなくなることがあるので、30分ぐらいで起こすようにしましょう。

このころの子どもの1日

生活リズム作りのポイント付き

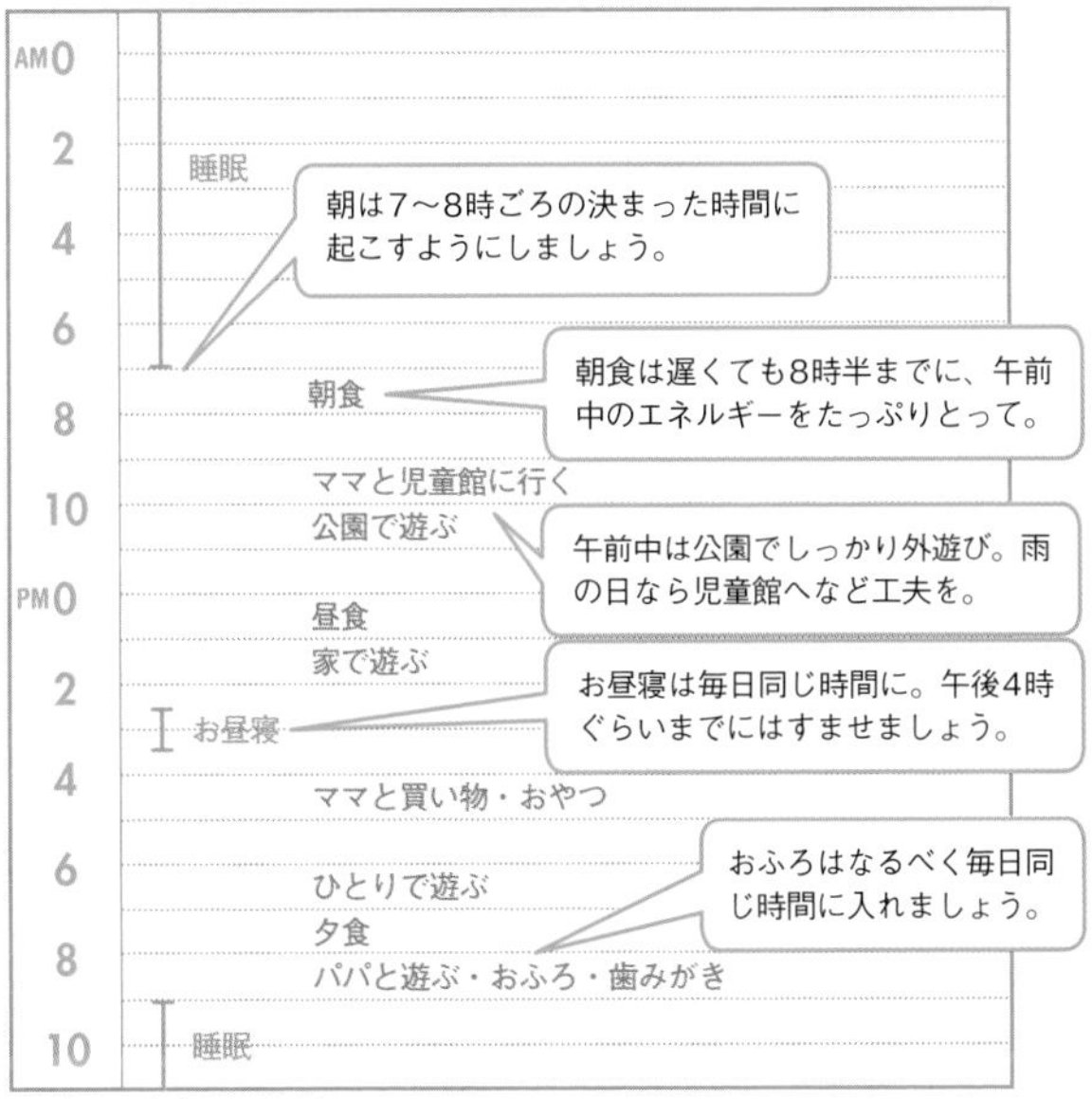
AM0
2
4
6
8
10
PM0
2
4
6
8
10
睡眠
朝は7～8時ごろの決まった時間に起こすようにしましょう。
朝食
朝食は遅くても8時半までに、午前中のエネルギーをたっぷりとって。
ママと児童館に行く
公園で遊ぶ
午前中は公園でしっかり外遊び。雨の日なら児童館へなど工夫を。
昼食
家で遊ぶ
お昼寝
お昼寝は毎日同じ時間に。午後4時ぐらいまでにはすませましょう。
ママと買い物・おやつ
ひとりで遊ぶ
夕食
パパと遊ぶ・おふろ・歯みがき
おふろはなるべく毎日同じ時間に入れましょう。
睡眠

※目安として参考にしてください。

2才1カ月～3才

朝は決まった時間に起こし、1日のスタートの朝食はしっかりと

1日の生活の流れがほぼ決まってきますが、大人の生活リズムに合わせて夜ふかしになっていたら、軌道修正をします。

入園など、集団生活の予定がある場合、急に短期間で生活リズムを変えるのは子どもにとって負担が大きいもの。ゆっくり時間をかけて少しずつ改善していくように心がけてください。

朝はやはり7時ぐらいには起き、1日元気に体を動かして遊べるよう朝ごはんをしっかり食べさせます。午前中に公園などで外遊びをたっぷりして活発に動き回ると、ほどよく疲れて早寝につながります。

このころの子どもの1日

生活リズム作りのポイント付き

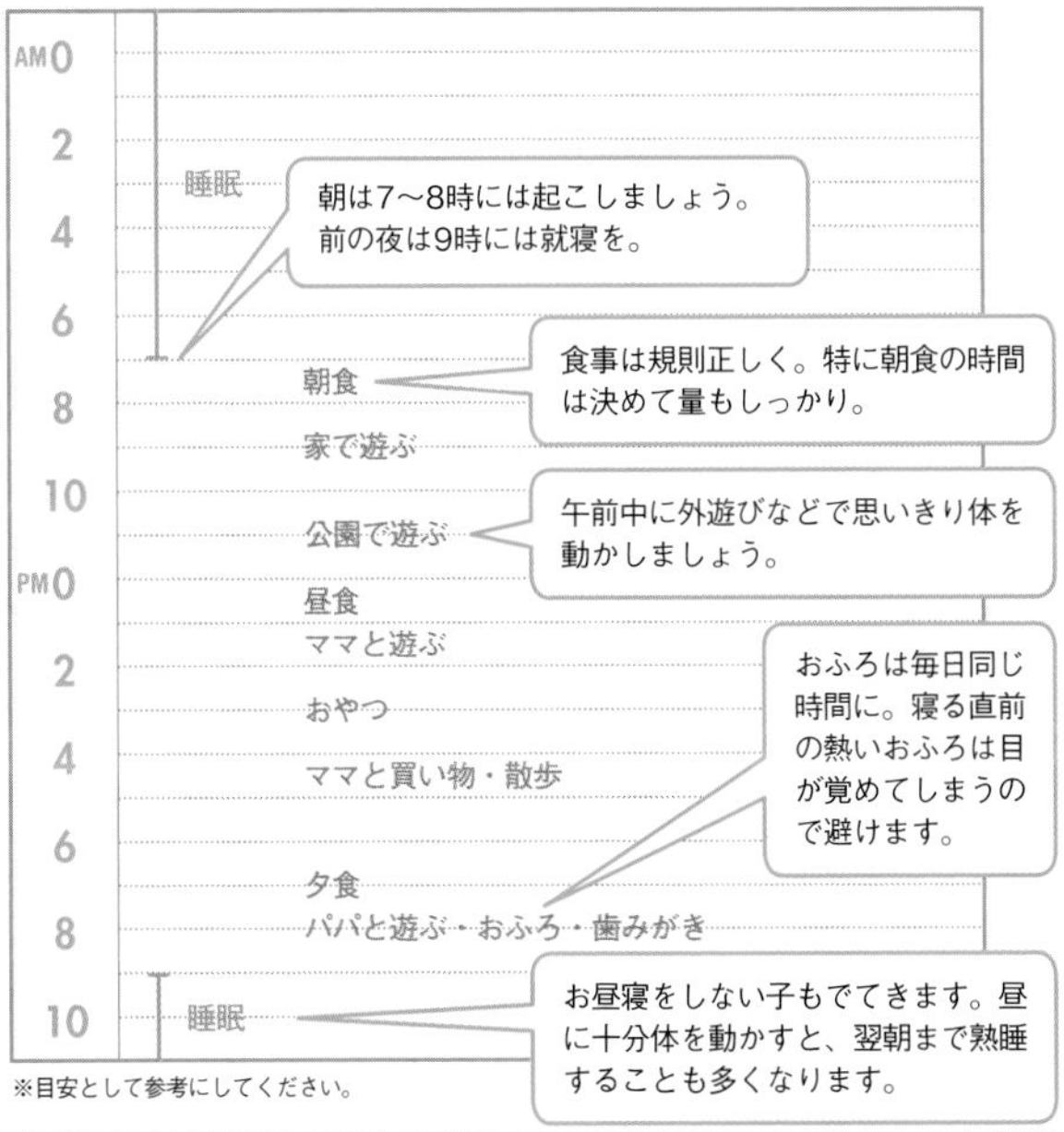
AM0
2
4
6
8
10
PM0
2
4
6
8
10
睡眠
朝は7～8時には起こしましょう。前の夜は9時には就寝を。
朝食
食事は規則正しく。特に朝食の時間は決めて量もしっかり。
家で遊ぶ
公園で遊ぶ
午前中に外遊びなどで思いきり体を動かしましょう。
昼食
ママと遊ぶ
おやつ
ママと買い物・散歩
おふろは毎日同じ時間に。寝る直前の熱いおふろは目が覚めてしまうので避けます。
夕食
パパと遊ぶ・おふろ・歯みがき
睡眠
お昼寝をしない子もでてきます。昼に十分体を動かすと、翌朝まで熟睡することも多くなります。

※目安として参考にしてください。

シーン別・無理なく生活習慣を身につけるために

赤ちゃんの生活習慣のしつけ

歯みがき、手洗い、食事などの生活習慣を、赤ちゃんがいやがることなく、自然に身につけさせるためには?

自分でやりたい気持ちを大切に。発達に合わせたサポートを

1才ぐらいになると、ママやパパの行動をまねするのが大好きになります。このころが生活習慣を身につけさせるスタートの時期です。途中から遊びになってもかまわないので、どんどんまねをさせるとよいでしょう。

2才代になると、言葉でのやりとりでしつけができるようになります。できなくてかんしゃくを起こしたら、さりげなくサポートして、「自分でできた」という達成感を味わわせてあげましょう。

さらに3才代になると、「なぜこういうことをするのか」と、意味を考えるようになります。物事の理由を説明してあげると納得して、自分から進んでやることが多くなるでしょう。

子どもはいつでも順調にできるようになるとは限りません。ママは早くできるようになってほしいかもしれませんが、習慣づけがいちばんの目的。気持ちに余裕を持って少しずつ進めてください。

歯をみがく

歯みがきは楽しくスタート ママの仕上げみがきを習慣づけて

歯が生え始める6カ月ごろから、離乳食の後にはお茶や水を飲ませます。口の中を気持ちよくすることを、まず赤ちゃんに感じさせましょう。そして口の周りや歯をガーゼなどでふくようにします。次に上下の歯がそろう1才ごろになったら、赤ちゃんに歯ブラシを持たせて慣れさせます。みがくのはママの役目。ただ、いやがるようなら無理やり口の中に歯ブラシをつっこんだりしないこと。その経験で歯みがき嫌いになることがあるからです。

2~3才になったら、ママが仕上げみがきをする習慣をしっかりつけたいものです。ママと歯みがきごっこをしてみたり、ぬいぐるみの歯をみがかせてみたりして、歯みがきが怖くないことをわからせます。毎食後が理想ですが、最低1日1回夜寝る前にはするようにしましょう。

手洗い・おふろ

手洗いはまずママがお手本を。おふろは嫌いにならない工夫を

手洗いは「ごはんの前に洗う」「外から帰ってきたら洗う」など、ママといっしょに洗面所に行って、ママが自分の手を洗うところを見せてから、子どもの手を洗ってあげましょう。ママが子どもといっしょに手を洗っていれば、2才過ぎごろからだんだん習慣化してきます。自分でやりたがるようになったら、踏み台などを用意して、洗い方なども教えてあげるといいでしょう。

おふろでは、シャンプーや顔にお湯がかかったりするのが苦手で、おふろ嫌いになってしまうことがあります。おふろおもちゃやグッズなどを上手に使って、おふろタイムが楽しくなるようにしてあげましょう。泡がおもしろくて興味があるようなら、子ども用の小さめのスポンジやタオルなどを持たせて、自分で体を洗うことを体験させてみます。

赤ちゃんの生活習慣のしつけ

トイレトレーニング

おしっこの間隔をチェック。ママが節目で誘いましょう

　ママがおむつをはずしたいなと思ったら、子どもがひとりで歩けるか、おしっこの間隔が1〜2時間以上あくことがあるかなどをチェックしてみましょう。子どものおしっこの間隔を調べたら、おしっこをしているときやしたそうなときの子どものしぐさもチェック。子どもによっていろいろですが、もじもじしたり、ボーッとしたりするしぐさがよく見られるようです。その間隔やようすを参考にしながら、朝起きたときや食事の前後などの節目で、子どもをトイレに誘ってみましょう。毎日同じようなペースで誘うことが大事です。トイレは子どもがいやがらないような雰囲気作りを心がけて、補助便座なども用意しておきます。

　このように決まったタイミングでトイレに連れて行っておしっこができるようになったら、次はだんだん自分からおしっこがしたいと言って、トイレに行くようになります。

　便座に座るまでおしっこをがまんできるのは、膀胱《ぼうこう》の機能が整ったからです。膀胱のおしっこをためる機能が整わなければ、おむつをはずすことはできません。機能の発達は個人差が大きいので、2才過ぎでとれる子もいれば、4才過ぎまでおむつの子もいます。トレーニングを始めてみたものの、おもらしが続いて進まないというときは一度お休みして、子どもの発達を待って再開するといいでしょう。

食事

手づかみ食べは十分にさせて。食べこぼしても意欲を尊重して

　手づかみは自分で食べるためのベース。1才代では自分の顔やテーブルの上に食べ物をくっつけながらも、ひとりで食べようとします。このころは手づかみで食べる楽しみを十分に味わわせてあげてください。スプーンを使うことはまだ上手ではないのですが、食卓にスプーンの用意をしてあげると、大人のまねをして、しだいに使ってみるようになります。

　2才ぐらいになると、こぼしながらもスプーンやフォークを使うようになります。そして、片方の手で器を押さえたりすることもできるようになります。

　3才ぐらいになると、スプーン使いが上手になり、お箸《はし》にも興味が。まだ握り箸ですが、フォークのように刺して食べたりするようになります。まだまだきれいに食べることはできませんが、しからないで。せっかくの食べる意欲ですから、楽しい食事タイムで育ててあげましょう。

着替え

自分でできることを増やしていけるよう、ママはサポートを

　自分でやりたい気持ちが芽生える1才代のころからが、着替えを教えるチャンスです。「お手々出してね」などと声をかけながら、できるだけ楽しくママが着替えさせます。そんな中で少しずつひとりでできることが増えていくでしょう。

　2才ぐらいになると「自分で」の気持ちが強いにもかかわらず、うまく着ることができない場合も。ママの手伝いをいやがることもあるので、気づかれないようにサポートしましょう。3才になるとずいぶんできるようになりますが、まだ服の前後ろがわからなかったりします。ママは服の向きなどをそろえたり、事前にセッティングをしてあげてください。

しかり方 知りたいQ&A

毎日の生活シーンで、しつけをしようとして、ついカッとなってしまうことが。子どもにやってはいけないことを伝えるとき、どんなふうにしかったらいいのでしょうか。

Q 授乳中、8カ月の子に思いきり乳首をかまれました。あまりの痛さに大声で「もうあげない！」と言ってしまいました。

A なぜいやだったかという気持ちを真剣に伝えて

大切な場面では真剣に怒っていることを伝える必要がありますが、だからといって大声で脅すのはよくありません。「ママはすごく痛かったよ、かまないでね」という、なぜいやだったかという気持ちをはっきり伝えるだけで十分です。

Q 1才2カ月ですが、離乳食をグチャグチャにするのでカッとなり、残りを無理やり口に入れて食べさせてしまいました。

A 無理強いはだめ 遊び始めたら、切り上げて

子どもはおなかがいっぱいになると遊び始めることがよくあります。また食べる量も一定ではなく、食べムラがあるもの。長々と食べさせないで、「もうおなかいっぱいなんだね」と、ある程度で切り上げましょう。無理強いしていると食事が嫌いになってしまいます。

Q トイレトレーニングがうまくいかなくてイライラ。2才半なのにと、よその子と比べてしかってしまいます。

A よその子と比べて焦らずに体の発達の個性と受け止めて

膀胱《ぼうこう》の機能の発達は一人ひとり違うものなので、よその子と比べて焦る必要はまったくありません。しかも、しかってできるようになるものではありません。それをママがきちんと理解して受け止めてあげましょう。

Q 公園で友だちのおもちゃを取りあげて泣かせてしまったので、大声でどなってしまいました。

A むやみにしかるのではなく気持ちの伝え方を教えます

子どもより相手のママに気をつかって、声を荒らげてしまいがちです。子どもが1才代ぐらいならまだ自分の衝動を抑えられないので、大声でしかっても意味がありません。代わりのおもちゃを与えるなど、気持ちをそらす工夫をしましょう。

2～3才になると言葉が出ているものの、それでもまだ自分の感情を整理して言葉で伝えるのは難しく、つい取り上げてしまったのでしょう。むやみにしかるのではなく、「かしてね」と言葉で伝えることを教えてください。言葉で気持ちを伝えられることをママがふだんから身をもって示していくといいでしょう。

Q 3才なのにグズグズと着替えさせてもらいたがるので、「早くしなさい！」としかりつつ、結局私が着せてしまいます。

A しからずに甘えたい気持ちを受け止めて

まだまだ甘えたい年ごろ。もしかしたら自分でできることでも、ママにやってもらいたがっているのかもしれません。そんなときはしかったりせず、着せてあげてかまわないのです。甘え足りたら、自分で着替えるようになります。そのときはうんとほめてあげましょう。

撮影／奥川純一

PART 6

赤ちゃんの心と脳の育て方

「かしこい子になってほしい」
「思いやりのある子に育てたい」、
ママやパパの期待は大きくふくらみますね。
赤ちゃんの心と脳を健やかにはぐくむために、
どんなかかわり方が必要なのでしょうか。

ママ・パパが伸ばしたいと願うポイント別にレクチャー

赤ちゃんの心を育てるためにできること

日常生活でのちょっとした心がけで、赤ちゃんの心をより豊かにはぐくむことができます。

笑顔と声かけが赤ちゃんの心を育てる第一歩

「赤ちゃんの心を育てるためには、どんなことをしたらいいと思う？」と聞かれたら、あなたなら何と答えますか？　きっとたいそうなことをしなくてはいけないのだろうと思うかもしれません。でも実は、多くのママやパパは自分では意識せずに、すでに毎日の生活で実践していることなのです。

それは、毎日、赤ちゃんにおっぱいやミルクを飲ませたり、おむつを替えるときに自然に生まれてくる笑顔と「たくさん飲んでね」「気持ちよくなったね」といった声かけ。ニコニコした笑顔ややさしい言葉をかけられることによって、赤ちゃんはママからの愛情をしっかりと感じることができ、さらに信頼感という大切な気持ちを学びとっていきます。

ママやパパが特に伸ばしたいと願うポイント別に、生活の中で、笑顔や声かけのほかにどんなことを心がけたらいいのかをご紹介します。

育てたいポイント 1 やさしい心

1才ぐらいまでの間に基本的信頼感を育てること

やさしい心とは、相手の気持ちや感情を考えて、相手を思いやれる心のこと。実はこの思いやる気持ちを赤ちゃんに教えることは、育児の中で特に難しいことのひとつといえます。そのために大事なことは、1才ぐらいまでの間に基本的信頼感を育てることです。

基本的信頼感は、赤ちゃんの「おなかがすいた」「おむつがぬれて気持ちが悪い」などの気持ちに対して、ママがしっかり対応してくれたという経験を繰り返すことで芽生えます。つまり、赤ちゃんはこの基本的信頼感を得ることで、自分が大切にされていることを感じ取り、それが「相手を大切にする」という思いやりの気持ちへとつながるのです。

「やさしい心」を育てるために ママ&パパができること

1 赤ちゃんの要求にはできる限り応えて基本的信頼感を育てる

赤ちゃんが泣いて何らかの不快や苦痛を訴えたら、それをママは極力取り除いてあげることが大切。この要求にママが応えることで基本的信頼感が育つのです。

2 満足するまで甘えさせてOK。しつけはそのあとで十分

赤ちゃんが満足するまで抱っこしてあげてください。1才前後までは、泣く→抱っこを繰り返し、甘えさせましょう。しつけは基本的信頼感が育ってからでOK。

3 赤ちゃんをなでたり、やさしいスキンシップで親の思いやりが伝わる

赤ちゃんをなでたり、やさしくふれてあげることも大切。スキンシップはママやパパの「大切に思っているよ」という気持ちを赤ちゃんに伝えてくれます。

PART6指導（心）／淑徳大学総合福祉学部教授・心理臨床センター教育部主任　金子保先生、桜美林大学心理・教育学系准教授　山口創先生

赤ちゃんの心を育てるためにできること

こんなことからスタート!

「やさしい心」を育てるヒント5

ヒント1 語りかけは、やさしく、ゆっくり、抑ようをつけて

ママが赤ちゃんに語りかけるときは、少し高めの声でゆっくり、抑ようをつけるようにしましょう。またママが日ごろからやさしい口調で接することも大切。赤ちゃんにママのやさしい気持ちが伝わりやすくなります。

ヒント2 ママとパパがお互いを思いやる行動を見せて

赤ちゃんの前で、ママとパパがお互いを思いやる行動を見せると、赤ちゃんも自然と同じような行動をとるようになります。赤ちゃんは、まねすることで自然に人の行動を学ぶので、両親の日ごろの姿はとても大事なのです。

ヒント3 抱っこやマッサージなどを日常的に行う

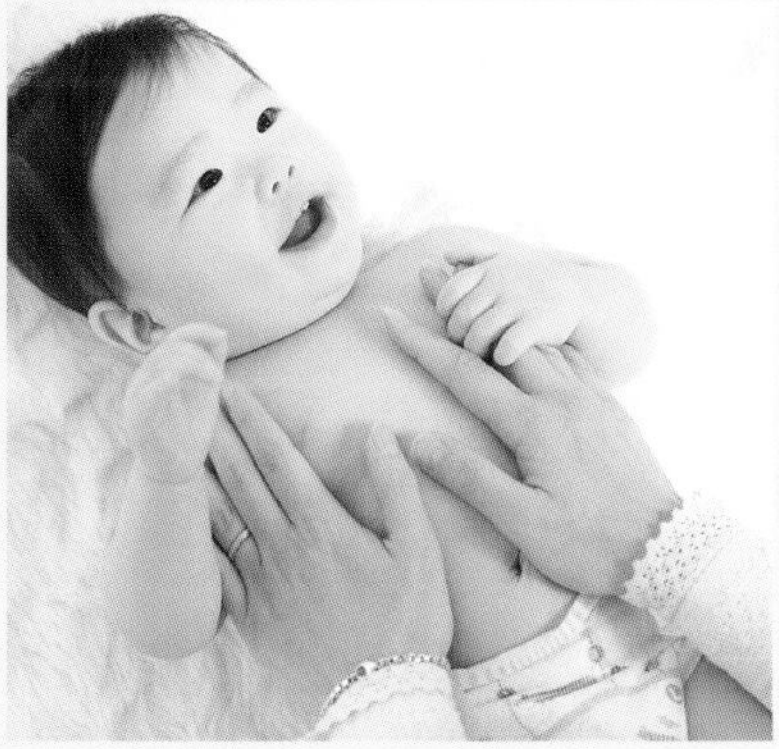

やさしいスキンシップは愛情表現のひとつ。日常的に抱っこやマッサージをしてあげることで、あなたを愛している、大切にしているという思いやりの心が伝わります。抱きぐせがつくなどということは気にせずに、十分なスキンシップを。

ヒント4 伝えたいことがあるときは表情や言葉に感情をこめて

赤ちゃんはママやパパの表情や声のトーンなどから、少しずつ相手の感情を理解できるようになります。言葉を理解していなくても、赤ちゃんは相手の感情を敏感に感じ取っているのです。伝えたいことは、表情や感情をこめて語りかけることが大切です。

ヒント5 心穏やかに過ごせるよう、ママひとりの時間を持つ

ほんのわずかな時間でもママひとりの時間を持ちましょう。ママが心穏やかにやさしい気持ちで育児をすることが、やさしい心を育てるためにはとても大切。ママのイライラは、赤ちゃんにすぐに伝わります。

育てたいポイント 2

キレない心

十分に甘え、愛された記憶のある子は情緒が安定

赤ちゃん時代や小さいころにママやパパに十分に甘えた、あるいは愛されたという経験や記憶がある子は、情緒が安定していてキレることが少ないといいます。突発的にヒステリックに泣くことも少なく、穏やかで落ち着いていることが多いのです。つまり、小さいころの親との十分なスキンシップは、キレないように感情をコントロールする脳機能の発達を促してくれる役割もあるのです。

逆に、ちょっとしたことでかんしゃくを起こしたり、衝動的な行動をとる子は、親に十分に甘えていなかったり、スキンシップが不足しているケースが多いといいます。いわゆる「皮膚の欲求不満」という状態で、これは将来の性格形成にも重大な影響を及ぼすことが高校生への調査でも報告されています。

キレない心を育てるには、少なくとも、1才まではたっぷり抱っこやスキンシップを心がけて、十分に甘えさせてあげることが大切です。そして1才ごろから、遊びの中などでがまんすることを覚えさせてください。

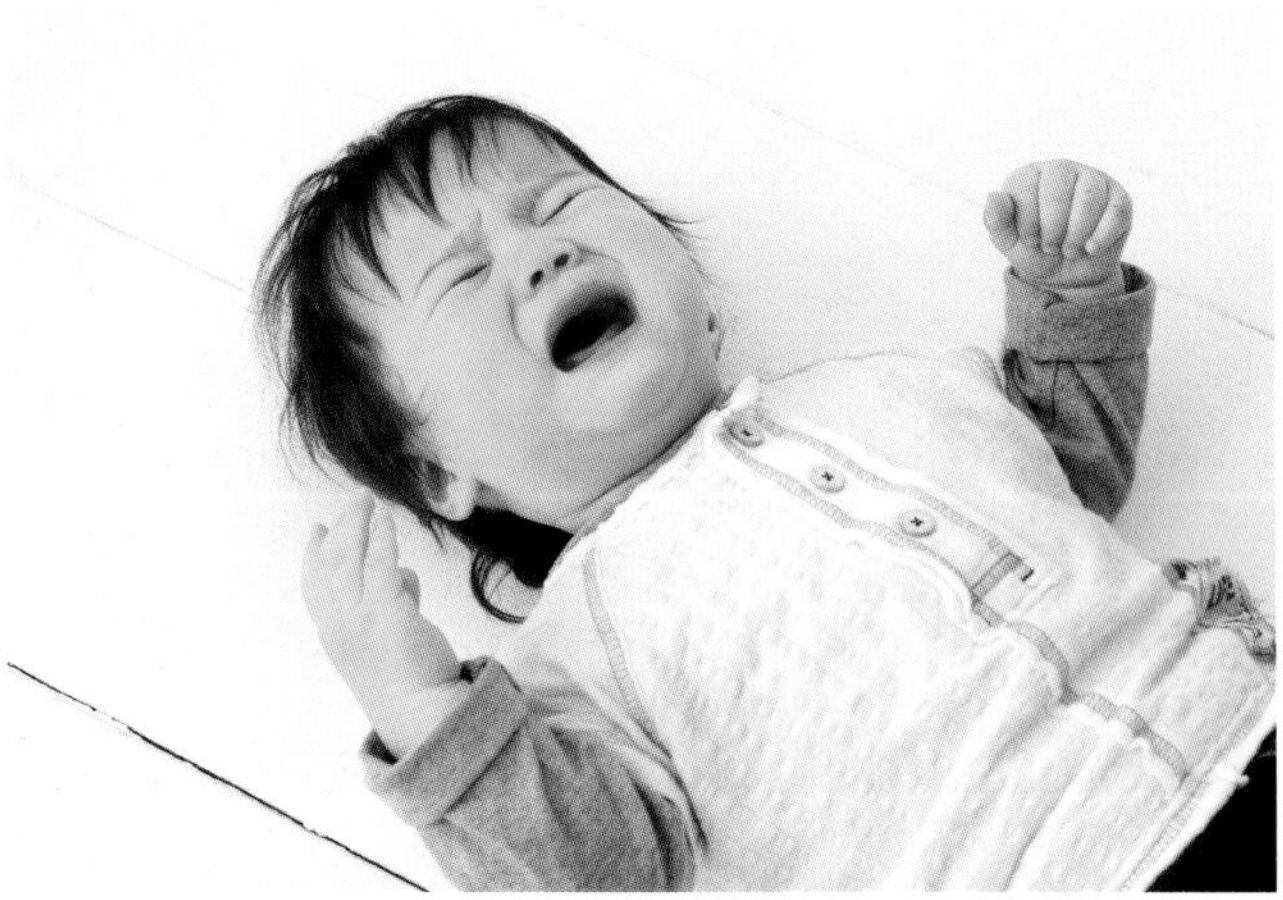

「キレない心」を育てるために ママ&パパができること

1 「抱っこされたい！」という基本的な欲求を満たしてあげる

「皮膚の欲求不満」を解消するためにも、赤ちゃんの基本的な欲求である「抱っこされたい！」という気持ちを満たしてあげましょう。自分が受け入れられていることを肌で感じ取ることが、赤ちゃんの情緒の安定につながります。

2 夫婦ゲンカなどで、親がキレないこと！乱暴な会話もNG

キレる子どもは家庭環境が大きく影響します。つまり親がキレやすいと子どももキレやすくなるのです。夫婦ゲンカをしても決してキレないことです。イライラしてものにあたったり、乱暴な口調での会話も控えるようにしましょう。

3 かんしゃくを起こしたら、すぐにしかったりせず、気持ちを受け入れて

かんしゃくを起こすなど感情を爆発させたとき、すぐにしかってはダメ。まずは「欲しかったね」「悔しいね」と声かけしながら、赤ちゃんがかんしゃくを起こす原因となった気持ちを受け入れ、ギュッと抱きしめてあげましょう。

赤ちゃんの心を育てるためにできること

こんなことからスタート!

「キレない心」を育てるヒント5

ヒント1 生活のリズムを整えて。夜にしっかり眠り、昼間に遊ぶ

感情をコントロールする脳機能の発育を促すためにも、夜はしっかり寝て、昼間に遊ぶという健全な生活リズムを整えることを心がけましょう。昼間に活動して夜にしっかり睡眠をとることは、情緒を安定させるためにも大事なことです。

ヒント2 かんしゃくを起こしたときは強めに〝ギュッ〟と抱きしめる

ふつうに抱っこするより強めに〝ギュッ〟と抱きしめると、赤ちゃんがより落ち着くことがわかっています。かんしゃくを起こしたら、ママは「そうだね」と赤ちゃんの気持ちに共感し言葉をかけながら、少し強めに抱きしめてあげて。

ヒント3 1才ころから、遊びの中でがまんすることを覚えさせる

1才ころから少しずつ、がまんすることを教えてあげましょう。たとえば、十分に遊ばせたうえで「これでおしまい。また明日ね」と遊ぶことをがまんさせます。赤ちゃんには遊びたい欲求があるので「今日はここまでやったらおしまい」というような妥協点をうまく見つけて。

ヒント4 赤ちゃんとふたりきりが続きすぎないよう心がける

ママのストレスは、赤ちゃんにすぐ伝わります。赤ちゃんとママふたりだけの育児は、ママにとってはストレスの原因になることも。たまには両親、姉妹、ママ友などと過ごす機会を作って、ふたりっきりが続きすぎないよう工夫してください。

ヒント5 パパとママは、乱暴な言動は控えて仲良しぶりを見せておく

親の言動は、赤ちゃんの記憶の中に刷り込まれます。ママとパパが乱暴な言動を繰り返していると赤ちゃんも同じような言動をとりがち。もしケンカするなら赤ちゃんのいない場所で。反対に仲良しぶりはしっかり見せてあげましょう。

育てたいポイント3
コミュニケーション力のある心

ママ以外の人とふれ合う機会を少しずつ増やしていく

現代の育児環境は昔のように祖父母や親戚、近所の人などが日常的に育児に参加することが少なくなり、核家族の中、ママひとりで奮闘していることも多いのが実情です。昔の育児環境では祖父母、近所の人など両親以外の人とのふれ合いにより、自然とコミュニケーション力がはぐくまれる傾向が強かったといえます。逆にいえば、現代はこのコミュニケーション力を自然にはぐくむ環境が整っていないということなのです。

そもそも人間（赤ちゃん）の愛情は、ママへの愛情からパパ、そして仲間、異性への愛情といった順序で発達していきます。ところが、核家族世帯が増え、赤ちゃんがママとべったりの関係のみが続くと、仲間や異性へと続く「愛情の発達」の移行がスムーズにいきません。

つまり赤ちゃんのコミュニケーション力をはぐくむためには、ママだけが赤ちゃんに接している育児環境は避けるべきなのです。とはいえ、核家族世帯が多く「パパは仕事で忙しく帰宅時間も遅い…」と悩むママもいるでしょう。まずは意識的にママ以外の人とふれ合う機会を増やしていきましょう。もちろん、コミュニケーション力のある心を育てるためにはパパの力が必要であることを説明し、忙しいパパにもできるだけ協力してもらうようにしてください。

「コミュニケーション力のある心」を育てるために ママ&パパができること

1 里帰りや外出など、いろんな人とふれ合う場面を作る

赤ちゃんがママやパパ以外の人とふれ合うシチュエーションをできるだけ多く、意識的に作るようにしましょう。里帰りは祖父母とのスキンシップに欠かせません。そのうえママも実家でゆっくりできるので一石二鳥です。

2 テレビやビデオは必要なときだけつけるようにする

テレビやビデオを見ることは、一方的に情報を受け取る行為。1日中テレビが流れたままだと自分から行動したり、人との接触をはかろうとする気持ちを奪います。テレビはできるだけ赤ちゃんのいない場所で必要なときだけつけるようにしましょう。

3 パパは1日1回でも抱っこするなどのスキンシップの時間を

コミュニケーション力のある心をはぐくむためには、パパの協力が欠かせません。忙しいとは思いますが、パパも1日1回でも赤ちゃんをギュッと抱っこしたり、遊んであげるなどのスキンシップの時間を作るようにしましょう。

こんなことからスタート!

「コミュニケーション力のある心」を育てるヒント 5

ヒント 1 パパとふれ合う時間をできるだけたくさん作る

パパとのスキンシップに満足している赤ちゃんは、他人への信頼感が強いことがわかっています。また、協力して何かをするという能力も高い傾向が。パパのお休みの日には、できるだけパパとふれ合う時間を作りましょう。

ヒント 2 同じくらいのお友だちといっしょに遊ぶ時間を作る

デパートなどのキッズコーナーを利用したり、ママ友のお宅におじゃましたり、同じくらいの月齢のお友だちと遊ぶ時間を意識的に作りましょう。そうすることで自然とコミュニケーション力が身についていきます。

ヒント 3 いろんな世代とのスキンシップの機会を持つ

核家族世帯の場合、家族だけが赤ちゃんの世界の住人です。親戚や近所の人、小学生や中学生など、いろいろな世代の人とのコミュニケーションを楽しむ経験をさせてあげましょう。

ヒント 4 ママやパパと"ごっこ遊び""手遊び"を

おうちで遊ぶときは、おもちゃを与えてひとりで遊ばせるだけでなく、ママやパパがいっしょに"ごっこ遊び""手遊び"などをしてあげましょう。人といっしょに遊ぶことの楽しさを、実体験として経験させてあげることが大事です。

ヒント 5 ママがほかの人と楽しく会話しているようすを見せる

ママがほかの人と楽しく会話するのを見せれば、赤ちゃんもママのまねをして自然と似たような表情でお友だちとおしゃべりするようになります。ママの言動はいつも赤ちゃんに見られていることを忘れないで!

育てたいポイント ④

自立する心

「甘えさせる」と「甘やかす」の違いを理解しておくことが重要

　自立する心を育てるためには「甘えさせてはいけない」と考えがち。でも、ある保育園の調査によると、家庭でのスキンシップが足りない子どもほど保育士に抱っこを求める傾向があることがわかりました。つまり赤ちゃん時代にしっかりスキンシップがとれ、甘える欲求が満たされた子どもは、受け入れられた安心感から次の心の成長のステップへと進むことができるのです。そして、この次のステップこそ自立する心なのです。自立する心は、十分に受け入れられた経験なしには育ちません。

　また、よく間違えるのが「甘えさせる」と「甘やかす」。よくないのは「甘やかす」のほうです。「甘えさせる」は、何か失敗したときに、大丈夫だと受け入れてあげること。一方、親が先まわりをして、すべてお膳《ぜん》立《だ》てしてしまうのが「甘やかす」。甘やかすことが続くと、悲しさや悔しさなど、必要な実体験を経験せずに子どもは成長します。さらにはこれが日常化すると、将来、依存心が非常に強くなり親離れできない大人になることもあるので注意が必要です。

　また、自立する心を育てるには自信を持たせることがとても大切。赤ちゃんが何かできたら、必ずしっかりほめてあげましょう。

「自立する心」を育てるために ママ&パパができること

① 主張が生まれてきたら押さえつけずにまずはほめる

赤ちゃんにイヤイヤなどの主張が芽生えてきたら、押さえつけようとするのではなく、まずはイヤと表現できたことをほめて、自信を持たせてあげましょう。また、しかるときはちゃんと理由を説明することを忘れずに。

② 遊びながらお手伝いをさせて自立心をはぐくむ

赤ちゃんですからお手伝いはまだ難しいのですが、ものを拾ったり、お片づけなどできることからお手伝いをさせてみて。できたことに対してほめて自信をつけさせるだけでなく、やさしい心もはぐくんでくれます。

③ 十分なスキンシップなしに自立する心は生まれない

ママとの十分なスキンシップは、将来も含めて、子どもが依存的になることを防いでくれます。甘えの要求がしっかり満たされて、自分が受け入れられた経験が安心感を生み、自立する心を芽生えさせてくれるのです。

こんなことからスタート!

「自立する心」を育てるヒント5

ヒント1 初めてのことにひとりでチャレンジするクセをつける

もちろん危険なことはダメですが、それ以外のことであれば、何でも「やってごらん」と初めてのことにチャレンジさせてみましょう。失敗しても、チャレンジしたことをほめて、しっかり抱きしめて甘えさせるのを忘れずに!

ヒント2 何かひとりでできたら、ママとパパは思いきりほめる

ちょっと大げさかな!? と思っても何かひとりでできたら、ママとパパはここぞとばかりに思いきりほめてあげましょう。ママやパパからほめられた、うれしい気持ち、うれしい体験が、赤ちゃんに愛されている安心感と自信をもたらします。

ヒント3 達成感を得られる知育おもちゃを活用する

さまざまな遊びを通して達成感が得られる知育おもちゃ。これらを活用して、達成することの心地よさを赤ちゃんに経験させてください。もちろん、何かひとつ達成したら、いっしょに喜び、ほめてあげることが大切です。

ヒント4 1才を過ぎたら、スキンシップにメリハリを

1才までは十分に甘えさせてあげますが、1才を過ぎたらスキンシップにメリハリをつけましょう。1日中ベタベタするのではなく、たとえば「寝る前の1時間」など時間帯を決めて、濃密なスキンシップをとってみてもいいでしょう。このときはめいっぱいの愛情を注ぎます。

ヒント5 少し年長のお友だちの“できる姿”を見せる

少し年上のお友だちやきょうだいが、ボタンかけや歯みがきなどをひとりでする姿を見せてあげて。年上のお友だちは、赤ちゃんにとって何でもできるあこがれの存在。追いつこうと挑戦する子も出てきます。そのときは、まだできなくてもやってみることが大切なので挑戦させて。

すぐ実行できる〝脳にいいこと〟をレクチャー

赤ちゃんの脳を育てるためにできること

成長著しい今だからこそ知りたい！　赤ちゃんの脳を育てるひけつ。どんなことをしてあげるといい？

人間の脳は楽しいことを求め、イヤなことを避ける

人間が身の危険や不快感を本能的に察知し判断することができるのは、脳の働きによります。日々の生活の多くが未知の体験である赤ちゃんの脳は、今までにない状態や経験を察知すると、瞬時に「安心ではない」と判断し、避けようとします。このときに「安心ではない」という判断を打ち消すのが「快の感情」です。

ほめられる、気持ちがいい、楽しい、達成感を得る「やった！」という実感が、脳に「これは避けなくていいこと」とインプットさせ、次のチャレンジに結びついていきます。

「がまんをすると、きっといいことがある」を学ぶ

さらに、本能のままに生きる赤ちゃんが日常生活の中から学ぶことのひとつに「がまんをすると、きっといいことがある（あるかもしれない）」ということがあります。専門用語で「予定報酬《ほうしゅう》」と呼んでいますが、たとえすぐに反応が返ってこなくても、脳が「期待して待つ」という経験のパターンを繰り返し繰り返し重ねていくことで、まだ実感していない「いいこと（快感）」に対して、待つ姿勢を学んでいきます。この経験の蓄積《ちくせき》は、その後のしつけにもいい影響を与えると考えられています。

赤ちゃんの脳の成長にはパパやママの愛情が不可欠

赤ちゃんの脳の育ちのために避けたいこと、それは「孤独」です。生後間もないラットを数週間にわたり毎日3時間母親から離すだけで、子ラットたちの多くに不安や不快を示す行動が見られ、しまいには体調を崩すラットも出てきました。

さらに調べると脳の中で情報伝達をつかさどるニューロン（神経細胞）の数が減り、遺伝子の数にも差が生じました。いっしょに過ごす時間の長さだけでなく、愛情の深さやかかわり方など、赤ちゃんを取り囲む環境のすべてが、脳を健やかに育てることにつながります。

PART6指導（脳）／東京大学大学院新領域創成科学研究科准教授　久恒辰博先生、白梅学園大学子ども学部教授　無藤隆先生

赤ちゃんの脳を育てるためにできること

赤ちゃんはここで判断する！

自分にとって

いいこと

楽しいことを求める脳には「快」の刺激が欠かせません。赤ちゃんはこんなところから、自分にとっての快の感情=「楽しい・気持ちいいこと」を感じとっています。

声色《こわいろ》・しゃべり方

赤ちゃんと話すときは、ゆったり、やさしく。たとえ怒っていなくても大声を出すとびっくりして泣いてしまうように、赤ちゃんの脳は相手の声色やしゃべり方から、相手の思いや自分に向けられる感情を判断します。

顔色・表情

言葉を理解していない時期ほど、赤ちゃんはパパやママの表情を見ています。怖い顔や表情の乏しい顔は、赤ちゃんを不安にし、「イヤな感じ」を与えます。ニッコリ笑うと、赤ちゃんもつられて笑うのと同じです。

赤ちゃん自身の体感

「こうしたいと思っていたことが実際にできた！」。赤ちゃん自身が身をもって感じる達成感は、どんなほめ言葉よりも強烈に充実感を与えます。安心して挑戦できるよう環境を整え、見守ってあげることも大切です。

見返り

ほめてもらう、抱きしめてもらう、何かをもらうなど、自分のとった行動でプラスの見返りがあると、赤ちゃんは「いいことをした」と感じます。モノではない「ごほうび」は、その後のしつけのやりやすさにもつながります。

周囲の雰囲気

みんなが注目している、拍手してくれる……。表情や態度から赤ちゃんは「やったあ！」と感じます。よく、いたずらして大人が大騒ぎすると、赤ちゃんがほめられていると勘違いして繰り返してしまうのもこのためです。

脳を育てる5つのポイント

特別な道具や教材がなくても、赤ちゃんの日常生活の中には、脳を刺激するチャンスがいっぱいです。

脳育てポイント1 見せる

「じっと見る」ことが、集中力を高める第一歩。手を出す→声を発する→言葉で意思表示、とつながります。

興味のあるものを見ることでいろんな情報を得ている

月齢の低い赤ちゃんが、目の前にあるおもちゃなどをじっと見つめていることがありますね。「何だろう?」と注意深く見続けることは、目の前にあるものを正確に認識するためのとても大切な練習です。パパやママもいっしょに「おもしろいね」「きれいだね」などと関心を示してあげると、赤ちゃんは観察することがますますおもしろくなります。

赤ちゃんの好きなものから、「見る」知的好奇心を引きだす

絵本など、パパやママが意識的に見せたいものに興味を示す時期には個人差があります。早ければ生後数カ月から絵本を見る子もいれば、1才を過ぎても他のおもちゃのほうが好きな子もいます。赤ちゃんは正直なので、興味のないものには見向きもしません。絵本の中でも好きなページが限られたりするのはそのためです。好きなものから見せてあげましょう。

脳育てポイント2 聴かせる

赤ちゃんの過ごす空間が生活騒音であふれていませんか? 月齢が低い時期は、耳に届く音を整理することも必要です。

リズミカルなメロディーなど、赤ちゃんは単純明快な音が好き

単純な音の繰り返しをはじめ、赤ちゃんは単純な音に反応します。音楽を聴くだけでなくママがいっしょに歌ったり、抱っこしながらリズムを感じることで、赤ちゃんは音楽や歌(音に合わせて声を出す)が楽しいものだと認識し、「寝るときはこの曲」など、聴覚から記憶に残すという理解の仕方を学ぶこともあります。

赤ちゃんの過ごす部屋でテレビのつけっぱなしは厳禁

静かな子宮の中で過ごしてきた赤ちゃんにとって、生まれてからの生活環境はまさに音の洪水。意識的に音楽をBGMとして流す場合は別ですが、テレビやビデオがつけっぱなしの部屋で赤ちゃんが過ごしていると、画面が見えなくても意味のない刺激を絶えず耳から受けることになり、赤ちゃんは混乱してしまいます。できるだけ避けましょう。

脳育てポイント3 飲む・食べる

授乳は親と子のつながりをいちばん最初に体感できる、大切なコミュニケーションと考えて。

安心して飲む（食べる）空間は情緒の安定を助ける

新生児期の赤ちゃんは、1日に何回も繰り返される授乳を通して、声やにおい、おっぱいを飲むときに見える顔の表情などを結びつけることで、少しずつ「お母さん」を認識していきます。おっぱいを飲むことで食欲が満たされるだけでなく、「温かい」「心地よい」といった安心感は、情緒の安定につながり、脳がすくすく育つための土台を作ります。

食事の基本は楽しいこと。チャレンジを温かく見守って

成長とともに、それまでの「吸えば飲める」単純な作業から、歯ぐきですりつぶす、かむ、自分の手で食べものやスプーンを口に運ぶなど、いくつもの高度な作業が必要になります。初めは上手にできなくても根気よくていねいに教え、途中で投げ出さないよう気持ちを盛り上げることで、赤ちゃんは一つひとつマスターしていきます。

脳育てポイント4 お話する

赤ちゃんに届くのは「声」だけではありません。「目」や「表情」「しぐさ」など表現力豊かに語りかけて。

反応しなくても、聞いてわかろうとしている

言葉を理解できない赤ちゃんは、相手の表情や声色《こわいろ》などから、相手がどんな気持ちで話しかけているかつかもうとします。そして生後半年までには喜怒哀楽を感じとることができるようになります。言葉を発する以前から、赤ちゃんの耳（脳）は「おしゃべり」に向けての準備を着々と進めています。会話にならなくてもどんどん話しかけてあげましょう。

赤ちゃんとお話するときは、やさしく目を見て表情豊かに

まだわからないだろうと返事をしなかったり、しても生返事やイライラしながらだったりすると、その声色や表情から、赤ちゃんはパパやママとのコミュニケーションに不安を覚えるようになります。赤ちゃんと視線を合わせてニコニコ表情豊かに話しかけてあげると、赤ちゃんは楽しい気持ちになるだけでなく、言葉そのものに興味を示すようになります。

脳育てポイント5 遊ぶ

応答を楽しんだり、期待した結果に一喜一憂したり。大人から見たら単なるいたずらも、立派な遊びです。

月齢の低いころから「反応を楽しむ」遊びを体験

たたくと音がする、落とすと見えなくなる、引っ張ると動く……、自分の動作に相手やものの反応が返ってくるおもしろさを、赤ちゃんは月齢が低いころから体験しています。「応答性がある」と呼ばれるこれらの体験は、赤ちゃんの想像力、記憶力などをおおいに刺激します。しかもパパやママが見守る中でなら、赤ちゃんは安心して挑戦することができます。

いたずらと遊びに区別はない。してほしくないことは遠ざける

大人のまねごとも立派な遊びのひとつ。赤ちゃんはフルに脳を働かせてチャレンジしています。しかも本人には罪悪感がないので、いきなり怒られてもなぜなのかが理解できません。赤ちゃんに理不尽な「ダメ」を連発するよりも、赤ちゃんにふれてほしくないものは手の届かないところに置くなど、大人が十分に配慮をしましょう。

赤ちゃんの脳を育てるためにできること

脳を刺激！ プチドリル

赤ちゃんの脳の発達段階に合わせて、楽しい刺激を与える誌上絵本です。

脳育て 3 ステップ

1 赤ちゃんの「好き」を尊重しよう

大人がいいと思っても、赤ちゃんは興味をひかれなければ絵本を見ようとしません。好き・嫌いもありますが、単に手にするタイミングが合わなかったということも。関心を示さなかったら、しつこく見せずに次に移りましょう。

↓

2 「もっと」の好奇心に応えてあげよう

指をさしたり、じーっと見つめたり…。赤ちゃんがその絵に興味を示したら、気持ちを後押ししましょう。また、たとえば自分でしかけ絵本で遊んでいて、上手にめくれなかったりしても、怒ったり取り上げたりはせずに見守ることも大切です。

↓

3 赤ちゃんの満足感を共感・共有しよう

「かわいいね」「あったね」「すごいね」などの声がけをして、赤ちゃんに、自分が感じたことをいっしょにいたパパやママが共感していることを伝えましょう。赤ちゃんの脳が「絵本を見るって楽しいな！」と学びます。これが次の絵本に手を伸ばす土台を作ります。

0〜6カ月

シンプルな色づかいと図柄。「お顔」があると気になります

視力が未熟な赤ちゃんには、白と黒だけで描かれた図形や模様のようにシンプルな絵のほうが、わかりやすいようです。また、赤ちゃんは人には「顔」があることをきちんと認識していますので、「人の顔のような絵柄」にも興味を示す傾向が。ただ、まだ絵本を集中して見ることは難しい時期です。無理強いはしないようにしましょう。

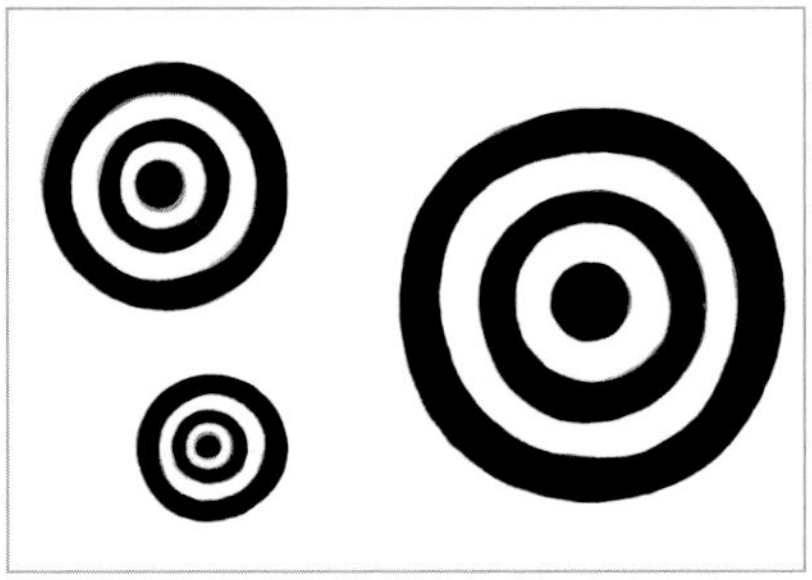

黒・白・黒…のぐるぐるや縞模様になった図など、コントラストのはっきりした絵に、赤ちゃんは興味を示します。

7〜12カ月

知っているものの絵を喜ぶように。覚えていることをほめてあげて

赤ちゃんの行動範囲が広がっていく時期。赤ちゃん自身が知っているものの絵が出てくると、「あっ！」と指さしながら注目するようになります。さらに繰り返し読んであげることで、次のページに何が出てくるかを予想できるようになります。当たったら大いにほめてあげましょう。ほめられた快感がさらに好奇心をかきたてていきます。

赤ちゃん自身が知っているものと、それを表す擬音を結びつけ理解します。犬の絵を見ながら「ワンワンだね」と言ってあげると、赤ちゃんはうれしくなります。

1〜2才

絵を見ながら問いかけて。やりとりの繰り返しが大事です

知的好奇心が旺盛になる時期。「いちごはどれかな？」「カニさんはどこにかくれているのかな？」など、絵本はパパやママとの大切なコミュニケーションツールになり、何度も読んでもらうお気に入りの本もできることでしょう。この赤ちゃんの「好き」こそ、脳を刺激する最大の原動力になります。繰り返し何度でも「好き」に応えてあげましょう。

「○○ちゃんも、おにぎりをひとつどうぞ」。「パクパクパク」と食べるまねをしても。絵に描かれた状況を理解しながら、パパやママとのやりとりを楽しみます。

PART
7

月齢別 心と体の気がかりQ&A

初めての育児には、
どうしたらいいのかわからないこと、
不安なこと、迷うことがいっぱいありますね。
各月齢によくある気がかりや心配を
スッキリ解決します。

0カ月の気がかり

Q 吸引分娩《きゅういんぶんべん》のせいか頭にこぶが。治りますか?

A こぶの成分が体に吸収され、自然に治るので大丈夫

吸引分娩で生まれた赤ちゃんの頭にできているこぶは、頭皮と頭蓋骨《ずがいこつ》の間に生じた出血やむくみによるもの。特に治療をしなくても、少しずつ体に吸収され、2〜3カ月ほどするときれいになくなってしまいます。吸引分娩は、生まれるとき、赤ちゃんが産道からなかなか出てこられないときに行う処置ですが、吸引をしたこと自体が脳に影響を与えることはありませんし、こぶも心配いらないものです。

頭を洗うときは、こぶの部分を刺激しないよう、手のひらでなでるようにそっと洗ってあげて。

Q おでこの上にやわらかいところが。触っても平気?

A 頭蓋骨《ずがいこつ》の合わせ目です。ふつうに触って大丈夫

頭のてっぺんのやわらかい部分は、大《だい》泉門《せんもん》といわれる頭蓋骨のすき間です。「脳を守る役割をする頭蓋骨に、すき間があっても平気なの?」と心配しなくても大丈夫。すき間があることで、ママの狭い産道を通る際に、頭を小さく縮めて通過することができたのです。沐浴《もくよく》時も怖がらず、ふつうに洗って大丈夫。なお、個人差はありますが、大泉門は1才半ごろまでには自然に閉じてしまいます。

Q 口の中に白いかすが。ふいても取れません

A 鵞口瘡《がこうそう》でしょう。ひどくなるようなら受診して

おそらく鵞口瘡でしょう。カンジダというカビの一種(真菌)が口内の粘膜に感染して起こります。ほおや唇《くちびる》の内側に白い斑点《はんてん》ができ、ガーゼなどでふき取ろうとしても取れません。元気で母乳やミルクの飲みがよいのなら、受診しなくても自然治癒《ちゆ》する場合もあります。なかなか治らなかったら小児科へ。(鵞口瘡については239ページも見てください。)

Q 皮膚がはがれてポロポロとむけてきます。大丈夫?

A 生理的なもので、心配いりません

生まれたばかりの赤ちゃんの皮膚がむけるのはよくあること。病気や皮膚のトラブルではないので安心してください。ママのおなかの中で羊水につかっていた皮膚は、生まれて外の空気にふれるとすぐに乾燥してしまいます。このため、新生児のうちは薄くて白っぽい皮が、ポロポロとむけることがあるのです。

Q 背中や肩にも産毛《うぶげ》が。毛深くて気になります

A 3〜4カ月ごろまでには自然と抜け落ちます

ママのおなかにいるときは、全身が産毛で覆《おお》われています。大部分の産毛は生まれるまでには抜けてしまいますが、あまり抜けないまま生まれる赤ちゃんも。生まれてすぐの赤ちゃんに毛深い子が多いのはこのためです。中には産毛とは思えないほど黒い毛が肩や背中、おでこや耳のあたりに生えている子もいますが、3〜4カ月もすれば、すれたり抜け落ちたりして自然になくなります。将来の毛深さとも関係ないので心配いりません。

0カ月の気がかり

Q 片方の陰嚢《いんのう》の中に、睾丸《こうがん》がないみたいで心配です

A 医師と相談しながら経過を見ていってください

このような状態を停留《ていりゅう》睾丸といいます。本来、睾丸は妊娠後期に陰嚢内におりてくるはず。ところが、原因は不明ですが、おりてこないケースがたまにあります。6カ月くらいまでに自然に治るケースもありますが、それ以降になると自然治癒はあまり期待できません。そのままにしておくと将来の男性不妊の原因にもなるので、1～2才のうちに手術をして治療します。各月齢の定期健診で必ずチェックされますので、手術時期などは医師とよく相談しましょう。（停留睾丸については243ページも見てください。）

Q 予定日より1カ月ほど早く出産。育てる上での注意は？

A 医師のOKがあればふつうに育てて大丈夫

退院するときに医師から特別な注意がなければ、ほかの赤ちゃんと同じように育てて大丈夫。予定日とは妊娠40週に入る日のことですが、37～41週に生まれたのであれば正期産《せいきさん》といっても問題のないものです。

1カ月ほど早く生まれたということは36週あたりでしょうから、少し早いだけなので大きな心配はありません。最初は正期産の赤ちゃんと比べて運動面での発達の遅れが気になることもあるでしょうが、1才前後には追いつくことがほとんどです。

Q 授乳の後、毎回うんちをするけど多すぎない？

A 新生児なら、それがふつうです

赤ちゃんが頻繁《ひんぱん》にうんちをするのは、母乳やミルクを飲むと、腸が動きだす反射があるため。特に新生児はまだ腸にうんちをためておくことができないため、「飲んでは出す」の繰り返しになります。1日のうんちの回数も赤ちゃんによっていろいろ。中には10回以上する子もいますが、それがその子のリズム。元気できげんがよく、母乳やミルクの飲みがよければ心配いりません。

Q 時々緑色のうんちをします。どこか悪いのでしょうか？

A 月齢が進むにつれてなくなります

うんちが緑色に見えるのは、胆汁《たんじゅう》に含まれる成分の影響です。うんちの色を決める要素のひとつに胆汁がありますが、胆汁に含まれる一種の色素の影響で、うんちの色はふつうは黄土色《おうどいろ》をしています。しかし、時にこの色素が酸化して濃い緑色になるのです。これは新生児のころの赤ちゃんに特有の現象。異常ではないので心配しないで。月齢が進んでくるとこのような症状は見られなくなってきます。

生後1カ月くらいまではけっこう目にしますが、治療しなくても自然になくなっていきます。

ONE POINT

「あれっ?」と思ったときのうんちのチェックポイント

こんなときは、便のついたおむつを持って病院へ!!

- 色が白っぽい、いちごジャムみたいな感じ、黒い など。
- 酸っぱいにおいがする、いつもと違うにおいがする など。

Q うんちにヌルヌルした粘液《ねんえき》のようなものが混じっています

A 消化液の一部です。心配ありません

これは腸液だと思います。腸液とは、小腸から分泌される消化液で、鼻水のようにヌルヌルした粘液状です。消化を助け、栄養素の吸収をよくする働きをすると同時に、たまったうんちをなめらかに押し出す役目もしているため、うんちといっしょに排出されると粘液が混じったように見られることがあるのです。便の回数が増えたり、においがヘンなどということがなく、赤ちゃんがごきげんで母乳やミルクの飲みがよければ心配することはありません。

Q 授乳間隔が定まりません。時間を決めなくていいの?

A 赤ちゃんが欲しがるときに飲ませていればOK

生まれたばかりは、赤ちゃんもママも"おっぱい初心者"。母乳の出方もまだ安定していません。赤ちゃんのほうも乳首にうまく吸いつけなかったりして飲む量が一定でなく、授乳時間が不規則になりがちです。でも、授乳のリズムは赤ちゃんまかせで大丈夫。今は泣くのを合図に飲ませます。3カ月もすれば母乳の出方が軌道に乗り、赤ちゃんもうまく飲めるようになってくるので、間隔がしだいに定まってきます。

Q 乳首が切れて出血しています。授乳しても平気ですか?

A 多少血が混じっても、授乳して大丈夫

傷口から出血し、多少血が混じった母乳を飲んでも、赤ちゃんの健康には影響ありません。傷があるのがどちらか一方なら、もう片方から飲ませる時間を長くしたり、乳首をガードする市販のグッズを利用して乗り切ってください。傷が浅い場合は、授乳後にお湯でしぼったタオルで乳首をふいていれば自然に治ります。深く切れてしまい、痛みが強かったり出血が多いときは、産婦人科を受診してください。

Q 寝ているときに時々ピクッと動きますが、大丈夫?

A 生理的な現象なので心配いりません

睡眠中に体がピクッと動くのは、脳が活動している浅い眠りのとき。物音に反応したり、寝つくときに筋肉の緊張がゆるみ、脳がその動きをうまくコントロールすることができずに起こります。ほとんどの場合生理的なものなので心配いりません。頻繁《ひんぱん》に寝起きを繰り返し、浅い眠りの時間帯が長い新生児のうちはこのようなようすがよく見られますが、睡眠のリズムが落ち着いてくる3カ月ごろになると少しずつ減ってきます。

ピクッとして泣いても目覚めていないことが多いもの。すぐに抱き上げたりせずようすを見て。

Q 沐浴《もくよく》は毎日同じ時間にしないとダメ?

A ある程度決まった時間帯に入れたほうがよいでしょう

沐浴は生活リズムを作るための新生児期の大切な日課。できれば毎日同じくらいの時間に入れるようにしたほうがいいですね。ただ、このころの赤ちゃんは、昼夜に関係なくおっぱいとねんねを繰り返しています。ですから、厳密に時間を決めるのでなく、午前、午後、夜のうち、いつごろにするかだけを決めておき、授乳の合間のきげんのいいときに入れればかまいません。ただし、あまり夜遅くに入れる生活リズムは作りたくないので、遅くとも夜8時くらいまでにはすませてください。

1カ月の気がかり

Q 新生児にきびと言われました。あとが残りませんか?

A 自然に治り、あとが残ることはありません

1〜2カ月は皮脂腺《ひしせん》の活動が活発な時期。その影響で毛穴に余分な皮脂が詰まり、にきびのような症状が現れますが、これは生理現象です。月齢が進み、少しずつ皮脂の分泌が治まれば、自然ときれいに治ってきます。多少炎症《えんしょう》を起こしていたとしても、あとが残ることはありません。治るまでは皮膚の清潔を特に心がけてください。(新生児にきびについては231ページも見てください。)

泡立てた石けんを顔につけ、やさしく洗います。すすぎは軽くしぼったガーゼで石けん分を残さないように流して。

Q よくしゃっくりをして苦しそう。止め方を教えてください

A 乳首を含ませたり、湯ざましなどをあげてみて

生後2カ月くらいまでは、おしっこが出る前後にしゃっくりが始まることが多いようです。これは膀胱《ぼうこう》を縮めるように脳から出される信号が、肺の下にある横《おう》隔膜《かくまく》も刺激してしまうため。自然に止まることがほとんどですが、気になるときは軽く乳首を含ませたり、湯ざましを飲ませてみましょう。呼吸が整い、止まることもあります。

赤ちゃんのしゃっくりは、あまり苦しくないようです。あわてず見守っていても大丈夫。

Q 動くものを目で追いません。見えているの?

A 動くものを見続けることができなくても、まだ大丈夫

このころの赤ちゃんの目は、明暗がわかる程度で視力は未成熟。両目で一点を見つめることもできず、焦点《しょうてん》も目から30cmほど離れたところで固定されていて、大人のようにさまざまな距離にあるものをはっきりと見ることができません。見えているのかどうかわからない、という相談を受けることがよくありますが、たいていはこのような理由なので大丈夫です。気になるときは、朝カーテンを開けるときに赤ちゃんのようすを観察して。急に明るくなりまぶしそうにしていたら見えている証拠です。

ガラガラなどのおもちゃで遊ぶときは、赤ちゃんの目から30cmほど離れたところでゆっくり動かして。

Q 寝ている間にいきみます。おなかが痛いのですか?

A 腸内のガスが移動するとき痛みを感じることが

生後1カ月前後の赤ちゃんがいきむのはよくあること。これは、おなかにたまったガスが腸管の中を移動するとき、軽い痛みを感じているからではないかともいわれています。ガスの主な原因は、母乳やミルクを飲んだときにいっしょに飲み込んだ空気です。痛みがあってもいきむ程度なら大丈夫ですが、頻繁《ひんぱん》に泣くようなら受診してください。

Q 健診で心雑音《しんざつおん》があると言われ、心配です

A 原因を調べ、どうしたらいいか医師に相談を

心雑音が聞こえる赤ちゃんは少なくなく、その原因も、心室《しんしつ》を左右に分ける心室中隔《ちゅうかく》という壁に穴が開いていたり、血液が心臓や血管の壁に当たる音だったりとさまざまです。経過観察を続けるうちに自然と雑音が消えてしまうことも。まずは医師と相談し、原因を知るためにも検査を。そのうえで治療や生活上の注意について医師の指示を仰いでください。

心雑音があると指摘されたら、生活上の注意など、心配なことは何でも医師に相談を。

Q 生まれつき頭にブヨブヨしたこぶが。病気ですか？

A 出産時にできるもので、病気ではありません

このこぶのようなものは「産瘤《さんりゅう》」といって、赤ちゃんがママの産道を通るときに頭が圧迫され、リンパ液などの体液が皮膚の下に集まってできるものです。同じこぶでも、頭の骨と骨膜《こつまく》の間に出血してできた場合のこぶは「頭血腫《ずけっしゅ》」と呼ばれています。どちらも時間がたてば自然に吸収されて消えてしまうので、特に治療する必要はありません。（産瘤と頭血腫については250ページも見てください。）

Q 手足が冷たいのは寒がっている証拠？

A 寒いのかも。さすって血行をよくしてあげて

赤ちゃんは末梢《まっしょう》の血管がまだ未発達。そのため、血液が手足の先まで十分に行き渡らず、指先が温まりにくいこともあります。手足が冷たいときは、やさしくさすって温めてあげて。さらに、胸や背中を触ってみてひんやりしているようなら、1枚多く着せたり、ふとんをかけたりして調節します。

Q 授乳に1時間近くかかることが。母乳の出が悪いの？

A うまく飲めていないか、母乳不足のどちらかでしょう

1回の授乳に30分以上かかるのは、赤ちゃんの飲み方がまだうまくないか、母乳不足が可能性として考えられます。次に赤ちゃんが欲しがったときもおっぱいが張った感覚がない、張った状態で飲ませても、2時間もしないうちに空腹で泣き出すなどのときは母乳不足が疑われます。産院の助産師さんに相談してみるといいでしょう。

Q ラックで眠ってしまったら、すぐにふとんに移す？

A 深い眠りに入ったらふとんやベッドに移動して

熟睡したらふとんに移動させたほうがいいでしょう。ベビーラックは長時間の眠りに適した器具ではありません。1カ月の赤ちゃんでも、睡眠中は頻繁《ひんぱん》に手足を動かすので、狭いラックでは窮屈《きゅうくつ》です。また、ラックは完全に水平にはならないので、長時間だとおなかが圧迫されることもあります。ふとんのほうがのびのびできて安心です。

ONE POINT

ふとんに移すと泣いちゃう！ そんなときのコツ

スヤスヤ寝ていたのに、ねんねの場所を変えると泣き出す赤ちゃんも多いもの。こんな工夫をしてみましょう。

- タオルケットにくるんで場所移動。しばらくはくるんだままにしておく。
- ふとんにおいても少しの間、ママの手を赤ちゃんの頭の下に。
- しばらくはママの上半身で、ふとんにおいた赤ちゃんを包むように抱っこ。赤ちゃんと呼吸を合わせる気分で。

1カ月の気がかり

Q 赤ちゃんが入るおふろのお湯は何度くらいが適温？

A 大人がちょうどいいと感じるより1～2度低めに

大人より少しぬるめのお湯に入れるのが基本です。多くの大人がちょうどいいと感じる湯温は、38～40度くらいですから、赤ちゃんと入るときはそれより1～2度低めがいいでしょう。湯ぶねにつかってゆっくり10～20数えたら上がらせて。大人と同じ感覚で入っていると温まりすぎてしまいます。

ONE POINT

湯温計がないときは…

手首は手のひらなどに比べて温度に敏感。おふろのお湯をママの手首にかけ、赤ちゃんに熱すぎないかどうか確認するといいでしょう。

Q いつも手を握っていて手のひらが洗えません

A ママの指を手首から手のひらに向けて差し入れてみて

このころの赤ちゃんは、手のひらを開かせようとすればするほど、ギュッと握り返してきますよね。手を刺激するとものをつかむようなしぐさをするのは新生児に特有の把握《はあく》反射があるからです。このようなときは、力ずくで開こうとしても無理。ママの親指を手首のほうから手のひらに向けて差し入れてみてください。なお、把握反射は6カ月ごろには自然になくなります。

Q 暑い日は湯ぶねにつからずシャワーだけでいい？

A シャワーでサッと汗を流すだけで十分です

暑い季節の入浴は、シャワーだけでもOK。むしろ、この月齢の赤ちゃんは、まだ体温調節が上手にできないので、暑い日に長く湯ぶねに入れるのはやめましょう。体が温まりすぎてしまうことがあるからです。いつもどおりにシャンプーや石けんで洗った後、シャワーですすぎ残しがないように流してあげて。なお温まりすぎを防ぐため、シャワーだけのときも、お湯の温度はぬるめに。

ONE POINT

シャワーでビックリさせないコツ

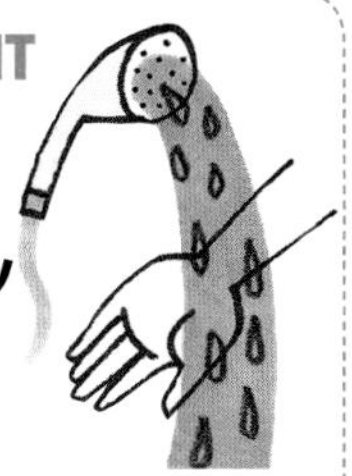

シャワーヘッドを赤ちゃんに向けてから、蛇口《じゃぐち》をひねってはいけません。いきなり勢いよくお湯がかかると、赤ちゃんはビックリしてしまいます。また、出始めのお湯は、思ったより冷たかったり熱くなっていることも。湯温とお湯の勢いを確認して調節し、足のほうからそっとかけてあげましょう。

Q どんなに暑くても、肌着＋服の2枚を着せる？

A 暑い日は肌着1枚だけにしてあげても

体温調節があまり上手でない赤ちゃんは、周囲の温度が高いと容易に影響されて、体温が上がりすぎてしまうことがあります。赤ちゃんがもっともエネルギーを使わずに体温を保つことができる温度（中性温度環境といいます）は、25～26度とされています。室温がこれを2～3度以上上回るようなら、むしろ肌着1枚だけで過ごさせてあげたほうがいいでしょう。

Q 赤ちゃんのものと大人のものは分けて洗濯したほうがいい？

A ふつうの汚れなら、いっしょでOK

大人の服が泥や油でひどく汚れている場合を除けば、基本的に赤ちゃんのものと大人のものは洗濯機でいっしょに洗っても大丈夫です。

衣類に洗剤の成分が残らないよう、すすぎは念入りにしてください。その後、十分に乾燥させるようにすれば、雑菌が繁《はん》殖《しょく》することもありませんから安心してください。

2カ月の気がかり

Q 自分の顔をひっかきます。ミトンをつけたほうがいい？

A ミトンをつけるよりつめを切ってあげて

このころの赤ちゃんは、まだ意志を持って手足を動かしているわけではありません。ひっかくというより、腕を振り回しているうちに、無意識に手が顔に当たってしまうと考えたほうがいいでしょう。ミトンのつけっぱなしは、手指を動かす妨げにもなるのであまりおすすめできません。それよりもつめをこまめに、角《かど》が残らないように切ることで予防してください。

Q 目が斜視《しゃし》のように見えて心配です

A 成長とともに治ることがほとんどです

この時期の赤ちゃんは、黒目の位置を調節する筋肉の働きが未発達。このため、一方の黒目が内側や外側を向いていたり、両目の視線が定まらないように見えることがありますが、ほとんどが成長とともに治ります。ただし、本当に斜視の場合、早期発見と治療が必要になるので、1才を過ぎてもようすが変わらなかったら受診します。（斜視については236ページも見てください。）

ONE POINT

斜視かどうかの簡単チェック法

1. ママが光を背にして向き合う形で赤ちゃんを抱っこします。
2. 赤ちゃんと目が合ったとき、黒目の中を見ます。
3. 左右の黒目の真ん中にママのシルエットが同じように映っていれば、斜視の心配はありません。

心配な場合は、健診のときに相談しましょう。

Q 耳の中はどれくらい奥までそうじすればいいですか？

A 耳の入り口を軽くふく程度で十分です

赤ちゃんの場合、耳の入り口から鼓膜《こまく》までの距離が短く、耳あかがたまるのは、入り口から1㎝前後のところまで。ここには細かい毛が生えていて、その毛が耳あかを自然と外に押し出すので、耳そうじは耳の入り口を綿棒で軽くふく程度で十分。ベビー用綿棒の綿球《めんきゅう》が入る程度の深さまでにしておきましょう。

ONE POINT

耳そうじのコツ

- 周りに気をつけて。きょうだいなどほかの子どもがいるときは特に注意。走ってぶつかってきたりしたら大変です。
- 耳たぶをちょっと引っぱるようにすると、耳の中が見えやすくなります。

Q 口の周りの真っ赤なかぶれ。どうケアしたらいい？

A 汚れを落とした後に、クリームなどで保護を

ケアのポイントは、汚れ落としと皮膚の保護。汚れを落とすときは、ゴシゴシこすらずにぬるま湯で洗って押しぶきするようにします。タオルやガーゼは、肌あたりがやわらかいものがよいでしょう。清潔になったら、ベビー用のクリームをつけて皮膚を保護します。

ONE POINT

お口周りにクリームをぬるタイミング3

- **授乳前**
  母乳やミルクの飲みこぼしで汚れても、皮膚をガードしてくれます。
- **授乳後**
  口の周りをしぼったガーゼできれいにふいた後、まんべんなくぬります。
- **外気浴やお散歩の前後**
  お出かけ前は外の風で乾燥しないため、帰宅後は、皮膚にうるおいを与えるために。

2カ月の気がかり

Q おへそがまだジクジクしています

A 臍炎《さいえん》かもしれません。病院に連れて行って

へその緒《お》が取れた後しばらく消毒を続けていると、生後1カ月もすれば自然とおへそは乾いてきます。2カ月に入っても乾かない状態が続いているようなら臍炎かもしれません。臍炎とは、おへその底の部分が細菌に感染しジクジクした状態になるもので、赤くなって痛みを伴います。重症になるとはれがひどくなっておへその周囲が盛り上がってくることも。まずは診察を受けてください。（臍炎については250ページも見てください。）

へその緒が取れても、おへその中が完全に乾くまでは、おふろ上がりの消毒を忘れずに。綿棒に消毒液をつけ、おへその中をしっかり消毒します。

Q 背中やおしりの青いあざ。自然に消えますか?

A そのうち消えますので心配いりません

これはおそらく蒙古斑《もうこはん》でしょう。蒙古斑はおしりだけでなく、体のあちこちに見られることもあり、異所性蒙古斑《いしょせいもうこはん》と呼んでいます。これはおしりにある蒙古斑より多少長く残る場合もありますが、少しずつ薄くなり、小学校に上がるころまでにはほとんど消えます。（蒙古斑については234ページも見てください。）

ONE POINT

おしり以外にも蒙古斑があることが…

どこにできていても、範囲が広くても、蒙古斑は自然に消えますから心配いりません。

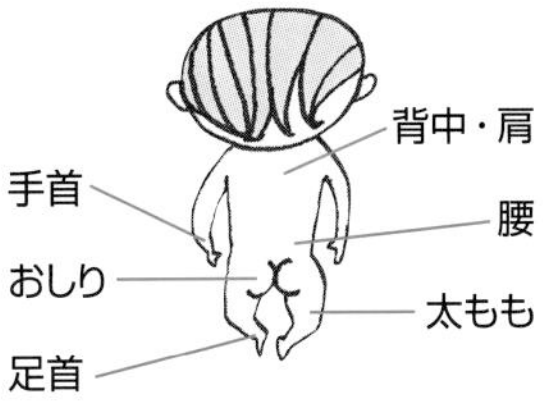

Q 股関節脱臼《こかんせつだっきゅう》の疑いがあると言われました

A 治療すれば治ります。ふだんから足を開く姿勢を

股関節脱臼とは、大腿骨《だいたいこつ》の先端が骨盤《こつばん》の中の受け皿にぴったりおさまっていない状態。症状が軽ければ、おむつの当て方や抱っこの姿勢に注意して経過を見ます。これで治らないときや重症の場合は、「リーメンビュゲル」という、両足を正しい位置に開いて固定する装具をつけて治療します。赤ちゃんはいやがるかもしれませんが、きちんとした装着が大切。ほとんどの場合、装具をつければ2～4週間で治ります。（先天性股関節脱臼については244ページも見てください。）

Q 右足ばかりで、左足をあまり動かさないような気がします

A 左足を全然動かさない、痛がるなどがなければ大丈夫

どちらかの足をまったく動かさないとか、ためしにママが動かしてみたときに痛がって泣くようなら病気の可能性もあります。そうでなければ心配いりません。手足の動きは必ずしも左右対称とは限りませんし、体の向きなどによっても動かし方が変わることがあるからです。どうしても気になるときは、小児科か外科を一度受診してみてください。

Q 白っぽいかたまり状のものを吐きます。病気?

A 母乳やミルクがかたまったもの。心配ありません

母乳やミルクに含まれるたんぱく質は、胃酸の影響でかたまります。白っぽいかたまり状のものは、ゲップといっしょにそれを吐いたものと考えられます。吐いた後、ケロッとしていてきげんがよければ心配いりません。よく吐くうちは、授乳後はたて抱きにして背中を下から上に向けて何度かさすり、ゲップを十分出してから寝かせてあげるようにしてください。

Q **母乳を飲みながらむせることが。どうしたらいい?**

A **最初に少し搾ってから飲ませてみて**

母乳の出がよすぎて赤ちゃんが飲むのが間に合わず、むせてしまうのかもしれません。出始めの母乳は特に勢いよく出るので、授乳前に母乳を少し搾ってから飲ませてみて。

また、母乳といっしょに空気を飲み込み、ゲップが出そうになってむせることもあります。授乳の途中で一度ゲップをさせてあげるのもいいでしょう。

授乳前に少し搾ると、乳首がやわらかくのび、くわえやすくなる利点もあります。

Q **食べたもので母乳の味が変わることがありますか?**

A **食べ物によって母乳の味が変わることはほぼありません**

母乳は基本的に血液の成分と同じです。血液の成分は、恒常性《こうじょうせい》があって、つねに一定の範囲内に収まっています。ですから、食べたものの種類によって、母乳の味や成分が大きく変化するというのはちょっと考えにくいことですね。また、一定の範囲内での微妙な成分の違いを、赤ちゃんが味の違いとしてとらえているかどうかはよくわかりません。

Q **授乳後、汗びっしょりなら、眠っていてもシャワーを浴びさせる?**

A **シャワーより汗を吸い取る工夫を**

赤ちゃんにとって、おっぱいを飲むのはかなりの運動量。夏場は特に汗をかきますね。でも、眠っているのを起こしてシャワーを浴びさせるのはかわいそう。ママの腕にタオルをかけてから抱っこしたり、あらかじめ背中にガーゼなどを入れておいて授乳後にそれを引き抜くなど、汗をその場で吸い取って、肌に残さない工夫をしましょう。

Q **昼間はよく寝るのに、夜はなかなか寝ません**

A **朝の光を浴びさせ、夜は部屋を暗くして**

人には1日のリズムを刻む体内時計があり、この周期は25時間です。ところが、地球の1日は24時間。まだ生活リズムの定まらない赤ちゃんは、25時間周期の体内時計の影響を受けやすいため、昼夜逆転が起きるのです。この逆転を直すのに必要なのが、朝の光。朝になったらカーテンを開け光を浴びさせて、体内時計をリセットするきっかけを与えてあげましょう。逆に夜は部屋を暗くして眠れるようにしてあげることが大切です。2カ月ぐらいから、だんだんと眠ったり起きたりのリズムが昼夜のリズムに合うようになってきます。

Q **どうやってあやしたらいいのかわかりません**

A **抱っこやほおずり、声をかけるなどしてあげて**

あやし方に決まりはありません。ママが赤ちゃんをかわいいと思う気持ちそのままに接していれば大丈夫。このころの赤ちゃんは、視覚、聴覚、触覚といった五感でママを感じています。赤ちゃんの目を見て、話しかけながら、体にやさしくタッチしてあげるといいでしょう。くすぐったりするのも喜びますよ。

赤ちゃんがごきげんなときに声を出したら、ママも同じような声で応えてあげて。返事をしてもらえただけで、赤ちゃんは満足です。

3カ月の気がかり

Q 頭に黄色いかさぶたが。取ったほうがいいですか?

A ベビーオイルなどでふやかしてから取りましょう

これは乳児脂漏性湿疹《にゅうじしろうせいしっしん》と呼ばれるもので、このころの赤ちゃんに特有のものです。黄色いかさぶた状のものは皮脂《ひし》がかたまり、皮膚にこびりついたもの。無理にはがして取ろうとしてはダメ。入浴前にベビーオイルなどをぬって30分ほどおき、ふやかしてからシャンプーを。一度では取りきれませんが、繰り返すうちに取れてきます。(乳児脂漏性湿疹については231ページも見てください。)

頭だけでなく、おでこやまゆ毛などにもできることがあります。

Q まゆとまゆの間にある青いすじが気になります

A 血管が透けているものでそのうち見えなくなります

これは、皮膚の下の静脈が透《す》けて見えているもの。あざなどではないので心配いりません。赤ちゃんは大人と比べて皮膚が薄いため、このようなすじが見えることはよくあります。「かんが強い証拠」などといわれることもありますが、これは迷信。成長に伴い、皮下脂肪がついてくると、青いすじもしだいに見えなくなってきます。

Q 耳の上部に小さい穴が。自然にふさがりますか?

A 自然にはふさがりませんが、穴があっても問題ありません

この穴は耳《じ》ろう孔《こう》といって、本来なら赤ちゃんが胎内で成長する過程で閉じていくはずだったものが、たまたま残ってしまったものです。自然にふさがることはありませんが、炎症《えんしょう》を起こさなければそのままにしておいてかまいません。気にしていじりすぎると細菌感染し、穴からうみが出てきたり、熱をもってはれ上がったりすることがあります。そのようなときは病院へ。

Q よく鼻を詰まらせます。かぜですか?

A 乾燥すると、鼻が詰まることが

赤ちゃんの鼻の粘膜《ねんまく》は、大人に比べて敏感。空気が乾燥していたり、冷たい空気を吸い込んだりすると、すぐに粘膜が乾いたり、うっ血して、かぜでなくても鼻が詰まったり鼻水が出ます。鼻が詰まっていたら、加湿器などで部屋を加湿して。また、ぬるめのお湯でしぼったタオルを鼻筋に当てると、鼻の周りの血液循環がよくなり、粘膜のむくみが取れて鼻詰まりが解消します。

Q 歯ぐきに白い粒のようなものが。もう歯が生えてきたの?

A 歯ではありません。自然になくなるのでようすを見て

これは上皮真珠《じょうひしんじゅ》というもので、歯ではありません。赤ちゃんのあごの中では乳歯が少しずつ作られていて、そのときに残った組織が真珠のように白く光ったかたまりとなって歯ぐきの表面に現れることがあるのです。乳歯が生えるころには自然になくなります。万一飲み込んでも体に悪影響はありません。(上皮真珠については240ページも見てください。)

Q 泣くとおへそが飛び出します。出べそなの?

A 出べそですが、発育とともに治ることがほとんど

おなかは左右の腹筋が中央で合わさっていて、おへその部分は腹筋が十分に発達せず小さな穴になっています。泣いて腹圧《ふくあつ》がかかるとその穴が内側から外側に向かってふくらんでくることがあります。これがいわゆる出べそ。医学的には臍《さい》ヘルニアといいます。腹筋が発達してくる2才ごろまでには自然に治ることがほとんどです。(臍ヘルニアについては242ページも見てください。)

Q おむつ替えのとき脚がポキッと鳴ります。大丈夫?

A 鳴った後、ふつうに動いているなら大丈夫

おむつ替えのときなどに、脚の付け根がたびたびコキッと鳴るようなら受診しましょう。

関節が鳴った後も、いつもどおりに脚が動いているなら問題ありません。赤ちゃんの関節は未完成なため、接している部分がゆるく、曲げ伸ばししたときに骨の動きが大きくなって音が出ることがあります。ただし、また股を広げようとすると音がしたり痛がるときには、股関節脱臼《こかんせつだっきゅう》の疑いがあるので一度受診してください。

Q 男の子ですが、おしっこだけでもおしりをふく?

A おしっこの成分が残っています。きちんとふいて

おむつをしている間は、男の子も女の子も、おしりのケアは同じです。紙おむつだとおしっこをしてもおしりが乾いているように見えますが、成分は皮膚についています。おしっこの成分や汗は皮膚を刺激するので、おしっこのときでもおしりをふいて清潔にしてあげましょう。男の子の場合、ふき忘れがちな陰嚢《いんのう》裏もていねいにふきます。

Q うんちに混じる白いツブツブは何?

A 母乳やミルクの成分で心配ないものです

うんちに混じる白い粒は、主に母乳やミルクの脂肪成分です。母乳やミルクの栄養分は胃から腸を通る間に消化・吸収されますが、吸収されずに便に混じって出てくることも。「うんちのようすがへン!」と驚いてしまうかもしれませんが、よくあることなので心配いりません。

Q うんちが毎日出ません。便秘なの?

A 数日おきでも、すんなり出ているなら大丈夫

うんちのリズムは、赤ちゃんによりさまざまです。出るのが2~3日おきでも、元気で、母乳やミルクをよく飲み、うんちがすんなり出ているなら心配ありません。でも、5~6日も出ない場合は、便秘の可能性もあります。

朝夕の2回、おへその中心から下に向かって「の」の字を書くようにおなかをマッサージしたり、綿棒の先を肛門《こうもん》に入れて刺激し、規則正しい排便リズムを作る手助けをしましょう。

Q 首がすわるって、どんなこと?

A 起こしたときに、首がグラグラしない状態です

赤ちゃんの両方の手のひらにママの親指を置いて握らせ、赤ちゃんの手を持ってゆっくり引き起こしてみてください。このとき頭がきちんとついてくれば首はすわっています。3カ月なら、少々グラグラしていてもふつうです。生後半年を過ぎても首がすわっていないときは受診しましょう。

3カ月の気がかり

Q 腹ばいが嫌いですが、発達に影響がありますか？

A 無理してやらせる必要はありません

おなかが圧迫されて苦しいのか、腹ばいの姿勢をいやがる子はけっこういます。逆に、あおむけよりも腹ばいの姿勢のほうが好きな子もいますが、どちらの場合も、その後の発達に差はありません。この時期は、赤ちゃんが好きな姿勢で過ごさせてあげるのがいちばん。腹ばいをいやがるなら、あえてやらせなくてもかまいません。

Q 前より飲みが悪くなってきました

A この時期、一時的に減ることも

このころになると、赤ちゃんも満腹感がわかってきて、飲む量を自分で調節するようになります。そのため、これまでより一時的に飲む量が減ったように感じることがあるかもしれませんが心配いりません。飲みたがるだけ、飲ませていれば大丈夫です。

不安なときは、体重を測って順調に増えているか確認してみるといいでしょう。また、3〜4カ月健診でも、発育が順調かどうかのチェックをしてもらえます。

Q 暑いときはミルクを冷たくして飲ませたほうがいい？

A 赤ちゃんに冷たい飲み物はNGです

多少ぬるい程度ならかまいませんが、冷たいものを飲むとおなかを冷やし、腸を刺激して下痢をすることがあります。また、赤ちゃんは大人のように、暑い日に冷たいものを口当たりよく感じるといったこともありません。ミルクに限らず、生後半年くらいまでの赤ちゃんには、人肌程度の温かさのものがよいでしょう。

Q 母乳のママは、お茶やコーヒーを飲んではいけない？

A 楽しむ程度なら…。でも、飲みすぎないで

ママがお茶やコーヒー・紅茶を飲めば、母乳にもカフェインが多少は出てきます。でも、ごく微量なので、飲むことでリラックスできるならば、無理してやめなくてもかまいません。ただし、1日に何杯も飲んだり、夜寝つけなくなるほど飲んだりすると、赤ちゃんによくないばかりか、ママの健康も心配です。

授乳中はカフェインレスのお茶やコーヒーにしてみるのもいいですね。

Q 授乳中なのですが、花粉症の薬を飲んでもいいですか？

A つらいときは医師に処方してもらった薬を

薬の成分は、ごく微量ながら母乳にも出てきますが、花粉症の症状を抑えるために処方される抗ヒスタミン剤の場合、用法・用量を守って飲んでいれば、赤ちゃんに影響を及ぼさないといわれています。つらい症状があるときは、がまんせずに病院へ。そして、授乳中であることを告げたうえで医師が処方した薬を飲むようにしてください。

Q 「うっくんうっくん」という声ばかり。病気ですか？

A 声を出す練習でしょう。病気ではないので大丈夫

もしのどに炎症があるならば、せきが出るので見分けがつきます。きっと声を出す練習をしているのでしょうね。こういう声を喃語《なんご》といいます。赤ちゃんはこの時期くらいから、あやすと声を出して笑ったり、話す人の口もとをじっと見つめたりするようになります。赤ちゃんが声を出したら、ママも応えてあげるなど、コミュニケーションをいっぱい楽しんでください。

4カ月の気がかり

Q 湿疹《しっしん》のある部分にも、ベビー用クリームをつけて大丈夫?

A 市販のクリームは、湿疹のところにはつけないで

湿疹ができていたり、カサカサがあったり。赤ちゃんの皮膚はなかなかコンディションが定まりませんね。市販のベビー用クリームは保湿が目的のものがほとんどなので、こんなときにまんべんなく全身にぬってしまうと、湿疹がさらに炎《えん》症《しょう》を起こしてしまうことがあります。皮膚にトラブルがあるときのスキンケアについては、医師に相談してください。

Q 目やにがひどく、目がうるんでいます

A 鼻涙管《びるいかん》が詰まっているのかも。目やにや涙はふいてあげて

涙は目がしらから鼻涙管を通って鼻へと抜けていきます。赤ちゃんの場合、この管が狭かったり詰まっていることがあるため、目がうるんだり、目やにが多くなることがあるのです。涙や目やにをこまめにふき取るようにしてください。症状がひどくなるなら病院へ。

涙や目やにはこまめにふいて清潔に。病院で目薬を処方されたら指示どおりに使って。

Q 耳がおふろにつかってしまいました。中耳炎《ちゅうじえん》になりませんか?

A お湯が入っても、中耳炎になることはありません

中耳炎は、かぜをひいたときなどに、鼻やのどについた細菌やウイルスが耳管《じかん》を通して耳の中に入っていくことで起こります。おふろのお湯が耳に入ったことでなることはありません。ケアは、おふろ上がりに綿棒で耳の入り口をクルッとふいてあげるだけでいいでしょう。万一外《がい》耳道《じどう》の奥までお湯が入っても、ほうっておけば自然に出ていきます。(中耳炎については238ページも見てください。)

Q おへその中が黒ずんでいます。きれいにするには?

A たまった汚れを取るときはベビーオイルでふやかして

黒ずんで見える場合に考えられるのは、色素の沈着か汚れです。色素は自然の皮膚の色ですから、そのままにしておいて心配ありません。一方、汚れがたまっている場合、無理にほじり出して肌を傷つけるのは細菌感染のおそれがあるのでやめて。気になるときは、ベビーオイルをたらして30分ほどおいてから洗うときれいに取れます。

おふろに入る前にベビーオイルをつけておき、おふろで洗うとラクです。

Q おしりが赤くかぶれてきてしまいました

A 清潔・乾燥・保護がケアのポイント

おむつかぶれはおしっこやうんちの刺激のほか、おしりが蒸《む》れることでも起こります。ですから清潔と乾燥、刺激からの保護が大事。おしっこやうんちをしたらすぐおむつを替えるのはもちろんのこと、ふくと刺激になるので、うんちの後はシャワーや座浴で洗い流しましょう。その後、タオルで押しぶきし、ワセリンなどをぬって皮膚を保護し、しっかり乾かしてからおむつをつけます。(おむつかぶれについては232ページも見てください。)

4カ月の気がかり

Q 手足のくびれ部分が真っ赤に。あせもでしょうか?

A おそらくあせもでしょう。くびれはていねいに洗って

汗のたまりやすい部分が赤くなるのはあせもとかぶれが原因の可能性が大。あせもは汗腺《かんせん》が汗やあかでふさがれて皮膚が炎症《えんしょう》を起こすものなので、入浴時はくびれに指を差し入れ、ていねいに洗うのがポイントです。皮膚が湿ったままだとふやけて炎症を起こしやすいので、洗った後はよくふいて。なかなか赤みが治らないようなら受診してください。（あせもについては232ページも見てください。）

Q ワックスのついたパパの髪を触った手。なめても平気ですか?

A できれば赤ちゃんと接するときはつけないで

もし口に入ったとしても、手についたものをなめた程度ならごく微量なので、心配するほどのことはないでしょう。ただ、化粧品によっては、多量に口に入れると有害な物質や、アルコールなどの成分が含まれていることがあります。たとえば休日など赤ちゃんといっしょにいる時間が長いときは、ワックスをつけないでもらうように、パパに頼んでみても。

Q BCGのあとがうんでいます。大丈夫?

A そのうち乾いてきますから心配いりません

BCGは結核菌を弱くした生ワクチンで、体の一部に菌をつけ、軽く感染させて免疫《めんえき》をつけるものです。接種後にうんでくるのは、体内でできた抗体が菌と闘っている証拠。うんだ部分にふれないようにして、ようすを見ていれば心配いりません。ただし、ジクジクが長引く、接種箇所やわきの下のリンパ腺がはれるなどの症状があるときは病院へ。

Q ポリオの予防接種をした日の夜、授乳後に嘔吐《おうと》。再接種は必要?

A 接種後3〜4時間たっていれば問題ありません

ポリオウイルスは腸から体内に入り込みます。これを防御するための抗体《こうたい》を作るのがポリオワクチンです。しっかり免《めん》疫《えき》をつけるためには、ワクチンが腸まで到達することが必要。ですから、接種した直後に吐いた場合は再接種が必要ですが、接種後3〜4時間ほどたって吐いたのならその必要はないでしょう。どうしても心配なときは医師に相談してみてください。

Q 遊び飲みを始めたら、授乳は切り上げてもいい?

A いったんやめてようすを見てもいいでしょう

遊び飲みを始めたら、「もう飲みたくないのかな」と考えて、いったん乳首をはずしてみてもよいでしょう。少したったらもう一度しっかり含ませてみて、それでも空腹のときのような勢いで飲まず、遊んでいるようなら思いきって切り上げます。そうすることで早めにおなかがすいてしまい、次の授乳までの間隔がいつもより短くなってもかまいません。

Q 飲み残しのミルクを後で飲ませてもいい?

A バイ菌が繁殖《はんしょく》するので飲ませてはいけません

ミルクは栄養豊富で、雑菌が繁殖しやすいもの。特に赤ちゃんがいったん口をつけると、だ液が混ざりバイ菌がいっそう繁殖しやすくなります。赤ちゃんは大人より抵抗力が弱く、大人が平気なものでもおなかをこわすことがあります。いったん口をつけたミルクは、冷蔵庫で保存したとしても飲ませてはいけません。つねに調乳してすぐのものを飲ませるようにしましょう。

Q おっぱいが張らなくなってきました

A 赤ちゃんの体重が順調に増えていれば大丈夫

母乳の分泌が軌道に乗り、赤ちゃんのほうも飲むのがうまくなって一度に飲む量が増えてくると、それまでのようにおっぱいがパンパンに張る感じがしなくなってくるものです。授乳後1時間もたっていないのに空腹で泣き出したりしない限りは、おっぱいが張る感覚がなくても母乳は足りているので大丈夫。さらに、3～4カ月の乳児健診のときに、体重の増え方が順調だと確認されれば、母乳はしっかり出ていると考えられますので心配いりません。

Q 何をしても泣きやまないときはどうしたらいい？

A ママに無理のない範囲でできるだけ相手をしてあげて

まず泣き方を観察してみましょう。弱々しい声で泣いていたり、ようすがヘンと感じたら、病気の心配もあるので病院へ。特に変わったこともなさそうだけどというときには、外に出てみたり、子守歌をうたってみたり、いろいろトライしてみましょう。たとえ泣きやまなくても、泣いている赤ちゃんを受け止め、あれこれやってみることは大切です。

Q 寒い日でも、お散歩をしたほうがいいですか？

A お天気のいい日中に外に出てみて

寒いからといって1日中家の中にいては、赤ちゃんだって飽きてしまいます。コートや帽子、手袋などでしっかり防寒して外に出てみて。冬のお散歩は、冷たい空気にふれることによって皮膚が鍛《きた》えられたり、気管支が丈夫になったりというメリットもあります。ただし、晴れた日の暖かい時間帯を選んで。あくまでも無理のない範囲で楽しみましょう。

ベビーカーは足もとが冷えるので、ひざかけなどで温かくして。

Q 抱っこしないと寝つかないのは甘やかしすぎ？

A ママがたいへんでなければできるだけ抱っこしてあげて

抱っこされて寝つくのが習慣になっているのかもしれませんね。でも、これは十分にスキンシップができているということですから、赤ちゃんにとっては幸せなことなのです。泣いたりぐずったりしたときにだれかが抱っこしてくれるというのは、人と信頼関係を築く基礎にもなります。今は抱きぐせを気にせず、できる限り赤ちゃんの気持ちを受け入れてあげてください。

Q 寝ているとき、呼吸が不規則になることが

A 眠りの深さによって不規則になることもあります

睡眠には浅い眠りのレム睡眠と、深い眠りのノンレム睡眠があり、それに合わせて呼吸の仕方も変化しています。寝ているとき、呼吸が深くなったり浅くなったりと不規則に見えるのは心配いりません。ただし、睡眠中に一瞬呼吸が止まり、その後、少ししてからまた呼吸を始めるということを頻繁《ひんぱん》に繰り返すようなら、念のため小児科を受診して。

5カ月の気がかり

Q 後頭部がはげてしまいました。またちゃんと生えますか?

A 時期がたてばしっかりした毛が生えてきます

このころになると赤ちゃんは、自由に頭の向きを変えることができるようになります。この時期の赤ちゃんの髪の毛は産毛《うぶげ》で細くてやわらかいので、あおむけに寝たまま頭を何度も左右に動かすと、髪の毛がシーツやまくらカバーにこすれて抜けたり切れたりしてしまうのです。今ははげたように見えても、そのうちまたしっかりした毛が生えてくるので安心してください。

Q 片方の耳がぺちゃんこ。向きぐせのせい?

A 向きぐせの影響でしょう。成長とともに直ります

これは、向きぐせによるものでしょう。赤ちゃんの耳はやわらかいので、いつも同じ方向を向いて寝ていると下になったほうの耳がいつも押しつぶされた状態になり、ぺちゃんこになったように見えてしまうのです。寝返りやお座りをするようになれば、片方の耳だけがつねに圧迫された状態でいることも少なくなるので、特に治療をしなくても自然に直ります。気になるときは、下になっているほうの耳を、時々ママの指の腹でほぐすような感じでやさしくマッサージして、血行をよくしてあげるといいでしょう。

ONE POINT

向きぐせを直すコツ

- ママの手で頭の向きを時々変える。
- 赤ちゃんは明るい方向を見る傾向があるので、日当たりによって時々ふとんの向きを変える。

どの赤ちゃんにも好きな方向があるようです。そのままにしていても問題ありませんが、どうしても気になるときは上の方法を試してみてください。

Q 舌のところどころが白っぽくなっています

A ミルクの成分でしょう。心配いりません

白っぽいものは、いわゆる「ミルクかす」だと思います。舌の表面はざらざらしているので、母乳やミルクに含まれるたんぱく質などがかたまったものが、かすのようになって残ることがあるのです。そのままにしておいても大丈夫ですが、気になるときはママの指にガーゼを巻き、舌の上をなでるようにしてぬぐってあげてください。

ぬぐっても取れなければ鵞口瘡《がこうそう》の可能性があるので受診します。

Q スタイがすぐびしょびしょに。よだれの量が多すぎですか?

A よだれの量には個人差が。心配しないで

離乳食開始のころになると消化機能が発達し、だ液の分泌が増えてきます。しかし、初めのうちはうまく飲み込めず、口にたまっただ液がよだれとなってあふれてしまうことがあります。だ液の量には個人差がありますが、発達上の問題はありません。月齢が進むとだ液をうまく飲み込めるようになり、よだれは自然と減ってきます。

よだれをそのままにしておくとかぶれの原因に。ぬらしたガーゼでそっとふき取ります。

Q 汗をかかない季節でも、ミルク以外の水分補給は必要？

A 母乳やミルクで足りていれば無理に飲ませなくて大丈夫

母乳やミルクから必要な水分がとれていれば、どうしても水分を補給しなければならないということはありません。ただし、大人は汗をかかない季節でも赤ちゃんは汗をかいていることがあります。寝起きやお散歩の後、泣いた後、おふろ上がりなど、のどが渇いていそうなときに、湯ざましや麦茶などを与えてみましょう。

飲む量は赤ちゃんまかせでOK！　渇きが治まれば、自然に飲むのをやめるものです。

Q 離乳食はおかゆではなく、おもゆから始めたほうがいいの？

A 最初の1さじに与えてもよいですがおかゆからでかまいません

おもゆとは、おかゆの上澄《うわず》みだけをすくった粘りけのある汁のことで、昔から離乳食開始のころに与えられていたものです。最初の1さじに与えてもよいですが、やわらかく煮てつぶしたおかゆからスタートさせるのでも問題ありません。離乳食の目的のひとつは、形のある食べものをしっかり飲み込むという「咀嚼《そしゃく》力」をつけることです。おもゆややわらかく煮てつぶしたおかゆからスタートし、だんだん慣れてきたら、赤ちゃんのようすに合わせてつぶし方を調節し、進めていきましょう。

Q 食べたものを口の両端からこぼしてしまいます

A 1回に口に入れる量が多すぎて、飲み込みきれないのかも

離乳食を始めたばかりの赤ちゃんは、離乳食を舌を前後に動かして飲み込みます。このため、舌が前に動くときに食べ物が口から出てしまいやすいのです。食べたものが口の端からこぼれるようなら、スプーンですくう量を少なめにします。1カ月もすればうまく飲み込めるようになります。

最初は上手に食べられなくても、少しずつ唇《くちびる》を閉じて飲み込めるようになってきます。

Q 残した離乳食を冷蔵庫に。次回食べさせてもいい？

A 食べ残した離乳食は思い切って処分して

手作りの場合でもベビーフードの場合でも、食べ残しの離乳食は処分するのが基本です。赤ちゃんの口の中の雑菌が、スプーンを介して食品の中に入り込むことがあります。食器や調理器具、空気中の雑菌が繁殖《はんしょく》するのも心配です。食べきれそうな量だけ少しずつ器に盛るなど、食べ残しが出ない工夫をしましょう。

Q 米がアレルギーの原因になることがあるって本当？

A おかゆを1さじ食べさせてようすを見て

アレルギーの主な原因となるのは、食品に含まれるたんぱく質。米の外皮《がいひ》部分はたんぱく質を含んでいるため、食べたことによってまれに食物アレルギー反応を起こす赤ちゃんがいるようです。最初は10倍がゆをつぶしたものを1さじ食べさせた後、1〜2時間ようすを見てください。湿疹《しっしん》やじんましん、嘔吐《おうと》などの反応が出なければまず大丈夫でしょう。

5カ月の気がかり

Q 予定日より早く生まれました。離乳食開始は遅らせるべき？

A 食べたそうにしていたら、遅らせる必要はありません

体の発達がその子なりに順調なら、予定日より早く生まれたり、小さく生まれたことを理由に離乳食を遅らせる必要はありません。5～6カ月になって、パパやママが食べているのをじっと見たり、よだれが増えるなど、食べたそうにしているようすが見られたら開始してよいでしょう。その後の進め方もふつうどおりで問題ありません。

遺伝的なアレルギーなどの心配がなければ、食材や量も一般の離乳食と変わりなくあげてかまいません。

Q 夕方になると、決まって泣くのはどうして？

A 家事の時間を工夫して、できるだけ相手をしてあげて

「夕暮れ泣き」という言葉があるくらい、夕方になって泣き出す赤ちゃんはたくさんいます。でも、どうして泣くのかはよくわかっていません。月齢が高くなれば自然と治まるので、今のうちだけと割り切りましょう。朝のうちに夕食の下ごしらえをするなど時間をやりくりし、夕方はなるべく赤ちゃんの相手をしてあげるとよいでしょう。

Q 髪の毛をむしるくせをやめさせたい

A 自然にやめますから、しばらくは見守って

赤ちゃんにとって、自分の体はおもちゃのようなもの。髪の毛を引っ張るのも、手や指をしゃぶるのと同じ遊びのひとつです。腕を動かしているうちにたまたま手のひらが髪にふれ、つかんでしまったのでしょう。無理にやめさせなくても、時期が来れば自然にしなくなりますから、今は見守っていて大丈夫です。

Q 気がつくとうつぶせ寝。窒息《ちっそく》の心配はない？

A 寝返りができるようになればまず大丈夫。時々ようすを見て

あおむけで寝かしつけても、眠っている間にうつぶせになってしまうのですね。この赤ちゃんにとってはうつぶせがラクに眠れる姿勢なのでしょう。寝返りができるようになれば、うつぶせに寝ていても窒息の心配はまずありませんが、念のため目が届く場所に寝かせてようすを見ましょう。気になるなら、あおむけに、時々ひっくり返してあげてもいいでしょう。

顔がうずまらないよう、敷きぶとんはかためめに。

Q 携帯電話のカメラで撮影。電磁波は大丈夫？

A 携帯電話のカメラの電磁波は心配ありません

携帯電話は、カメラとして使用している場合には電磁波を出していないので、赤ちゃんに向けて撮影しても、心配ありません。通話中や呼び出し音が鳴っているときに生じる電磁波が、人体に影響するかどうかに関しては、さまざまな意見があります。ですから、通話するときは念のため、赤ちゃんにはあまり近づけないほうが安心かもしれません。

6カ月の気がかり

Q 髪の毛が少ないのが悩み。生えそろうのはいつごろ?

A お誕生日前後には生えそろいます。安心して

どんなに薄くてポヤポヤの髪の赤ちゃんでも、1才前後になるとある程度生えそろいます。生まれたときから生えていたり、月齢の低い時期に生えてくる細くて頼りない感じの髪の毛は産毛です。産毛は8~9カ月ごろまでには徐々に抜け、その後、しっかりとした髪の毛に生え替わってくるので心配ありません。

Q おなかにかたいところがあるけど、大丈夫?

A 便秘でうんちがたまっているのかもしれません

赤ちゃんが便秘ぎみなら、おなかのかたく感じる部分は、たまったガスや便であることがほとんどです。マッサージなどのケアをしても1週間以上便秘が続いたり、肛門《こうもん》が切れて便に血液が混ざったり、排便時に泣くことがあれば病院に連れて行ってください。便通もよく食欲もあるのに、いつも同じ部分がかたいときは病気の可能性も。小児科を受診して。

Q おしっこが前よりにおうような気がします

A 濃くなるとにおいます。水分補給を十分に

夏になると、おしっこのにおいが気になるという相談を多く受けるようになります。主な原因は体内の水分不足。汗をたくさんかいた後で十分に水分を与えないと、体内でおしっこの成分が濃縮され、においの強い濃いおしっこが出てくるのです。また、6カ月といえば、離乳食が始まった時期。このころ赤ちゃんは、母乳やミルクだけのときと比べてどうしても摂取する水分の量が減ってしまうため、おしっこが濃くなってしまいがちです。気になるときは、こまめに水分補給をしてようすを見てください。

Q 薬を甘いものに混ぜる場合、何がいいですか?

A ヨーグルトやプリンなど、飲み込みやすいものに

6カ月といえば、トロトロのものをごっくんと飲み込むことに慣れ始めた時期でしょう。薬を混ぜるときも、ヨーグルトや赤ちゃん用のプリンのようにツブツブのないなめらかなものか、りんごジュースなどに混ぜてあげるとよいでしょう。

ただし、オレンジやグレープフルーツなどかんきつ類のジュースに混ぜるのは、含まれているビタミンで薬の成分が変質することもあるので注意してください。

ONE POINT

ベビーに薬を飲ませるコツ

- 清潔な指先に混ぜた薬を乗せ、味を感じにくい上あごやほおの内側にぬります。
- 赤ちゃんがイヤでない味なら、スプーンにとって口の中へ。

Q 保育園入園間近なのに哺乳びん嫌いです

A いろんな種類のニプル(乳首)を試してみて

ニプルはメーカーや材質によって口当たりが違います。いろいろ試してみましょう。おなかを十分すかせてから飲ませるとすんなり飲むこともあります。また、離乳食が進むと、ママの乳首以外のものを口に入れることにしだいに抵抗がなくなります。赤ちゃんはママが思う以上に環境に順応する力があるので、心配しすぎずがんばって。

6カ月の気がかり

Q 一時保育に預けたら2時間泣きどおし。傷ついてる？
A お迎えに行ったら、しっかり抱っこしてフォローを

6カ月といえば、いつもいっしょにいるママと、そうでない人との区別がつき始めるころです。いつもと違う環境と見知らぬ人ばかりの中で、赤ちゃんなりに違和感があったのでしょう。泣きどおしだったことが大きな心の傷になるというのは考えにくいことですが、お迎えに行ったら、思いきり抱きしめて、「がんばったね」とフォローしてあげましょう。保育中ずっと泣いていたと聞くと不安になると思いますが、理由があって一時保育をお願いしているのですから、ママも心を整理して対処しましょう。

ONE POINT
一時保育を利用して

認可を受けている保育所などなら、一時保育にかける職員の人数、保育する部屋の広さや環境はある一定の水準に達しています。また、実際に赤ちゃんを見てくれるのは、保育のプロの保育士さん。泣いている子やぐずっている子の扱いにも慣れています。安心して利用しましょう。

Q パパのあやし方が乱暴。揺さぶられっ子症候群が心配です
A パパなりのコミュニケーションの仕方なら問題ありません

揺さぶられっ子症候群は、もともとは「Shaken Baby Syndrome」といい、文字どおり赤ちゃんをシェイクするように激しく振り回すことで、児童虐待のひとつとしてとらえられています。常識の範囲内のあやし方ならこれには当たりませんし、赤ちゃんが怖がって泣きだしたりしないのなら、パパが多少ワイルドに扱うのも、コミュニケーションのあり方としてまちがっていないと思います。

Q 少しの物音で目を覚ましてしまいます
A 眠りが浅いせい。性格とは関係ありません

眠りには、体が休んでいても脳が活動している浅い眠り（レム睡眠）と、脳も休んでいる深い眠り（ノンレム睡眠）があります。赤ちゃんの場合、レム睡眠の時間帯が長いので、物音などの刺激で目覚めてしまいやすいのです。これは自然なことで、神経質なせいではありません。レム睡眠の割合は、成長とともに減っていきます。

途中で起きてしまったら、背中をトントンしてあげて。安心してまた眠ってしまいます。

Q 足の指をしゃぶりますが、不潔ではありませんか？
A ほかの皮膚と同じで、不潔ではありません

靴をはくようになったり、はだしで歩き回るようになるまでは、足だから特に汚れているということはありません。毎日入浴してきれいにしていれば、足や足の指も、ほかの部位と同じです。手や足をなめるのは、意識してそうしているのではなく、動かしているうちに偶然口に当たってしまったことがきっかけ。6カ月にもなると、足を上下に大きく屈伸《くっしん》できるようになるので、足もなめるようになるのでしょう。赤ちゃんは、なめることでものの感触を確かめています。無理にやめさせなくていいでしょう。

衛生面が気になるときは、お湯でしぼったタオルでふく程度で大丈夫です。

Q つめを切られるのをいやがって逃げます

A 強引にするといやがります。うまく気をそらせて

体のお手入れは、ママと赤ちゃんのふれ合いのひととき。つめ切りもゆったり気分で楽しくできたらいいですね。赤ちゃんをひざにしっかり抱っこし、しばらく遊んで気分を落ち着かせてから切ってみるのはどうでしょうか。また、片手におもちゃを持たせ、気をそらすのもいいかもしれません。どうしても難しいなら、お昼寝のときなどにそっと切ってしまいましょう。

Q この着せ方では寒いのか暑いのかどうすればわかる?

A 汗をかいているかどうか体に触って確かめて

新生児期を過ぎたら、大人より1枚少なめが着せ方の基本です。ただ、雨で肌寒いときがあったり、晴れて急に蒸し暑くなるときは、着せ方に迷いますね。暑いかどうかを見極める第一ポイントは汗です。頭や背中を触ってみて、じっとり湿っているようなときは、暑がっている証拠。そのままにしておくと体が冷えるので、汗をふき、ぬれた衣類を脱がせて薄手のものに着替えさせてください。また、ほおが赤い、なんとなくきげんが悪いなども判断の目安になります。逆に、腕や脚に触ってみてひんやりしているようなら寒いのかもしれません。長袖や長ズボン、厚手のものに着替えさせてようすを見てください。

ONE POINT

湿度にも注目!!

同じ気温でも、湿度が高いとジットリ汗が出てきます。汗っかきの赤ちゃんならなおさら。ムシムシする日は、エアコンのドライ機能を使い、湿度を60%くらいに調整するといいでしょう。

Q 長時間のおんぶは苦しいの? 何分くらいまでならOK?

A 同じ姿勢を続けると疲れてしまいます。赤ちゃんのようすで判断して

ママと密着して安心できるから、赤ちゃんはおんぶが大好きです。でも、自由に動けない状態で同じ姿勢を続けていると、赤ちゃんも疲れてしまいます。下ろすかどうかは、時間より赤ちゃんのようすで判断しましょう。きげんがいいうちは問題ありませんが、途中でぐずったり、眠ってしまったりしたら下ろすといいでしょう。

Q 車で帰省予定ですが、渋滞で長時間かかりそう

A こまめに休憩。暑い車内では水分補給をたっぷりと

時間に余裕をもって出発し、30分～1時間に1回くらいを目安に休憩して、チャイルドシートから降ろしてあげましょう。暑い季節なら、車内では、エアコンの冷風や直射日光が赤ちゃんに当たらないようにガードして。暑い時間帯や混雑する時間帯を避けて移動するのがベストですが、念のため、飲み物やおむつを多めに持っていると安心です。

Q そろそろスイミングを習わせてもいいですか?

A 水に入ることを赤ちゃんが楽しむようならOK

発達面から見れば、プールに入るのは悪いことではありません。室温より低い温度の水に入ることで、皮膚や呼吸器系の鍛錬《たんれん》にもなります。でも、大切なのは赤ちゃんの気持ちです。喜んで遊ぶなら問題ありませんが、怖がったり、泣いていやがるなら、時期が早いのかもしれません。まずは体験教室に行くなどして、赤ちゃんのようすを見たり、じっくり検討してからにしましょう。

7カ月の気がかり

Q 歯が生え始めました。歯ブラシを使ったほうがいい？

A 生え始めは、ガーゼみがきで十分です

この月齢ならまだ歯の数も少なく、よだれも多いので、歯のケアについてそれほど神経質になることはありません。歯ブラシでみがくのは、上下の歯が４本ずつ生えたころからでもよいでしょう。それまではガーゼで汚れをぬぐってあげて。ガーゼみがきは、歯のお手入れの第一歩。いやがったり、抵抗されたりしても、楽しくできるように工夫してあげてください。この時期は習慣づけが大事です。

Q 顔色が青白い気がします。貧血ではと気になります

A 心配なときは、病院で検査を受けて

生まれつき青白い肌色をしている子もいるので、顔色だけでは貧血と判断できません。ただ、まぶたの裏側や唇《くちびる》の色が白っぽいと貧血の疑いがあります。心配なら一度、病院で検査を受けてみてください。

なお、今はまだ母乳やミルクが栄養の中心ですが、これからだんだん離乳食の割合が増えていくので、鉄分を含む食品を用いるように心がけないと鉄欠乏性貧《てつけつぼうせいひん》血《けつ》になるおそれがあります。1日3回食になるころからは、十分に気をつけてください。

ONE POINT

鉄分を含んだ食品をたくさん食べさせて

貧血の予防・改善のためには、鉄分を多く含む食品を積極的にメニューに取り入れましょう。なお、牛乳はもともと鉄分が少ない上に、鉄分を腸から吸収しにくくする作用があるので、1才になって飲むようになっても、飲みすぎには注意してください。

〔鉄分を多く含む食品〕

Q 消毒用エタノールでふいたおもちゃをなめても大丈夫？

A 乾いた後なら心配ありません

消毒用エタノールは、お酒にも含まれるエタノールの濃度を濃くしたもの。殺菌・消毒効果が高く、食品についても安心なため、冷蔵庫の掃除などに多く用いられています。また、揮発性が高く、すぐに乾いて成分が空気中に蒸発してしまうため、二度ぶきの必要もなく、乾けばほとんど成分は残りません。この時期の赤ちゃんは、手で触るのと同様、なめることでものを確かめています。なめても安心なように、赤ちゃんがふれるおもちゃ類はいつも清潔にしておきたいものですね。

洗えるおもちゃは水洗い。洗えないものはお湯でしぼったタオルでふくか、エタノールでふいて。

Q 左右の太もものしわの数が違うのですが

A しわの数が違うだけなら心配ありません

単なる肉づきの違いでしょう。人の体はもともと、完全に左右対称にはできていないものです。しわの数が違うだけで、ほかに目立った違いがなく、両脚が同じように動かせているなら問題ありません。ただし、おむつを替えるときなどに、どちらかの脚の付け根がコキッと鳴ったり、脚を伸ばすと痛がるようなときは、股関《こかん》節脱臼《せつだっきゅう》の疑いがあるので病院へ。

Q 足のつめが食い込んでいます。どうケアしたらいい?

A つめの端《はし》にちょっと丸みをつけたり、カットに工夫を

あんよする前の赤ちゃんのつめは、薄くてやわらかく、スプーンのように軽くそり返った感じになっています。そのため、つま先の皮膚に食い込んでいるように見えることがありますが、心配いりません。両端がカーブするようにカットしたり、逆にスクエアカットにしたり、伸びてきたつめの角《かど》が皮膚を傷つけないようにその子に合わせた工夫をしてあげて。

Q かぜの後、どれくらいたったら予防接種を受けても平気?

A 発熱の後は、少なくとも1週間はあけて

かぜで熱が出たときは、下がってから、最低でも1週間は間をあけ、かかりつけの医師と相談してから受けるようにしてください。一方、せきや鼻水といったかぜの症状が見られても、発熱はなくて症状が軽く元気なら、予防接種を受けられることもあります。接種前に「予防接種予診票」に気になる症状を詳しく記入し、接種する医師と相談してから受けるかどうかを決めてもよいでしょう。

Q お座りの練習をさせると猫背になるの?

A そのようなことはありません。迷信でしょう

これは迷信だと思います。確かに、まだひとりでお座りできない赤ちゃんを、何かを支えにして座らせてみると、前かがみの姿勢になりますね。これが猫背のように見えるのかもしれませんが、だからといって、将来猫背になることはありません。赤ちゃんが自分で姿勢を変えてお座りできるようになるのは、一般的には8～9カ月ごろ。そのころになれば、背中やおなかの筋肉もそれなりに発達してきますから、座らせても前かがみになることはなく、自分できちんと姿勢を保っていられるようになります。

時々はママの脚の間に座らせたり、向かい合って手を貸すなどして、遊び感覚でお座りをさせてあげては?

Q まだ寝返りしません。太めなせいでしょうか?

A 体格のせいもあるかも。でもそのうちできるように

ぽっちゃりした赤ちゃんのほうが、運動発達の面で少しだけゆっくりめということはあるようです。体を動かすのにはそれなりの筋力が必要なので、重い分、少しだけ余計に時間がかかるのかもしれませんね。でも、自分の体を動かす力は、必ず自然についてくるので大丈夫です。また、うつぶせの姿勢が好きではない赤ちゃんも、あまり早くから寝返りを始めない傾向があるようです。いずれにしても、体格や発達の早い遅いは赤ちゃんの個性と思って、のんびり構えて見守ってあげましょう。

Q 小食でおっぱいが大好き。これでも2回食に進めていい?

A ドロドロのものを飲み込めていたら2回食へ

2回食に進めるのは離乳食を始めて1カ月以上たったというのが目安ですが、離乳食の目的のひとつは、形のある食べものをしっかりかんで食べる「咀嚼《そしゃく》力」をつけること。咀嚼力の発達段階から考えると、10倍がゆなどを食べさせたとき、唇《くちびる》を閉じてゴックンと飲み込むことができることが、2回食へ進む見分けポイントになります。

なお、このころは栄養の大半はまだまだミルクや母乳からとっています。食後のおっぱいは好きなだけ飲ませてあげてください。

7カ月の気がかり

Q いつごろから離乳食に味をつけてもいいの?

A そろそろごく薄味に味つけしても

素材が持つ自然のうまみや風味、香りを生かすのが離乳食の基本です。そのままの味で赤ちゃんがよく食べるのなら、まだ味つけしなくていいのですが、食が進まないときなどは、ほんの少し味つけするとおいしくなって食欲が増すことも。そろそろごく少量の調味料を使ってみてもかまいません。味の濃さの程度がよくわからないときは、ベビーフードを味見して、お手本にしてみるのもいいでしょう。

Q 水分補給にふつうのペットボトルの水を飲ませて大丈夫?

A 成分によっては、飲ませないほうがよいものも

市販されている水は産地によって成分がいろいろ。中でも「硬水」に分類される多くの外国産の水は、カルシウムやマグネシウムといったミネラル分が多くて硬度が高く、消化機能が未発達な赤ちゃんが飲むと下痢《げり》をするおそれがあります。ほとんどの日本産の水なら、硬度が水道の水と同じ程度の「軟水」なので心配いりませんが、ボトルの成分表示を見ても区別がつかないようなら飲ませないほうが無難。赤ちゃんに飲ませる水は水道水を煮《しゃ》沸《ふつ》したあと冷ましたものにしましょう。

ONE POINT

のどが渇くのは、こんなとき!

赤ちゃんは大人が思っている以上に水分を必要としています。水分補給はタイミングを見てこまめにおこないます。

- 昼寝後や夜中に起きたとき
- おふろ上がり
- 遊んだ後
- 泣いた後
- 離乳食のとき
- ドライブ中

Q 大きないびきをかくことが。どこか悪いのでしょうか?

A 赤ちゃんはのどの構造上、いびきをかきやすいのです

いびきをかいていても、ぐっすり眠っていて、日中も元気で食欲があれば心配することはありません。赤ちゃんの気道は細くやわらかいため、深い眠りに入ってのどの周りの筋肉がゆるむと、のどの奥の空間が狭くなっていびきをかきやすくなるのです。いびきは頭の向きを変えると治まることもあります。たたんだタオルを肩の下に入れ、首を伸ばすような姿勢にするのもよいでしょう。ふつうのいびきなら成長するにつれてだんだん治まり、2才くらいになるとほとんどかかなくなります。

Q 汗をかかない日は、おふろをお休みしていい?

A 1日くらいならお休みしても。でも、おしりは洗ってあげて

赤ちゃんは新陳代謝《しんちんたいしゃ》が活発で汗っかきなので、思ったより皮膚が汚れているもの。生活リズムを作るためにもできれば毎日おふろに入れてあげたいものですが、ママの体調が悪い日など1日くらいお休みするなら問題ありません。そんな日は、お湯でしぼったタオルで全身をよくふき、着替えさせてあげましょう。ただし、うんちやおしっこに直接ふれるおしりだけは、洗面器にお湯を張って洗ってあげて。

Q 絵本の読み聞かせをしたいけど、なめるだけ。まだ早いの?

A 9カ月を過ぎるころから興味を持つようになります

読み聞かせに「いつから」という決まりはありません。ただ、9～10カ月以降になると、明らかに本を読んでもらうのを楽しんでいるようすが見られるようになってきます。それまでは赤ちゃんにとっての絵本はおもちゃと同じ。なめたり振り回したりしますが、ママが絵本をめくるうちに、少しずつ興味を示すようになります。

8カ月の気がかり

Q 盛り上がった赤いあざは自然に消えますか？

A あざのできた場所によっては治療したほうがいいでしょう

これはおそらくイチゴ状血管腫《けっかんしゅ》でしょう。毛細血管が異常増殖してできる赤あざの一種です。生後すぐからでき始め、しだいに大きくなりますが、1才を超えるころから少しずつ小さくなり、特に治療をしなくても小学校に上がるころには自然に消えていきます。ただ、血管腫が大きい場合や、目の周りや唇《くちびる》、外陰部《がいいんぶ》にできているときなどは、レーザー治療を行うこともあります。（イチゴ状血管腫については234ページも見てください。）

Q つめの先がすぐ割れてしまうのが気になります

A 赤ちゃんのつめは薄いからです。心配しないで

赤ちゃんは大人に比べてつめが薄いので、割れやすいものです。栄養不足などを気にするママもいますが、そうではないので心配いりません。ただ、割れた部分が衣類などに引っ掛かり、さらに割れてしまったり、皮膚を傷つけたりすることがあるので、こまめにケアをしましょう。割れた部分をカットしたり、つめやすりを使ってなめらかになるように削ってあげてください。

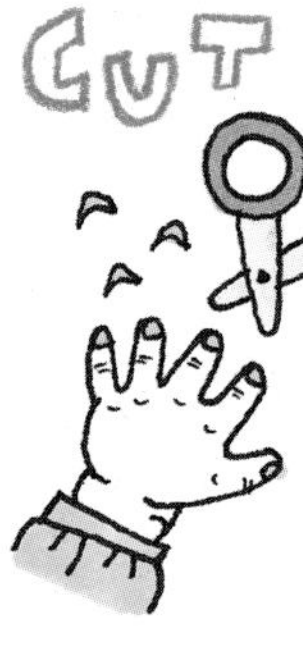

割れにくくするには、つめの端をとがらせず、丸くカットするのがポイント！

Q かぜ気味でもないのにせきをすることが

A よだれでむせているのかも。ようすを見ていいでしょう

よだれが原因かもしれません。特に寝入りばなや、目覚めの前後にせき込むのは、吸い込んだよだれが気管に入りそうになってむせていることがほとんど。抱き上げて体を起こし、背中をやさしくたたいてあげればすぐに治まります。一方、たんがからんだようなゼロゼロしたせきや、日中、起きているときにもせきが出るときは、ほかに症状がなくてもかぜの場合があるので診てもらってください。

乾燥した空気も、せきを誘発することがあります。湿度60%を目安に加湿して。

Q おむつに赤いしみが。病気ではないかと心配です

A 尿の成分の結晶で、病気ではありません

おむつについた赤いしみは尿の成分であるシュウ酸が結晶化したものと思われます。水分をあまりとらなかったり、汗をたくさんかいたりすると、おしっこの成分が濃くなってこのような状態になることがありますが、心配なものではありません。元気できげんがよければそのままようすを見ましょう。繰り返したり、どうしても気になるときは、おしっこのついたおむつを持って受診してください。

熱で体の水分が失われたときも赤いしみがつくことが。発熱時は水分補給をこまめにします。

8カ月の気がかり

Q 両親の肥満は赤ちゃんに遺伝する？ 予防できますか？

A 遺伝的な肥満はごくまれ。予防は幼児期からで十分

両親が太っていても、赤ちゃんが将来肥満になるとは限りません。ほとんどの場合、太るか太らないかは遺伝より生活習慣によるものと考えられています。あんよが始まる前の8カ月ごろといえば、プクプクしているのがふつう。幼児期以降の肥満とは違い、太っているように見えても一過性のものです。今は太りすぎを気にして、あれこれ対策を立てる必要はありません。

Q 床にワックスをぬったら、ハイハイの赤ちゃんに影響ある？

A 手についてなめても微量なのでほとんど影響ありません

この時期の赤ちゃんは、興味のあるものを何でもなめて確かめます。床にぬれたワックスが直接、または手を通して赤ちゃんの口に入ることは十分考えられますが、入ったとしてもごくごく微量。健康に害を与えるほどのものではないと思います。ただしあんよするようになると、ワックスでみがいた床で滑って転びやすくなることもあります。家ではなるべくはだしで過ごさせましょう。

Q 寝返りをしないままお座りを始めてしまいました

A 発達の順番が違っても問題ありません

うつぶせの姿勢が嫌いな赤ちゃんはけっこういます。この赤ちゃんの場合も、寝返りができないのではなく、しないだけなのだと思います。寝返りをしないまま、つかまり立ちからあんよへと進むこともありますが、それでも問題はありません。このような発達の飛び越しは実はけっこうあること。「できること」の順番が違うのも個性と受け止め、赤ちゃんなりの成長を見守ってあげてください。

Q この月齢でも、手づかみ食べさせたほうがいい？

A 食べものの感触を手でも感じさせてあげて

手づかみしたり、こねまわしたりは、赤ちゃんにとっては大事な成長の過程。自分で食べたいという意欲が出てきた証拠です。赤ちゃんの気持ちを認め、見守ってあげて。手でつかんだ食べものを口まで運んで食べることを覚える、また、食べもののかたさや温度を知り、つかむ力を加減するなど、手づかみによって学ぶことはたくさんあります。まだまだ手先で細かい動きができないので、グチャグチャにしてしまいますが、見守ってあげましょう。

ONE POINT

8カ月ベビーが喜ぶ手づかみメニュー

この時期のかたさの目安は、絹ごし豆腐程度。手づかみしたらグチャグチャになるのは当たり前です。「汚していいよ」と割り切りましょう。意欲のある子には、こんなメニューを手づかみさせてあげて。

- かぼちゃやさつまいもの粗つぶしを小さいボール状にまとめたもの
- やわらかくゆでたにんじんや大根を、4～5㎜角に切ったもの
- 麩《ふ》を戻して粗く刻み、だし汁で煮たもの

Q ばぁばが口移しで食べものを与えるので困っています

A 衛生上、やめてもらったほうがいいでしょう

おばあちゃんにしてみれば、赤ちゃんがかわいくてしかたないのでしょうね。でも、口の中にはむし歯や歯周病《ししゅうびょう》の原因となる細菌類をはじめ、雑菌がたくさん存在しています。口移しで食べものを与えるとそれらの菌が赤ちゃんの口に入ってしまう可能性があります。やめてもらうようお願いしたほうがいいでしょう。

Q 傷がつくほど指しゃぶり。どうしたらいい？

A 時期がくれば自然にやめます。気にしないで

赤ちゃんが指をしゃぶるのは、自分の体をなめて確かめ、安心するという意味もあります。ストレスや愛情不足が原因ではと悩み、相談されることがよくありますが、赤ちゃんのほうは無意識にやっていること。ママが気にしすぎて頻繁《ひんぱん》に赤ちゃんのようすをチェックし、無理にやめさせようとするのはよくありません。時期がくれば自然にやめます。今はゆったりした気持ちで見守っていてください。

Q 夜泣きするたびに母乳をあげてしまいますが

A あげてもいいですが、いろいろな方法を試してみても

大人も赤ちゃんも、深い眠りの「ノンレム睡眠」と浅い眠りの「レム睡眠」を繰り返しています。夜泣きはこのパターンとも関連していて、多くは眠りが浅くなった時間帯に起こっています。ママがいない不安のために泣き出すことも多いので、母乳で安心させてあげてかまいません。でも、添い寝して背中をトントンするだけで泣きやむこともあります。そのほか、麦茶などを飲ませると落ち着くことも。夜泣きはいつかは治まります。それまでいろいろな方法を試してみてください。

ONE POINT

状況別夜泣き解消テク

- **ちょっと不安があるのかも？**
  添い寝やトントンで安心させてみて。
- **のどが渇いているのかも？**
  麦茶や湯ざましを飲ませてみて。
- **何だかイライラするのかも？**
  抱っこ・おんぶ・ベランダに出る・ドライブに行くなどで気分転換させてみて。

Q 寝汗はふとんのかけすぎ？それともどこか悪い？

A 寝汗は自然なこと。心配いりません

寝汗は生理的な現象なので、昼間元気で食欲があれば心配することはありません。特に汗をかきやすいのは寝入りばなに体温が上昇するときなので、寝かしつけるときは掛けぶとんを少なめにし、しばらくしてから1枚足すなどの工夫をするとよいでしょう。ただし、あたためすぎると熱がこもって体温が上がり、また汗をかいてしまいます。ふとんをかけすぎていないか、時々ようすを見てください。

Q 寝る前のグズグズに手をやいています

A 赤ちゃんの不快な気持ちをわかってあげて

眠くなると体がだるくなったり、意識がもうろうとする感じになりますね。赤ちゃんはそんな感覚が不快でグズグズするのかもしれません。ぐずられると、パパやママはイライラしたり困ってしまうかもしれませんが、まずはそんな赤ちゃんの気持ちに寄り添って、「泣いてもいいよ」くらいの気持ちで接してあげて。その上で、赤ちゃんなりの眠りにつきやすい方法を見つけるといいでしょう。

Q ずっとシャワーだけですが、寒い季節はおふろがいい？

A 寒い季節は湯ぶねに入れて温めて

寒くなると湯冷めが心配になってきます。湯ぶねに入れて温まったほうがいいでしょう。ただし、赤ちゃんに長湯は禁物。体温調節が苦手なので、温まりすぎると体温が上昇してしまいます。ゆっくり10カウントするくらいの感覚で入れれば十分です。また、入浴後、体がぬれたままだと体温を奪われるので、上がったらすぐに体をよくふいて。

9カ月の気がかり

Q 髪の毛が茶色いのが気がかり。そのうち黒くなりますか？

A 成長とともに黒くなるので心配ないでしょう

皮膚や瞳《ひとみ》の色が気にならないなら、髪の色だけで色素の異常を心配する必要はありません。髪の毛の色は成長に伴って変わり、少しずつ黒っぽくなっていきます。また、赤ちゃんの時期は髪が細いために全体的に茶色っぽく見えることもありますが、生え変わったり、少しずつ太くなるにしたがって色も濃くなってきます。しばらくようすを見ていてください。

Q 下の歯が1本だけ生えてきました。2本ずつでなくてもいいの？順番どおりでなくても大丈夫。

A そのうち生えそろいます

一般的には、歯の生え始める順序は下の前歯が2本ずつ、上の前歯が2本ずつです。でも、すべての赤ちゃんの歯がこの順番で生えてくるとは限りません。たとえば、1本だけ生えずにすき間があいたようになっているところがあっても、そのうち生えてきますから心配いりません。歯が生え始める時期や順序は個人差が大きいもの。生える順序が違っても、大人になってからの歯並びには影響しません。

Q おちんちんの先が赤くただれています

A 洗って清潔にし、よく乾かしてからおむつをつけて

赤くただれている程度なら、おちんちんの先がおむつにこすれて炎症を起こしているのかもしれません。おむつ替えのたびに洗って、よく乾かしてから新しいおむつをつけてください。赤くはれたり、おしっこをするときにしみて痛がるようなら、細菌に感染して炎症を起こす亀頭《きとう》包皮炎《ほうひえん》の可能性が。早めに受診してください。包皮は無理にむいて洗わなくてもかまいません。（亀頭包皮炎については242ページも見てください。）

Q かぜをひかせないために注意することは？

A ウイルスを持ち込まないよう大人もうがい、手洗いを

赤ちゃんのかぜの原因は、親やきょうだいが外から持ち帰ってくるウイルスがほとんど。帰宅したら、赤ちゃんと接触する前に洗面所に直行し、石けんを使って手洗いし、しっかりうがいをすることを家族みんなの習慣にしてください。もし、パパやママがかぜをひいてしまったら、部屋の中でもマスクをしたり、こまめに手を洗うなどして赤ちゃんにうつらないよう気をつけて。手は石けんを使ってきれいに。指の間やつめの先、手首までしっかり洗いましょう。

Q 「喘息様気管支炎《ぜんそくようきかんしえん》」との診断。どんな病気？ケアは？

A 呼吸が苦しくなる細気管支炎《さいきかんしえん》のこと

かぜをひいて胸のゼロゼロが長引いたりすると、気管支喘息《きかんしぜんそく》に似ているために、以前は「喘息様気管支炎」と呼ばれていました。しかし、実際には気管支の先の細気管支がウイルスに感染して炎症を起こしている、細気管支炎という病気。気管支喘息とは関係がありません。

呼吸が苦しそうなときは、水分をこまめに与え、加湿器などを使って室内の空気の湿度を上げて。こうするとたんが出やすくなり、呼吸もラクになります。ただ重症化しやすいので、よくならないときはすぐに病院へ。（細気管支炎については222ページも見てください。）

Q インフルエンザの予防接種は受けたほうがいいですか？

A 喘息《ぜんそく》を起こしやすい子は受けたほうが安心

赤ちゃんがインフルエンザに感染すると、高熱やせきといった症状が強く出たり、重い合併症を起こすことがあります。予防接種を受けても100％予防できるわけではありませんが、かかったときに軽くすみます。特に喘息を起こしやすい子などの場合は、受けたほうが安心です。ほかの予防接種との兼ね合いも含め、かかりつけの医師に相談してみてください。

Q 便秘気味。一度浣腸《かんちょう》したらくせになる？

A 数回使用する程度なら、くせになる心配はありません

1回や2回の浣腸でくせになることはありません。しかし、長期にわたって使い続けていると、浣腸してうんちを出すことが当たり前になり、自力で排便しなくなることはあり得ます。がんこな便秘のときには使ったほうがいいこともありますが、なるべく浣腸に頼らずに、おなかをマッサージしたり、食事の内容、運動、こまめな水分摂取などに気をつけてみて。それでも出ない場合は医師に相談を。

ONE POINT
自然な排便を促す便秘解消プログラム

【おなかをクルクルマッサージ】
おへそを中心に、「の」の字を描くようにクルクルとやさしくマッサージします。

【食べものの力を上手に借りて】
野菜類やバナナ、プルーンなど、食物繊維《せんい》を豊富に含む食材をメニューに。

Q うんちがかたかったり、ゆるかったりするのは？

A 離乳食の影響でしょう。食欲があれば大丈夫

このころの赤ちゃんのうんちの状態は、離乳食によって変化しやすいもの。初めて食べる食品があったり、かたさや大きさがステップアップしたときは、慣れるまで便がゆるくなることがあります。一方、おかゆやうどん中心で、食物繊維《せんい》をあまりとらないとかたくなることがあります。でも、これも一時的なこと。排便のリズムや状態が安定しなくても、元気で食欲があれば心配いりません。

おなかの調子は、便の色やにおい、排便のとき痛そうにしていないかなどを見て判断を。

Q つかまり立ちのとき、つま先で立つのが心配です

A 慣れてくると足の裏全体で立つようになります

つかまり立ち始めは、つま先立ちをする赤ちゃんが多いようです。きっとまだ上手に立つことができないのでしょう。慣れてくると足の裏をしっかりと床につけ、片手でつかまりながら、安定して立っていられるようになります。ですから、今はまだ足の裏全体をつけていなくても心配いりません。赤ちゃんの運動発達のスピードはめざましいものがあります。しっかり足を踏みしめて立つようになるまでに、そんなに時間はかかりません。

立っちを始めたばかりのころは、バランスを崩して転びがちなので目を離さずに。

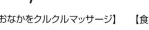

9カ月の気がかり

Q つかまり立ちでひっくり返り、頭を打つことが。大丈夫？

A すぐに泣き、その後ケロッとしていれば大丈夫

頭を打って泣いても、あやしているうちに泣きやむようならまず大丈夫です。ただし、脳への影響も心配ないでしょう。しばらくは見てようすがおかしくないか、しばらくは見ていてください。赤ちゃんは体のわりに頭が大きいため、ちょっとした拍子に転びやすいのです。まずは転んでもけがしないように、お部屋の環境を整えてあげてください。

Q 離乳食で、うどんはよくてそばがダメなのはなぜ？

A そばや中華めんはアレルギーや下痢《げり》になることが

同じめん類でも、材料によってはアレルギーや下痢の原因になることがあります。そばは、そば粉に対するアレルギーをもっている場合、反応が強く出るため、また中華めんは、めんのコシを強くするかんすいが下痢の原因となることがあるので、どちらも離乳食には向いていません。パスタはうどんとほぼ同じような原料で作られているので、離乳食に使われることが多いのです。

Q 離乳食に牛乳を使ってもいいの？

A よく火を通したものを与えます

牛乳は1才まで飲ませないほうがいいとされていますが、それは鉄分が母乳や乳児用ミルクより少ないこと、カルシウムやリンが鉄分の摂取に影響すること、牛乳アレルギーになる可能性がないとはいえないことなどがその理由です。母乳やミルクの代わりにはできませんが、離乳食に少量を加熱調理して使うなら問題ありません。

Q パパに人見知り。どうしたら仲よくなりますか？

A ママを通して少しずつ仲よくなれるよう工夫して

まずは安心できるママを通じてパパと仲よくなれるよう、トライしてみましょう。ママとパパが楽しそうにお話ししているところを赤ちゃんに見せたり、ママと赤ちゃんが遊んでいるときに、パパも仲間に入ってもらうなど、パパを「いつも周囲にいる人」と認識してもらうことから始めます。その後は徐々に、パパと赤ちゃんだけで遊ぶ時間を長くしていくといいでしょう。

Q うつぶせで寝ています。窒息《ちっそく》しない？

A 9カ月なら大丈夫。念のため時々ようすを見て

もう自分で姿勢を変えることができるので、うつぶせで寝ていても窒息する心配はありません。でも念のため、ベッドやふとんはママの目の届くところに置き、時々顔をのぞきこんで、呼吸や顔色を確かめてあげてください。タオルやぬいぐるみなどは鼻や口をふさいでしまう危険があるので、赤ちゃんの顔の周りに置くのはやめましょう。

ONE POINT

赤ちゃんが立っちするようになったら…ここをチェック!

- 家具の角はコーナークッションでガードする。
- 積み木やブロックなどを床に出しっぱなしにしておかない。
- キャビネットのガラスの前などに赤ちゃんを立たせない。
- つかまり立ちのとき、ママはそばで見ているようにする。

10カ月の気がかり

Q かぜのあと、呼びかけても振り向かないことが

A 鼻詰まりのせいかも。一度診てもらって

鼻が詰まって耳の聞こえが悪くなっているのかもしれません。耳・鼻・のどは管を通してつながっていて、鼻水がたくさん出るとそれが耳と鼻をつなぐ耳管《じかん》に流れ込み、音が聞こえづらくなることが。また、細菌が鼻から耳管を通って耳の中にまで侵入し、急性中耳炎《ちゅうじえん》や滲出性《しんしゅつせい》中耳炎を起こしている可能性も。一度耳鼻咽《じびいん》喉科《こうか》を受診してみましょう。

Q 寒いとほっぺが真っ赤に。どんなケアをしたらいい？

A ママの手で包んで温めてあげて

寒いとほおや鼻の頭が赤くなるのは赤ちゃんも大人も同じです。ただ、赤ちゃんは皮膚が薄いので、大人に比べて赤みが余計に目立つのかもしれません。赤くなったほっぺは冷たくなっているので、ママの手で包むようにして温めてあげて。やさしくこすってあげるのもいいでしょう。一方、乾いた風が当たって皮膚が荒れ、その影響でほおが赤くなっていることもあります。お出かけ前や帰宅後、おふろ上がりなどにはベビーオイルやクリームをぬって皮膚を保護してください。

ONE POINT

手足のしもやけ対策もしっかり!

指しゃぶりで手がいつもぬれていることの多い赤ちゃんは、ぬれた手が冷たい空気にさらされると熱を奪われ、しもやけができやすくなります。あんよをするようになると、雨や雪の日に靴がぬれて、足がしもやけになることも。

冷たくなった手足は急に温めるとかゆみや痛みが起こりやすいので、徐々に室温に慣らしていくのがいいでしょう。

Q キスすると、むし歯がうつりますか？

A 軽いキス程度ではうつらないでしょう

むし歯の原因であるミュータンス菌は生まれたばかりの赤ちゃんの口の中にはいないため、周囲の人からうつると考えられています。でも、ママが赤ちゃんをかわいく思って軽くキスする程度でうつるとは考えにくいことです。あまり神経質にならず、赤ちゃんとのスキンシップを楽しんで。ただし、スプーンや箸《はし》などを共用すると、だ液からうつることがあるので気をつけましょう。

Q おむつかぶれがなかなか治りません

A 皮膚カンジダ症かも。病院で診てもらって

軽いおむつかぶれなら、おむつ替えのたびにおしりを洗い、うちわなどであおいでよく乾かしてからおむつをつければ自然に治ります。それでもなかなか治らないときは病院へ。皮膚カンジダ症の可能性もあり、おむつかぶれの薬ではかえって悪化するため、別の薬で治療します。

（おむつかぶれと皮膚カンジダ症については232ページも見てください。）

ONE POINT

おむつかぶれと皮膚カンジダ症、ココが違う！

	おむつかぶれ	皮膚カンジダ症
原因	うんち、おしっこ、汗などの刺激	カンジダ菌（カビの一種）
主な症状	おむつがふれている部分が炎症《えんしょう》を起こし、赤くただれる	強いかゆみ。おむつの当たっていないしわの奥まで赤い発疹ができて、ただれる
主な治療	清潔と乾燥。炎症を抑えるぬり薬も	菌の増殖を抑え、死滅させるぬり薬

Q 鼻水やせきがよく出るのはかぜ？病院に行ったほうがいい？

A 元気がない、たんがからむ、せきが出るときは病院へ

赤ちゃんの鼻やのどの粘膜《ねんまく》はデリケート。冷たい風やほこりを吸い込んだだけでも鼻水やくしゃみが出たり、せき込むことがあります。鼻水が出ても元気で遊んでいたり、せきは出ても乾いた音ならかぜではありません。たんがからんだような湿ったせきが出て、ひどく呼吸が苦しそうなときは、病院へ行きましょう。

外出後、急に暖かい部屋に入ったときに鼻水が出ることが。すぐに治るなら大丈夫。

Q ティッシュを飲み込んでも害はないですか？

A 影響ありませんが、誤飲《ごいん》には注意して！

紙などの消化できないものは、ふつうは飲み込んでもそのまま便に出てきます。ティッシュ1～2枚程度なら大丈夫でしょう。ただし、このころの赤ちゃんの誤飲には十分注意して！　ボタン電池やタバコ、針、蚊取りマットなどを食べたり飲んだりしたときは、大至急病院へ。

Q 虫に刺されたところがはれて熱をもっています

A 市販の虫刺され薬をぬってみてよくならなければ受診を

虫に刺されたところに、局所的なアレルギー反応が起こっている可能性があります。こうなるとかなりかゆみが強く、かきこわすととびひになってしまうこともあるので、市販の虫刺され薬をぬってかゆみをしっかり抑えてあげましょう。全体がはれぼったくなっている場合や、触ったときに熱感を持ってはれている場合などには、ステロイドの入った軟膏《なんこう》を使ったほうがいいこともあります。まずは、皮膚科か小児科を受診してみてください。（虫刺されについては233ページも見てください。）

冷やすとかゆみが治まることも。ぬれタオルで患部をそっと押さえてあげて。

Q あせもに桃の葉やアロエなどの民間療法は効きますか？

A ごく軽い症状なら。炎症を起こしていたらやめて！

桃の葉を煮出したエキスやアロエには肌の保湿作用があるといわれていますが、あせもそのものをよくする効果は期待できません。うっすらと赤いポツポツが見える程度のごく軽症のあせもなら、皮膚を冷やす程度にはよいかと思いますが、炎症を起こしてジクジクしていたり、真っ赤になっているときは、悪化させるおそれがあるので使用を避けてください。

Q 処方された薬が余ったときは取っておいてもいい？

A 基本的にはそのとき使い切って

病院で処方された薬は、もらったときに使い切るのが原則。違う病気にかかったとき、その薬が合うとは限らないからです。顆粒《かりゅう》、粉末、ぬり薬、シロップなど、薬はすべて取っておくことはせずに処分しましょう。ただし、座薬は冷蔵庫に保存しておけば1年ぐらいは品質が変わりません。ただし、体重で用量が変わるので、赤ちゃんの場合、取っておくのは半年ぐらいまでを目安にして。

Q 哺乳びんで果汁を飲ませるとむし歯になりやすいって本当?

A どんな容器で飲ませても、甘い飲み物はむし歯の原因に

果汁や乳酸菌飲料などを飲むと糖分が歯に残り、むし歯の原因になるのは確かですが、それは哺乳びんに限ったことではありません。むし歯は、原因となるミュータンス菌が歯についた糖分を分解しながら増殖し、強い酸を出して歯を溶かすことによって起こります。これは、どんな容器で飲ませても同じこと。これらの飲み物を飲ませた後は、湯ざましなどを与えて、歯の表面についた糖分を洗い流して。むし歯を予防する効果が期待できます。

むし歯予防には歯みがきも大切。乳歯が生えたら1日1回、念入りにみがいてあげましょう。

Q 食べものの好き嫌いが多く、栄養が偏《かたよ》らないか心配です

A 食べられるものを中心に1日単位で栄養バランスを

この時期の好き嫌いの原因の多くは、味というより舌触り。ポロポロ、パサパサしているものは苦手な赤ちゃんが多いので、とろみをつけたり、汁けの多いものといっしょに与えるなど工夫して。栄養の偏りも気になるところですが、1回ごとの食事で見るより1日単位で考えて、赤ちゃんの好きなものを与えながら、バランスを見ていけばいいでしょう。

Q 人見知りしないけど、発達に問題はない?

A 育った環境や性格によっては、あまり人見知りしない子も

人見知りの表れ方は、赤ちゃんの性格や育つ環境によってさまざまです。この時期に大切なのは身近な人とそうでない人との区別がついているかどうかです。試しに、知らない人に会ったときの赤ちゃんの表情をよく観察してみてください。顔をじっと見つめたり、ようすをうかがっているようなら、パパやママとの区別がついている証拠。発達上も問題ありません。

Q バイバイなどのまねや芸をしないのは、発達が遅れているの?

A コミュニケーションがとれていれば大丈夫

このころになると「バイバイ」と手を振ったり、ママの動きをまねてパチパチと手を打ち鳴らすなどのしぐさをさかんにする赤ちゃんもいますが、そういったことをあまりしない赤ちゃんもいます。これも個性ですから、ほかの子と比べてあせったり、心配したりしなくて大丈夫。まねをしなくても大人がしていることを興味深そうにながめたり、ニコニコ笑いかけたり、呼びかけるように声を出すなど、何らかのコミュニケーションがとれていれば問題ありません。

手遊びなどで楽しみながら、ママの動きをまねすることを覚えていけるといいですね。

Q 近くに同じ年ごろの子がいません。発達に影響はないですか?

A 大人とのかかわりができていれば大丈夫

赤ちゃんが周囲に関心を示し始めるのは、1才半を過ぎたころからと言われています。それまでは、パパやママとの信頼関係を作る時期。同じ年ごろの子とかかわる機会が少なくても大丈夫です。大人とのかかわりの中で成長していれば、心身の発達にも影響はありません。今はまだ友だちを作るためだけに、わざわざ児童館や公園などに行く必要はないでしょう。

11カ月の気がかり

Q 左右の目の大きさが違っているのが気になります

A 少しくらいの違いはむしろ自然。心配いりません

人間の体は、もともと左右が完全に同じ大きさや形をしているわけではありません。右と左の目の大きさが違っていても、その違いがわずかなら、特に気にしなくても大丈夫。視力にも影響はないでしょう。ただし、ママと赤ちゃんが見つめ合ったときに、明らかに片方の目の視線がおかしいとか、斜視《しゃし》がひどいときなどは、小児科か眼科を受診してください。

Q 平熱が37度以上あることが。大丈夫？

A 37・5度程度なら平熱と思われます

赤ちゃんの平熱は大人よりやや高めです。個人差はありますが、37・5度くらいまでは平熱と考えてもよいでしょう。1日の中でも、朝より午後のほうが高めだったり、食べた後なども高めになります。元気なとき、いろんな時間に体温を測り、平熱を知っておくといいですね。

> **ONE POINT**
>
> **熱の測り方のコツ**
>
> わきの下で測るときは、わきの下の汗をふき取って、斜め下から差し込むようにして。測り終わるまで抱っこして軽く腕を押さえておきましょう。
>
> 
>

Q 白っぽい色の下痢《げり》便が。病気でしょうか？

A ロタウイルス腸炎でしょう。早めに病院で診察を

赤ちゃんが吐いたり下痢をして、便の色が米のとぎ汁のように白っぽいときは、ロタウイルス腸炎を起こしたものと考えられます。この病気は熱が出て激しい下痢や嘔吐《おうと》を繰り返すのが特徴。便のついたおむつを持参して早めに病院へ連れて行ってください。脱水症状が心配なので、家庭では水分補給を十分に。母乳、赤ちゃん用のイオン飲料や湯ざまし、りんごジュースなどをこまめに飲ませてください。（ロタウイルス腸炎については218ページも見てください。）

Q 男の子のほうが病気をしやすいというのは本当？

A ふつうに見られる病気では男女差はそれほどありません

いくつかの病気の中には、男の子しかかからなかったり男の子のほうがかかりやすいものはあります。でも、かぜや下痢《げり》など、ふつうに見られる病気にかかりやすいかどうかは、男女差より個人差や環境の違いです。その子によってかかりやすい病気があることもあります。特別な場合以外に、男の子だから病気をしやすいということはありません。

Q お座りしたままで移動します。どこかに異常がある？

A そういう子もいます。心配いりません

ハイハイをほとんどせず、お座りの姿勢のまま足とおしりでこぐようにして前進する赤ちゃんがいます。でも、運動発達に異常があるわけではないので心配いりません。多くの場合、うつぶせの姿勢が嫌いな赤ちゃんにこのようになる傾向があるようです。このままハイハイをほとんどしないで、立っちやあんよを始めてしまう子もいますが、その後の成長に影響はありません。

Q ハイハイの形がヘンですが、いいのでしょうか?

A その子なりの形なので、大丈夫

ひざをつかずにおしりを上げたり、おなかをついたままどこまでも移動したり、左右の形がアンバランスだったり……。ハイハイの姿勢は実に個性的で、さまざまな形のバリエーションがあります。どれが正常で、どれがヘンということはありませんし、運動発達の面から見れば、どんな形のハイハイでも、問題なく成長していると考えられます。足に障害があるのではなど、どうしても気になることがあるときは、健診のときにでも小児科医に相談してみるとよいでしょう。

いろんなパターンのハイハイがありますが、どれも異常ではありません。安心してください。

Q 湿疹《しっしん》ができているときは、卵を食べさせないほうがいい?

A 卵アレルギーがなければ食べさせても大丈夫

赤ちゃんが卵アレルギーでなければ、湿疹ができていても卵を避ける必要はありません。しかし、これまで、卵を食べた後に湿疹や皮膚のかゆみ、赤みなどの症状が出たことがある子の場合は、皮膚トラブルの程度にかかわらず卵は与えないでください。そして、なるべく早めに卵アレルギーの有無を検査してもらいましょう。

かたゆで卵なら大丈夫だったのに、半熟卵にしたら湿疹ができる子も。卵は十分に加熱をしましょう。

Q 息が止まるくらい激しく泣くことが…

A 心配いりませんが頻繁《ひんぱん》に続くなら受診を

大声で激しく泣いた後、一時的に息が止まり、顔色が青白くなったり唇《くちびる》が紫色になることがあります。これは「憤怒《ふんぬ》けいれん」とか「泣き入りひきつけ」などと呼ばれる状態。発作中は一時的に脳が低酸素状態になっていますが、すぐに治まってふだんのようすに戻るようなら心配いりません。しかし、あまり頻繁にこのような状態になるときは、念のため病院で診てもらってください。(憤怒けいれん・泣き入りひきつけについては226ページも見てください。)

Q 後追いが激しく、私がトイレのときなど大泣き

A 離れるときはひと声かけて知らせてから

激しく泣くのは、視界からママが突然消えたように感じられるから。それに、赤ちゃんはすばやく動くことができないので、ママのペースでどんどんどこかに行ってしまうと、ついていけなくて悲しいのです。赤ちゃんがあせらないよう声をかけ、ゆっくり歩いてあげるといいでしょう。そして、トイレから出たらすぐに抱っこするなどのフォローをすれば、泣いても心の傷になることはありません。

トイレにいくときは、「待っててね」などと声をかけ、赤ちゃんに知らせるといいでしょう。

Q タオルケットをけ飛ばして寝ています。暑いの?

A 寝相《ねぞう》が悪いのは暑いから。快適に眠れる環境作りを

睡眠中によく動くのは赤ちゃんの自然な姿ですが、暑くて寝苦しいと特によく動きます。タオルケットなどを何度かけなおしてもけ飛ばしてしまうのは、暑がっている証拠。汗をかいていないか、背中に手を入れて確認してみましょう。汗をかいていたら着替えさせ、夏など暑い季節なら室温を27～28度に設定してエアコンをかけたり、除湿したりして、快適に眠れる環境を作ってあげて。また、扇風機をかけるときは、赤ちゃんに風が直接当たらないように注意してください。

なお、赤ちゃんは体温調節が上手にできないので、タオルケットをかけるときは全身をくるんでしまわずに手足を出したほうが暑がりません。

干したふとんには熱がこもっているので、取り込んだらしばらく広げてさましておいて。

ONE POINT

おなかが冷えると心配「寝冷《ねび》え」

睡眠中におなかが冷えて下痢《げり》などを起こすのが寝冷え。タオルケットをはいでしまっても大丈夫なように、腹巻きをさせたり、カバーオールや上下がボタンで留められるようなパジャマを選んで着せてあげましょう。

Q 急におふろ嫌いに。どうしたらいい？

A 楽しく遊びながら、サッとすませて

お湯が熱かったとか、シャワーの音にビックリしたとか、何か気に入らないことがあったのでしょう。この時期になると感情の発達に伴い、今まで好きだったことが何かのきっかけで急に嫌いになるのはよくあることです。こんなときは、遊びながらサッと入浴をすませてしまうのがいちばん。楽しい気分で入れれば、おふろが好きな気持ちがまた戻ってくるでしょう。

Q いただいた歩行器を使うかどうか迷っています

A 時間を決め、ママの目の届くところで

歩行器は、歩く練習のためのものではないので、あくまでも遊びの範囲で使ってください。また、赤ちゃんが歩行器に乗っている間、ひとりにしておいてはいけません。ちょっとした段差にひっかけて歩行器ごと転んだり、玄関のたたきなどに転落したりする危険があります。歩行器で遊ぶ時間は1日1～2時間を目安にし、必ず大人がそばで見ていてください。

Q おんぶばかりしていると、ガニマタになるって本当？

A 迷信です。ただ、長時間だと疲れるので時々下ろして

これは迷信だと思います。おんぶでガニマタになる心配はまずありません。赤ちゃんの股関節《こかんせつ》はもともと開いているので、閉じるより、むしろおんぶされたときのように開いていたほうが自然で無理がありません。ただ、長時間おんぶをしていると赤ちゃんの胸が圧迫されたり、血行が悪くなることも考えられますので、時々は下ろして、ママも赤ちゃんもひと休みしたほうがいいでしょう。

Q 時々育児がイヤに…。赤ちゃんに伝わってしまう？

A 気持ちは伝わります。疲れたら無理しないで

赤ちゃんは周りの大人たち、中でもいちばん身近なママのことをよく見ていて、態度や言葉、雰囲気からどんな気持ちかを感じとっているようです。ですから、頻《ひん》繁《ぱん》に「育児がイヤ」という気持ちになるのはよくありません。疲れすぎないよう、パパや実家のお母さんに上手に甘えて、たいへんな時期を乗り切っていくようにしましょう。

1才の気がかり

Q おふろで温まると皮膚に赤いポツポツが

A 血行がよくなると見られる現象です

赤ちゃんは大人に比べて皮膚が薄いので、温まって皮膚の表面の血流がよくなると、ふだんは気づかないわずかな炎症《えんしょう》が赤く目立って見えることがあります。また、温度差に反応して軽いじんましんが出ることも。いずれの場合もほてりが冷めるのと同時に赤みが引くようなら心配いりません。いつまでも赤みが残ったり、かゆそうにしているときは病院へ。

Q 単なる湿疹《しっしん》と、アトピーとの違いを教えて

A アレルギー体質がかかわっているかどうかです

湿疹が単なる皮膚トラブルなのに対し、アトピー性皮膚炎は、湿疹の中でもアレルギー反応によって現れる皮膚症状です。つまり、発症に体質的なものがかかわっているという点が異なります。強いかゆみのある湿疹や、皮膚のじゅくじゅくした症状が慢性的に続き、よくなったり悪くなったりを2カ月以上繰り返しているようなら、アトピー性皮膚炎の疑いがあります。念のため、皮膚科か小児科を受診してください。

ONE POINT
アトピー性皮膚炎が疑われるのは、こんなとき

耳の付け根がただれ、切れたようになる。
赤く、じゅくじゅくした湿疹ができている。
炎症を起こしてカサカサ・ゴワゴワに。
かゆくてかきむしっている。

Q 飛行機に乗せると耳が悪くなるって本当?

A 飛行機に乗っても耳に支障はありません

大人は離陸や着陸時に気圧が急に変わると耳がキーンと痛くなることがありますが、赤ちゃんは耳の構造が未発達なため、このようなことはあまりないとも考えられています。離発着時に泣いたりぐずったりするのは、耳が音に敏感なのと、周囲の緊張感を感じている場合がほとんど。また、もしキーンとしたとしても、一時的なもので問題ありません。

Q 歯と歯の間にすき間が。将来の歯並びに影響しますか?

A すき間があるのはよくあること。歯並びにも影響しません

すき間があいているのは、生え始めのころにはよくあることなので心配いりません。これは、歯が生えるスペースがたくさんあるためと考えられています。生えそろってくると、自然にすき間がなくなってきますし、永久歯が同じようにすき間をあけて生えてくるわけでもないので心配いりません。気になるときは、健診のとき医師に相談してください。

ONE POINT
生え始めの“歯”の悩み TOP3

1 なかなか生えてこない
2 すき間があいている
3 生える順番が違う

歯の生え方や生える時期は個人差が大きいもの。でも、その子なりのペースで生えてきますから大丈夫です。また、生え方や生える順番が違っても、永久歯や将来の歯並びには影響しません。

Q 解熱剤《げねつざい》で熱を下げるとかぜが治りにくい?

A 医師の指示どおり使うことが大事

ウイルスや細菌が体に入ると、脳が体温を上げるように指令を出し、これらが活動しにくい状態を作ります。ですから、熱をむやみに下げることは、抵抗力を奪ってしまう可能性があるので、よくありません。ただし、熱が38・5度を超えると、赤ちゃんの体に負担になることもあるので医師の指示どおり解熱剤を使って。頭やわきの下を冷やすとさらに効果的です。

ONE POINT

発熱のときのケア

- 熱の上がりかけはゾクゾクして寒気がします。ふとんを1枚多めにかけるなどして暖かく。
- 熱が上がりきったら水まくらなどで冷やしてあげて。汗をかいたら着替えを。
- 湯ざましや、赤ちゃん用のイオン飲料などをこまめに飲ませて脱水症予防を。

Q 赤ちゃんがいる部屋以外なら、タバコを吸ってもいい?

A それでも影響はあります。赤ちゃんのためにも禁煙を

別の部屋で吸っていたとしても、ドアの開け閉めの際に煙は室外に出ていきますし、吸った人の衣類や吐く息から煙の成分が検出されたというデータもあります。しかもタバコの煙に含まれる有害物質は、喫煙者が吸い込む主流煙より、点火部分から出る副流煙に多く含まれています。別の部屋でなら吸っても大丈夫ということはありません。思いきって禁煙を!

ONE POINT

タバコは、赤ちゃんにこんなによくない

ほかに…
- 乳幼児突然死症候群の要因になる
- 吸い殻の誤飲事故
- 歩きタバコや育児中のくわえタバコによるやけど

Q ここ2カ月、身長があまり伸びていません。心配ない?

A 身長の伸びがゆるやかになる月齢です。心配いりません

このころになると、身長や体重の増加ペースがゆるやかになってくるのは自然なことで心配いりません。母子健康手帳の身体発育曲線を見てみると、カーブがなだらかになっていることがわかります。身長の伸び方がこのカーブの帯の中にあれば大丈夫です。もし、少しくらいカーブの上限や下限からはみ出していたとしても、その子なりに伸びていれば心配いりません。

Q まだつかまり立ちをしないのは、太ってて体が重いから?

A 体重や体型は発達には影響ありません

太っているかどうかが原因というわけではないでしょう。特にハイハイからつかまり立ち、あんよまでの発達過程は、個人差が大きいものです。

そもそも1才なら、まだ立っちしていなくても遅いというわけでもありません。その子なりの時期がくれば必ずできるようになりますから、心配しすぎずに見守ってあげてください。

Q お誕生日にケーキを食べさせても大丈夫?

A 素材や味を考えると食べさせないほうが安心

大人のケーキには牛乳、卵、生クリームなどが使われていて、甘みも強いので、1才で食べるのはまだ早いかもしれません。お祝いの記念なら、ママがちょっと腕をふるってみては? ベビーフードの蒸しパンにヨーグルトやフルーツを飾りつけ、ロウソクを1本立てるだけでも、かわいらしいバースデーケーキができます。

Q キーキー言うのは欲求不満の証拠?

A 必ずしもそうとは言えません。ようすをよく観察して

キーキー言うのは、必ずしも「文句」とは限りません。遊びに夢中になったり、うれしいときにもキーキー言っていることがあります。赤ちゃんがどんなときにキーキー言うのか、まずよく見てみましょう。状況によっては、「どうしたの?」などと声かけをしてあげて。なお、言葉が出始めると、このような声を出すことも少しずつ減ってきます。

Q 長い時間ひとり遊びをします。いい子すぎて心配です

A ひとりで遊んでいるときでも時々声かけを

このころになると後追いも一段落し、ひとり遊びが見られるようになります。一段階成長したということなので、心配する必要はありません。親が世話を焼きすぎずに見守るということも、育児では大事なことなのです。

いい子すぎることで心配があるとすれば、子どもが親にかかわりを求めなくなっている可能性です。そうだとすればその原因は、子どもが求めたときに親からほうっておかれたこと。その意味では、ひとり遊びが長いなと気になったときには、赤ちゃんの遊びに加えてもらう気分で声をかけるといいでしょう。赤ちゃんは、かまってもらったり、声をかけてもらったりすることが、大好きです。

Q 公園の砂場で遊ばせて、不潔ではないですか?

A 遊んだ後の手洗いを習慣づけ、遊ばせてあげて

多少の雑菌があったとしても、砂遊びの後にきちんと手を洗うことを習慣づければ、あまり神経質にならなくても大丈夫です。そもそも、私たちは少なからず雑菌に囲まれて生活しています。雑菌にふれることによって、免疫《めんえき》力が強化されるという一面もあります。赤ちゃんが外の世界に興味を持ち始めたら、あれこれ禁止するより、体験によって得られることの大きさに目を向けてあげましょう。

ONE POINT

砂場遊びをさせるときはこんなことに要注意!

- **キケンなものはないか、まずママがチェックします。**
  犬や猫のふん、タバコの吸い殻、ペットボトルのふた、ガラスの破片などは、砂場の表面だけでなく、砂の中にうもれていることもあります。
- **赤ちゃんが砂を口に入れないかよく見ていて!**
  砂だんごなどを作って、そのままお口へポイッと入れてしまうことがよくあります。

Q そろそろひとりで寝かせたほうがいい?

A 赤ちゃんのようすを見ながらパパとママで話し合って

そもそも、日本では家族全員がひと部屋で寝ることも多く、ひとり寝文化はありませんでした。ひとり寝は西洋の生活様式の影響です。赤ちゃんをひとりで寝かせるかどうかは、パパやママの考え方しだいです。

赤ちゃんのようすを見ながら決めてはどうでしょうか? なお、ひとり寝のほうが独立心が高まるという説に根拠はありません。

Q 大人用のシャンプーや石けんはいつから使っていい?

A 1才を過ぎたら使っても。ただし、刺激の少ないものを

1才を過ぎれば、使っても特に問題はないでしょう。ただし、香料の強いもの、メントールなどスーッとする成分が入っているもの、スクラブ剤などが入っているものは、赤ちゃんの肌には刺激が強すぎるので避けます。ただ、カサカサやかゆかゆなど、皮膚にトラブルがある場合は、医師に相談し、使うものを選んでください。

1才1カ月〜1才3カ月の気がかり

Q 時々あごを突き出します。受け口なのでしょうか?

A そのときだけなら受け口の心配はありません

遊びに熱中していたり、夢中になっているときにこのような表情をする赤ちゃんがいますが、そのときだけなら受け口ではありません。表情のくせのようなものなので、気にしなくていいでしょう。なお、いつもそのような表情をするようになって、かみ合わせやあごの形が心配な場合は、次の健診のときに医師に相談してみてください。

Q 水ぼうそうのあとが消えません。このまま残ってしまう?

A 消えないこともありますが、目だたなくなっていきます

水疱《すいほう》の程度によっては、比較的早く消えるものもありますが、大きかったり、おなかや背中などやわらかい部分にできた水疱のあとは、消えるのに2〜3年かかることもあります。一方、化膿《かのう》したり、かきこわして傷になってしまったような場合は、少しへこんだ状態で一生残ることも。それも成長するにつれて、少しずつ目だたなくなっていきます。あまり気にしすぎないほうがいいでしょう。

顔など目だつところにあとが残り、どうしても気になるときは形成外科に相談してください。

Q おしりが後ろに突き出て、背骨がそりぎみですが、大丈夫?

A 筋肉がしっかりしてくれば姿勢もよくなります

背骨がそりぎみなのは、赤ちゃんに特有の体型。これは、背骨をまっすぐに支える筋肉が十分に発達していないために起こることです。おしりが突き出ているだけでなく、両足を肩幅くらいに広げ、やや前に傾いた感じで立つのもこの時期の姿勢の特徴です。たくさん歩いたり、体を動かして遊ぶようになってくると、腹筋と背筋がバランスよく発達して少しずつ姿勢もよくなってきます。

あまりにもそりが強い場合は、調べてもらったほうがいいことも。気になるときは病院へ。

Q 処方されたステロイド剤の副作用が心配

A 医師の指示どおりに使っているなら大丈夫

医師の指示どおり、決められた期間、決められた量を守って使っていれば副作用の心配はありません。ステロイド剤は、皮膚の炎症を抑えるのに有効な薬です。ママの判断で勝手にやめたりすると、かきこわしたりして症状を悪化させてしまうこともあります。医師は炎症の状態を見ながら薬を処方しているので、安心して使ってください。

ONE POINT
皮膚のぬり薬の種類と使い方

種類	効き目・使い方
ステロイド剤	炎症を抑える効果が優れています。短期間に集中して使うのが一般的な使い方。強さが5段階に分かれています。
非ステロイド剤	効き目はおだやか。軽い症状のときや生後間もない乳児の場合、顔などの部位に使われます。
保湿剤	皮膚の乾燥を防ぎ、外の刺激から皮膚を守ります。主にスキンケアの目的で使われます。
免疫抑制《めんえきよくせい》剤軟膏《ざいなんこう》	ぬることによって免疫反応そのものを抑制し、アレルギー反応を起こりにくくします。

Q まだ突発性発疹症《とっぱつせいほっしんしょう》にかかっていないけれど、大丈夫？

A 気づかないうちに軽くかかってしまったのかも

突発性発疹症とは、単純ヘルペスウイルス6型・7型に感染することで起こります。初めての発熱がこの病気だったというケースも少なくなく、4カ月ごろからかかる赤ちゃんが多いようです。まだかかっていない場合、気づかないくらい軽くかかった可能性も考えられます。これからかかるとしても、悪い影響はないので安心して。（突発性発疹症については211ページも見てください。）

Q 赤ちゃんが乗り物に酔わないのは本当ですか？

A このくらいの月齢になると酔う子もいるようです

乗り物で揺られると、内耳《ないじ》の平衡《へいこう》感覚をつかさどる神経が刺激され、自律神経の働きが乱れてめまいや吐き気などを感じることがあります。これが乗り物酔いです。月齢が低いとこのような感覚が発達していないので酔いませんが、このくらいの月齢になると酔う子もいるようです。赤ちゃんの気分が悪くなっていないか、気をつけてあげましょう。

Q 食べたものがそのままうんちに！よくかんでいない証拠？

A 便にそのまま出てくるのは丸飲みしている証拠です

そのまま出てくるのは、よくかまずに飲み込んでいるから。このころの多くの赤ちゃんは、前歯は生えていますが、食物をすりつぶす役目の奥歯はまだ生えていません。やわらかめの肉だんごくらいのものなら歯ぐきでつぶして飲み込めますが、それ以上かたくなるとかめずに丸飲みしてしまい、食物が消化・吸収されずに便に出てきてしまいます。離乳食は時期に合わせて小さく切り、やわらかく煮たものを与えてください。

ONE POINT
かんでる？ かんでない？のチェックポイント

- 食べ物を前歯でかじり取ることができる。
- 食べ物を口に入れた後、唇をしっかり閉じている。
- 片方のほおをふくらませてモグモグしている
- 口の中のものを左右に動かして食べている。

Q 母乳をやめたら指しゃぶり開始。寂しさやストレス？

A 口寂しいのかも。自然にやめるので見守っていて

ママのおっぱいから離れたことで口寂しくなったり、ちょっぴり不安になっているのでしょう。何かを口に入れることで気持ちが落ち着くのです。ただ、本人は無意識にやっているので、ママが気にして無理にやめさせようとすると、かえって執着するようになってよくありません。成長に伴って自然にしなくなりますから気にしないこと。今はのんびり構えて見守ってあげてください。

指しゃぶりは退屈なときにすることが多いもの。遊びに誘ったりして気を紛らわして。

Q 食欲旺盛《おうせい》で肥満が心配。食べるだけ与えていいの？

A 離乳食を制限する必要はありません

赤ちゃんが太って見えるのは、ほとんどの場合、細胞が水分をたくさん含んでいることによる、いわゆる「水太り」で、大人の肥満とは違います。母子健康手帳の身体発育曲線と照らし合わせて身長と体重のバランスがとれていれば大丈夫。離乳食を制限する必要はありません。ただし、生活リズムが将来の肥満の原因になることがあるので、食事やおやつの内容、体を動かす遊びの量について1才半健診のときに相談してみて。

1才1カ月〜1才3カ月の気がかり

Q 肉も魚も嫌いで豆腐や卵しか食べません

A 大丈夫ですが、肉や魚にも時々チャレンジを

肉や魚を食べなくても、豆腐や納豆などの植物性たんぱく質をとれていれば大丈夫。卵や乳製品もたんぱく源となります。たとえば鶏ひき肉大さじ1強に含まれるたんぱく質の量が、豆腐なら約1/6丁、卵なら約1/2個に含まれる量に相当します。なお、肉や魚は食べないとあきらめず、少し味をつけたり、とろみをつけてのどごしをよくしたりして、工夫して与えてみてください。

Q 食事中、動き回ってばかり。追いかけてでも食べさせるべき？

A きちんと座って食べることを教えて

食事中も、周りのことに興味が移るのは成長のプロセス。ある程度は大目に見てあげてもいいですが、きちんとけじめをつけることが大切です。歩いている子を追いかけて食べさせるのではなく、たとえ短時間でも、席について食べることを習慣づけて。また、食事中はテレビを消したり、おやつを与えるときは次の食事にひびかない程度の量にするなど、食事に集中できる環境作りも大切です。

Q 食べるときはいつも左手。左利《き》きなのかと心配です。

A まだはっきりしませんが、左利きでも個性と認めて

最初の段階では、赤ちゃんはものをつかむのに左右両方の手を上手に使っています。遊んでいるときなどのようすをよく観察してみてください。おもちゃなどを器用に両手で扱っているはずです。今の段階ではまだ、右利き左利きを決めるのは早いでしょう。そのうちに主に使う手が決まってきますが、もし左手をよく使うようでも、それも個性と考えて。

利き手は2〜3才ごろにははっきりし始め、小学校に入る前くらいに決まってきます。

Q いたずらをしかってもやめません。どうしたらいい？

A しかるより原因になるものを赤ちゃんから遠ざけて

この時期の赤ちゃんには、いたずらをしているという自覚はありません。パパやママが使っているものや、興味を引く色や形のものをなめたり触ったりして好奇心を満たしているのです。しかったり教えたりしたことを理解できるのもずっと先のこと。赤ちゃんのすることをいたずらと決めつけず、触ってほしくないものは赤ちゃんから遠ざけるようにしましょう。

ONE POINT

触られて困るものは赤ちゃんの手の届かないところに置きます

- 高さ1m以上の台の上にのせるようにすると安心です。
- 引き出しに隠したつもりでも、赤ちゃんの手の届く高さではNG！ 引っ張り出されてしまいます。
- 市販のいたずら防止グッズも上手に利用しましょう。

Q 1才3カ月ですが、「ママ」など意味のある言葉を話しません

A 1才3カ月なら、まだ話さなくても大丈夫

1才3カ月なら、まだ意味のある言葉を話さなくても心配いりません。あと2〜3カ月もすれば話せるようになるでしょう。この時期は、大人から話しかけられた言葉の意味がわかっていれば大丈夫です。名前を呼ばれたり、「かわいいね」「ダメよ」などと言われたときに、それなりの反応があれば十分です。

1才4カ月～1才6カ月の気がかり

Q かぜをひくたびに抗生《こうせい》物質が処方されます。飲ませすぎ?

A 医師に相談して本当に必要なときだけに

抗生剤は体内に侵入した細菌を殺すための薬で、溶連菌《ようれんきん》感染症や、中耳炎など、細菌性の病気に感染したときに効果を発揮します。一方、かぜなどのウイルス性の病気で体力が弱っているとき、細菌性の病気に二次感染するのを予防する目的で使用されることも。ただ、こういった使われ方が頻繁《ひんぱん》なため、最近では細菌自体が進化して、抗生剤の効かない耐性菌が増えていることが問題になっています。医師とよく話し合い、本当に必要なときだけ処方してもらいましょう。

薬の処方を受けるときは、種類や効き目、飲ませ方などを医師や薬剤師に確認しましょう。

Q 熱性けいれんは遺伝するって本当?

A けいれんを起こしやすい体質は、遺伝することがあります

熱性けいれんの発症には体質や遺伝がかかわっているといわれています。親やきょうだいが熱性けいれんの経験があると、赤ちゃんも起こす可能性があります。

赤ちゃんの脳は未成熟なため、熱の上がり際に脳細胞が興奮することがあります。熱性けいれんを起こしやすい赤ちゃんの場合、このときにひきつけることがあるのです。でも、単純な熱性けいれんなら成長とともに少しずつ治まっていくので心配いりません。発作時の対処の仕方を念のため頭に入れておき、かぜをひいたときなど、気をつけてようすを見るようにすると安心です。(けいれんについては225ページも見てください。)

ONE POINT

赤ちゃんが熱性けいれんを起こしたら…

1. 平らな場所に寝かせ、衣類をゆるめて安静にします。
2. 揺さぶったり、大声で名前を呼んだり、舌をかまないようにと口にものを入れるなどしてはいけません。
3. 嘔吐《おうと》に備え、横を向かせます。
4. 赤ちゃんのようすや、ひきつけが何分続いたかをチェックします。

Q うんちがかたく肛門《こうもん》から出血が。痔《ぢ》ですか? ケアは?

A かたい便で肛門が切れることが。水分補給でやわらかく

肛門が切れ痔(裂肛《れっこう》)になっているかもしれません。切れ痔はかたくてコロコロした便の通過や、強いいきみで肛門が無理に広げられて起こります。ケアのポイントは水分補給。授乳メインだった今までと違い、食事からとる水分の割合が減って便がかたくなりがちなのでこまめに。それでもかたいときやおなかが張って苦しそうなとき、肛門の痛みで排便のたびに泣くときは病院へ。(裂肛については241ページも見てください。)

Q まだ歩きません。発育が遅いようで心配です

A 1才6カ月までは歩かなくても心配いりません

赤ちゃんの発達は個人差がとても大きいものです。足の筋肉がフニャフニャでなければ、1才6カ月になるまでは歩かなくても発達が遅いとは考えません。練習になるかもと、手を引いて歩かせるなどしてもあまり効果は期待できません。

1才4カ月〜1才6カ月の気がかり

Q 歩いていて、よく転びます。歩き方に問題がある？

A 歩くのに不慣れなだけ。そのうち転ばなくなります

このころの赤ちゃんが転びやすいのは、まだまだ歩くのに慣れていないから。歩き方が悪いのではなく、うまく歩くことができないから、と言ったほうがいいでしょう。また、体のわりに頭が大きく、平《へい》衡《こう》感覚が発達していないのも転びやすい原因です。多くの場合、成長に伴って少しずつ上手に歩けるようになり、3才を過ぎるころから転ぶことも少なくなってきます。

Q 眠る前の母乳、そろそろやめなくてはだめ？

A 無理にやめなくても。2才ごろまでにやめられれば大丈夫

この時期の母乳には、空腹を満たしたり栄養をとるといった意味合いはありません。言うなれば、赤ちゃんが安心して眠るための儀式のようなものです。昼間活発に体を動かして遊ぶようになると寝つきがよくなり、自然に離れていくこともよくあります。あせってやめさせる必要はありません。2才ごろを目安に、赤ちゃんのようすを見ながらママがやめどきを決めていけばよいでしょう。

Q 食べもので遊ぶので困っています。食べものを大切にと教えるには？

A 自分で食べたい気持ちの表れ。大目に見てあげて

食器に手をかけ、食べものを手づかみしたり、こねまわしたり……。ママには遊んでいるように見えますが、赤ちゃんにとっては大事な成長の過程。自分で食べたいという気持ちが出てきた証拠です。まだまだ手先があまり器用ではないので、こぼしたり、ひっくり返したりしてしまいますが、「失敗」や「いたずら」ではないので、赤ちゃんの気持ちを認め、見守ってあげて。なお、食べものをむだにしない、食べもので遊ばない、など、「食べものの大切さ」を本格的に教えるのは3才を過ぎたころからで十分です。

ONE POINT

赤ちゃん用としてひと皿用意してあげると大満足!

スプーンですくったり、手づかみで食べものの感触を確かめたり。ママが食べさせるのとは別に、赤ちゃんが自由に挑戦できるひと皿を用意してあげるといいようです。少しくらいこぼされても、一生懸命チャレンジしているのを認めて、ほめてあげて!

Q おやつにアイスクリームやかき氷を食べさせても大丈夫？

A かき氷を少しなら……。でも、食べさせすぎてはだめ

この月齢なら、かき氷をスプーンに2〜3さじ程度あげるなら問題ないと思いますが、それ以上になるとおなかが冷えて下痢《げり》をすることも。また、市販のアイスクリームには牛乳や生卵、食品添加物《てんかぶつ》が入っているので、赤ちゃんにはあまりおすすめできません。乳幼児用に調整されたアイスクリームでも、2〜3さじ程度食べさせてようすを見てください。

Q 暑くなると食中毒が心配。生野菜を与えても平気？

A 生野菜自体は大丈夫。調理器具を清潔に

生野菜で食中毒になることはまずありません。野菜スティックなどを作るときは、流水でよく洗った野菜を使えば大丈夫。ただし、包丁やまな板は、肉や魚のと生で食べる野菜のとを別にする、調理後は漂白剤や熱湯で除菌するなど、衛生を心がけてください。ママも石けんで手を洗ってから調理に取りかかって。また、ママの手に傷があるときは、生の食品を与えるのはやめておきましょう。

Q 少しの間でもじっとしていられず、多動なのではないかと心配です

A この時期特有のもの。ゆったり見守っていて

落ち着きがないのは、この時期によくあること。病的なものではないことがほとんどです。赤ちゃんにとって、周囲は興味のあるものばかり。自分の足で歩いて行って、見て、触って確かめたいのです。あまりにも落ち着かないようなときはギュッと抱きしめて気持ちを静めてあげるとよいでしょう。どうしても気になるときは、医師に相談を。

Q 気に入らないことがあるとお友だちにかみつきます

A 「かんではダメ」と、繰り返し言い聞かせて

赤ちゃんは言葉で自分の気持ちをうまく表現できないため、気に入らないことがあるとかみつくことがあります。そんなときは、赤ちゃんの気持ちをくみ取ることが大事です。力加減せずにかむので、相手にとっては相当痛いはず。ちゃんと止めなくてはいけません。ママの言うことがだんだんわかってくるころなので、「かんだら痛いよ」とやさしく教え、そのつどやめさせるのがよいでしょう。

Q ひとつのおもちゃで集中して遊べません

A この月齢ではまだ集中できないのがふつうです

このくらいの月齢なら、ひとつのおもちゃで長時間遊べなくても飽《あ》きっぽいということではありません。2〜3才になれば、好きなことならある程度まとまった時間集中できるようになるでしょう。今はまだ、興味のあるものを次々と探して、触って、確かめている段階です。ひとつのおもちゃに集中させようと働きかけるより、赤ちゃんの興味や動きの変化に合わせて、ママもいっしょに楽しむことが大切です。

Q 靴をはくのをいやがります。どうしたらいいですか？

A 赤ちゃんの足に合った靴かどうか確かめて

「靴をはく＝お外で遊べる、楽しい」と繰り返し教えて。赤ちゃん自身、それがわかるようになると、喜んではくようになると思います。また、慣れない感覚にとまどっているだけかもしれませんが、サイズや形が合っていないことも考えられます。右下のポイントを参考に、足に合った靴に替えてあげましょう。

ONE POINT
ファーストシューズ選びのポイント

- **つま先は？**：かかとからつま先にかけて広がっていて、横から見たときに適度につま先が反り上がった形のものを。
- **甲の部分は？**：ひもや面ファスナーなどの締め具がついていて、足に合わせて靴をしっかりと固定できるものを。
- **かかとは？**：赤ちゃんはかかととつま先を同時について歩くため、かかとに負担がかからない、適度なかたさのものがいいでしょう。
- **ソールは？**：やわらかいほうが歩きやすいので、曲げてみて、つま先から$\frac{1}{3}$くらいのところが曲がるものを。
- **カットは？**：足首の骨をまっすぐ成長させるためにも、くるぶしの上まですっぽり包むハイカットのものを。
- **大きさは？**：足のかかとを靴のかかと部分にしっかり合わせたとき、つま先に5〜10㎜のゆとりがあるものがいいでしょう。

Q 下の子を妊娠。抱っこしてあげられないときの対処法は？

A 抱っこできなくても、しっかり気持ちを向けてあげて

抱き上げることはできなくても、ママのひざの上に座らせていっしょに絵本を見たり、添い寝をしたりと、スキンシップの方法はたくさんあります。ただ、ママが自分の体調や、おなかの子のことを気にかけすぎるあまり、赤ちゃんへの言葉かけや対応が形だけのものになってしまうと、赤ちゃんは敏感にそのことを感じとってしまいます。たとえ抱っこができなくても、赤ちゃんと接するときは、ママの気持ちをキチンと向けてあげて。そうすれば、少しくらいのママの変化も、赤ちゃんは乗り切っていけますよ。

1才7カ月〜2才の気がかり

Q おむつをはずしたいのですが、早すぎますか?

A 本格的に取り組むのはまだちょっと早いかも

赤ちゃんの排泄《はいせつ》機能が整うのは2才を過ぎたころから。2才前でのおむつはずしは少し早いかもしれません。おしっこやうんちが出たことを教えられるようになったり、おむつに時々触ってみて、2時間以上ぬれていないのを目安にスタートするとよいでしょう。まずは昼寝の後などに便座やおまるに座らせ、「しーしー」などと声をかけてみて。繰り返すうちに、だんだんとおしっこを出す感覚がわかってきます。

Q 寝るときの指しゃぶり、やめさせたほうがいい?

A 赤ちゃんが自分からやめるまで見守っていて

寝る前の指しゃぶりは、不安を取り除き、気持ちよく眠りに入るための儀式のようなもの。この時点ではまだ、無理にやめさせる必要はありません。指しゃぶりのほかにも、お気に入りのタオルやママの体の一部を触りながら眠りにつくといった行動も同じような意味を持っています。いずれにしても、ほうっておいても3才くらいまでには自然にしなくなりますから、あまり気にせず見守って。この時期の寝る前の指しゃぶりなら、歯並びへの影響はありません。

ママを悩ます寝る前のくせ。赤ちゃんにとって必要なくなれば、自然にやめていきます。

Q イヤイヤが激しくて手に負えません

A 自分でやってみたい気持ちを受け入れてあげましょう

この時期の赤ちゃんは、何でも自分でやってみたい年ごろです。ママの働きかけにイヤイヤで抵抗するのは、自分の思いどおりにやってみたいから。これも成長のひとつととらえ、よほど危険なことでない限りそばで見守ってあげてください。赤ちゃんの好きなようにやらせてあげて、うまくできたらいっしょに喜んで。ママに認められ、受け入れられた実感を持つことは大切です。そうこうしているうちに、イヤイヤも少しずつなくなっていきますよ。

Q しかりながら、たたいてしまった。心の傷になる?

A たたいても気持ちは伝わりません。言い聞かせることが大事

しかりながらたたいても、赤ちゃんはなぜたたかれたのか理解できません。今の月齢で、一度だけたたいた程度なら、たたかれたことが心の傷になって残るというのは考えにくいことですが、しかるときにたびたびたたくことは、恐怖心を植えつけるだけで効果はありません。

たとえ赤ちゃんでも、いけないことをしたときは言い聞かせることが基本です。赤ちゃんの目を見て、やさしく、でも強く語りかけてみて。しつけは時間がかかるものです。1才半を過ぎるとだいぶ言葉の意味を理解できるようになるので、感情的にならず、しんぼう強く赤ちゃんと接していきましょう。おりこうのときには、しっかりほめることも大切です。

2才1カ月～3才の気がかり

Q 最近、おちんちんをよく触っているので心配です

A 無理にやめさせようとせず、さりげなく気をそらせて

これは性的な意味があるわけではなく、指しゃぶりのようなものなので心配いりません。男の子の場合、触りやすいのでくせになりやすいようです。親がこだわって強くしかったりすると、かえって子どもは意識しておちんちんを気にするようになります。さりげなく遊びに誘ったりして、別のことに興味をもたせるようにしていくうちに、自然に触らなくなります。

Q よく鼻血を出しますが、くせになっているの？

A 粘膜《ねんまく》が傷ついているのかも。繰り返すようなら耳鼻科へ

鼻血を出しやすい原因は、子どもが無意識のうちに鼻をいじっていること。鼻の中の粘膜はやわらかく、ちょっとひっかいたりするだけでもすぐに傷ができてしまいます。また、一度傷ついた粘膜は刺激されるとまたすぐ傷ついて、出血しやすい状態になっています。鼻血が出たら、抱っこして顔をうつむかせ、小鼻を押さえて止まるのを待って。

頻繁《ひんぱん》に繰り返すようなら耳鼻科で鼻の中をチェックしてもらい、傷ができているところに軟膏《なんこう》をつけるなどして治療してもらいます。なかなか止まらない、両方の鼻の穴から出血する、あざができやすいなどの症状があるときは、念のため小児科で診察を。

> **ONE POINT**
>
> **やってはいけない鼻血ケア**
>
> **×上を向かせる**
> 血液がのどに回って気分が悪くなることも。
>
> **×首の後ろ側をたたく**
> コレは迷信です。効き目はありません。
>
> **×ティッシュや脱脂綿《だっしめん》を詰める**
> 鼻の奥に押し込んでしまったらたいへん！　子どもには不向きです。

Q 引っ込み思案《じあん》で、公園に行ってもみんなと遊べません

A お友だちに興味を示すようになるまで見守って

2才代では、複数の子どもといっしょに遊ぶのはまだ無理で、ようやくお友だちと一対一で遊び始めるころです。また子どもにもいろいろな個性があり、初対面ですぐに遊べる子もいれば、時間がかかる子もいます。お友だちがいる環境に慣れさせることは大切なので、子どもといっしょに外に出ることは必要ですが、今は無理にお友だちと遊ばせようとしないで。本人がお友だちに興味を示すまでは、そばで遊ばせるのでいいでしょう。

Q 2才半ですが、自分で着替えず、甘えて泣き出します

A 遊びの延長で楽しく誘ってみましょう

簡単な衣類の脱ぎ着ができるのは3才ごろなので、まだできなくてもしかたありません。着替えは脱ぐことのほうが簡単なので、まずは「バンザイしてみようか」などと遊びの延長で脱ぐことから始めてみましょう。「～しなさい」ではなく、「～しようか」と子どもに主導権を渡して、楽しい雰囲気で誘うのがコツです。上手にできたらいっぱいほめて、またやってみようという気持ちにさせてあげるといいですね。2才半過ぎにはズボンなどがはけるようになってくるので、「トンネルから足が出るかな？」などと誘ってみて。

甘えたい気持ちが強いときは、突き放さずに抱っこなどで甘えを受けとめて。そのうえで、さりげなく手伝いながら、やる気を育てましょう。

PART 8

健診と予防接種

心も体も成長めざましいこの時期、
節目ごとの健診で、成長を医師などと確認します。
また、赤ちゃんを病気から守る
確実な方法のひとつが予防接種です。
基礎知識をおさえて、きちんと受けるようにしましょう。

赤ちゃんの発育・発達をドクターが確認

健診の基本を知っておこう

赤ちゃんが健やかに成長しているかを、チェックするのが健診。検査ポイントや上手な受け方を知っておきましょう。

トラブルの早期発見が目的。育児のアドバイスももらえます

赤ちゃんの健診は、母子保健法という法律に基づき各自治体によって実施される、正しくは乳幼児健康診査といわれるもの。赤ちゃんが幸せな環境の中ですくすくと健康に育っているかを確認する場です。赤ちゃんの発育発達やいろいろな病気の発見の節目となる月齢に設定されているので、定期的に受けると安心です。健診のいちばんの目的は、ママが気づかない赤ちゃんの心身の異常を、できるだけ早く発見すること。身長や体重の伸びぐあい、運動機能などを総合的にチェックするとともに、隠れた病気にも気を配ります。早期発見ができれば、専門機関で詳しく検査をしたり治療をしたりできます。

また健診には、医師のほかにも保健師や栄養士、歯科医師などが集まっている場合もあります。さまざまな視点から育児に関する専門的なアドバイスを受けられる機会でもあるので、不安や悩みを解消できます。

何回かは公費で受けられ、無料。それ以外は料金がかかります

集団健診をはじめ、個別健診でも、自治体が案内をするものは公費の補助が出るので無料です。ただし、公費負担の回数や内容は自治体によりさまざまです。

ちなみに東京都23区では、3～4カ月、6～7カ月、9～10カ月、1才6カ月、3才の健診は公費負担がありますが、それ以外の月齢では公費負担がありません。

公費負担のない健診は健康保険の適用がないので、全額自費で受けることになります。費用は病院ごとに設定するため、1000円から数千円以上かかる場合もあり、幅があります。あらかじめ病院に問い合わせてみましょう。

集団健診は自治体の施設で、個別健診は指定の病院で

集団健診は、決められた日に地域の保健所などに集まり、身体測定、診察、栄養相談などを受けます。歯科健診や予防接種をあわせて行う自治体もあり、いろいろな専門家が集まっているので、幅広い診査が受けられます。

個別健診は、自治体が指定した病院で受診します。健診の時間や曜日を設けている病院が多いようです。いつものかかりつけ医に診てもらえると安心なので、自治体指定の乳幼児健診を行っているかどうか確認してみましょう。

健診の基本を知っておこう

健診を受けるまでの流れ

集団健診

自治体から案内がある
健診のお知らせがあります。自治体からの保健師などによる訪問指導で説明がある場合も。

→ **予約が必要なら予約する**
お知らせをよく読んで、健診の予約が必要な場合は、予約先（保健所など）に連絡をします。

→ **指定された日時に指定された場所へ行く**
地域の保健所など、指定された場所、時間に行きます。交通機関や持ち物などはしっかり確認。

→ **健診を受ける**
問診票や母子健康手帳など必要なものを準備し、案内された順序で身体測定や診察を受けます。

個別健診

自治体から案内がある場合も
公費負担のある個別健診は、自治体から郵送で通知が来ます。自費健診の場合、通知は来ません。

→ **提携病院の中から選んで予約を入れる**
指定された提携病院の中から自分で選び、個別健診であることを告げて、予約を入れます。

→ **予約した日時に病院に行く**
病院によっては、病気で受診する患者さんとは入り口が別のこともあるので気をつけましょう。

→ **健診を受ける**
受付をすませたら、指示に従って診察や検査を受けます。

健診 知りたいQ&A

Q 集団健診を体調が悪くて欠席。どんな手続きをすれば受け直せますか?

A 自治体の担当窓口に問い合わせて、今後のスケジュールを確認しましょう

集団健診の実施回数や方法は、自治体によってまちまちです。同じ月に何度も同じ月齢の赤ちゃんの健診の日を設けているなら、スケジュールを確認して、別の日に受診できるかもしれません。欠席することになったら、できればその時点で、保健所など自治体の担当窓口に連絡を。そのときにどうすればよいかを相談してみましょう。

Q 当日、赤ちゃんのぐあいが悪かったら、取りやめたほうがいいですか?

A 発熱や下痢のとき、病気回復期もできれば控えましょう

発熱、ひどい鼻水やせき、下痢《げり》、嘔吐《おうと》をしているなど、赤ちゃんのぐあいが悪いときは、病院や保健所に連絡して延期しましょう。病気の回復期は一見元気そうに見えますが、体重が減っていたり、体力が落ちていたりすることが多いもの。赤ちゃんの負担も大きく、正確な評価ができない場合もあるので、控えたほうがいいでしょう。

Q 家でできるのに健診の場でできなかった。遅れていると診断されますか?

A ふだんの赤ちゃんのようすを伝えれば大丈夫です

健診の場はふだんとようすが違うので、赤ちゃんも泣いたり人見知りをしがち。ママとしては、いつものようすを診てもらえず心配になるでしょう。でも、医師は、その日の赤ちゃんのできるできないではなく、その子の運動の仕方や筋肉の状態などをきちんと診ています。問診で、ふだんの赤ちゃんのようすを伝えればいいのです。

Q 「ようすを見ましょう」と言われたら、心配な点があるということですか?

A すぐに検査や治療をする必要がないということです

健診の場で判断を下すには時期が早すぎる場合や、自然に治っていく可能性があるときなどは「ようすを見ましょう」と言われ、経過観察をすることになります。不安に感じるママも多いと思いますが、すぐに検査や治療が必要な場合ではないので、心配しなくて大丈夫。次の健診時か指定された時期に受診して、確認してもらいましょう。

※健診へ出かけるときの準備などについては、とじ込み②（うら）を見てください。

どの月齢でも行う基本的な検査

赤ちゃんの発育の確認と、病気の早期発見のために、どの月齢でも行われる計測と診察です。

計測

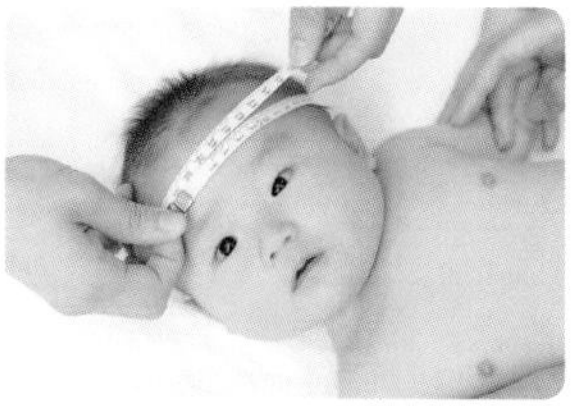

頭囲

メジャーで頭囲を測ります。1カ月健診では水頭症《すいとうしょう》などがないかの目安にも。6～7カ月で出生時より10㎝前後大きくなります。

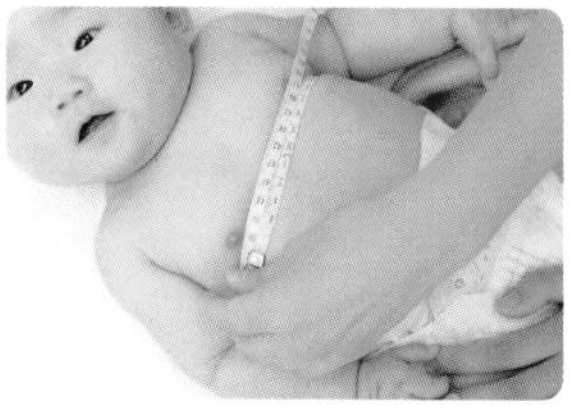

胸囲

メジャーで胸囲を測ります。順調にふっくらしてきているかを確認。頭囲と胸囲はそれほど変わらない数値になります。

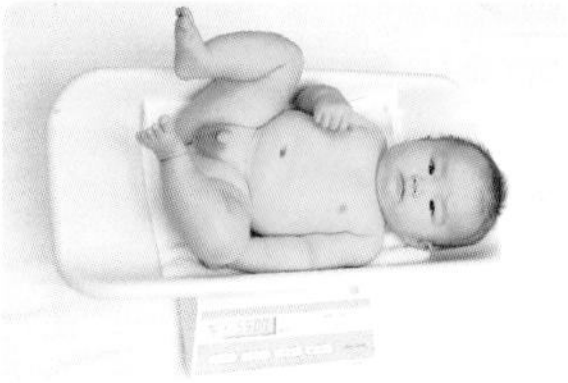

体重

ベビー用の体重計を使います。順調に発育していれば、3カ月ごろには出生時の体重の約2倍、1才で3倍くらいになります。

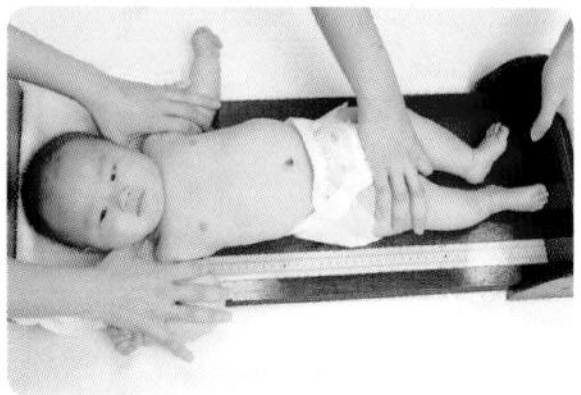

身長

赤ちゃんを寝かせ、脚を伸ばして計測。6～7カ月までがもっとも伸びる時期。1才で出生時の1.5倍くらいになります。

診察

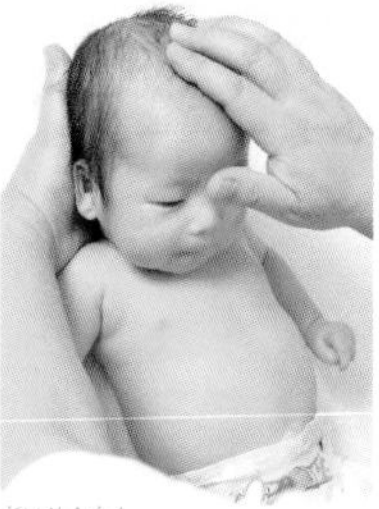

大泉門《だいせんもん》

頭蓋骨《ずがいこつ》がまだ閉じきっていない、すき間のやわらかい部分が大泉門。1才半ごろまでに閉じるこの大泉門のようすをチェックします。

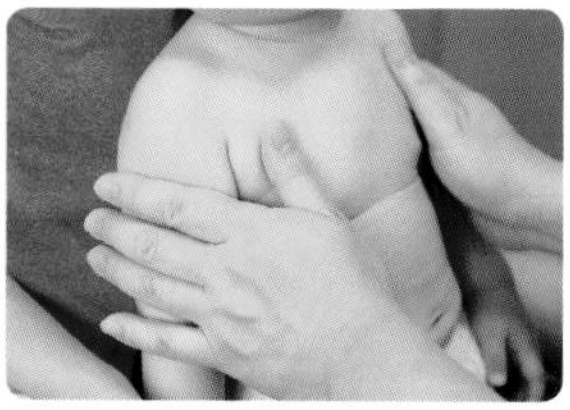

皮膚

1カ月健診では、黄疸《おうだん》が出ていないかのチェックが重要。あざはないか、ひどい皮膚炎はないかなど、肌の状態も観察します。

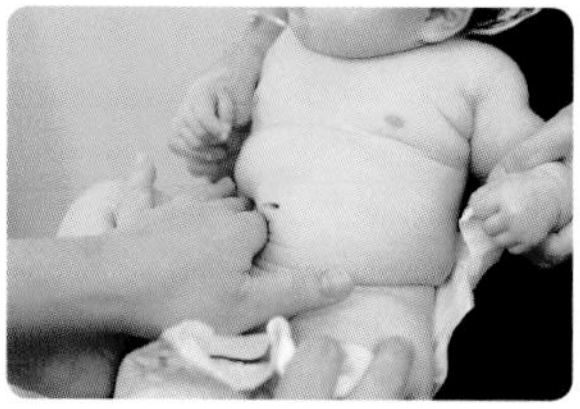

触診

手で赤ちゃんのおなかを触り、内臓がはれていないか、しこりはないかを確認。脊椎《せきつい》や姿勢に異常がないかなども観察します。

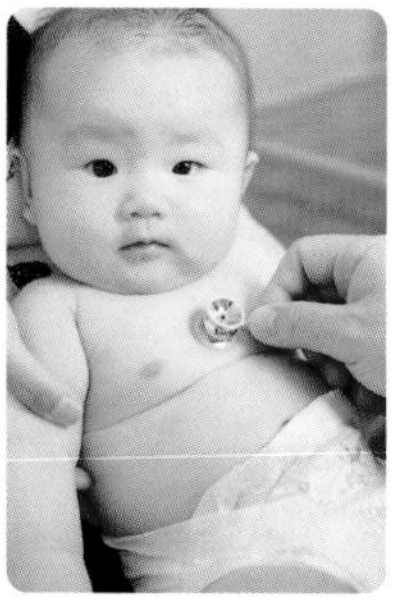

聴診

胸と背中に聴診器を当て、心音や呼吸音を聴き、雑音などの異常がないかを調べます。心肺の疾患《しっかん》は早めの発見が重要なので、ていねいに診察します。

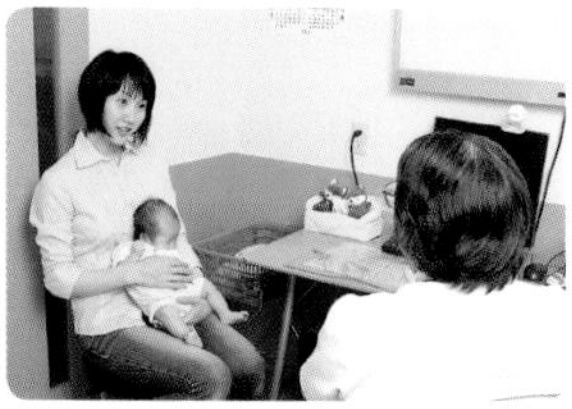

問診

家でのようすを医師がママに尋ねます。母子健康手帳のチェック項目のほか、授乳量、離乳食の進みぐあいなどを月齢に合わせて確認します。

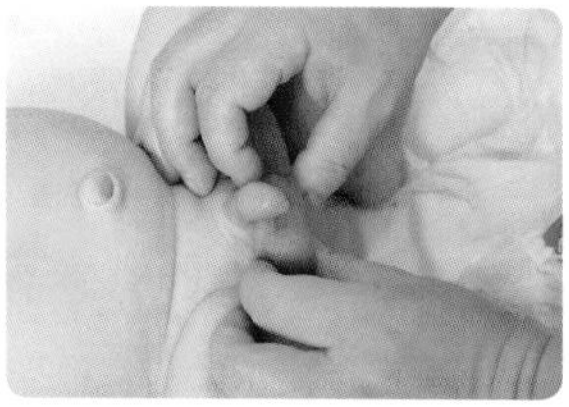

性器

男の子は月齢に応じて、陰嚢《いんのう》に水がたまっていないか、睾丸《こうがん》がふたつあるか、包茎《ほうけい》でないか、女の子は外陰部《がいいんぶ》に異常はないかなどを調べます。

耳の中

耳の中をライトで照らして、耳あかが詰まっていないか、はれたりただれたりしていないかを調べます。耳の聞こえを観察することもあります。

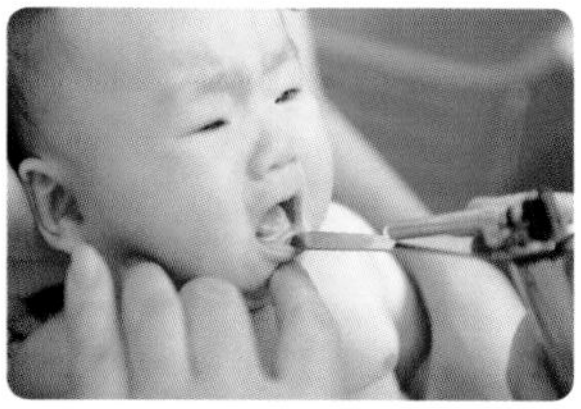

口の中

舌や歯肉の状態など口の中に異常はないか、のどがはれていないか、月齢に応じた歯の生えぐあいや歯の異常はないかなどを確認します。

協力：鈴の木こどもクリニック（東京）

健診の基本を知っておこう

1カ月健診

この月齢での確認項目

- 原始反射（把握反射、モロー反射、原始歩行、ガラント反射）
- 斜頸
- 股関節脱臼
- 黄疸
- おへそ・脊椎・おしりの状態
- 目が見えるか
- 先天性の病気

など

体重増加は順調か病気がないかを中心に調べます

体重は生後一時的に減りますが、その後は1日30～40gずつ増えていきます。この体重の増加から、おっぱいやミルクの量が足りているかなどを判断します。先天性の病気、黄疸《おうだん》や股関節脱臼《こかんせつだっきゅう》がないか、おへそや湿疹《しっしん》の状態など、全身を細かく診察します。また、外部からの刺激に対して無意識に起きる動作の反射のうち、生まれたときにあって、成長するうちに消えていく反射のことを原始反射といいますが、1カ月健診ではその反射のようすから中枢《ちゅうすう》神経の発達が順調かどうかを確認します。頭蓋《ずがい》内出血の予防のため、ビタミンK_2シロップが投与もしくは処方されます。

授乳の回数や飲む量、ねんねの状態やうんちのリズムなど、育児不安があるときは、遠慮せずに相談しましょう。

原始反射のチェック

新生児特有の反射が備わっているかを確認。原始反射は数多くあり、すべてをチェックするわけではありません。

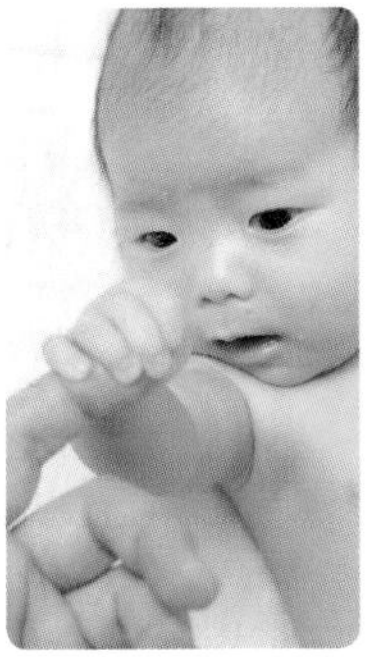

把握《はあく》反射

手のひらにふれると、指を丸めてしっかりつかみます。足の裏をこすると足の指も丸めます。

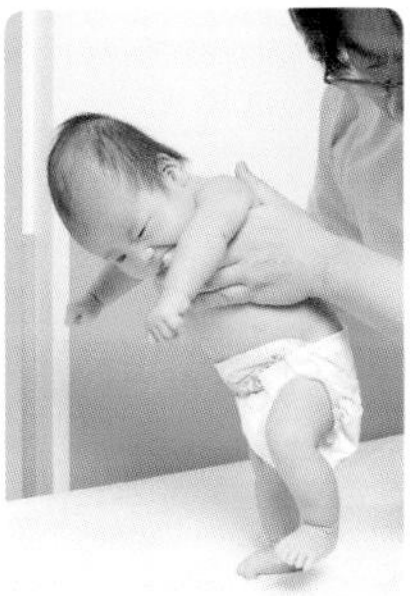

原始歩行

両手で体を支えて立たせると、まるで歩いているかのように足を交互に出します。

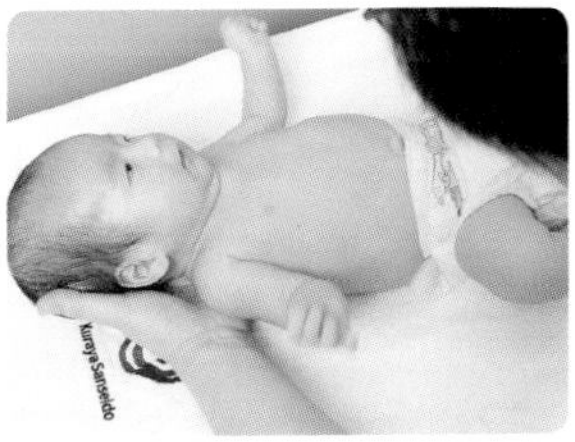

モロー反射

両手を少し持ち上げて離すと、ビクッとして両手を広げ、その後しがみつくように腕を閉じます。

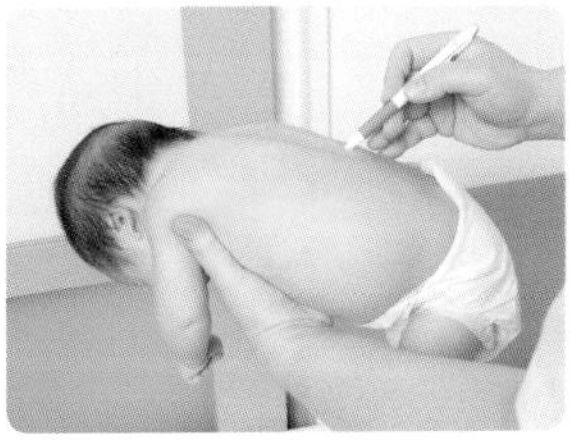

ガラント反射

背中の脊椎《せきつい》の外側あたりをなぞると、なぞったほうに体をくねらせて下半身を曲げます。

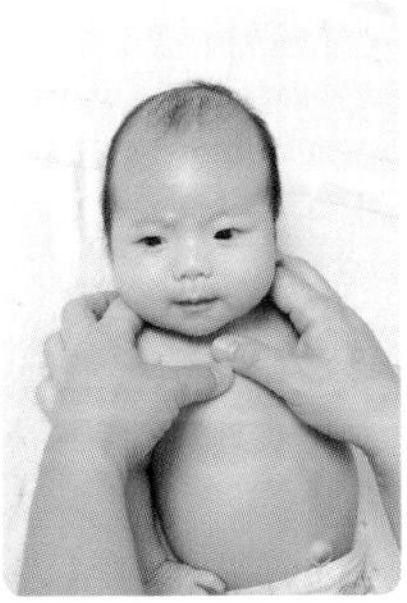

斜頸《しゃけい》ではない？

首を触って斜頸の原因になるしこりはないかを調べます。

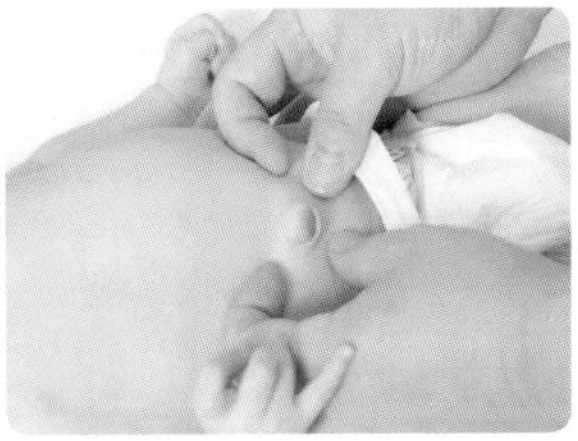

おへその状態は？

臍《さい》ヘルニア（腹圧《ふくあつ》がかかると出べそになる）やおへそが乾いているかを確認します。

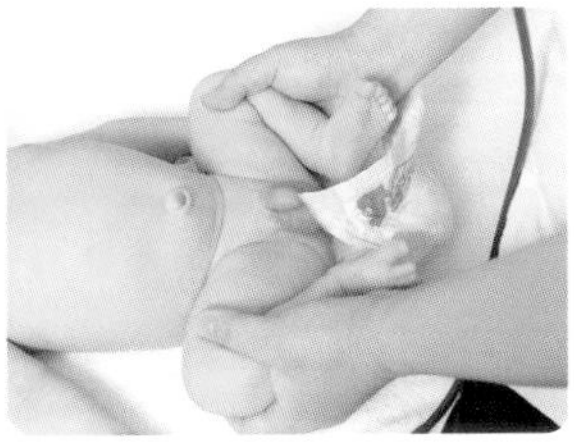

股関節脱臼ではない？

ひざとももをつかみ、脚をゆっくり曲げたり開いたりして、股関節の状態を診ます。

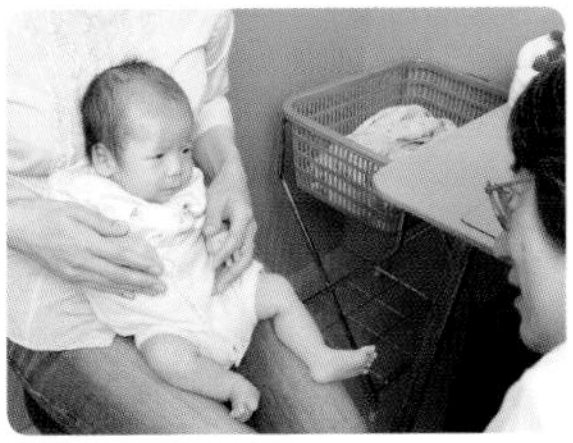

目が見えている？

目に光を当てたり、目線が合ってじっと見ているかを観察したりしてチェックします。

その他こんな検査も

黄疸は？
皮膚や白目が黄色くなっていないかをチェックします。

脊椎の状態は？
背骨がまっすぐかどうか、赤ちゃんの姿勢を診ます。

3~4カ月健診

この月齢での確認項目

- 首すわり
- 立ち直り反射
- 斜視
- 追視
- 音への反応
- 斜頸
- 股関節脱臼
- あやすと笑うか

など

首のすわりぐあいや、あやすと笑うかなどを確認します

首のすわりぐあいの確認がいちばんのチェックポイントです。寝てばかりいた赤ちゃんも、このころになると首がだんだんすわってきて、抱っこがしやすくなってきます。健診では、両手を持って引き起こすと首がついてくるか、体を支えて座らせたとき首がグラグラしないか、うつぶせにしたとき頭を持ち上げるかなどを診ます。

また、追視をするか、音に反応するか、あやすと笑うかなど、発達を確認する重要なチェックポイントが多くあります。そのため、ほとんどの自治体で公費による健診が行われています。

予防接種を受けられる月齢になってきているため、集団健診を行っている自治体では、同時に予防接種を行っているところもあります。

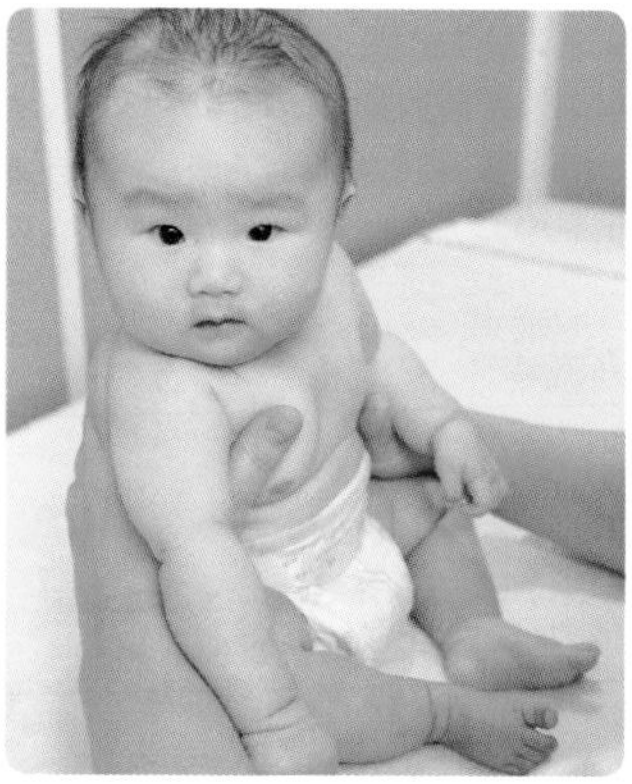

お座りの姿勢で頭がグラグラしない?

体を支えて座らせ、頭がグラグラしないかを診ます。4カ月の終わりまでにしっかりすわれば大丈夫。

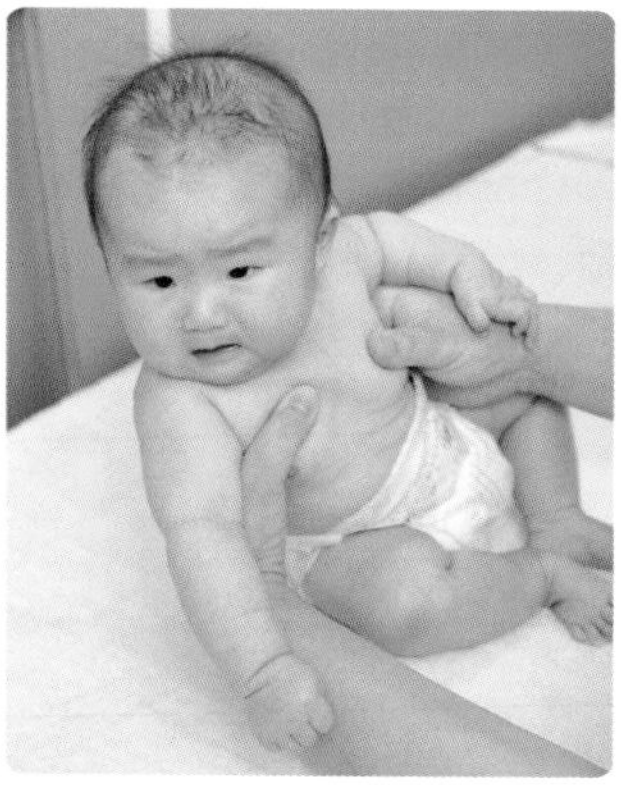

立ち直り反射がある?

体を傾けると元の位置に戻ろうとする動作があるかや、神経と筋肉の協調や発達のぐあいを調べます。

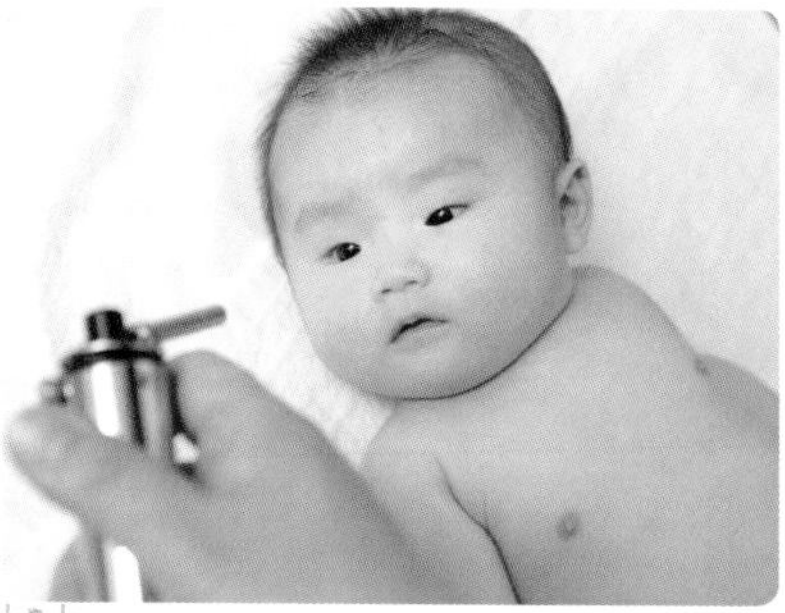

斜視《しゃし》ではない?

目に光を当て、黒目に映る光の位置で、斜視ではないか、左右同じように見えているかを確認します

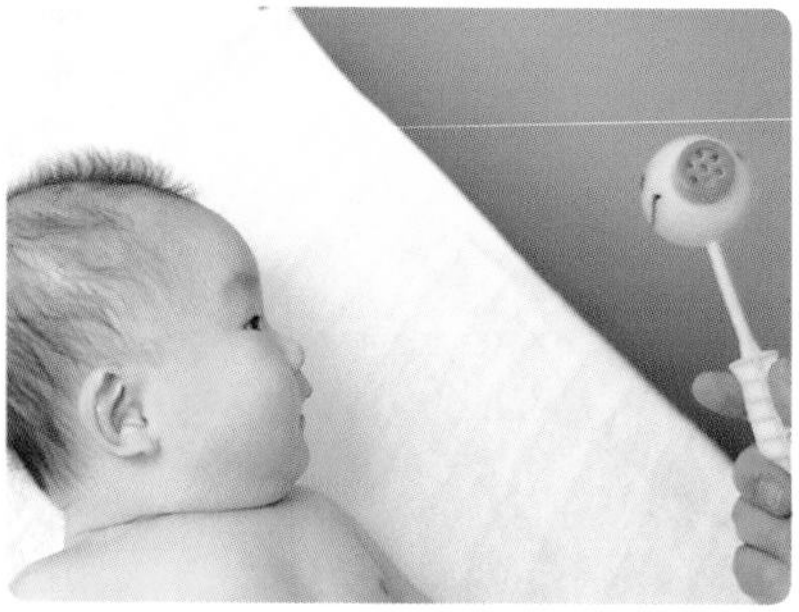

音のするほうを向く?

音の出るおもちゃを鳴らし、そちらを向くかどうかで耳の聞こえをチェックします。

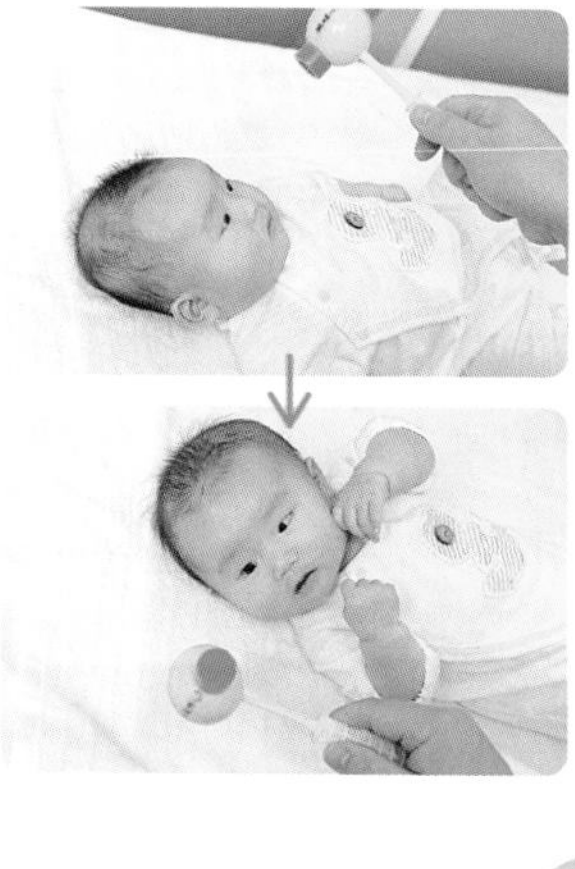

追視をする?

少し離れた距離でおもちゃを見せ、ゆっくり動かして赤ちゃんがそれを目で追うかどうかを調べます。医師が赤ちゃんと目を合わせ、顔を動かしてチェックすることも。

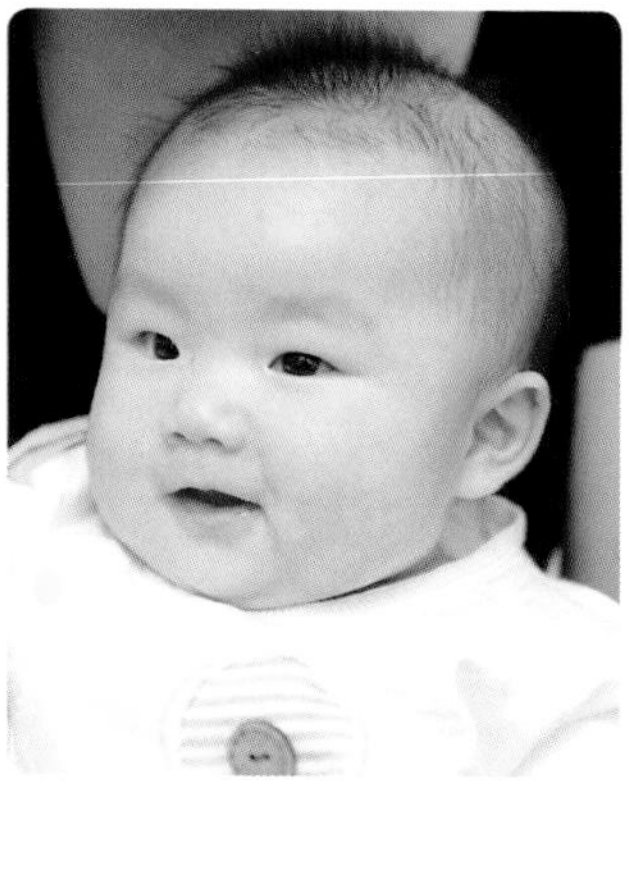

あやすと笑う?

あやすとニッコリ笑うかどうかで心の発達を確認します。健診で笑わなくてもふだん笑っていれば大丈夫。

その他こんな検査も

斜頸《しゃけい》ではない?

首の周りを触ってしこりがないか確認します。

股関節脱臼《こかんせつだっきゅう》ではない?

1カ月健診で行った股関節の開きぐあいを再度確認。

健診の基本を知っておこう

6~7カ月健診

この月齢での確認項目

- お座り
- 寝返り
- 引き起こし反応
- 手指の発達
- おもちゃに興味を示すか
- ハンカチテスト
- 股関節脱臼
- 音への反応
- 立ち直り反射
- 斜視
- 歯が生えているか

など

寝返りやお座りのようす、手指の動きをチェックします

少しの間でも、自分の体を手で支えてお座りができるか確認します。この時期は一瞬でもできればOK。まだちゃんとできなくても問題はありません。あおむけから、横になったり、うつぶせになったり、自分で好きなように寝返りできる赤ちゃんが多くなる月齢。健診でできなければ、家でのようすを伝えましょう。

また、ものを自分から手を伸ばしてつかみ、片方の手からもう片方の手へと持ち替えるかなど、手指の運動機能の発達を確認します。さらに手を伸ばすのと同時に、おもちゃに興味を示すかもチェックして、手の機能だけでなく、周囲への関心など心の発達のようすも診ます。

個人差はありますが、そろそろ歯が生え始める赤ちゃんも出てくるので、生えぐあいを確認します。

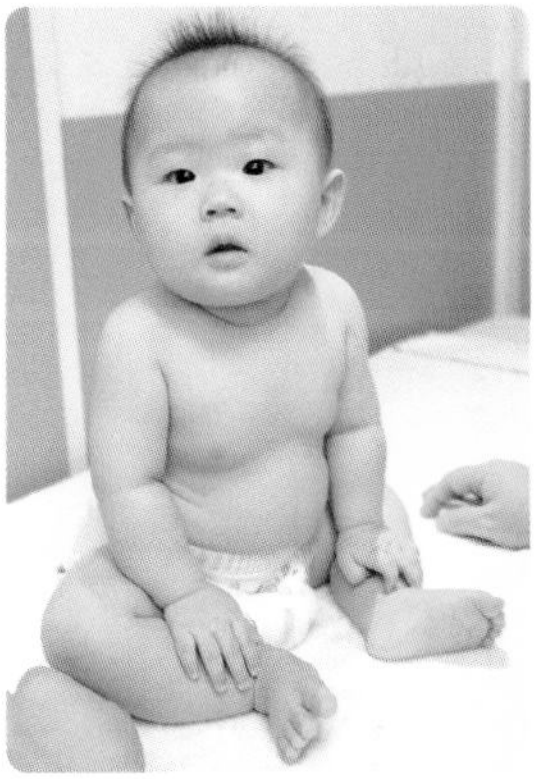

お座りをする?
お座りをするかどうか確認します。体が傾くほうに手をついて体を支えるかもチェック。

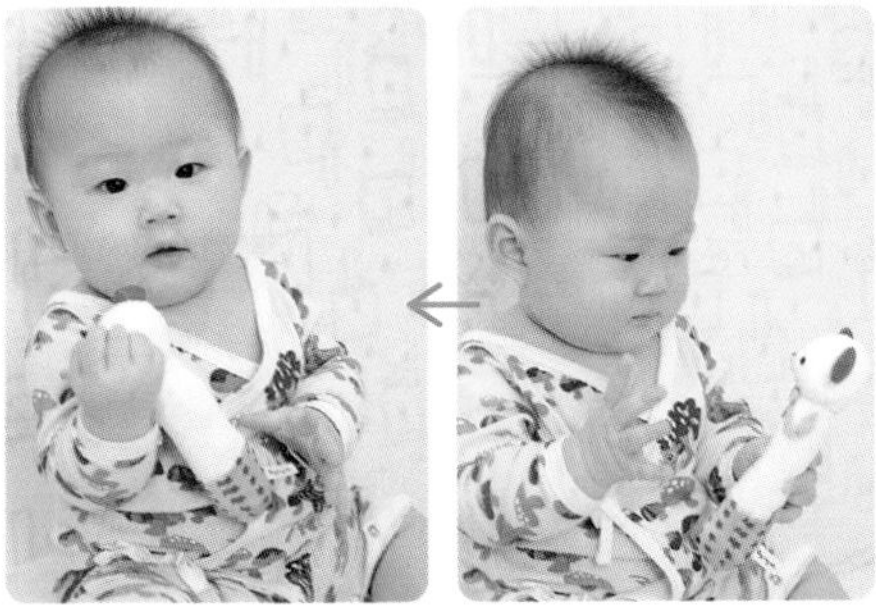

おもちゃを持ち替える?
おもちゃをもう一方の手に持ち替えるかを診ます。この時期にまだできなくても大丈夫。

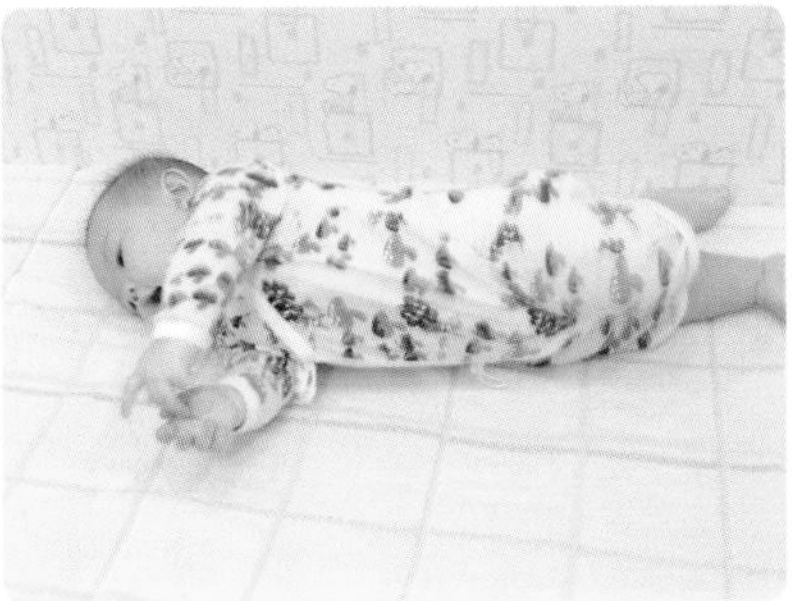

寝返りをする?
あおむけに寝かせて、自分で寝返りができるか観察します。その場でしなくてもふだんしていればOK。

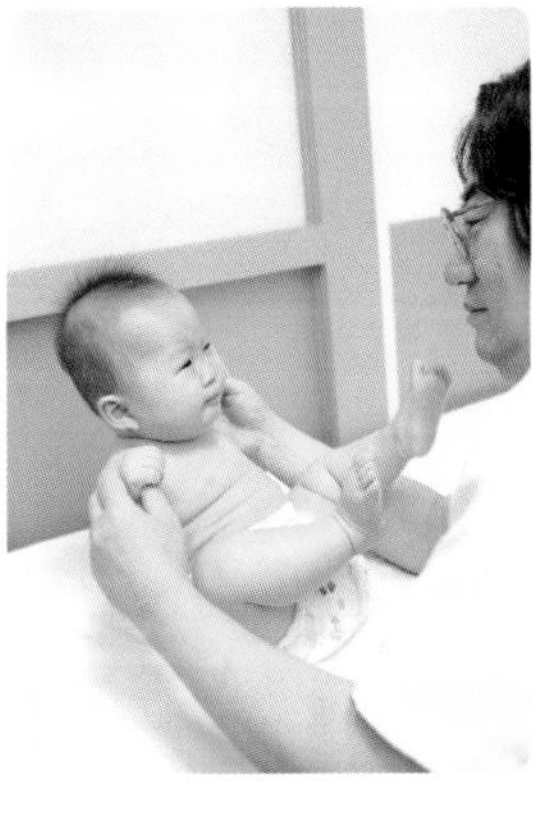

引き起こすと体を起こそうとする?
腕をつかんであおむけから体を引き起こし、体を丸め腕も曲げて体を起こそうとするかを確認。

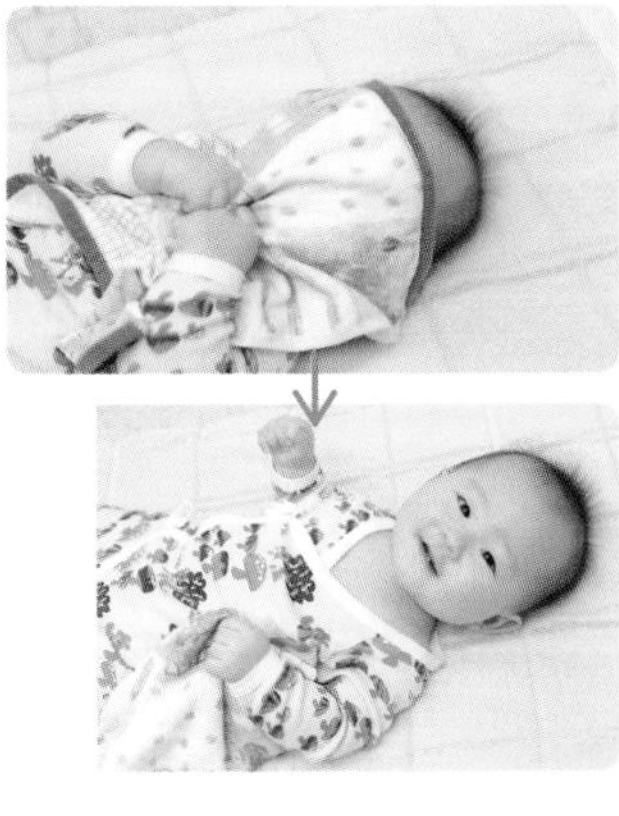

顔にかかったハンカチを自分ではずす?
赤ちゃんの顔にハンカチをかぶせて自分で取るかを観察し、手指の動きを確認します。泣いていると取らないことも。

おもちゃに興味を示す?
おもちゃに興味を示して手を伸ばすかを観察します。目で対象物の方向や距離が測れるようになってきた証拠です。

その他こんな検査も

股関節脱臼《こかんせつだっきゅう》ではない?
股関節の開きぐあいに左右で差がないかを確認します。

耳は聞こえる?
音を鳴らして、その方向を向くかを診ます。

立ち直り反射はある?
体を傾けるとまっすぐになろうとするかを確認します。

斜視《しゃし》ではない?
目に光を当て、左右の黒目に映る光の位置を確認。

歯が生えてきた?
最初の歯が生えてきたかや歯肉の状態を観察。

9~10カ月健診

この月齢での確認項目

- お座り
- ハイハイ
- パラシュート反射
- つかまり立ち
- 歯の生えぐあい
- 手指の発達
- 股関節脱臼
- 音への反応
- 斜視
- 言葉の理解

など

ハイハイやつかまり立ちなどを中心にチェックします

この月齢では、さまざまな運動発達が確認事項の中心となります。ハイハイやつかまり立ちなどで活発に動き回り、どんどん移動する赤ちゃんも多くなります。また、床に両手をつかなくてもお座りが安定するようになります。赤ちゃんの体を逆さにしたときに、体を支えるように両手を広げるパラシュート反射があるかどうかで、中枢《ちゅうすう》神経の発達も確認します。手指の動きもますますスムーズになるころ。小さなものをつかめるかなども診ます。

ママの話しかけに反応するかなどで言葉を理解しているか、人見知りや後追いなどについても問診し、心の発達を確認します。人見知りが激しくなる時期なので、健診では多くの赤ちゃんが大泣きしますが、心配いりません。

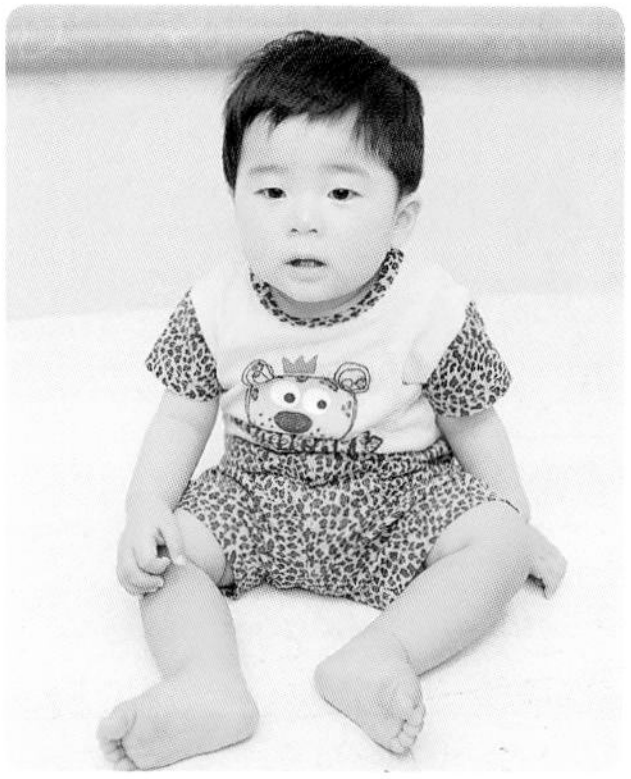

お座りをする?
両手で体を支えなくても、グラグラすることなく安定したお座りをするかを確認します。

つかまり立ちをする?
どこかにつかまって自分で立ち上がり、そのまま立っていられるかを確認します。

ママとのコミュニケーションがとれる?
差し出されたおもちゃを受け取るなど、ママの話しかけに反応しているかどうかを確認します。

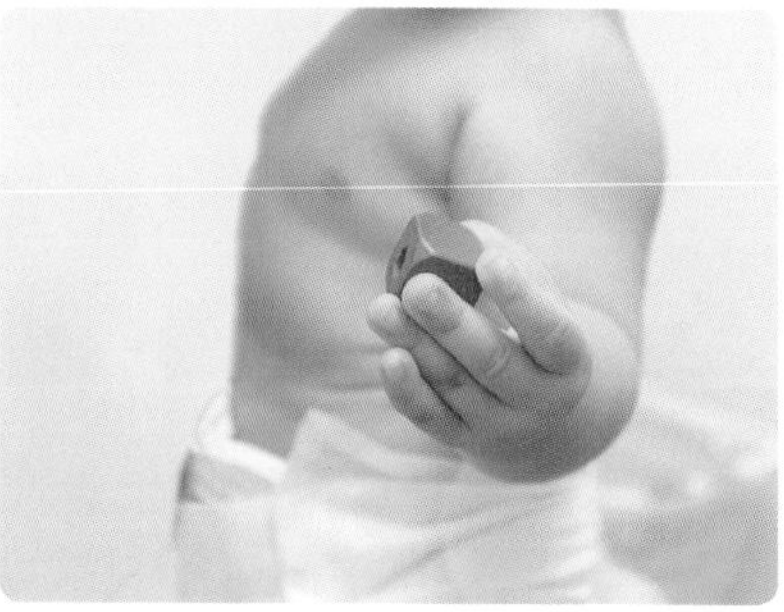

小さなものをつまめる?
小さなおもちゃをつまむようすを観察。上手につまめなくても指を動かしていれば大丈夫。

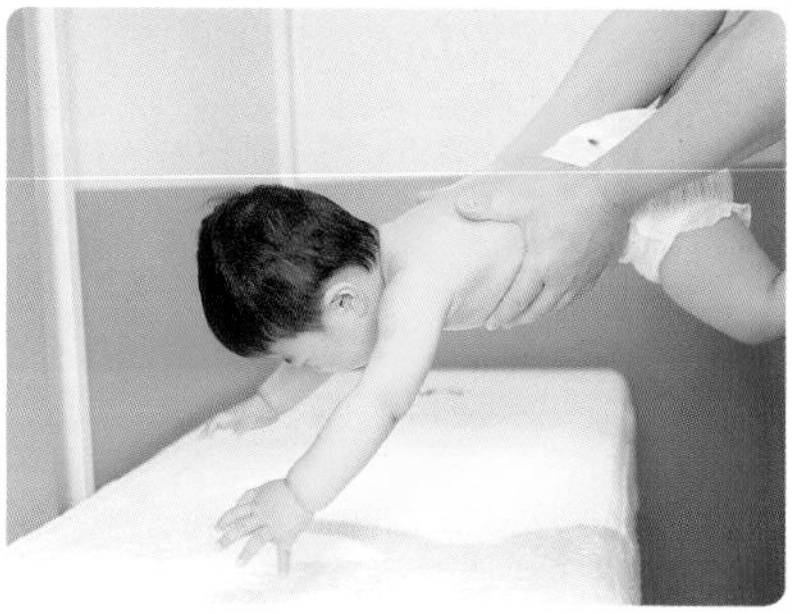

パラシュート反射はある?
体を支えて頭を下に体を傾けると、体を支えようとしてパラシュートのように両手を広げます。

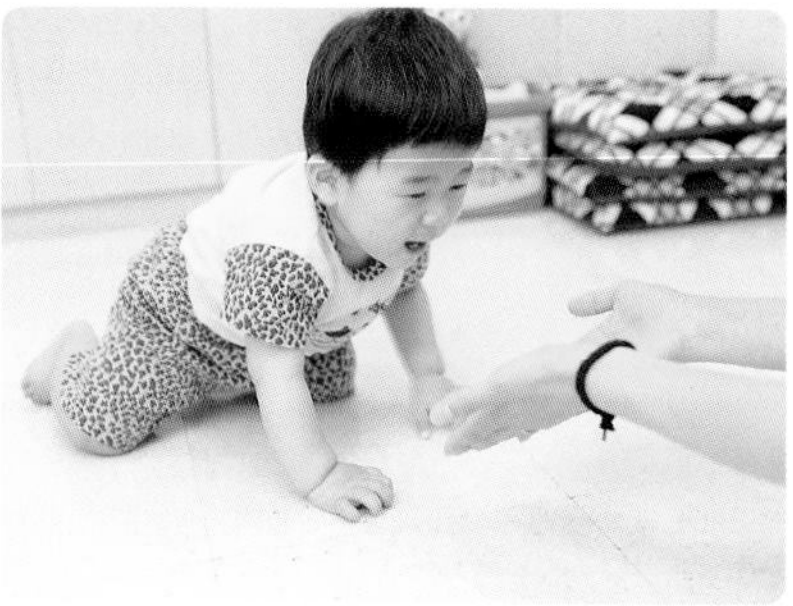

ハイハイをする?
ハイハイのようすを観察します。個人差が大きく、ずりばいの赤ちゃんやハイハイをしない赤ちゃんもいます。

その他こんな検査も

歯の生えぐあいは?
上下2本の歯が生えてくるころ。歯と歯肉を調べます。

斜視《しゃし》ではない?
この時期までには斜視かどうか確認できます。

股関節脱臼《こかんせつだっきゅう》ではない?
両脚をつかんで左右の開きぐあいをチェック。

耳は聞こえる?
見えないところで音を鳴らし、聴力を確認。

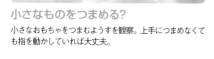

健診の基本を知っておこう

1才健診

この月齢での確認項目

- つかまり立ち
- 伝い歩き
- ひとり立ち
- 歯の生えぐあい
- 手指の発達
- 言葉の理解
- 視覚
- 聴覚

など

伝い歩きやひとり立ちのほか、言葉や心の発達を確認します

体重が出生時の約3倍ぐらいになり、手足が伸びて体がややスラリとしてきます。つかまり立ちから伝い歩き、さらにはひとり立ちができるようになる赤ちゃんも出てきます。このような運動機能をチェックしますが、まだできなくても大丈夫。しばらくようすを見ることになります。

歯が何本生えているかとあわせて、のどや口の中を診ます。ものを見るようすから視覚、かすかに鳴る音にも反応するかで聴覚の状態などを確認します。

また、声がけに反応するか、言葉を理解しているかなど、ママとのコミュニケーションから心の発達を診ます。きげんがよければ、人の動作のまねをするかも試したりします。健診でできなくても、日常のようすを伝えましょう。

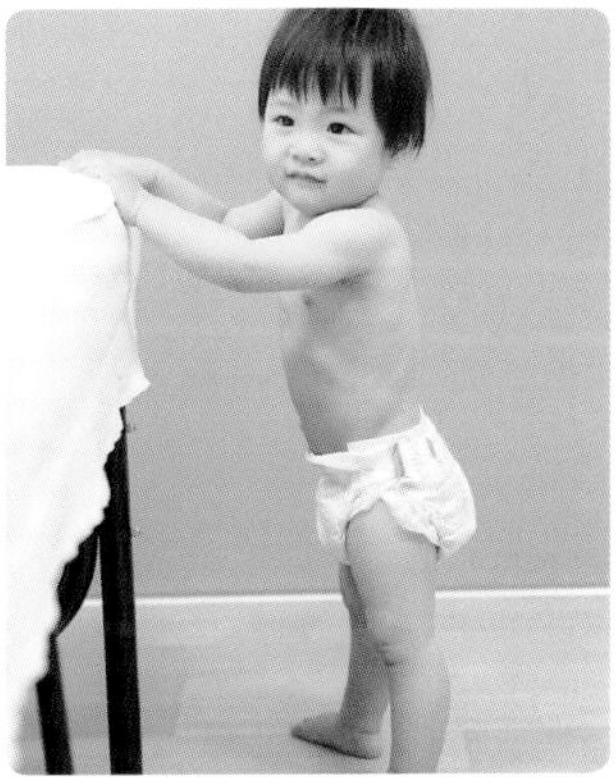

つかまり立ちをする?
つかまって立っていられるかを診ます。立っちやあんよをする子はそのようすも確認。

伝い歩きをする?
伝い歩きをする赤ちゃんが多くなります。健診でしなくてもふだんのようすを伝えればOK。

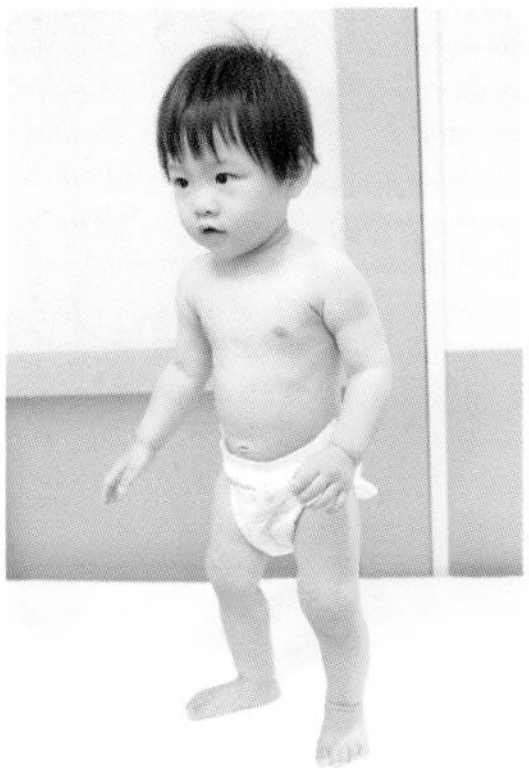

ひとりで立つ?
つかまり立ちをして一瞬立っていられるかを診ます。まだ立っちをしなくても大丈夫。

大人のまねをする?
「バイバイ」など大人のまねをするかを確認します。ふだんのようすを伝えればOK。

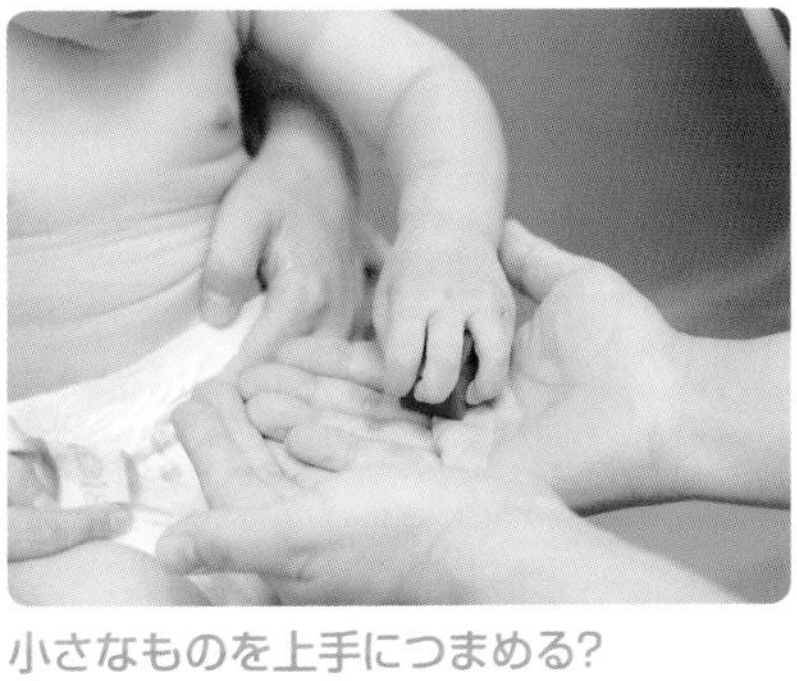

小さなものを上手につまめる?
親指とひとさし指で、積み木やブロックなどの小さなものをつまんだりつかんだりするかを観察します。

言葉を理解している?
「どうぞ」と差し出されたものを受け取るなど、言葉を理解して反応することができるかを診ます。

その他こんな検査も

歯の生えぐあいは?
個人差はありますが上下4本くらい歯が生えてきます。

1才6カ月健診

この月齢での確認項目

- 心の発達
- 手指の発達
- ひとり歩き
- 歯の生えぐあい
- 視覚
- 聴覚

など

ひとり歩きやコミュニケーションが重要な確認ポイントです

ひとり歩きができるようになっているか、積み木など小さなものを手指を自由に使ってつまめるかなどの運動機能をチェックします。

また、絵本を興味を持って見ているか、言われたことに反応して指さしをするか、楽しいときやぐずるときの感情の表し方はどうか、言葉を理解して周囲とのコミュニケーションがとれるか、いくつかの単語を話すかなど、心の発達を確認します。

体型が乳児から幼児らしく変わり、離乳食も卒業するころ。心身ともに発育の重要な確認ポイントがある時期なので、公的な健診が行われています。歯科健診は同時にせず、あらためて別の日に行われる自治体もあり、歯みがき指導などを受けられるところもあります。

ひとりで歩く?

個人差があるものの、このころにはひとりでしっかり歩けるかが大事なポイント。

指をさす?

興味を持ったこと、言われたことに、指をさして伝えたり答えたりするかを観察。

ひとりで遊べる?

好きなおもちゃを持って、ひとりで遊ぶかを観察。手指の動きなども確認します。

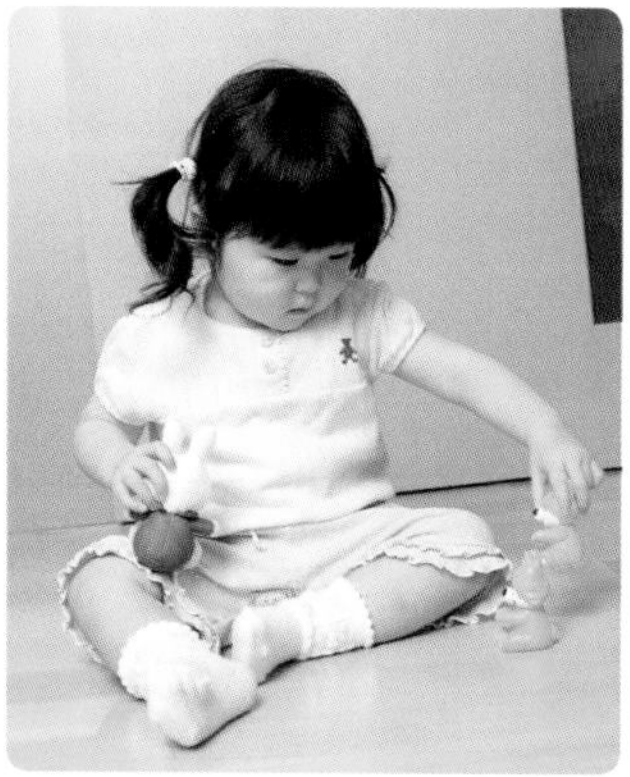

後ろから名前を呼んで振り向く?

後ろから名前を呼ばれて自分だと気づくか、コミュニケーションのようすを診ます。

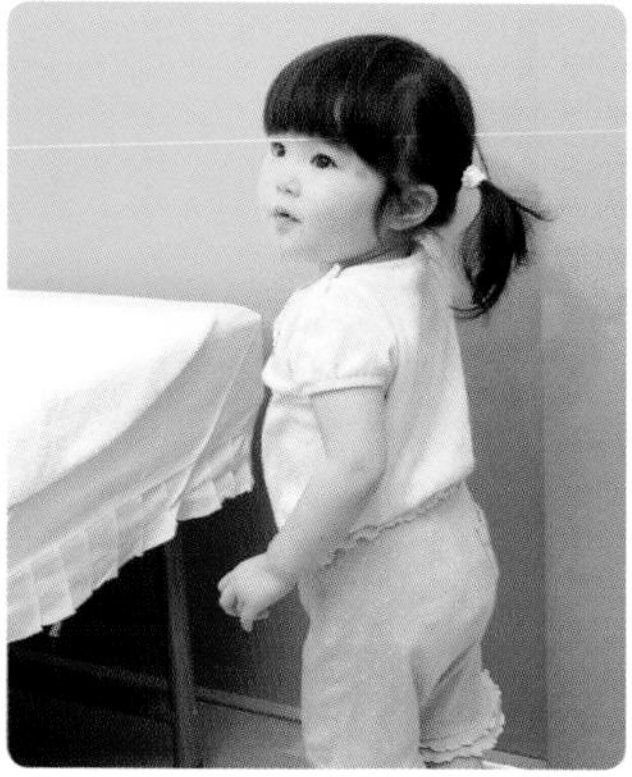

言葉を理解している?

「もしもし」など、大人の呼びかけを理解して、言葉やしぐさでふさわしい反応ができるかを確認します。

感情を表現している?

泣く、笑う、怒る、すねるなど、子どもらしい豊かな感情表現をしているかで、心の発達が確認できます。

その他こんな検査も

指を器用に使える?
遊びや生活場面で指を器用に使うか確認します。

大人の動作のまねをする?
バイバイ、おじぎをするなど、大人のまねをするかを診ます。

歯の生えぐあいは?
奥歯が生えてくるころ。歯のようすや上手にみがけているか確認。

健診の基本を知っておこう

3才健診

この年齢での確認項目

- 心の発達
- 手指の発達
- 歩き方やバランス
- 歯の生えぐあい
- 視覚
- 聴覚
- 尿（腎臓）

など

走ったり登ったりの運動面や心理面での発達を確認します

ひとりで階段を上れるか、クレヨンなどで丸が描けるかなどの足や手の運動機能をチェックします。また、衣類の着脱を自分でしたがるか、歯みがきや手洗いをしているか、ままごとや怪獣ごっこなどのごっこ遊びをするか、自分の名前を言えるか、遊び友だちがいるかなど、精神面の発達も確認。多くの自治体では、このような内容を、ふだんの生活のようすとあわせてママから聞き取ります。

また事前に聴覚・視力検査のキットが家庭に送付され、ママが子どもに検査を行い、その結果を記入して、健診当日に提出したりする自治体や、腎臓《じんぞう》機能の検査のために、尿検査用セットが家庭に送られ、当日尿を持参し提出したりする自治体もあります。しつけや発達など気になっていることがあれば、相談を。

聴力・視力・尿検査

家庭で検査するためのキットが送られてくる自治体も。

尿検査

折りたたみの紙コップに子どもの尿をとり、ポリ容器に移して提出します。

視覚検査

子どもを座らせて、片方の目をティッシュペーパーでおおいテープではります。そこから2.5m離れたところでママが検査用の絵を持って、何の絵かを聞き、答えられるかを見ます。

聴覚検査

ママは口元を手で隠し、ささやき声で絵の中の何かの名前を言います。子どもがその絵を指さしたら、聞こえているとみなす検査です。

次は就学前の6才健診があります

3才健診の後の集団健診としては、多くの自治体で6才健診を行っています。これは小学校入学前の子どもに実施しているもので、就学前健診とも言われ、運動・精神の発達状態、言葉の発達、視覚・聴覚などについて確認します。

歯みがきをしている?

歯みがきをいやがったりしませんか？　子どもがみがいた後は、ママが仕上げみがきをしてあげる習慣をもちたいですね。

丸を描ける?

持ちやすい筆記用具でお絵描きを。最初と最後の線がくっついて、グルリととじた丸を描けるかを確認。

ごっこ遊びをしている?

何かを何かに見立てて、ごっこ遊びをするかどうかを見ます。

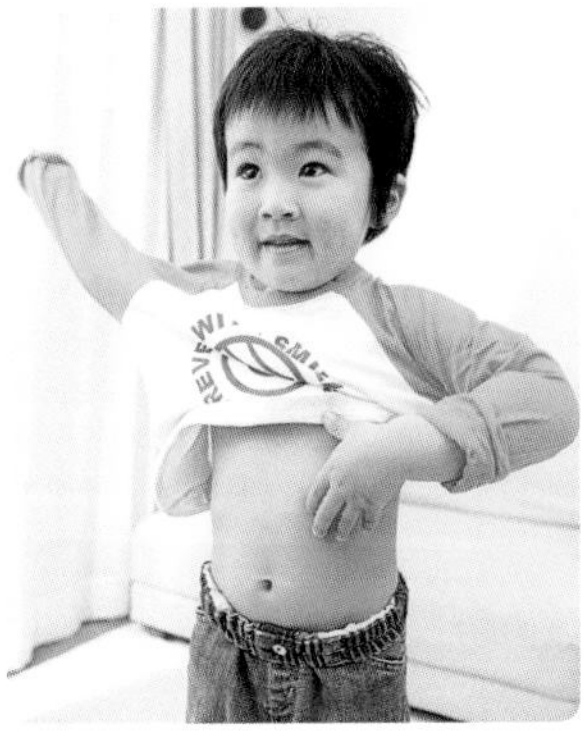

ひとりで着替えをする?

服の後ろ前や裏表を間違ったりすることはまだまだあります。自分で着脱したい気持ちがあるかどうかをチェックします。

赤ちゃんを病気から守るために

予防接種の基本を知っておこう

受ける意味、種類や時期、スケジュールなど、予防接種の基本をしっかり理解して。納得してから受ければ安心です。

うつると重症化のおそれのある病気にかかるのを防ぎます

現在、予防接種の対象となっているのは、どれも実際にかかると生命にかかわる病気や、多くの人は軽くすんでも、しばしば重症化したり重い合併症を引き起こしたり、後遺症が残る人がいる病気です。このような病気から赤ちゃんを守るために実施されているのが予防接種です。予防接種は、原因となる病原体から作ったワクチンを接種することで体内に抵抗力（免疫力《めんえき》）を作り、一生その病気にかからないか、かかったとしても軽い症状ですむようにします。

みんなが受けることによって、病気が広がるのを予防します

あまり聞いたことのない病名の予防接種があったり、その病気にかかった人を身近に知らなかったりすると、「接種する必要があるの？」と思うかもしれません。でも、予防接種の普及によって流行が抑えられているだけで、その病気がなくなったわけではないのです。

また、感染症《かんせんしょう》は主に人から人へ伝染する病気ですから、感染しなければほかの人にうつすこともありません。病気が大流行するのをくい止めるのにも、予防接種は重要な役割を果たしているのです。

定期接種は無料か一部公費負担、任意接種は全額自費

●定期接種の場合

受けることが望ましいと法律で国が奨《しょう》励《れい》しているのが「定期接種」。BCG、ポリオ、三種混合（DPT）、麻疹《ましん》風疹《ふうしん》混合（MR）がこれに当たります。接種が定められている年齢の期間内であれば公費の補助を受けることができるので、無料か、自治体によっては一部有料で受けられます。

●任意接種の場合

周囲の環境などを考慮して、受けるかどうかを親が選択するのが「任意接種」。任意となっていても、接種しなくていいという程度の病気というわけではありません。水ぼうそう（水痘《すいとう》）、おたふくかぜ（流行性《りゅうこうせい》耳《じ》下《か》腺炎《せんえん》）、インフルエンザ、B型肝炎《かんえん》、Ｈｉｂなどが対象です。費用は全額自己負担ですが、B型肝炎はママがキャリアの場合、健康保険が適用されます。

集団接種は決まった日時と会場で、個別接種は都合のよいときに

●集団接種の場合

市区町村ごとに組まれたスケジュールに従って、決められた日の決められた時間に、公民館や保健所などの会場で受けます。一般に、BCGとポリオは集団接種の地域が多いようです。告知の方法は、はがきや広報紙などさまざま。保健所に問い合わせて確認しておきましょう。

●個別接種の場合

ママがスケジュールを組み、かかりつけの病院などに行って接種を受けます。赤ちゃんの体調がよいときに合わせて日程を選びましょう。予防接種に対する不安や疑問があるときは、赤ちゃんのふだんのようすや体質をよく知っている医師に相談してから受けるとよいでしょう。

※予防接種についてはとじ込み②もあわせて見てください。

予防接種の基本を知っておこう

よくわかる! 赤ちゃんが受けておきたい予防接種

	予防接種名	予防する病気	ワクチンの種類	受け方
定期接種	**BCG**	**結核**	**生ワクチン**	9本の針が植えつけられているスタンプのような器具を上腕《じょうわん》に押しつけて接種します。ツベルクリン反応検査なしの直接接種です。6カ月になる前まで。
定期接種	**ポリオ**	**ポリオ** (急性灰白髄炎《きゅうせいかいはくずいえん》・小児まひ)	**生ワクチン**	ワクチンをスポイト状の器具で口から服用する方式で、2回に分けて投与します。1回目と2回目の間は6週間以上あけて。標準的には3カ月から18カ月になるまでの間に。
定期接種	**三種混合**(DPT)**I期**	**ジフテリア、百日ぜき、破傷風《はしょうふう》**	**不活化ワクチン・トキソイド**	上腕に注射。I期初回は3カ月から12カ月になるまでに3回。それぞれ3～8週間あけて接種。I期追加は初回終了後、6カ月以上あけて、標準として初回接種終了後、12カ月以上18カ月未満の間に1回。
定期接種	**麻疹風疹混合《ましんふうしんこんごう》** (MR)	**麻疹**(はしか)、 **風疹**(三日ばしか)	**生ワクチン**	上腕に注射をします。12カ月から24カ月になる前までの間に1回、その後、小学校入学前の1年間(幼稚園・保育園の年長児のとき)に1回接種します。
任意接種	**水ぼうそう** (水痘《すいとう》)	**水ぼうそう** (水痘)	**生ワクチン**	上腕に1回、注射をします。1才以降に接種。
任意接種	**おたふくかぜ** (流行性耳下腺炎《りゅうこうせいじかせんえん》)	**おたふくかぜ** (流行性耳下腺炎)	**生ワクチン**	上腕に1回、注射をします。1才以降に接種。
任意接種	**インフルエンザ**	**インフルエンザ**	**不活化ワクチン**	上腕に注射をします。6カ月以降が対象で、13才未満は2回。1回目と2回目の間は1～4週間あけ、毎年流行し始める12月までには終了するように計画を立てるのが理想的。
任意接種	**B型肝炎《かんえん》**	**B型肝炎**	**B型肝炎用ガンマグロブリン+不活化ワクチン**	HBs抗原陽性《こうげんようせい》のママから生まれた赤ちゃんは、生後48時間以内と2カ月時にガンマグロブリンを各1回、2～5カ月の間にワクチンを3回接種します。健康保険の適用あり。
任意接種	**Hib**	**細菌性髄膜炎《さいきんせいずいまくえん》**など	**不活化ワクチン**	上腕に注射をします。2カ月以上1才未満は初めに3回、その後1才～1才6カ月の間に追加で1回の計4回。1才以上なら1回のみ接種します。

●ほかにも定期接種として「日本脳炎」、任意接種として「肺炎球菌」、また国家事業として「新型インフルエンザ」の予防接種もすすめられています。(2010年7月現在)

ワクチンは3種類

予防接種に使われるワクチンは、その性質によって3つの種類に分けられます。接種スケジュールを立てるときに重要ですので、頭に入れておきましょう（スケジュールの立て方は184ページにあります。）

生ワクチン

次の接種は27日以上あける

BCG、ポリオ、麻疹風疹混合、水ぼうそう、おたふくかぜなど

生きている病原体の毒性を弱めて作ったワクチン。接種によりその病気にごく軽く感染させることで、免疫《めんえき》力をつけます。ウイルスや細菌などの病原体が体内で増えるため、一度接種すると、その後4週間はほかの予防接種を受けることができません。

不活化ワクチン

次の接種は6日以上あける

三種混合、インフルエンザ、B型肝炎、Hibなど

化学処理などによって死んだ病原体の成分の毒素を無毒化して作ったワクチン。病原体が体内で増えず、免疫の続く期間も短いので、何回か繰り返しての接種が必要です。接種後は1週間たてばほかのワクチンを接種することができます。

トキソイド

次の接種は6日以上あける

二種混合（DT※）

病原体が作る毒素だけをあらかじめ抽出して取り出し、無害なレベルにまで薄めてから接種するもの。不活化ワクチン同様、免疫をつける力が弱いので、複数回の接種が必要。接種後、1週間たてばほかのワクチンの接種が可能です。

※DTとは、11才から12才になる前までの間に定期接種する、ジフテリアと破傷風の混合ワクチン。

予防接種のスケジュールの立て方

予防接種のスケジュールは、親が立てるのが基本です。でも、種類によって接種間隔や回数が違うので、どの順番がいいのか迷うことが多いもの。受け忘れなくきちんと受けるためのコツをご紹介します。

ポイント1 まずは集団接種の日程をCHECK! 最初にスケジュールに組み込む

まず、日程が決まっている集団接種を先に予定に組み込みます。集団接種は、受け忘れると半年先まで実施されないこともありますから、スケジュールを立てるときは優先的に。多くの自治体で集団接種が行われているのはポリオとBCGですが、BCGは接種の期間が6カ月までと短いので気をつけること。またポリオも春と秋の2回のみの場合が多いので忘れずに。

個別接種は集団接種との兼ね合いを見て組み込みます。判断に迷ったら、かかりつけの医師に相談しましょう。

ポイント2 かかりやすい、かかると重症になる心配のある病気を優先

流行のしやすさと、万一かかったときの重さを考えれば、3カ月以降は、三種混合（DPT）［Ⅰ期1回目］→BCG→ポリオ［1回目］の順に接種するのがよいでしょう。特に三種混合は、Ⅰ期に3回、追加で1回と、免疫《めんえき》がつくまでに受ける回数も多いので、早めの接種がおすすめ。また、はしかは地域的に大流行することが多く、赤ちゃんがかかると重症化して命を落とすこともあるので、麻疹《ましん》風疹《ふうしん》混合（MR）は、1才になったらなるべく早めに受けるようにしましょう。

ポイント3 任意接種も流行を見極めながら早めにスケジュールに入れる

水ぼうそう（水痘《すいとう》）、おたふくかぜ（流《りゅう》行性《こうせい》耳《じ》下腺炎《かせんえん》）、インフルエンザなどは任意の予防接種ですが、流行などを見極めつつこれらも受けておきたいものです。特に保育園などに入る予定がある場合は、かからないように、あるいはかかっても重症にならないように、入園前にできるだけ受けておくとよいでしょう。すでに入園の時期が決まっているのなら、その日から逆算して予定を立てるのもいいでしょう。

また、インフルエンザは、流行期に入る前の11～12月までに2回受け終わっていると安心です。Hibは、接種回数や間隔が三種混合とほぼ同じなので、三種混合の合間に受けるようにするとよいでしょう。

スケジュール作りの参考に!

受けた予防接種が……

生ワクチンのとき	不活化ワクチン・トキソイドのとき
BCG、ポリオ、麻疹風疹混合、水ぼうそう、おたふくかぜ	三種混合、インフルエンザ、B型肝炎、Hib
↓ 27日以上あける	↓ 6日以上あける
次に受けられる予防接種 別の種類の生ワクチン、不活化ワクチン	**次に受けられる予防接種** 別の種類の生ワクチン、不活化ワクチン

※同じ種類のワクチンを続けて受ける場合は、ワクチンごとに決められた接種間隔を守ってください（183ページの「よくわかる！　赤ちゃんが受けておきたい予防接種」の接種方法を見てください）。

知っておきたい！予防接種の副反応

気になる予防接種の副反応。きちんと理解して、対処法を知っておきましょう。

ごく軽く、自然に治る副反応がほとんど

そもそも予防接種は、病原体をもとに作ったワクチンを接種し、軽く病気に感染させることで免疫《めんえき》をつけるもの。赤ちゃんによってはその病気のごく軽い症状が現れたり、ワクチンに含まれるほかの成分に敏感に反応し、接種部位のはれや軽い発熱、発疹《ほっしん》などが出ることがあります。これが副反応です。

赤ちゃんが強いアレルギー体質である場合などを除けば、重い症状が現れることはごくまれで、副反応を恐れることはないといっていいでしょう。気になる場合は、接種前にかかりつけの医師に相談しましょう。

副反応が起きたときの救済制度

接種後に強い副反応が出たときは、医師の診察を受けたうえで自治体の予防接種担当課に申し出てください。定期接種の場合なら、予防接種健康被害救済制度の対象になり、医療費や医療手当、障害児養育年金などの給付を受けられます。任意接種の場合は薬害補償制度の対象となり、救済措置が取られます。

予防接種の副反応チェック表

	時々見られる副反応		ごくまれに見られる副反応		受診したほうがいいのはこんなとき
BCG	10日～4週間後	針のあとが赤くなったり、うみをもってジクジクした感じになったりする。	2～3カ月後	わきの下のリンパ節がはれるが、接種6カ月後までに治ることがほとんど。	わきの下のリンパ節のはれが2～3㎝以上に大きくなったとき。
ポリオ	1～2日後	下痢《げり》をする、37.5～38.5度の発熱、嘔吐《おうと》がある。	4～35日後	手足がまひしてダランとなる（450万人に1人の割合）。	ふきげんで吐き気が強いとき、足がダランとしてきたとき。
三種混合（DPT）	1～3日後	接種部位が数㎝赤くはれたり、しこりができたりする。微熱やきげんが悪いことも。	2～3日後	ひじより先のほうまで大きくはれてくる。	はれたところを痛がる、ひじより先のほうまで大きくはれてきたとき。
麻疹風疹《ましんふうしん》混合（MR）	4～14日後	発熱、発疹など、軽いはしかのような症状が出る。接種部位のかゆみなど。	4～14日後	発熱に伴う熱性けいれん。脳炎・脳症（100万～150万人に1人の割合）。	左記の症状が見られたら、受診を。
水ぼうそう（水痘《すいとう》）	4～14日後	微熱が出る、接種部位が赤くなったり、はれたりする。	約3週間後	発熱や、水ぼうそうのような発疹が現れる。	37.5度以上の熱が出たとき、水ぼうそうのような発疹が現れたとき。
おたふくかぜ（流行性耳下腺炎《りゅうこうせいじかせんえん》）	4～14日後	接種部位が赤くなったり、はれたりする。微熱、耳下腺《じかせん》（耳の下あたり）を痛がる。	2～3週間後	耳下腺がはれる。発熱する。無菌《むきん》性髄膜炎《せいずいまくえん》（2,000～6,000人に1人の割合）。	左記の症状が見られたら、受診を。
インフルエンザ	1～3日後	接種部位が赤くはれて痛がる、微熱が出る、悪寒、頭痛、嘔吐など。	1～3日後	強い卵アレルギーがある場合、じんましん、呼吸困難などのアレルギー症状が出る。	左記の症状が見られたら、受診を。
B型肝炎	4～14日後	特にない。	4～14日後	接種部位がかゆくなったり、赤くなったりする（1～2%の割合）。	左記の症状が見られたら、受診を。
Hib	1～2日後	接種部位が赤くなったり、はれたり、痛くなったりする。	1～2日後	接種部位がひどくはれて痛がる、発熱する。	左記の症状が見られたら、受診を。

予防接種を受けるまでの流れ

予防接種はどうやって受けるのか、準備のこと、接種前日・当日、接種後のことなどを知っておくと安心です。

❶ お知らせをチェック

通知方法を確認

集団接種の場合は実施日程・方法がどんな形で通知されるのかを保健所などに確認し、自治体で作っている予防接種に関する冊子などをチェックしておきます。

❷ 日程を決める

個別接種は予約

集団接種ならば決められた日程・会場を確認しておきます。個別接種ならば前もってかかりつけの病院などに日時を予約します。

❸ 接種前日まで

予診票に記入

予診票は赤ちゃんの体調、病歴などを医師に伝えるもの。定期接種の予診票はほとんどの自治体で前もって配付されるので、事前に必要事項を記入しておきます。ただし、保護者のサイン欄は未記入のままに。

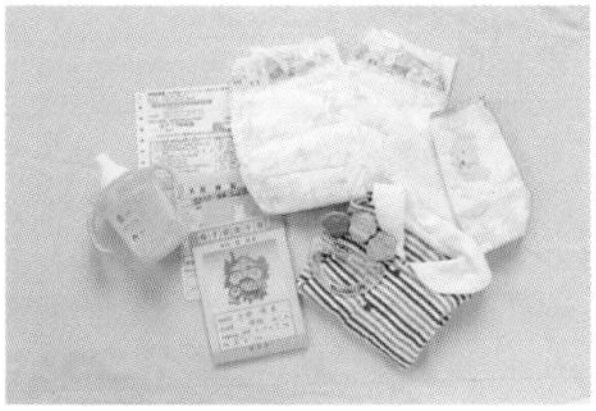

持ち物を確認

予診票、母子健康手帳、健康保険証、診察券、おむつ、おしりふき、ハンドタオル、飲みもの、着替えなど。

❹ 接種当日、おうちで

体調をチェック

赤ちゃんの体調、全身に湿疹《しっしん》や赤みはないかなど肌もチェックします。出かける前には検温を。37.4度以下ならば受けられます。また、接種の1時間以上前には飲食をすませておくように。

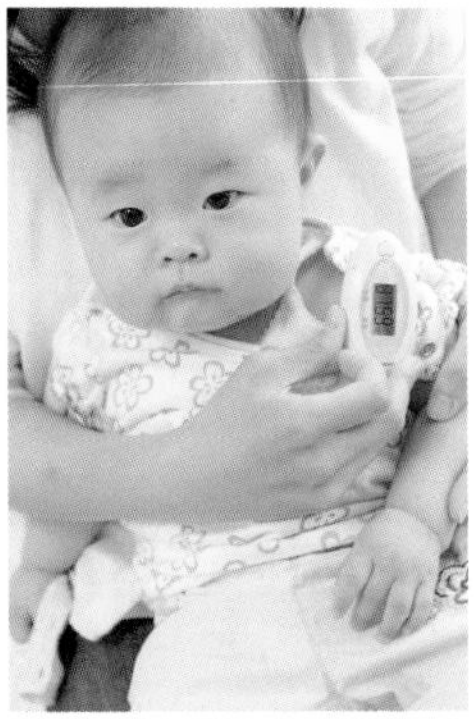

当日の服装

診察のとき胸をすぐ開けられる前開きのものか、上下分かれていて、注射のときにサッとまくって腕が出せる袖口のものを。

❺ 接種会場で

❶検温

到着後、もう一度検温します。37.5度以上でも場合によっては受けられることもあるので、医師に相談を。

❷問診

体調や今までの予防接種での副反応などについて問診を受けます。

❸診察

聴診器で胸の音を聞いたりして診察します。問題がなければ、保護者が同意のサインをします。医師も同じくサインを。

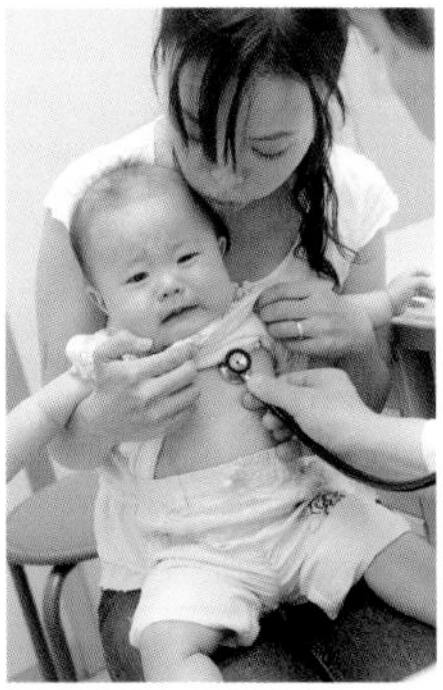

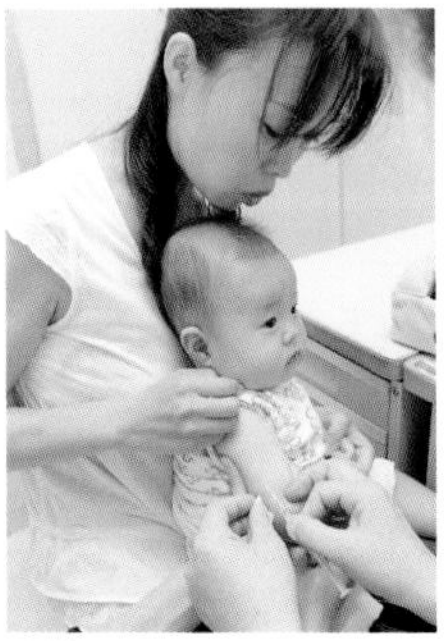

❹接種

赤ちゃんが動かないようにママはしっかり抱っこして腕を押さえて、接種します。

❺30分待機

接種後すぐに吐いたとき再接種が必要なものや、アレルギー症状が出る可能性がある場合は、会場で30分ほど待機します。

❻ 接種後、おうちで

授乳は接種後30分が過ぎてから

接種後は早めに帰宅をして外出は控えて。まれに副反応で吐くことがあるので、単なる食後の嘔吐《おうと》とを見極めるためにも、接種後30分は飲食を避けます。

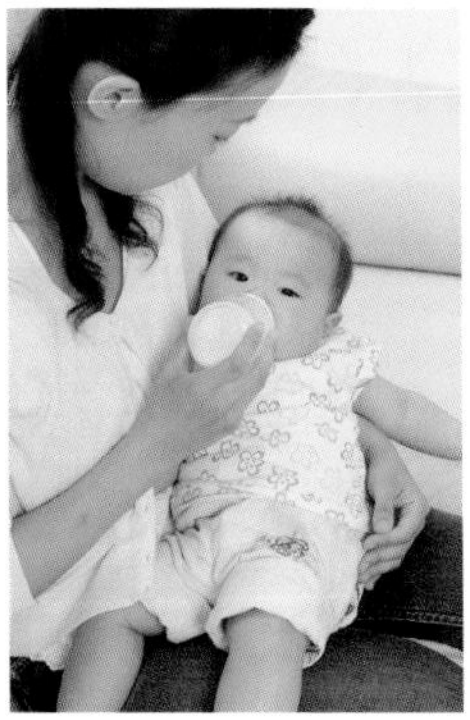

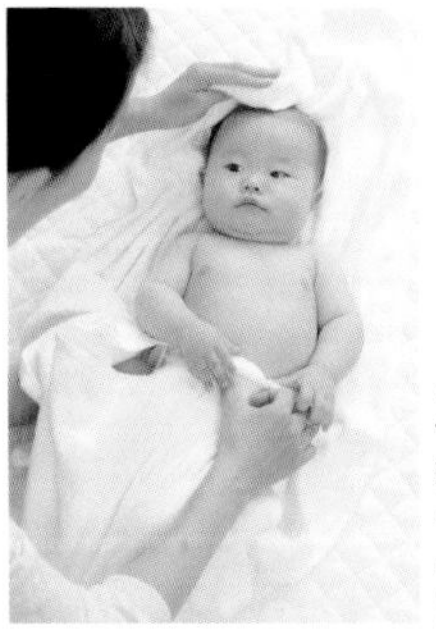

入浴はOK

接種後1時間ほどたてば、入浴しても大丈夫。ただし、接種部位をもんだりしないよう気をつけて。夜はなるべく早く寝かせましょう。

※予防接種が受けられないのはどんなときなのかについては、とじ込み②（うら）を見てください。

定期接種

BCG

予防する病気
結核

接種する時期
6カ月になる前日まで。

ワクチンの種類と接種方法
生ワクチン／上腕《じょうわん》にワクチンをたらし、9本の針があるスタンプを2カ所に押し付けて接種します。

赤ちゃんがかかると、悪化しやすい結核を予防

結核は結核菌によって感染し、せきと熱が続く病気。重くなると血を吐いたり、呼吸困難になったりし、以前は死亡率の高い病気でした。現在は薬により治すことができますが、抵抗力の低い赤ちゃんがかかると悪化が早く、結核菌が血管の中に入り込んで大量の菌が全身にまき散らされると、重症の粟粒《ぞくりゅう》結核になったり、結核性髄膜炎《ずいまくえん》を併発《へいはつ》する心配もあります。日本では高齢者の患者数が増加傾向にあり、予防は欠かせません。

ツベルクリン反応がなくなり、全員が接種

パパやママたちが経験したツベルクリン反応によるチェックは、2005年4月からは行われず、直接、全員が生後6カ月までに接種することになりました。これは、結核に対する免疫《めんえき》がしっかりあるわけではないのに、ツベルクリン反応でたまたま陽性が出て、BCGを受けないままになってしまうケースをなくすため。もし、すでに免疫を持っていたとしても、免疫がなかった場合より早く接種部位が赤くはれるだけで心配はないので、安心して受けてください。

接種前・後の注意点

●接種前

接種する腕にひどい湿疹《しっしん》や虫刺されがあると、接種できないこともあります。軽い湿疹なら大丈夫ですが、アトピー性皮膚炎など、ひどい湿疹がある場合は、BCGで湿疹が悪化したり化膿《かのう》したりすることも。治療によって症状を改善させたうえで接種したほうがいい場合もあるので、主治医と相談してください。

●接種後

ワクチンが自然に乾くまで服が肌にふれないように待ちます。ばんそうこうなどを貼ったりしないようにしましょう。

BCG Q&A

Q 接種のあとが乾かないうちに触ったら、もう一度やり直す?

A **ちょっとふれた程度なら問題ありません**

触らないように言われるのは、確実にワクチンを体内に入れるため。でも、実際は針を刺したときにワクチンは体内に入っているので、少し触ったり服ですれた程度なら大丈夫です。

Q 接種のあとがほとんどないので、免疫がついているか心配です

A **接種のあとが少なければ小児科で相談を**

抗体《こうたい》がついていれば、接種後3～4週間で赤くなってきます。18カ所の針のうち、9カ所程度が赤くなっていれば大丈夫。でも、接種後2カ月たって反応がないときは、抗体ができていない可能性があるので小児科で相談してください。

Q BCGのあとが、ジクジクしてうみを持っているみたい

A **多少のジクジクは正常な反応です**

接種後3～4週間で、接種のあとが赤くなったり多少うみが出るのは正常な反応です。でも、うみがひどく出たり、はれが大きくなって痛がったりするときは受診して。

定期接種

ポリオ

予防する病気

ポリオ（急性灰白髄炎《きゅうせいかいはくずいえん》・小児まひ）

接種する時期

標準は3カ月から18カ月になるまでに2回。1回目と2回目の間は6週間以上あけて。

ワクチンの種類と接種方法

生ワクチン／ワクチンのシロップを1回につき0.05mℓずつ、スポイトで飲ませます。6週間以上あけて計2回。

手足にまひが残ってしまうポリオを予防する

ポリオワクチンで予防するポリオ（急性灰白髄炎）は、人の便などを介してポリオウイルスに感染して起こる病気です。感染しても症状が何も出なかったり（不《ふ》顕性感染《けんせいかんせん》）、下痢《げり》や発熱、のどの痛みなど、かぜのような症状で軽くすむことがほとんどですが、約2千人に1人の割合で脳や脊髄《せきずい》へ感染して重症になり、手足のまひが残ってしまったり、亡くなることもあります。

日本で根絶されていても、接種は必要

予防接種のおかげで、日本を含む西太平洋地域では2000年にポリオの根絶宣言が出されました。でも、まだほかの国では時々見られることがあり、いつ不顕性感染をした人に接触するかわかりません。ですから、これまでどおり接種の必要があります。さらに、ごくまれに接種後にウイルスが変異して毒性を持つことがあり、接種した子の便から感染する可能性がゼロではありません。それを防ぐ意味でも接種は重要です。

ポリオワクチンには3つの型が含まれていて、1回だけでは一部の型の抗体《こうたい》しかつきません。抗体をすべてつけるためにも2回接種が必要で、間隔は6週以上です。また、ポリオワクチンはウイルスを弱毒化したもので、のどや腸内で吸収されて増えていきます。そのため、飲んだ後の数日間はうんちがゆるくなることがあります。

接種前・後の注意点

●接種前

ふだんからうんちがゆるめなだけなら接種は受けられますが、明らかに下痢をしていて体調が悪いときは、ポリオワクチンのウイルスが増える前に排泄《はいせつ》されてしまうので受けられません。病的な下痢でなく、当日の体調がいつもと変わりなければ、大丈夫です。

●接種後

接種後30分以内に吐いたときは、飲み直すこともあります。すぐに帰らずに30分は会場に残ってようすを見ます。

ポリオ Q&A

Q 接種後、赤ちゃんの便からポリオがうつる心配は？

A ごくまれに起こるけれど、そのためにも接種を

接種後1カ月ほど、確かに便にウイルスが混じって排泄されます。ごくまれにウイルスが変異して野生株に戻り、毒性を持つこともあります。ただし、通常感染することはありません。

Q ワクチンを飲んだあと、よだれが出ても大丈夫？

A 吐かなければ心配ありません

接種するワクチンは微量ですが、一瞬で口の中に広がるように作られています。また、よだれで出てしまう分も見越して量が決められているので問題ありません。

Q 1回目の接種後、1年以上過ぎてしまった場合は？

A 大丈夫ですが、2回目を早く接種して

2回接種するのは、ワクチンに含まれる3つの型のワクチンの抗体をより確実につけるためです。1年以上間隔があいても、1回目にできた抗体は維持されているので大丈夫。1才6カ月までに受けるのが望ましいので、早めに2回目を受けましょう。

予防接種の種類

定期接種

三種混合(DPT)Ⅰ期

予防する病気
百日《ひゃくにち》ぜき・破傷風《はしょうふう》・ジフテリア

接種する時期
Ⅰ期初回は3カ月から12カ月になるまでの間に3～8週間おきに計3回接種。Ⅰ期追加は初回の3回を終了後、6カ月以上あけて、標準として初回接種終了後、12カ月以上18カ月未満の間に1回接種。

ワクチンの種類と接種方法
不活化ワクチン（百日ぜき）、トキソイド（破傷風・ジフテリア）／上腕《じょうわん》に注射。

3つの病気を一気に予防する予防接種

三種混合はその名のとおりワクチンを混合し、3つの病気を防ぐ予防接種です。Dのジフテリアは日本ではあまり見られませんが、発熱、嘔吐《おうと》のほか呼吸困難や神経障害で死亡することもある怖い病気です。ジフテリア菌がせきやくしゃみ、鼻水を通して感染します。Pの百日ぜきも、人のせきやくしゃみから感染し、ヒューという息を吸い込む発作的なせきが長く続くのが特徴。月齢の低い赤ちゃんの場合は、激しいせきのため呼吸ができなくなり、チアノーゼを起こすこともあります。Tの破傷風は、土の中にいる破傷風菌に感染し、筋肉が硬直したり呼吸まひを起こして死亡する心配もある病気です。人から人へは感染しません。

百日ぜき予防のためにも3カ月を過ぎたら早めに

三種混合で防ぐ病気のうち、特に早い時期から心配なのが百日ぜき。ママから受け継ぐ抗体《こうたい》が弱いため、新生児期からかかるおそれがあり、月齢が低いほど重症になりやすく、肺炎を併発《へいはつ》したり呼吸困難になって呼吸が止まることもあります。そのため、受けられる時期になったら早めの接種が勧められます。

赤ちゃん時代には、3つの病気のDPTワクチンを接種し、Ⅰ期としています。11～12才には、Ⅱ期として百日ぜきを除くDTワクチンを接種します。

接種前・後の注意点

●接種前

百日ぜきは新生児期からでもかかる病気なので、早めの接種が安心です。もしも、接種前に百日ぜきに自然にかかってしまった場合は、その免疫《めんえき》はついているので、破傷風とジフテリアの二種混合DTワクチンを接種すればいいでしょう。でも、公費負担で三種混合を受けても問題があるわけではありません。

●接種後

接種部位がはれたりしこりになるのは、よくあることですので、心配ありません。もしも、腕全体がはれたりして痛んだり、熱が治まらないときなどは、受診を。

三種混合 Q&A

Q 3種類のワクチンが一度に体に入っても平気なの？

A 体への負担は心配ありません。大丈夫です

数種のワクチンが干渉し合って効果が薄れたり、逆に副反応が強く出る心配はありません。むしろ、3回予防接種を受けるほうが赤ちゃんにとって負担。世界的にも、数種を混合して同時に打とうという考え方が主流です。

Q 1回目の後、8週間以上もあいてしまったのですが…

A 早めに2回目を受け、3回目を8週間以内に

8週間以内で接種するのが望ましいのですが、逃してしまったなら早めに接種を。ただし、Ⅰ期3回のうちの2回はきちんと3～8週間の間隔で受けてほしいので、3回目は必ずその期間内に受けて。

Q 4回も接種するのはどうしてですか？

A 免疫効果をより高めるため必要

三種混合は不活化ワクチンとトキソイドで、生ワクチンと違って一度では十分な抗体がつきません。そこで最初に打ったワクチンの免疫が衰えるころ次回を接種し、免疫をより確実にするのです。

定期接種

麻疹風疹混合（MR）

予防する病気

麻疹《ましん》（はしか）、風疹《ふうしん》（三日ばしか）

接種する時期

12カ月から24カ月になるまでの間に1回。その後、小学校入学前の1年間にもう1回。

ワクチンの種類と接種方法

生ワクチン／上腕《じょうわん》に注射。

症状の重い麻疹、油断できない風疹

Mの麻疹とRの風疹、どちらも感染力《かんせん》の強い病気で、これらを一度の接種で予防します。麻疹は潜伏期間が10〜12日くらいで、その後、高熱や全身に赤い発疹《ほっしん》が出て、ひどいせきを伴うなど重症感があります。気管支炎《きかんしえん》や肺炎、中耳炎《ちゅうじえん》を併《へい》発《はつ》したり、まれに麻疹脳炎を起こして、まひや知的障害などの後遺症《こういしょう》が残る場合もあります。命にかかわることもあるので、注意が必要です。

風疹は軽い麻疹つまり、はしかによく似た症状になることから「三日ばしか」とも呼ばれます。潜伏期間が2〜3週間で、発熱や赤い発疹が出ますが、麻疹ほどは重くなく2〜3日で治まります。首や耳の下のリンパ節がはれるのが特徴です。まれに脳炎などの合併症《がっぺいしょう》を起こすこともあります。妊娠初期のママがかかると、難聴や白内障《はくないしょう》、心臓障害を伴った先天性風疹症候群を持った赤ちゃんが生まれるおそれもあります。

1才を過ぎたら最優先で受けたい

麻疹も風疹も、ワクチン以外には予防の手段がありません。特に麻疹ウイルスは感染力が強く、いまだに流行があります。定期接種で受けられる1才を過ぎたら、最優先で受けましょう。なお、保育園など集団生活に入る場合や、流行があったりした場合には、自費になりますが、1才前でも接種が勧められます。

接種前・後の注意点

●接種前

発熱やせきがひどくなりそうなときは、接種を見合わせましょう。また、麻疹風疹混合ワクチンにはごく微量の卵の成分が含まれています。卵アレルギーの赤ちゃんがワクチンを接種してもアレルギーを起こすことはまず考えられませんが、強い卵アレルギーを持っている場合には、事前に医師に相談してみましょう。

●接種後

接種後4〜14日で発熱や発疹などの軽い症状が出ることもありますが、1〜3日で治ります。

麻疹風疹混合 Q&A

Q 地域周辺ではしかが流行。1才前でも受けたほうがいい？

A 9カ月を過ぎていたら、任意接種で早めに受けて

地域で流行があったときは、生後9カ月を過ぎていたら接種したほうがいいでしょう。当然1才前でも感染する心配があります。ただしその場合は、1才前なので任意接種となり自己負担になります。

Q お友だちがはしかに。もう予防接種しても遅い？

A 予防接種またはガンマグロブリンで

はしかのウイルスに接触してから48時間以内なら、予防接種を打てば間に合います。それ以降72時間以内はガンマグロブリンを接種することも。発病を抑えたり症状を軽くする可能性があるからです。

Q ママが次の子を妊娠中。赤ちゃんが接種してもいい？

A ママや胎児にはうつらないので、接種しても大丈夫です

ワクチンに含まれている風疹のウイルスが接種した赤ちゃんからママにうつったり、胎児に影響する心配はないので接種して大丈夫です。それよりも、もしママが抗体を持っていないなら、妊娠していないときに予防接種を受けてください。

予防接種の種類

任意接種

水ぼうそう（水痘）

予防する病気
水ぼうそう（水痘《すいとう》）

接種する時期
1才以降に1回。

ワクチンの種類と接種方法
生ワクチン／上腕《じょうわん》に注射。

水ぼうそうだけでなく、帯状疱疹《たいじょうほうしん》も防ぐ

水ぼうそうは、非常に強いかゆみを伴う水疱《すいほう》が3日〜1週間にわたって全身に増え続ける、感染力《かんせん》が非常に強い病気です。治ってもウイルスが神経に潜んでいて、何年もして体力が落ちたときなどに帯状疱疹になって現れる心配があります。

帯状疱疹は激しい痛みを伴う発疹ができる病気で、入院治療しなければならないこともあります。

接種前・後の注意点

●接種前

熱やせきなど、かぜ症状があるときは接種を控えましょう。

●接種後

接種後3週間ごろ、水ぼうそうに似た発疹《ほっしん》が出た場合は受診を。

水ぼうそう Q&A

Q 予防接種を受けていても、かかることがある？

A **かかることはありますが、軽くすみます**

水ぼうそうのワクチンはほかの予防接種に比べて効き目が穏やかです。接種しても10％程度はかかることがありますが、感染しても軽くすみます。

任意接種

おたふくかぜ（流行性耳下腺炎）

予防する病気
おたふくかぜ（流行性耳下腺炎《りゅうこうせいじかせんえん》）

接種する時期
1才以降に1回。

ワクチンの種類と接種方法
生ワクチン／上腕《じょうわん》に注射。

おたふくかぜ自体より重い合併症《がっぺいしょう》が心配

おたふくかぜは、ムンプスウイルスが耳下腺にあるだ液腺に感染して起こる病気です。発熱し、耳の下がはれ、おたふくのようになるのが特徴です。

注意したいのは、無菌性髄膜炎《むきんせいずいまくえん》といって約40人に1人がかかるおそれがある合併症です。この無菌性髄膜炎は、まれに脳炎や難聴《なんちょう》を併発する心配もあり、特に難聴は毎年600名程度がかかっていて一生治りません。

接種前・後の注意点

●接種前

せきや発熱など、かぜの兆候《ちょうこう》があるときは接種を控えます。

●接種後

耳下腺がはれたり、発熱したら受診を。

おたふくかぜ Q&A

Q 副反応で無菌性髄膜炎になることが心配

A **リスクとしては自然感染のほうが高い**

ワクチン接種後に、数千人に1人の割合で無菌性髄膜炎にかかることがありますが、ほとんどが軽くすみ、後遺症もありません。ところが、自然感染した場合の合併症としては、無菌性髄膜炎にかかる確率が非常に高く、重症の脳炎や難聴を起こすこともあります。予防接種のほうが、はるかにリスクは少ないのです。

任意接種

インフルエンザ

予防する病気

インフルエンザ

接種する時期

6カ月以降が対象で、13才未満は1～4週間あけて計2回接種。毎年、流行のピークを迎える前の12月までに。

ワクチンの種類と接種方法

不活化ワクチン／上腕《じょうわん》に注射。

赤ちゃんが重症化しやすいインフルエンザ

感染力《かんせん》が非常に強いインフルエンザウイルスによって起こる病気です。急激な高熱や頭痛、関節の痛みなどを伴い、かぜよりはるかに重症化しがち。毎年、空気《き》が乾燥する冬になると流行します。気管支炎《かんしえん》や肺炎、中耳炎《ちゅうじえん》を併発《へいはつ》することもあります。赤ちゃんの場合は、ひどくきげんが悪くなったり、ぐったりし、下痢《げり》や嘔吐《おうと》といった症状が出ることもあります。また、脳炎や脳症などの重い合併症を起こして死亡する例もあるため、予防が重要です。

症状がかぜと似ているため、受診してふつうのかぜなのかインフルエンザなのか診断してもらい、区別して治療をすることが大切です。

ワクチンは流行を予測して作られる

インフルエンザウイルスには主にA、Bの型があり、さらにA型はソ連型、香港型などに分かれています。しかし、ウイルスは突然変異を起こしやすく、流行するたびに性質が変化します。そのため、過去に感染して抗体《こうたい》ができていても、ウイルスの変異に体が対応できないため、そのつど、新しく流行する型のワクチンを接種する必要があるのです。WHO（世界保健機関）では毎年次に流行する型を予測し、ワクチンが決められます。

予防接種は流行前の10月半ばから受け始め、11月中に終えるのが理想です。できれば、家族全員がインフルエンザの予防接種を受けたほうがよいでしょう。感染症ですから、親がかからないよう予防しておけば、赤ちゃんがかかる確率も低くなります。

接種前・後の注意点

●接種前

ワクチンには卵が使われているので、強い卵アレルギーがある場合は医師に相談します。

●接種後

アレルギー反応が起きないか、接種後30分は接種会場または医療機関に残ってようすを見ます。

インフルエンザ Q&A

Q 毎年接種する必要があるの？

A **効果はワンシーズンのみです。毎年受けて**

ワクチンの効果はワンシーズンしか続かないので、毎年受けましょう。

Q 赤ちゃんはなぜ2回も受けなければならないの？

A **2回接種するのは基礎的な免疫がないため**

13才以上は、それまでにインフルエンザウイルスに接触し、基礎的な免疫力《めんえき》がついている可能性が高いとされているため、接種は1回。一方、赤ちゃんはしっかり抗体がついていないので、2回接種するのが原則です。

Q 接種したものと違う型が流行したら、感染するの？

A **感染しても比較的軽くすむことが多い**

WHOの流行予測は高い確率で当たっていますが、たまたま違う型のウイルスに接触すると、感染してしまいます。それでも予防接種をしていれば軽くすみ、合併症の発生率も抑えられるのでむだにはなりません。ただ、今までとはまったく異なるウイルスが流行すると、ワクチンの効果は薄くなります。

予防接種の種類

任意接種 B型肝炎

予防する病気
B型肝炎《かんえん》

接種する時期
ママがHBs抗原陽性《こうげんようせい》の場合、生後48時間以内と2カ月時にガンマグロブリンを各1回、2～5カ月の間に不活化ワクチンを3回接種。

ワクチンの種類と接種方法
B型肝炎用ガンマグロブリン＋不活化ワクチン／注射。

ママがB型肝炎のキャリアの場合は、出産後すぐに

B型肝炎は血液や体液を介して感染する病気です。黄疸《おうだん》や全身の倦怠感《けんたいかん》、疲労感、食欲不振などの症状が現れ、さらに進行すると劇症肝炎《げきしょうかんえん》や肝硬変《かんこうへん》、肝臓がんの原因になる危険性もあります。

ママがB型肝炎のキャリアだと、出産で赤ちゃんが産道を通るときに感染するおそれがあるため、生後すぐ、赤ちゃんにガンマグロブリンの注射などで予防します。

接種前・後の注意点

●**接種前**
ママがHBs抗原陰性なら、BCG、三種混合を優先して受けます。

●**接種後**
接種部位のかゆみや赤みなど。

B型肝炎 Q&A

Q 3回も受けるので、きちんと受けられるか心配。ほかの接種時期は？

A **間隔をきちんとあければ接種OK**

生後2～5カ月の間に3回接種するので、確かにBCGや三種混合などほかのワクチンと時期が重なります。でも、B型肝炎は不活化ワクチンで、接種後1週間たてばほかの予防接種も受けられるので、医師と相談しながら接種を進めましょう。また、ママがキャリアでない場合でも、ぜひ受けたい予防接種です。

任意接種 Hib

予防する病気
細菌性髄膜炎《さいきんせいずいまくえん》など

接種する時期
2カ月以上1才未満は初めに3回、その後1才～1才6カ月の間に追加で1回の計4回、1才以上なら1回のみ接種。

ワクチンの種類と接種方法
不活化ワクチン／上腕《じょうわん》に注射。

急激に重症化する細菌性髄膜炎を予防

Hib（ヘモフィルス・インフルエンザb型）という細菌に感染して発病する細菌性髄膜炎などを予防します。この病気は半日～1日で激しい頭痛や嘔吐《おうと》、けいれん、意識がもうろうとするなどの神経症状を起こします。まひやてんかんなどの重い後遺症《こういしょう》を残すこともあるため、早めの予防接種が勧められます。ほかに肺炎、敗血症《はいけつしょう》、中耳炎《ちゅうじえん》なども予防します。

接種前・後の注意点

●**接種前**
BCG、ポリオ、三種混合の合間をぬって受けます。

●**接種後**
接種部位のはれや、痛み、赤みなどがありますが、いずれも軽くすみます。

Hib Q&A

Q 必ず4回受けなければいけないの？

A **決められた回数しないと免疫がつきません**

Hibは、化学処理で死んだ病原体の成分の毒素を、無毒化して作ったワクチンです。免疫《めんえき》が続く期間が短いため、しっかり免疫をつけるためには、くり返しての接種が必要になります。また、このように毒性も弱められていて、しかも1回のワクチンの量はごく微量ですので、赤ちゃんの体にも負担がかかりません。

●ほかにも定期接種として「日本脳炎」、任意接種として「肺炎球菌」、また国家事業として「新型インフルエンザ」の予防接種もすすめられています。（2010年7月現在）

予防接種 知りたいQ&A

Q 次々とワクチンを接種しても健康に影響はありませんか?

A どのワクチンも心配ないように作られているので大丈夫

赤ちゃんに接種するワクチンはごく微量。病原体の毒性も弱められているので、次々と接種しても体に大きな負担がかかったり、健康を害する心配はありません。接種できる月齢になったら、それぞれに決められている間隔を守り、順番に受けて大丈夫。なお、予測できる副反応については、前もって理解しておくと何かあっても落ち着いて対処できます。

Q 接種しても、その病気にかかってしまうことはありますか?

A 100%の予防はできませんが、かかってもごく軽くすみます

今使われているワクチンで、予防効果が100%のものはありません。また、種類によっても感染《かんせん》予防の率に違いがあります。しかし、予防接種によってはその後、万が一感染したときにも接種を受けていない場合と比べて軽い症状ですむこともあります。また、時間の経過とともに免《めん》疫《えき》力が低下するものの場合は、適切な時期に追加接種が行われています。

Q 海外旅行に行く前に、受けたほうがいい予防接種は?

A 日本で受けられる通常の予防接種はすませたほうが安心

行き先、月齢、滞在期間などによって必要な予防接種は異なりますが、日本で受けられる通常の予防接種はどれも先にすませておいたほうが安心です。旅行地によっては日本脳炎、狂犬病、A型肝炎《かんえん》、B型肝炎、インフルエンザ桿《かん》菌、肺炎球菌などの予防接種が必要なところもありますので、旅行先の大使館に問い合わせたり、主治医と相談して決めて。

Q 熱性けいれんを起こしたことがある子は接種を受けられないの?

A 医師のOKが出れば受けることができます

以前は、熱性けいれんを起こしてから1年間は予防接種を受けることができませんでした。しかし、現在では発熱に伴う熱性けいれんなら、医師が大丈夫と判断すれば1年たっていなくても接種することが可能です。ただし、副反応で発熱したときにけいれんを起こす心配もありますので、対処法について、前もって医師に相談しておくと安心です。

Q 早産で小さく生まれた子でも、予防接種は受けられますか?

A 接種は受けられますが、時期を遅らせることがあります

出生体重が１５００g未満の極低出生体重児だった場合などは、接種時期を遅らせることもあるので、医師と相談して接種時期を決めましょう。それ以上の体重で生まれた場合は、出生から数えて接種月齢になれば、ふつうに生まれた赤ちゃんと同じように接種できることがほとんどです。心配しすぎず安心して接種してください。

Q 副反応を防ぐためには何に注意したらいいですか?

A 予防接種を受けるのは、体調のいいときに

副反応を極力防ぐためには体調の悪いときの接種は控えたほうがいいでしょう。もしも、ほかの感染症にかかっていた場合は、免疫がつきにくかったり、ますます体調を悪化させてしまうからです。また強いアレルギーがある場合は、ワクチンに含まれる微量な成分に反応してアレルギー症状を起こす可能性があるので、医師に相談しましょう。

PART 9

病気のホームケアと事故の応急処置

熱やせきなどで赤ちゃんがつらそうなとき、
その症状をやわらげてあげられるよう、
ケアのポイントをまとめました。
小さなけがや事故なども適切な処置法を知っていれば、
あわてずに対処できますね。

知っておきたい主な症状別ケアと受診の目安

病気のホームケア

赤ちゃんのぐあいの悪さが少しでもやわらぐよう、おうちで適切なケアをしてあげたいですね。

熱が出た

熱は体の防御反応です あわてないで!

赤ちゃんが熱を出すと、高熱になりがちです。赤ちゃんは、体温を一定に保つ脳の機能が未成熟。そのため、いったん熱が出ると高くなってしまうのです。またウイルスや細菌の侵入に体が対抗して熱が出ているという側面もあり、熱は体の防御反応なのです。

ですから熱が出ても、あわてなくて大丈夫です。きげんや顔色が悪くなく食欲があれば、とりあえず心配はありません。逆に熱は高くなくても、きげんがひどく悪かったり、水分をとれなかったり、顔色がすぐれないときは心配です。すぐに受診しましょう。

受診の目安

家でようすを見る
- 多少熱っぽいがきげんはいい

診察時間内に受診
- 熱は高くても、水分は十分にとれている
- 熱が1日以上続いている
- きげんが悪くグズグズしている
- 食欲がないなど、いつもと違うようすが見られる

診察時間外でも受診
- ぐったりとして元気がない
- 水分を受けつけない

救急車で大至急受診
- 意識がない

ホームケアポイント

① 水分をしっかり補給

熱が高いと、汗や呼吸からふだんより水分が失われます。ベビー用イオン飲料などを少量ずつこまめに飲ませます。

② 熱が上がりきったら涼しく

熱の出始めは悪寒《おかん》がします。かけるものを増やして温かく。熱が上がりきったら枚数を減らし、涼しく快適に。

③ いやがらなければ冷やしても

いやがらなければ水まくらなどで冷やしても。首の付け根、わきの下、足の付け根などを冷やすといいでしょう。

発熱＋発疹の場合は早めに病院へ

赤ちゃんの病気は、熱に発疹《ほっしん》を伴うことが少なくありません。発疹が出る病気にはうつるものが多く重症になるケースもあるので、出始めにしっかりケアすることが大切です。

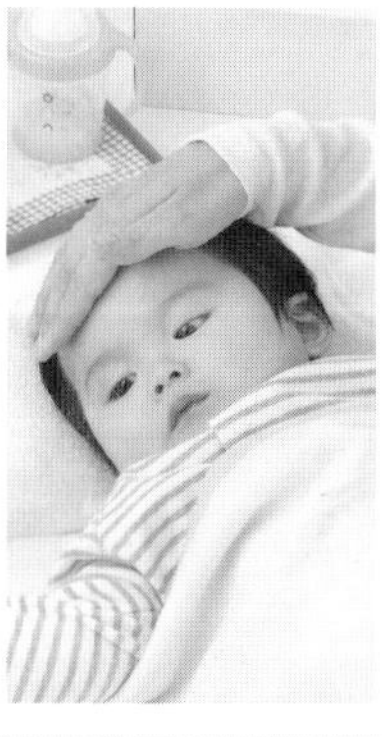

受診前に電話で連絡を

受診の際は、前もって発疹が出ていることを電話で病院に伝えてから受診するのがマナーです。病院によっては、ほかの子にうつさないよう別室で待つなどの指示をされることがあります。

口の中に発疹があるとき

●ミルクはぬるめに

発疹を刺激しないように、ミルクはふだんよりぬるめにして。

●のどごしのいいものを

かまなくても飲み込めるくらいやわらかくしたおかゆ、ゼリーなどの口当たりのよいものを用意してあげましょう。

吐いた

しだいに落ち着き、水分がとれるなら大丈夫

赤ちゃんの胃は、ふくらみのないストンとまっすぐな形をしています。さらに胃の入り口の噴門《ふんもん》という部分の筋肉がまだ弱くゆるいため、授乳後におなかが圧迫されるなど、ちょっとした刺激でも吐くことが少なくありません。

ゲップのはずみで吐いたり、授乳後にタラリとたれる程度に吐くなら心配はありません。ただし、授乳後に大量に吐くときは、先天的な病気の場合もあります。

かぜなどのウイルス感染による病気で吐くこともありますが、この場合、吐き気はそう長く続かないのがふつうです。吐き気がしだいに治まり、少しずつでも水分がとれているなら大丈夫です。しかし吐き気のために水分を受けつけなくなったら脱水が心配です。すぐに受診します。

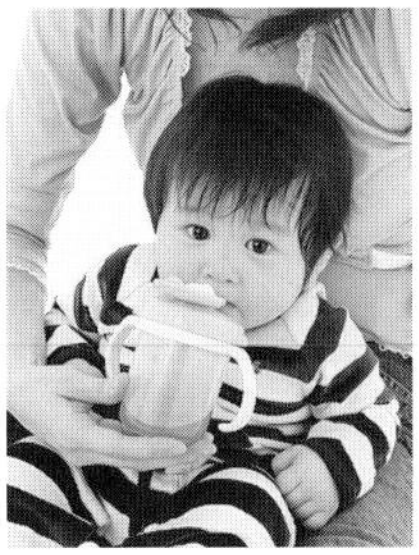

ホームケアポイント

① 顔を横向きにして寝かせる

吐いたものが気道に入らないように、上体をやや高くし、顔を横向きにして寝かせます。

② 少量ずつ水分を補給して

吐き気が治まったら、1さじから始めて、回数多く水分を。湯ざましやベビー用の麦茶・イオン飲料などを飲ませます。

③ 口の中や汚れた衣類はきれいに

吐いたときは抱き起こし、口の周りについたものをきれいにふきます。シーツや着ているものが汚れたら交換して。

受診の目安

家で ようすを見る
- 吐いていないときは、比較的元気
- 軽く吐く程度で、ほかに変わったようすがない

診察時間内に 受診
- 授乳後、噴水のように吐く
- くしゃみ・鼻水・鼻詰まり
- 発熱などの症状を伴っている
- 嘔吐《おうと》と下痢《げり》だけが続く
- おしっこやうんちの回数や量が少なく、体重がなかなか増えない

診察時間外でも 受診
- 立て続けに吐いて、ぐったりしている

救急車で 大至急受診
- 嘔吐に加え高熱が出てぐったりし、意識障害がある
- 嘔吐に加え、10〜30分の間隔で激しく泣き叫ぶ
- 頭を強く打った後に吐く

薬の飲ませ方・使い方

座薬

フィルムから出したらすばやく肛門《こうもん》に挿入します。先端にベビーオイルなどをぬってから挿入すると、入れやすいでしょう。入れた後は押し戻されて出てこないよう、親指やティッシュで30秒ほど肛門を押さえます。冷蔵庫に入れて保管します。

粉薬

そのままでは飲みにくいので小皿に1回分の薬を出し、水を少量加えてペースト状に練って赤ちゃんのほおの内側にぬりつけます。その後、湯ざましなどを飲ませて完全に飲み込ませます。冷暗所（直射日光が当たらず温度変化や湿気の少ないところ）に保管します。

シロップ

容器の底に薬が沈んでいることがあるので、軽く振って成分を均一にします。ただし振りすぎると泡立って量を量りにくくなるので注意して。計量は目分量ではなく、目盛りのある容器で正確に量りましょう。冷蔵庫に入れて保管します。

下痢をした

ふだんよりやわらかく、回数が多いときは、要注意

やわらかいうんちを1日に何回かしても、それがいつものことできげんや顔色がよく食欲もあるなら、下痢《げり》ではありません。しかしふだんより明らかに水分が多く回数も多いときは、ウイルスや細菌などの病原体に感染《かんせん》したことが原因の、胃腸炎による下痢のおそれがあります。

下痢をしても、回数が1～2回多い程度で、きげんがそれほど悪くなく食欲があるようなら、あまり心配することはありません。しかし、きげんが悪いとき、食欲がないときは早めに受診を。徐々に下痢の回数が増えてきたときも要注意です。

また激しい嘔吐《おうと》を伴うとき、水分を受けつけないときは、脱水を起こす心配があります。便が白っぽくなったり、血便が出たときも早急な受診が必要です。

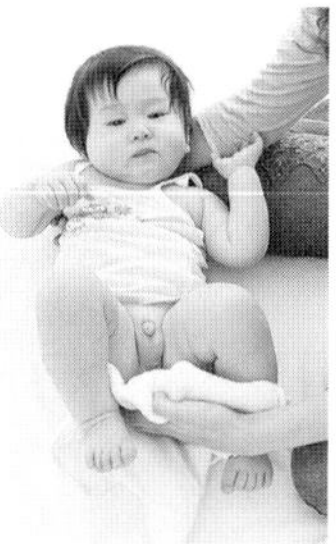

ホームケアポイント

① 水分を十分に与える

脱水症状の予防のため、水分補給を十分に。胃腸を刺激しないように、常温のベビー用イオン飲料などを与えましょう。

② おしりはふくより洗う

下痢の後、おしりを強くふくと皮膚を傷つけるので、シャワーや洗面器にお湯を張って、おしりを洗うといいでしょう。

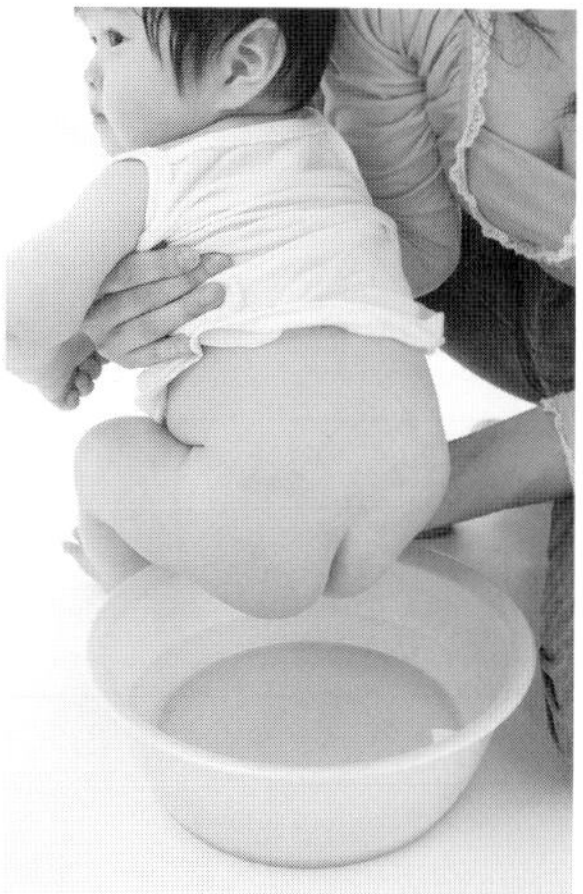

③ 消化・吸収のいい離乳食を用意

離乳食を始めたばかりならお休みします。それ以降は、おかゆやうどん、おじやなど消化のいいものをやわらかめに調理します。

受診の目安

家でようすを見る
- いつもより多少便がゆるい
- 1日の便の回数がいつもより1～2回多い程度

診察時間内に受診
- いつもより便がゆるく、回数が増えている
- 不きげんで食欲が落ちてきた
- 下痢が1週間以上続いている
- 便に多少血が混じって、酸っぱいにおいがする

診察時間外でも受診
- 水分を受けつけない
- 下痢のほかに発熱や激しい嘔吐、腹痛・血便がある
- 便が白っぽい
- 便にいつもと違う異臭や悪臭がある

救急車で大至急受診
- 下痢と嘔吐が激しい
- 下痢をしていて不きげんで、おしっこの量が減ってきた
- 下痢に加え、チアノーゼやけいれんが見られる

※チアノーゼとは、血液中の酸素が欠乏し、唇やつめが紫色になること。

便秘のときはこうしてケア

スムーズに出なければ便秘

便秘というのは、うんちがかたくてスムーズに出ず、排便が困難だったり痛みを伴う状態のことをいいます。毎日排便があったとしても、かたくてスムーズに出ないときは便秘です。

食べ物やマッサージで

便秘のときは、腸の動きを活発にする効果が期待できるオレンジジュースやプルーンジュースなどを与えてみます。離乳食では、食物繊維《せんい》の多い野菜やいも類、まめ類、海藻《かいそう》などをとるようにします。

また、手のひらでマッサージして腸の動きを促してもいいでしょう。おへそを中心に「の」の字を書く要領で行います。

さらに、出そうで出ないときは、綿棒にベビーオイルをつけて肛門《こうもん》に1cmほど挿入し、ゆっくり回して刺激してみるといいでしょう。

受診の目安

家でようすを見る
- きげんや食欲はふだんと変わらない
- 3日以内の便秘

診察時間内に受診
- 1週間以上の便秘が何度も起こる
- おなかが張って苦しそう
- 排便をいやがって泣く
- 便がかたく、肛門が繰り返し切れて出血する

診察時間外でも受診
- おなかを激しく痛がる
- 浣腸をしたときに出てきた便が黒くてドロドロしていた。血便だった

せきが出た

せきがひどくなるときや、長引くときは受診を

せきが出ても軽いせきできげんがよく、食欲があり夜も眠れるなら、ようすを見ていてもいいでしょう。しかしせきがひどくなっていくときや、せきで食欲がない、眠れないというときは受診を。せきが長引くときも受診しましょう。こうしたせきのときは、ウイルスや細菌などに感染している可能性が考えられます。

また急にせき込み始めたときは、コインやボタンなどの固形物を誤《あやま》って飲み込み、気道内に詰まっている場合もあるので注意が必要です。

ホームケアポイント

1 せき込んだらたて抱きに

激しくせき込んだときは、体を起こすかたて抱きに。気道がまっすぐになるので呼吸がラクに。

2 水分を与えてたんを切れやすく

たんをやわらかく切れやすくするには、水分をとらせることが大事です。ようすを見ながら少しずつ水分補給を。

3 加湿器などで部屋の乾燥対策を

乾燥するとせきが出やすくなります。加湿器を使ったりして、適度な湿度を。

受診の目安

家でようすを見る
- 軽いせきが続く程度

診察時間内に受診
- せき以外の症状（発熱・鼻水・下痢《げり》・嘔吐《おうと》など）もあるが、きげんは悪くない
- せきは出るが、眠れている
- せきが長引いているが、元気はいい

診察時間外でも受診
- 胸がゼーゼー、ヒューヒューして呼吸困難を起こしている
- のどに何か詰まったように突然激しくせき込んだ
- 1日中激しくせきが出て、飲んだり食べたりできない
- せきに加え、吐いてぐったりしている
- 肩で息をし、胸がへこむほど苦しそう

救急車で大至急受診
- チアノーゼが見られたり、呼吸が困難

※チアノーゼとは、血液中の酸素が欠乏し、唇やつめが紫色になること。

鼻水・鼻詰まり

悪化したり、ほかの症状があるときは受診を

赤ちゃんは、気温の変化やほこりなどでも鼻水を出します。ただし徐々に鼻水がひどくなってきた、黄色や緑色の鼻水が出る、発熱やせきなどほかの症状がある、きげんが悪く食欲もなくなってきたという場合は、かぜなどの病気による鼻水の可能性があります。赤ちゃんのようすをよく観察し、気になる症状があったら早めに受診しましょう。

また、鼻水・鼻詰まりで母乳やミルクを飲めなかったり眠れなかったりして赤ちゃんがつらそうなときも、受診します。

ホームケアポイント

1 鼻水はこまめに取る

鼻水をそのままにしておくと呼吸が苦しくなります。市販の鼻吸い器で何回かに分けて吸い取るといいでしょう。

2 鼻を温めて通りをよくする

蒸しタオルを鼻に当てると通りがよくなります。室内が乾燥しているときは、加湿器などで湿度を上げます。

3 母乳やミルクは休み休み飲ませて

母乳やミルクは、休み休み飲ませ、まったく飲めないほどひどいときは受診します。

受診の目安

家でようすを見る
- 鼻水や鼻詰まりはあってもきげんはいい
- 鼻水や鼻詰まりはあるが、よく眠れている

診察時間内に受診
- 鼻水や鼻詰まりが続いて食欲がない
- 呼吸がつらそう
- 鼻水が黄色や緑色をしている
- 発熱や下痢《げり》、嘔吐《おうと》などほかの症状がある
- 鼻水や鼻詰まりに加え、目がかゆそうで充血している

診察時間外でも受診
- 鼻水や鼻詰まりに発熱・せきを伴い、呼吸が荒い

異物が詰まった・飲み込んだ

いざというときの正しい手当て

事故の応急処置

事故は子どもの死因原因のトップ。予防することはもちろん、救急の知識を持っておきましょう。

応急処置ポイント

① 口の中にあるときは取り出す

口の手前にあるときは、飲み込まないよう舌を指で押さえながら、別の指を差し入れて取り除きます。奥のほうにあるときは押し込んでしまう可能性があるので、無理に取ろうとせず吐き出させて。

② 詰まっているときは吐かせる

1才ごろまでは、またの間から腕を入れ、あごが大人の手首、おしりがひじに当たるように姿勢をとらせます。頭を胸よりも低い位置まで下げ、左右の肩甲《けんこう》骨《こつ》の間を平手で4～5回、強くたたきます。

▲1才ごろまで

1才（体重10kg）以上は、立てひざをつき、太ももの上に赤ちゃんをうつぶせにして、ひざでみぞおちを圧迫。頭を胸よりも低い位置まで下げ、左右の肩甲骨の間を平手で4～5回、強くたたきます。

▲1才(体重10kg)以上

③ 飲み込んだものによっては吐かせる

コインなどの固形物を飲み込んだ場合は、うんちから出てくるのを待ちます。

タバコや薬品類の場合は、飲み込んだものが吐かせていいものかどうかを確認します。吐かせても支障がないものなら、口を開かせ、舌の付け根を指で強く押して吐かせます。

受診の目安

家でようすを見る

- 応急処置で、詰まっていた異物が取れた
- 少量（1gまたは1mℓ未満）の酒、シャンプーを飲んだ
- 少量（1gまたは1mℓ未満）の石けん、クレヨンなどを食べた

診察時間外でも受診

- 画びょうなどとがったものを飲んだ
- タバコを食べた
- 医薬品を食べた

救急車で大至急受診

- 気道の異物が取れず、呼吸困難を起こした
- 意識がない
- ピーナッツや豆類を詰まらせた
- タバコが溶け出した水を飲んだ
- 意識障害やけいれんが見られる
- だ液や吐いたものに血が混じっている

吐かせる？　吐かせない？

硬貨・その他の固形物
自然に排泄されるのをうんちで確認。せき込んでいたら、気管に詰まっている可能性があるのですぐに吐かせて。

タバコ
水か牛乳を飲ませ、吐かせてから病院へ。

液体蚊取り
何も飲ませず、吐かせずに病院へ。

塩素系漂白剤・トイレ用洗剤
牛乳か卵白を飲ませてから病院へ。絶対に吐かせてはいけません。

衣類用防虫剤
ナフタリンは水を飲ませ、吐かせてから病院へ。しょうのうは吐かせないで病院へ。どちらの場合も牛乳は絶対に飲ませない。

台所用合成洗剤・洗濯用洗剤
牛乳か卵白を飲ませてようすを見る。大量に飲んだ場合は吐かせてから病院へ。

化粧水・乳液
化粧水は吐かせ、乳液は水を飲ませて病院へ。

マニキュア・除光液
何も飲ませず、吐かせずにすぐ病院へ。

シャンプー・リンス
水か牛乳を飲ませ、シャンプーなら吐かせてから病院へ。リンスなら吐かせないで病院へ。

ボタン型電池
何も飲ませず、吐かせずにすぐ病院へ。

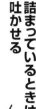

落ちた・転んだ

応急処置ポイント

頭を打ったとき

① 泣けば ひとまず安心

大声で泣き、その後ふだんと変わらなければ、安心です。赤くなっていたり、こぶができていたりしたら、ぬれタオルなどで冷やします。当日は入浴を控えて安静に。頭蓋《ずがい》内出血を起こしていることがあるので、2～3日はようすを見ます。

体を打ったとき

② 赤ちゃんの状態をよく観察

衣服をゆるめ、安静にしてようすを見ます。ぐったりしている、吐く、ひどく痛がるなどの場合は受診を。元気があっても当日は入浴を控えて安静にします。2～3日後に血便や血尿が出た場合は病院へ。

腕や足を打ったとき

③ 赤くなっていたら冷やす

赤くなっている程度なら、ぬれタオルなどで冷やしてようすを見ます。はれたり熱を持ったりしている場合は受診します。触ると激しく泣く場合は骨折の可能性もあるので、三角巾で腕をつったり、雑誌などを当てて患部を固定してから病院へ。

受診の目安

家でようすを見る
- 大声で泣き、その後はふだんとようすが変わらない

診察時間内に受診
- 動かすと痛がるところがある
- 肩やひじ、指などがダランとして動かず、痛がる

診察時間外でも受診
- 腕や足がひどく曲がっている
- 折れた骨が見えている

救急車で大至急受診
- 意識がなく、呼びかけに反応しない
- ウトウトしてすぐに眠り込む
- けいれんを起こした
- 繰り返し吐く
- 傷口が大きく、出血が止まらない

やけど

応急処置ポイント

① 水で患部をすぐに冷やす

軽いやけどの場合でも、洗面器などの容器に水道の水を流しっぱなしにして、その中で15分ほど冷やします。冷やすことでそれ以上やけどが進行するのをくいとめ、痛みをやわらげる効果があります。化膿《かのう》の原因になることもあるので、患部にアロエや薬草などをつけるのはやめましょう。

② 顔や頭はぬれタオルで冷やす

顔や頭など直接水をかけられないところをやけどした場合は、ぬれタオルをこまめに交換しながら冷やします。

また、服の上からやけどをした場合は無理に服を脱がさず、服の上から水をかけます。服を脱がすことで、皮膚がはがれてしまうことがあるからです。

③ 低温やけどは受診して治療

こたつやホットカーペットなどによる、比較的低い温度でゆっくり進行するやけどを、低温やけどといいます。低温やけどの場合、一見軽症のようでも皮膚の深いところまでダメージを受けています。必ず皮膚科を受診しましょう。

受診の目安

家でようすを見る
- 皮膚に特に異常はない

診察時間内に受診
- 500円玉より小さなやけどで、皮膚が赤い

診察時間外でも受診
- 500円玉より大きいやけどをした
- 皮膚が白っぽく変色している
- 水ぶくれができた
- 手や足、顔をやけどした

救急車で大至急受診
- 体の10%（腕1本分ぐらい）以上の範囲のやけどをした
- 薬品によるやけどである
- 口や鼻にすすがついている

おぼれた

応急処置ポイント

① 大声で泣けば ひとまず安心

大声で泣いたり、呼びかけに反応したりするなら大丈夫。水を吐かせるときは立てひざをつき、太ももの上に赤ちゃんをうつぶせにして、みぞおちを圧迫します。次に頭を胸より低い位置に下げ、左右の肩甲骨《けんこうこつ》の間を平手で4～5回、強くたたきます。

② 衣類を脱がせて保温

ぬれた衣類を脱がせて体をよくふき、バスタオルや毛布などでくるんで保温します。しばらく安静にしてようすを見ます。

③ 意識がないときは心肺蘇生《しんぱいそせい》

反応を確認し、意識がないときは近くの人に助けを求め、救急車を呼んでもらっている間に心肺蘇生法を行います。

受診の目安

家で ようすを見る
- 水から引き上げたとき大声で泣いた

診察時間外でも 受診
- 汚れた水でおぼれた
- おぼれた後、熱やせきが出る

救急車で 大至急受診
- 意識がない
- 呼吸や体の動きが見られない

とっさの場合の心肺蘇生法

1 反応を確認

赤ちゃんを安定した場所にあおむけの姿勢で寝かせます。足の裏をたたきながら名前を呼んで反応を見ます。反応がなければ、気道確保へ進みます。

2 気道を確保

片方の手のひらを額に当て、頭を少し後ろに反らせます。同時にもう一方の手のひとさし指をあごの先端に当ててあごを軽く持ち上げます。これで気道が開き、呼吸がしやすくなります。

3 呼吸の有無を確認

左のほおを赤ちゃんの鼻と口に近づけ、呼吸をしているかどうかを調べます。これらを10秒以内に行います。

4 人工呼吸を2回行う

ふだんの呼吸をしていない場合は、すぐに人工呼吸を。1才ぐらいまでは、口で赤ちゃんの口と鼻を同時におおい、約1秒ずつ2回息を吹き込みます。

1才以上なら赤ちゃんの鼻をつまんで口から息を吹き込みます。赤ちゃんの胸が軽くふくらんでいるようなら、適切に息が入っています。

5 胸骨《きょうこつ》圧迫30回と人工呼吸2回を繰り返す

胸骨圧迫（心臓マッサージ）30回と人工呼吸2回を交互に繰り返し行います。

乳頭と乳頭を結んだ線の真ん中より指1本分、足側の位置を2本の指で圧迫します。テンポは1分間に約100回。胸の厚さの⅓が沈むくらい圧迫します。

胸骨圧迫を30回行った後、人工呼吸を2回行い、これを繰り返します。

1才以上の幼児の場合は、左右の乳頭を結んだ線の真ん中が圧迫部位です。この部分を片手（または両手）の手のひらの付け根で、ひじを曲げずに垂直に圧迫します。

小さなけがの

応急処置ポイント

切り傷・すり傷

水道の水で傷口の中までよく洗い流して消毒します。切り傷の場合は、傷口がぴったり合うように救急テープをはります。出血が多いときは清潔なタオルなどで傷口を圧迫し、傷口より心臓に近いところを縛って外科へ。

刺し傷

小さいとげならピンセットや毛抜きで抜いてから消毒を。古くぎなど、さびたものや雑菌のついたものが刺さったときは、抜いた後、傷口の周りを強く押して血液を絞り出し、清潔なガーゼなどを当てて病院へ。

鼻血が出た

鼻の付け根を親指とひとさし指でしっかり挟んで止血します。寝かせると血液がのどのほうへ流れて気持ちが悪くなることがあるので、上体は起こしておきます。やわらかいティッシュや脱《だっ》脂綿《しめん》を詰めてもいいでしょう。

目にゴミが入った

こすらず、水を含ませたガーゼや綿棒でふき取ります。頭を少し高くしてあおむけに寝かせ、きゅうすなどに入れた水で洗い流しても。痛がったり、充血している場合は病院へ。

鼻に異物が入った

見えるところにある場合は反対側の鼻を指で押さえ、「フンッ」と息を吐かせます。ティッシュのこよりで鼻孔を刺激しくしゃみをさせても。取れないときは病院へ。

PART 10

赤ちゃんの病気

赤ちゃんの微妙な変化に気づくのは、
いつもお世話をしているママ。
きげんが悪い、全身のようすがいつもと違う、
と感じたら、すぐに受診を。
気になる病気の症状、治療、ケアをよく知っておきましょう。

病気や体調の変化を見のがさないポイント

赤ちゃんのようすをチェックしよう

赤ちゃんの病気に早く気づくために、日頃どんなことに気をつけたらいいのでしょう。

きげん、食欲、顔色がいつもと違うかどうかがカギ

「赤ちゃんのぐあいがいつもと違う」と思ったとき、まずチェックしたいのは、きげん、食欲、顔色。それらがふだんとどう違うかを確認することで、全身の状態がおおよそわかるからです。

熱が多少高くても、きげんや食欲はふだんと変わらず顔色も悪くなければ、あわてて病院にかけこまなくていい場合もあります。逆にぐずってばかりで母乳やミルクの飲みが悪い、顔色がいつもより青白いというようなときは、全身の状態が悪くなっている可能性が。つまり、早めの受診を促すサインと思っていいでしょう。そのほか、下にあげた項目がいつもと違うかどうかも大切なチェックポイントです。

健康なときの状態を基準にして、異変が生じているかどうかを判断します。そういう意味で、ふだんから赤ちゃんをよく観察し、元気なときの状態を知っておくことが大事です。

赤ちゃんのココをチェック!

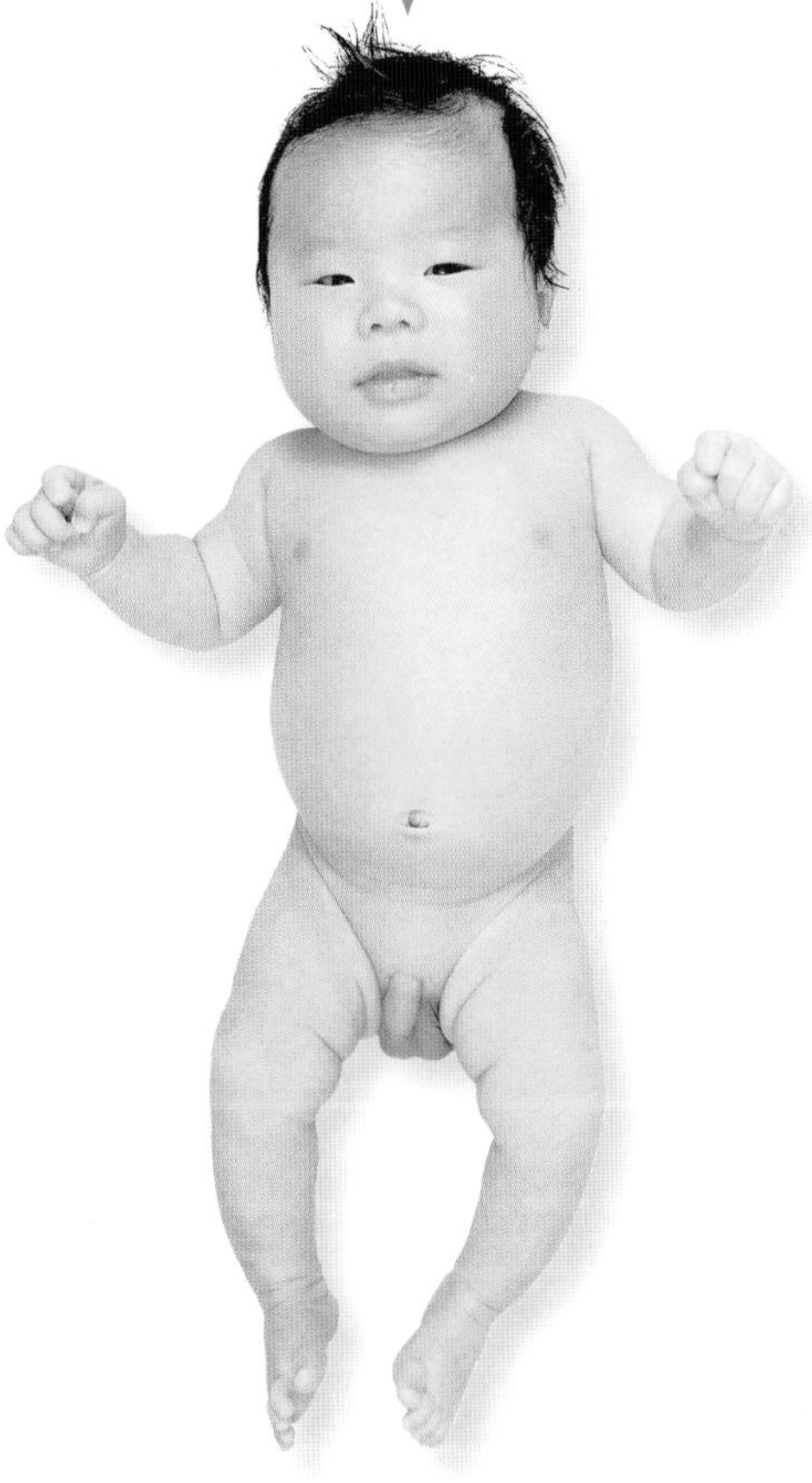

きげん
元気がない、あやしても笑わないなど、ふだんと違うようすがないかどうかを確認。

顔色
顔色が赤いときは熱があるのかもしれません。急に青白くなったときは呼吸状態の悪化やショック状態など緊急事態の場合も。

食欲
体調がよくないときは食欲が落ちますが、離乳食だけでなく、母乳やミルクの飲みも悪い、水分も受けつけないときは要注意。

体温
平熱よりも1度以上高ければ発熱の可能性が。ただし、熱だけでは症状が軽いか重いかは判断できません。

呼吸・意識
呼吸が浅く速い、苦しそうに肩で息をしている、ウトウトしてばかりいる、グッタリしていて呼びかけても何も反応がないというときは緊急事態の可能性が。

睡眠
いつもならぐっすり眠っている時間なのに、ぐずってばかりで眠らないときは、健康不良のサインかも。

口内炎
急によだれが増えたり、母乳やミルク・離乳食を口にしないときは、口内炎《こうないえん》ができている可能性も。

出血
鼻や口の中の出血も見落とさないようにします。

発疹
赤ちゃんの病気は、発疹《ほっしん》を伴うことが少なくありません。赤ちゃんを裸にし、発疹はないか、発疹がある場合はどんな形や色をしているかなどを確認します。

吐き気
強い吐き気があると水分を与えても吐いてしまうため、脱水症になる危険性が増します。

おしっこ
量や回数の減少は、水分不足のサイン。意識しておむつのようすに注意し、脱水症にならないよう気をつけます。

うんち
いつもより回数が多くやわらかいときは、下痢《げり》の前ぶれかもしれません。病気によっては血便が出ることも。においや色の変化にも注意。

熱が出る病気

かぜ症候群《かぜしょうこうぐん》（急性上気道炎《きゅうせいじょうきどうえん》）

主な症状●発熱・せき・鼻水・下痢《げり》・嘔吐《おうと》

こんな病気・症状

ウイルスが原因で鼻やのどが炎症《えんしょう》を起こす

　鼻からのど、気管の入り口にかけての空気の通り道を「上気道」といい、上気道が炎症を起こした状態を総称して「かぜ症候群」＝「かぜ」と呼んでいます。ほとんどはウイルスが原因で、主に、鼻水、鼻詰まり、せき、のどのはれ、発熱などの症状が現れます。炎症の起きる部位によっては、急性鼻炎《びえん》、急性咽頭炎《いんとうえん》、急性気管支炎《きかんしえん》などと呼ばれることもあります。

ピークは2～3日間だが、下痢や嘔吐を伴うことも

　かぜのウイルスに感染すると、1～3日後に鼻水、鼻詰まり、せき、微熱などの症状が出始めます。その後、しだいに熱が上がって呼吸や脈拍《みゃくはく》が速くなる、鼻が詰まって母乳やミルクが飲みづらくなる、たんがからまったようなせきをする、などの症状が見られるようになります。多くの場合、ピークはひき始めの2～3日間。その後は少しずつ軽くなり、1週間ほどで治ります。

　また、ウイルスが上気道だけでなく胃や腸に感染すると、下痢や嘔吐など、消化器に症状が出ることがあります。下痢や嘔吐が続くと体の水分が不足して脱水になることもあるので、注意が必要です。

　ウイルスの種類によっては口の中や皮膚に発疹《ほっしん》ができたり、目の充血、目やに、関節痛や全身のだるさといった症状が出ることもあります。

治療とケア

水分を十分に飲ませ、快適に過ごさせる

　かぜのウイルスに効く薬はないので、症状をやわらげるケアをしながら回復を待ちます。ケアのポイントはこまめな水分補給。湯ざまし、麦茶、果汁、ベビー用イオン飲料などを少しずつ何回にも分けて飲ませましょう。母乳やミルクは欲しがるだけ与えます。食欲がないときは、おかゆやスープ、ゼリーなど、口当たりがよくツルンと飲み込めるものを。

　熱の出始めは悪寒《おかん》がするので温め、熱が上がりきったら、衣類や寝具を薄いものに替えて涼しくします。いやがらなければ額やわきの下、太ももの付け根をぬれタオルなどで冷やしてもいいでしょう。

急性咽頭炎《きゅうせいいんとうえん》

主な症状●のどのはれ・発熱

こんな病気・症状

かぜのひとつで、のどに痛みが

　かぜのひとつで、のど（咽頭）が主にウイルスに感染して炎症《えんしょう》を起こしたもの。咽頭炎のみの場合はまれで、多くの場合は急性鼻炎《びえん》なども併発《へいはつ》します。のどが痛み、母乳やミルクの飲みが悪くなります。熱が39度以上になることもあります。

治療とケア

脱水症の予防にこまめな水分補給を

　のどに痛みがあるために、飲んだり食べたりしたがらなくなります。脱水症状を起こさないように、こまめに水分を補給するようにしましょう。空気の乾燥はのどに悪いので、空気が乾燥する季節には、洗濯物を室内に干したり、加湿器などを使って保湿してください。

急性扁桃炎《きゅうせいへんとうえん》

主な症状●のどのはれ・発熱

こんな病気・症状

高熱が出て、のどがはれる

のどの奥にある扁桃がウイルスや細菌に感染し、はれて痛みます。扁桃はリンパ組織でできていてウイルスや細菌の侵入を防いでいますが、ウイルスや細菌の力が強いと炎症《えんしょう》が起きます。39～40度の高熱が出てのどや体の節ぶしが痛み、食欲が低下。のどを見ると、扁桃がうみや分泌物で白く見えることもあります。

治療とケア

水分とのどごしのいい食べやすいものを

のどが痛いので、やわらかくのどごしのいいものを食べさせます。熱があるときはこまめに水分を補給しましょう。

慢性扁桃炎《まんせいへんとうえん》

主な症状●のどのはれ・発熱

こんな病気・症状

扁桃炎を繰り返し、扁桃が大きくなる

年に数回ほど急性扁桃炎を起こし、扁桃が徐々に大きくなっていきます。もともとの体質、タバコの煙や大気汚染などの環境的な要因も関係していると考えられています。肥大の程度がひどくなると、呼吸や、食べたり飲んだりするのに支障が出てくる場合もあります。

治療とケア

扁桃炎を繰り返すときは、小児科で相談を

扁桃炎を起こしたときは、水分補給に努め、のどごしのいいものを食べさせましょう。繰り返すときは扁桃を切除する場合もあります。小児科で相談を。

インフルエンザ

主な症状●発熱・せき・鼻水

こんな病気・症状

冬から春に流行し、重い症状が出る病気

毎年冬の初めから春先にかけて流行する感染症《かんせんしょう》。「流行性感冒《かんぼう》」とも呼ばれています。原因はインフルエンザウイルスで、感染力が強いのが特徴です。

インフルエンザウイルスは、主にA型（A香港型・Aソ連型）とB型の2種類があります。ウイルスが突然変異を起こしやすく流行のたびに性質が変わるので、過去にかかっていても新しい型にまた感染して流行を繰り返します。

発熱、せき、鼻水、関節痛といったふつうのかぜとよく似た症状が現れますが、症状の出方が強力で、赤ちゃんはひどくきげんが悪くなったり、ぐったりするなど強い全身症状が現れます。

予防接種は任意ですが、生後6カ月から受けられます。流行する前に家族全員で受けておくといいでしょう。

突然の高熱に始まり、重い合併症を起こすことも

突然40度近い熱が出て、症状が急激に悪化します。せきやたんがひどくなり、鼻水、くしゃみなどの症状も現れます。全身のだるさや筋肉痛、関節の痛みを伴うことも。いずれの症状もふつうのかぜより強く、ひどくきげんが悪くなりぐったりします。下痢《げり》や嘔吐《おうと》を起こすこともあるでしょう。

4～5日で熱が下がり2週間ほどすると体力も回復しますが、合併症を伴うことも。気管支炎《きかんしえん》や中耳炎《ちゅうじえん》を起こしやすく、上手にたんを出せない赤ちゃんは呼吸困難になることもあります。急性脳炎やインフルエンザ脳症、肺炎といった重い合併症を起こすケースもあります。

治療とケア

水分をたっぷり与えて安静に

高熱が出てぐったりするので、安静にし、食欲がなくても水分は十分とらせます。部屋の暖めすぎや着せすぎに注意して、汗をかいたらこまめに衣類を取り替えてあげましょう。

熱の上がり始めに熱性けいれんを起こしたり、合併症を起こす心配もありますから、大人の目の届くところに寝かせ、時々ようすを見るようにしてください。せきやたんなどの症状が悪化したり、意識がぼんやりしているようなら急いで病院に連れて行きましょう。

尿路感染症《にょうろかんせんしょう》

主な症状●発熱・頻尿《ひんにょう》・排尿痛

こんな病気・症状

腎臓《じんぞう》〜尿道《にょうどう》に細菌が感染し、高熱が出る

尿は、腎臓から尿管、膀胱《ぼうこう》、尿道を通って排泄《はいせつ》されます。この尿の通り道を尿路と呼び、大腸菌などの細菌が侵入し炎《えん》症《しょう》が起きるのが尿路感染症です。炎症を起こしている場所によって、上部尿路感染症（腎盂腎炎《じんうじんえん》）と下部尿路感染症（膀《ぼう》胱炎《こうえん》、尿道炎）に分けられます。おしっこの通り道は本来上から下への一方通行ですが、何らかの原因で尿が逆流したり停滞した状態が続くと、菌が侵入して繁殖しやすくなります。

膀胱や尿道などの下部尿路に炎症が起きると尿の回数が増え、排尿時に痛みを伴いますが、赤ちゃんは言葉で表現できないので、その時点ではなかなか気がつきません。上部尿路感染症の腎盂腎炎にいたり、38度以上の高熱が出て、初めて気がつくことがほとんどです。腎盂腎炎になると全身がだるく腰痛が起きます。乳幼児の場合は顔色が悪くなり、嘔吐《おうと》や黄疸《おうだん》を起こすこともあります。

治療とケア

原因の細菌を抗生物質で退治

かぜとまちがわれやすいので、高熱が続くときは一度受診していても再受診しましょう。尿路感染症かどうかは尿検査でわかります。

腎盂腎炎と診断された場合は、原則的に入院となり、一定期間、抗生《こうせい》物質での治療を行います。3〜4日で熱が下がり、おしっこもきれいになります。ただし、再発、慢性化しやすいので、症状が治まっても投薬などの治療は続きます。

膀胱炎の場合は、抗生物質の投与をしながら水分をたくさんとり、膀胱内の細菌を尿といっしょに排出させます。

おたふくかぜ（流行性耳下腺炎）

（りゅうこうせいじかせんえん）

主な症状●発熱・耳下腺のはれ

こんな病気・症状

耳の下がはれ、食欲が落ちる

ムンプスウイルスの感染で耳下腺が炎《えん》症《しょう》を起こし、耳の下がはれて痛くなる病気です。感染《かんせん》して2〜3週間後に、耳の下からあごにかけての部分がはれ、痛みがあります。左右同時にはれる場合と、最初に片方だけはれ、1〜3日後にもう一方がはれる場合があります。耳下腺だけでなく、しばしばほかのだ液腺（顎下《がくか》腺・舌下《ぜっか》腺）も同時に炎症を起こします。

熱は38〜39度ぐらいになることもありますが出ないことも。母乳やミルクの飲みが悪くなり、食欲が落ちて不きげんになります。頭痛や倦怠感《けんたいかん》を伴うこともあります。症状のピークは2〜3日目で、その後1週間〜10日で治まります。

中にはウイルスに感染してもほとんど症状が出ないケースも。かかったかどうかはっきりしないときは抗体《こうたい》検査を受けるといいでしょう。

無菌性髄膜炎《むきんせいずいまくえん》や難聴《なんちょう》などを起こすことも

注意が必要なのは、おたふくかぜに伴う合併症です。発病して4～10日たっても熱が下がらず、頭痛や嘔吐《おうと》などがあるときは無菌性髄膜炎を併発《へいはつ》していることも考えられるので、すぐに病院へ。また難聴の後遺症を残すこともあります。呼んでも振り返らなかったりテレビの音を大きくしたがったりなどのようすが見られたら、病院で聴力の検査をしてもらいましょう。思春期以降に感染すると、男の子は睾丸炎《こうがんえん》、女の子は卵巣炎《らんそうえん》を起こすことがあります。

治療とケア

食べやすくのどごしのいいメニューを工夫して

合併症の心配もあるので必ず受診を。病院では痛みが強いときは鎮痛剤《ちんつうざい》が処方されたり、症状に合わせた治療を行います。

家庭でのケアとしては、飲み込むときに痛みがあるので、スープやプリンなどのやわらかくてのどごしのいいメニューを用意します。また、こまめな水分補給も大切です。

いやがらなければほおやあごなどに冷たいタオルを当て、はれた部分を冷やすといいでしょう。はれが引くまでは外出を避け、家で静かに過ごします。

1才になれば、任意ですが予防接種を受けることができます。合併症の心配も多いので受けておくといいでしょう。

ヘルパンギーナ

主な症状●発熱・水疱《すいほう》

こんな病気・症状

高熱が出て、のどに水疱ができる

夏かぜの一種で、コクサッキーA2、4、5、6、8、10、16型、エコーウイルスなどのウイルスが原因です。患者のせきやくしゃみ、便に触った手からウイルスが口に入ってうつります。

突然40度近くの高熱が出ます。発熱とほぼ同時にのどが真っ赤になり、口の中の軟口蓋《なんこうがい》を中心とした、いわゆる〝のどちんこ〟の周りに、直径1～2㎜ほどの水疱がたくさんできます。水疱は2～3日で破れて潰瘍《かいよう》になり、飲食のときにしみて痛みます。よだれが増えたり、食欲が落ちたりします。

熱は1～4日で下がりますが、潰瘍が治るまでに1週間ほどかかります。また、まれに髄膜炎《ずいまくえん》を起こすことがあります。

治療とケア

口当たりのいい飲み物で水分補給を

熱が高いときは解熱剤《げねつざい》が処方されます。医師の指示どおりに使用します。発熱やのどの痛みで食欲が落ちるので、水分補給が大切です。少量ずつでもこまめに飲ませましょう。熱すぎるものや酸味のあるものはしみて痛いので、湯ざましや麦茶、薄めたスープなどの口当たりのいいものを少しずつ飲めるだけ与えます。

痛みのために水分がとれないようなら病院へ。脱水の心配があるため、点滴《てんてき》で水分を補給する場合があります。また、発熱、頭痛、嘔吐《おうと》がひどいときは髄膜炎の場合もあるので、大至急受診して。

いんとうけつまくねつ（プールねつ）

咽頭結膜熱（プール熱）

主な症状●発熱・のどの痛み・目の充血《じゅうけつ》

こんな病気・症状

高熱が出て白目が充血する

咽頭炎、結膜炎、発熱の3つの症状がほぼ同時に現れるのが特徴です。胃腸炎を起こして下痢《げり》をすることもあります。正式な病名は「咽頭結膜熱」ですが、プールの水を介して伝染することがあるため「プール熱」とも呼ばれています。ただしプールに入らなくても、患者のせき、くしゃみ、目やになどから感染《かんせん》することも少なくありません。

原因はアデノウイルスで、毎年6月ごろから増加し始め、7～8月にピークを迎えます。幼児や小学生がかかりやすい病気ですが、非常に感染力が強く、地域的に流行したり上の子がかかると赤ちゃんにも感染することがあります。

突然38～40度の高熱が出て、のどがはれて痛みます。症状は長引きがちで、熱が7日前後続くこともあります。せきが出たり扁桃腺炎《へんとうせんえん》になることも。同時に結膜炎を起こし、白目やまぶたの裏側が赤くなったり、目やにが出たりします。

治療とケア

薬で症状を緩和《かんわ》し、回復を待つ

熱が高いときには解熱剤《げねつざい》、目の炎症には目薬など、症状に合った薬が処方されます。指示に従って使ってください。

目やには湿らせたガーゼでふき取ってあげましょう。感染力が強いので、目やにをふいたりおむつを替えたりした後は手洗いを十分に。目の炎症《えんしょう》が治るまでは、家族と赤ちゃんのタオルを別にしたほうがいいでしょう。

のどを痛がって食欲がないときは、ヨーグルトやゼリーなどの口当たりがよく飲み込みやすいものを食べさせ、こまめに水分を補給します。

髄膜炎《ずいまくえん》

主な症状●発熱・嘔吐《おうと》・頭痛

こんな病気・症状

脳脊髄膜《のうせきずいまく》の炎症《えんしょう》で高熱や吐き気が起きる

脳や脊髄の表面を覆《おお》っている脳脊髄膜に炎症が起きる病気で、ウイルス感染による無菌性髄膜炎と細菌感染による細菌性髄膜炎があります。

無菌性髄膜炎…夏かぜやおたふくかぜなどのウイルスが中枢《ちゅうすう》神経に侵入して、脳脊髄膜が炎症を起こします。38～39度の高熱が数日続いた後、頭痛や吐き気を訴え、不きげんに。意識がぼんやりしたり、ひきつけを起こすこともあります。首を前に曲げたり、おむつを替えようとして足を曲げると痛がって泣くこともあります。おたふくかぜにかかった子の半数近くがかかるといわれていますが、症状は軽く、後遺症《こういしょう》もほとんどありません。

細菌性髄膜炎…脳や脊髄を覆っている脳脊髄膜に細菌が侵入し、炎症を起こします。炎症の程度が強く、脳の細胞にまで影響を及ぼします。症状は無菌性髄膜炎とほぼ同じですが、はるかに重症感《じゅうしょうかん》があり、飲みが悪くなりきげんが悪化。額《ひたい》の上あたりにある大泉門《だいせんもん》が張り出した感じに。ひどくなるとけいれんや意識障害が見られるようになります。脳の血流が悪くなり、脳血栓《のうけっせん》や脳梗塞《のうこうそく》を起こしたり、まひ、知的障害、てんかん、水頭症《すいとうしょう》などの後遺症を残したりすることもあります。

治療とケア

髄液《ずいえき》を調べ、症状や原因菌に応じて治療

高熱が続く、嘔吐《おうと》を繰り返す、いつになくきげんが悪い、大泉門が張っているなどのようすが見られたら、至急受診しましょう。髄膜炎は早期治療が大切な病気で、特に細菌性髄膜炎では急を要する場合が多いからです。

無菌性髄膜炎の場合は、症状に応じて解熱剤《げねつざい》や鎮静剤《ちんせいざい》を使用します。全身状態がよくないときは、安静にして点滴《てんてき》を行うこともあります。多くは1～4週間ほどでよくなり、後遺症も残りません。

細菌性髄膜炎の場合は、脳脊髄液を培《ばい》養《よう》して原因になっている細菌を調べ、その細菌に効果がある抗生《こうせい》物質で治療します。また、嘔吐がひどいときは点滴をして脱水症状を予防します。

急性脳炎・急性脳症《きゅうせいのうえん・きゅうせいのうしょう》

主な症状●発熱・嘔吐《おうと》・けいれん

こんな病気・症状

脳の炎症やむくみで、高熱、嘔吐、意識障害が

急性脳炎も急性脳症も、突然39度以上の高熱が出て、嘔吐、ひきつけ、頭痛、手足のまひなどの症状が現れます。急速に

意識障害が起こり、うとうとと眠ったままになることもあります。そのほかそれぞれの特徴は、次のとおりです。

急性脳炎…ヘルペスウイルス、エンテロウイルス、はしか、風疹《ふうしん》、水ぼうそうなど、ウイルス性の病気と合併して起こります。ウイルスの感染によって脳内の神経細胞がはれたり傷んだりして障害を受け、脳に炎症が起きます。発熱や嘔吐、けいれん、意識障害などの症状が見られます。発症自体がまれですが、かかると重い後遺《こうい》症《しょう》を残したり、死亡することもあります。

急性脳症…何らかの原因で脳内の圧力が急激に高まり、脳内の血液の循環《じゅんかん》が悪くなって、急性脳炎と同じく発熱や嘔吐、けいれん、意識障害などの症状を引き起こす病気です。病気の勢いが強いと、後遺《こうい》症《しょう》を残したり、命にかかわることもあります。急性脳症の中でも、特に肝臓の機能の異常を伴う場合をライ症候群と呼んでいます。ライ症候群はインフルエンザや水ぼうそうなどのウイルス感染や、これらの治療のために使う解熱鎮痛剤《げねっちんつうざい》のアスピリンとの関連性が疑われているため、赤ちゃんにはアスピリンの使用を控えたほうがいいとされています。

治療とケア

嘔吐が続いたり意識障害があるときは、至急受診

運動障害や知的障害などの重い後遺症を残したり、生命にかかわることもあり、早めに治療することが重要です。嘔吐が続いたり、けいれんを起こした後で意識が戻らないなどの症状が見られたときは、夜中でも大至急受診を。

急性脳炎の場合は、原因のウイルスによっては、抗ウイルス薬が効くケースもあります。それ以外は根本的な治療法はまだありません。病院でCT（コンピュータ断層撮影法《だんそうさつえいほう》）やMRI（磁気共鳴映《じききょうめいえい》像法《ぞうほう》）などで診断し、脳のはれやけいれんなどを抑える対症療法《たいしょうりょうほう》を行います。

急性脳症の場合も同様に、CTやMRIに加え髄液《ずいえき》検査などを行い、酸素の吸入、脳のむくみを取る薬や抗けいれん薬の投与など症状に合った治療を行います。

熱中症《ねっちゅうしょう》

主な症状●発熱

こんな病気・症状

高温のために体温調節ができなくなる

高温の環境下にいたために体温の調節機能がうまく働かなくなり、急激に体温が上昇して脱水症状を起こす病気です。夏場に炎天下《えんてんか》で直射日光にさらされていたり、蒸し暑い室内や車内で長時間過ごしたことが原因になります。

熱中症は、症状の程度で熱けいれん、熱《ねっ》疲労《ひろう》、熱射病《ねっしゃびょう》に分けられます。

熱けいれん…足・腕・腹部の筋肉がけいれんを起こして痛みます。吐き気や頭痛などの症状が見られることもあります。体温はそれほど高くなりません。

熱疲労…熱射病の前段階。体温が上がって脱水状態になります。全身がだるくなり、めまい、吐き気、嘔吐《おうと》、頭痛などの症状が起こります。

熱射病…重症で、体温が上昇して汗も出なくなり、皮膚が乾燥します。呼びかけに対する反応が鈍かったり、意識がなくなったりします。

治療とケア

涼しいところへ移動し、水分を与える

風通しのいい木陰《こかげ》やエアコンの効いた部屋など涼しいところに移動し、衣服を緩めてラクな姿勢で寝かせます。そして、冷たいぬれタオルを体に当て、体温を下げます。おでこや首の付け根のほか、わきの下、太ももの付け根などを冷やすと効果的。タオルがない場合は体に水をかけ、あおいで風を当てます。また、水分はたっぷりとらせます。水分すら受けつけないとき、意識がない場合などは大至急病院へ行きましょう。

発疹が出る病気

突発性発疹症《とっぱつせいほっしんしょう》

主な症状●発熱・発疹

こんな病気・症状

赤ちゃんが初めてかかることが多い病気

高熱が出て、熱が下がるのと同時に赤くて細かい発疹がパラパラと出てきます。2才ごろまでの乳幼児に特有の病気で、特に生後4～5カ月から1才までの時期に多く見られます。赤ちゃんにとって初めての発熱体験がこの病気というケースは少なくありません。

原因は主にヒトヘルペスウイルス6型（HHV-6）です。人のだ液中に潜んでいることから、口移しや同じ食器で食べ物を与えることによって感染するのではないかとも考えられています。HHV-6のほかHHV-7やエコー18というウイルスでも同様の症状が現れるため、何回か突発性発疹症にかかることもあります。

前ぶれなく高熱が出て、熱の下がり際に発疹が出る

元気だった赤ちゃんが突然39～40度の高熱を出します。鼻水やせきといった症状はほとんど見られません。高熱にびっくりするかもしれませんが、熱のわりに赤ちゃんのきげんは悪くなりません。

熱は高いまま3～4日続き、突然下がります。それと同時か翌日あたりに、赤くて細かい発疹が、顔、おなかや背中など体幹《たいかん》から出始めます。かゆみはありません。発疹は徐々に茶色いしみになり、そのうち消えていきます。下痢《げり》や嘔吐《おうと》を伴うケースも20％程度ありますが、ほとんどの場合は4～5日で治まります。

熱の出始めに熱性けいれんを起こす赤ちゃんもいます。初めてけいれんを起こしたときはあわてずにようすを観察し、落ち着いたらなるべくその日のうちに受診しましょう。

治療とケア

水分を補い、涼しく快適に過ごします

高熱が出ている間は、水分不足になりがちです。こまめに水分を補ってあげましょう。湯ざましや麦茶などを少しずつ、何回かに分けて飲ませます。

熱が高いときは衣類を1枚減らしたり、寝具を薄いものに替えるなど、涼しく快適に過ごせるように工夫してください。発疹が消えるまでは室内で安静に過ごし、発疹のあるうちは入浴を控えます。

なお、突発性発疹症との診断が確定するのは、熱が下がって発疹が出てからです。この間はほかの病気の可能性も否定できません。ママの判断で〝初めての高熱＝突発性発疹症〟と決めつけず、熱が出た時点で小児科を受診しましょう。

（ましん）はしか（麻疹）

主な症状●発熱・発疹《ほっしん》・せき・鼻水・目の充血《じゅうけつ》

こんな病気・症状

合併症《がっぺいしょう》を起こしやすく、命にかかわることも

麻疹ウイルスによる感染症《かんせんしょう》です。くしゃみやせきを通してうつります。38度前後の発熱とともに、せきや鼻水などの症状が現れ、その後赤い発疹が全身に広がります。

気をつけたいのが合併症で、麻疹ウイルスによる肺炎、気管支炎《きかんしえん》、中耳炎《ちゅうじえん》などが起きる心配があります。また非常にまれですが、ウイルスが脳に侵入して麻疹脳炎を併発すると、けいれんや意識障害を起こし、まひや知的障害などの後遺症《こういしょう》を残す場合があります。命にかかわることもあるので注意が必要です。

さらに、完治して4～5年後に亜急性《あきゅうせい》

硬化性全脳炎《こうかせいぜんのうえん》を起こすことも。これは知能の低下、けいれん、意識障害などの症状が徐々に出てくる病気です。

かぜに似た症状から始まり、高熱と発疹が出る

10～12日程度の潜伏《せんぷく》期間の後、38度前後の発熱、せき、鼻水、目やになど、かぜに似た症状が現れます。3～4日目になると目が充血《じゅうけつ》し、ほおの内側の粘膜《ねんまく》に小さな口内炎《こうないえん》のような白っぽいプツプツが数個から数十個現れます。コプリック斑《はん》と呼ばれるはしか特有の症状で、はしかの早期発見に役立ちます。

熱はいったん下がりかけ、その後半日から1日後に再び上昇。ほぼ同時に小さな赤い発疹が耳の後ろあたりから出始め、3～4日もすると全身に広がります。

その間も高熱が続き、顔がはれぼったくなったり口の中がただれたり、目の充血や目やに、下痢《げり》などの症状が見られることもあります。せきも激しく、赤ちゃんはぐったりします。

治療とケア

指示どおりに薬を飲ませ、安静第一に

症状に応じた治療が中心になります。中耳炎《ちゅうじえん》や肺炎など二次的に起きる細菌感染の予防のため抗生《こうせい》物質も処方されるので、医師の指示どおりに飲ませてください。熱が高かったり全身症状が悪いときは入院する場合もあります。

熱が下がり発疹が薄くなるまでは家で安静に。脱水の予防に水分を十分に与え、温めすぎや着せすぎに注意して熱を発散させるようにします。入浴は熱が下がって3～4日たってからにしましょう。

はしかは感染力が強い病気。自然感染すると赤ちゃんがつらい思いをします。ワクチンで予防できるので、1才になったら必ず予防接種を受けましょう。

ふうしん（みっかばしか）

風疹（三日ばしか）

主な症状●発熱・発疹《ほっしん》

こんな病気・症状

はしかに似ているが、はしかより軽い感染症

原因は風疹ウイルスで、くしゃみやせきなどによって感染します。はしかによく似た症状で発疹も全身に出ますが、「三日ばしか」とも呼ばれるように、はしかほど重症にならず熱も発疹も2～3日で治まります。

ただし、まれに風疹脳炎や関節炎などの合併症《がっぺいしょう》を起こすこともあります。また妊娠初期の妊婦さんがかかると、おなかの赤ちゃんが難聴《なんちょう》、白内障《はくないしょう》、心臓病などを伴う先天性風疹症候群を発症することがあります。

合併症を起こすことも。完治まで注意して

感染から2～3週間すると、38度前後の発熱とほぼ同時に小さな赤い発疹が全身に広がります。首や耳の下のリンパ節もはれます。目が充血《じゅうけつ》したりのどが痛くなったり、軽いせきが出ることもありますが、2～3日すれば熱が下がり発疹もきれいに消えていきます。

ほとんどの場合軽くすむことが多いのですが、気をつけたいのがウイルスが脳に入って起こる風疹脳炎です。意識がぼんやりするような症状が見られたら、すぐに受診を。また血小板減少性紫斑《しはん》病、関節炎などの合併症を起こすことがあるので、完治までは安静を心がけます。

治療とケア

発疹が消えるまでは家で静かに

熱が高いときには水分を十分補給します。赤ちゃんがかかった場合は軽くすむことが多いのですが、熱がなくても発疹が消えるまでは外出を控え、家で静かに過ごさせましょう。風疹ウイルスは感染力が強いので、発疹のあるうちはお友だちとの接触を避け、保育園などに通っている場合はお休みさせます。妊婦さんと接触させないのもマナーです。

風疹は、地域的に流行することもあり

ます。1才になると予防接種を受けられるので、2才になるまでに必ずワクチンを接種するようにしましょう。

水ぼうそう(水痘)

みずぼうそう(すいとう)

主な症状●発熱・発疹《ほっしん》

こんな病気・症状

かゆみのある水疱《すいほう》が全身にできる

水痘帯状疱疹《すいとうたいじょうほうしん》ウイルスによる感染症です。患者のくしゃみやせき、あるいは発疹に接触することでうつります。感染力が強いのできょうだいがかかった場合はほとんどうつりますし、保育園や幼稚園での集団感染もよく見られます。

潜伏《せんぷく》期間は約2週間。かかり始めは虫刺されのような赤い発疹が頭皮や顔、おしりやおなかなどに現れ、半日ほどで全身に。熱は出ないこともありますが、出ても37～38度程度です。発疹は半日～2日ほどで全身に広がり、強いかゆみのある水疱に変わります。

合併症《がっぺいしょう》を起こすことも。ようすに気をつけて

水疱は、頭皮、外陰部《がいいんぶ》、口の中、まぶたの裏側などにできることもあります。かゆみが強いのできげんが悪く、かきむしってしまうので注意が必要です。

3～4日もすると水疱はしだいに乾き、黒っぽいかさぶたに。ほかの水疱も、1～2週間の間にはかさぶたに変わります。

ごくまれですが、合併症として水痘脳《すいとうのう》炎《えん》、ライ症候群などが起こることがあります。命にかかわるので、意識がなくなったりけいれんが見られたらすぐに病院へ行きましょう。

治療とケア

水疱をかきこわさないように注意して

病院では、かゆみが強いときは抗ヒスタミン剤入りの軟膏《なんこう》が、すでにかきこわしていて化膿《かのう》する心配があるときは抗生物質入りの軟膏や飲み薬が処方《しょほう》されます。軟膏は一つひとつの水疱にていねいにぬってください。また、感染のごく初期なら、アシクロビルという抗ウイルス剤で発疹を抑える治療をすることもあります。

家庭でのケアで大切なのは、かゆみを抑え水疱をかきこわさないように注意することです。つめが伸びていないかチェックし、短く切っておきます。いやがらなければ手袋をさせてもいいでしょう。

口の中に水疱ができているとしみるので、刺激物や熱いものは避けてやわらかくのどごしのいいものを与えましょう。

水疱がかさぶたになるまでは入浴を控え、おしりをシャワーで流す程度に。外出も控えましょう。

1才になれば、任意で予防接種を受けることができます。予防接種を受けていても1～2割程度は自然感染することがありますが、かかったとしても予防接種を受けておけば症状は軽くすみます。

単純性疱疹(単純ヘルペス)

たんじゅんせいほうしん(たんじゅんヘルペス)

主な症状●水疱《すいほう》・痛み

こんな病気・症状

単純ヘルペスウイルスが原因で、口の中や唇《くちびる》に水疱ができる

口の中や唇などに水疱ができる病気です。単純ヘルペスウイルス（ＨＳＶ）の感染によって発症します。ヘルペスウイルスは感染しても神経細胞の中に潜み、すぐに症状が出ることはほとんどありません。しかし、体力や抵抗力が落ちたときに突然発病します。

むずむずするような感じとともに、鼻の穴付近や唇の周り、目の周囲などに赤い発疹《ほっしん》や水疱ができます。歯肉や口の中に口内炎《こうないえん》が見られることもあります。水疱は破れてただれ、口内炎は潰瘍《かいよう》になって痛みます。熱が出たりリンパ節がはれることもあります。

いったん治っても、かぜをひいたりストレスがたまったり、強い紫外線に当たって免疫《めんえき》力が落ちたときなどに再発し、同じ場所にできるのも特徴です。

治療とケア
指示どおりに薬を使い、こまめに水分を

症状が見られたら、早めに受診します。病院では抗ウイルス薬が処方されるので、医師の指示どおりに使用してください。口内炎がひどくなると食べられなくなるので、麻酔剤《ますいざい》の入った軟膏《なんこう》をぬって痛みをやわらげることもあります。

口の痛みで食欲がないときは、脱水症状を起こす危険があります。こまめに水分補給をしてください。また、プリンやヨーグルトなど、口当たりがよくてあまりかまなくてもよいものを少しずつ食べさせてあげるといいでしょう。

てあしくちびょう
手足口病
主な症状●発疹《ほっしん》

こんな病気・症状
夏に多く、手、足、口に発疹ができる

夏に多い病気で、コクサッキーウイルスA群やエンテロウイルスに感染して起きます。患者のせきやくしゃみ、便に触った手を介してうつります。

1～5日の潜伏《せんぷく》期間の後、手のひらや足の裏、舌や歯ぐき、口の中などに米粒《こめつぶ》大《だい》の小さい水疱《すいほう》ができます。37～38度の発熱がある場合もありますが、熱は出ても3日以内に下がります。手、足、口すべてに発疹が出ずに口の中だけに潰瘍《かいよう》ができる場合や、手のひらや足の裏だけに発疹ができる場合もあります。

手足の水疱は痛くもかゆくもなく、1週間程度で消えてあとは残りません。ほとんどの場合は重症になることもなく経過しますが、まれに髄膜炎《ずいまくえん》を伴うことがあります。

治療とケア
食べられなければ、水分を十分に

手足口病のウイルスに効く薬はないので、熱があれば解熱剤《げねつざい》を使うなど、症状に合わせて治療します。

口の中に潰瘍ができると、しみるため食欲が落ちるので、熱いものや酸味や塩味のあるものを避け、やわらかくて飲み込みやすい口当たりのいいものを与えます。痛みで食べたがらないときは水分補給を心がけてください。

重症になることはあまりありませんが、まれに髄膜炎を併発《へいはつ》することがあるので、高熱や頭痛、嘔吐《おうと》がひどい場合には早めに医師の診察を受けましょう。

りんごびょう（でんせんせいこうはん）
りんご病（伝染性紅斑）
主な症状●発疹《ほっしん》

こんな病気・症状
ほおにりんごのような発疹、手足がまだらなレース模様に

ヒトパルボウイルスB19というウイルスに飛沫感染《ひまつかんせん》することでうつります。発病すると、ほっぺがりんごのように赤くなるので「りんご病」と呼ばれていますが、「伝染性紅斑」というのが正しい病名です。

主に幼児期から小学校ごろの子どもの間で、春から初夏にかけて流行します。2才以下の赤ちゃんがかかることはあまりありません。軽い病気ですが、まれに意識障害を伴う脳炎や、赤血球がこわれる溶血性貧血《ようけつせいひんけつ》などの合併症《がっぺいしょう》を起こすこともあります。

発疹に先立つ1週間～10日ぐらい前に熱が出たり、筋肉痛や体のだるさを感じることがあります。その後両側のほおに赤い発疹が出てきます。最初は斑点状《はんてんじょう》ですが、その後りんごのように少し盛り上がった鮮やかな赤い色になります。1～2日たつと腕や足の外側にも発疹が出て、数日後にはまだらなレース模様のように広がります。発疹の部分が多少むずがゆかったりほてった感じがすることもあります。

熱は出ないか、出ても微熱程度。顔の発疹は2日ほどで消え、腕や足の発疹も1～2週間で自然に薄くなります。

治療とケア

体を温めないように気をつけ、あとはふだんどおりに

ほとんどの場合、特別に治療しなくても自然に治ります。ただ、まれに合併症を起こすこともあるので、一度は受診して。かゆみが強いときは抗ヒスタミン薬が処方されます。発疹をかきむしらないようにつめは短く切っておきましょう。

ふだんどおりに生活して大丈夫ですが、熱いおふろに長く入ると赤みが強くなって長引くことがあるので、入浴はシャワーだけにして短時間で切り上げましょう。また、運動で体が熱くなったり日光に長く当たると赤みがぶり返すので、発疹のあるうちは日光を避けて家で安静に過ごすようにしてください。

感染力があるのは、発疹が出る前の1週間ぐらい。ほおが赤くなった時点ではすでに人にうつらないので、幼稚園や保育園を休む必要はありません。

（ようれんきんかんせんしょう（しょうこうねつ））

溶連菌感染症（猩紅熱）

主な症状●発熱・発疹《ほっしん》・イチゴ状舌

こんな病気・症状

高熱が出てイチゴのような赤い舌に

高熱が出て舌がイチゴのように赤くなり、全身に発疹ができる病気です。A群β溶血性連鎖球菌《ようけつせいれんさきゅうきん》（溶連菌）の感染《かんせん》によって起こり、主にせきやくしゃみからうつります。5～12才の子どもがかかることが多く、赤ちゃんがかかることはそれほど多くありません。かつては猩紅熱と呼ばれ、法定伝染病に指定されて隔離《かくり》治療されていました。しかし今は、抗生《こうせい》物質による治療で完治します。

感染すると39度前後の高熱が出て2～4日続きます。のどの入り口やのどちんこの周りが赤くはれ、強いのどの痛みを伴います。発熱の後、首や胸、手首や足首のあたりに赤く細かい発疹が出て、しだいに全身に広がります。そして治りかかったころに、発疹が出ていた部分の皮膚がパラパラとむけます。

病気の初期には舌が白いコケに覆《おお》われたようになり、3～4日するとイチゴのように赤くなってブツブツになります。これは「イチゴ状舌」と呼ばれ、溶連菌感染症に特徴的な症状です。

嘔吐《おうと》、頭痛、筋肉痛や関節痛が出ることも。首のリンパ節がはれたり中耳炎《ちゅうじえん》などを起こすこともあります。

治療とケア

薬を指示どおりに飲み、こまめに水分補給を

主に抗生物質で治療します。症状が治まったからといって薬をやめると再発したり、腎炎《じんえん》やリウマチ熱を合併《がっぺい》することがあるので、医師の指示どおりにきちんと薬を飲んで完治させてください。症状によっては、腎臓《じんぞう》に合併症が出ていないかどうかを調べるために尿検査をする場合があります。

家庭では、のどが痛いと食べたり飲んだりしなくなるので、脱水症状の予防のためにも少量ずつ何回にも分けて水分補給を。また、離乳食はやわらかくてのどごしのいい、消化のいいものを用意してあげましょう。

（でんせんせいのうかしん）

とびひ（伝染性膿痂疹）

主な症状●水ぶくれ・かゆみ

こんな病気・症状

夏によく見られる、赤ちゃんの代表的な皮膚病

強いかゆみのある水疱《すいほう》ができ、飛び火のようにどんどん全身に広がっていくので「とびひ」と呼ばれています。夏に多く見られる、赤ちゃんや子どもの代表的な皮膚の病気です。虫刺されやあせも、湿疹《しっしん》などをかきこわした傷口やすり傷に、黄色《おうしょく》ブドウ球菌が感染《かんせん》して起こります。

黄色ブドウ球菌は鼻の穴などにいつも存在している、だれでも持っている菌の一種です。健康な皮膚についても害はありませんが、傷ついた皮膚に感染すると

とびひの原因になります。赤ちゃんや小さな子どもの場合、鼻の中を触った手で虫刺されなどをひっかくことによって、黄色ブドウ球菌に感染するケースが多いようです。

黄色ブドウ球菌が感染し、かゆみのある水疱が全身に

あせもや湿疹、虫刺され、アトピー性皮膚炎をかきむしったところが黄色ブドウ球菌に感染してかゆみのある小さな水疱ができます。水疱が破れると滲出《しんしゅつ》液が出て、ただれてジクジクしてきます。

かゆみが強く、水疱の部分をかいた手でほかの部分をかくと、手についた菌が皮膚のほかの部分に次々とついて広がっていきます。感染力が強いので、本人だけでなくきょうだいや周りの人にも感染することがあります。

治療とケア

抗生《こうせい》物質で治療。かきこわさないように注意を

水疱をガーゼか包帯で覆《おお》い、なるべく早く病院へ行きましょう。病院では抗生物質入りの外用薬と飲み薬が処方されます。きちんと治療すれば1週間ほどでよくなりますが、よくなってきたからといって薬を途中でやめると再発することもあります。医師の指示に従って、最後まできちんと飲みきるようにしましょう。

肌が汚れたままだと菌が増えるので、こまめにシャワーを浴びさせて肌を清潔に保ちましょう。1日1回は殺菌力のある石けんをよく泡立て、ママの手でなでるように洗います。かさぶたや水疱のある部分も石けんで洗ってかまいません。

かきこわして症状がさらに悪化するのを防ぐためにつめを短く切り、手もこまめにふくか洗ってあげてください。

感染力が強いので、家族にうつさないようにおふろではシャワーだけにし、湯ぶねにつからないようにします。タオルを共用するのも避けましょう。

川崎病《かわさきびょう》（MCLS）

主な症状●発熱・イチゴ状舌・リンパ節のはれ・発疹《ほっしん》

こんな病気・症状

全身の血管に炎症。高熱、発疹、イチゴ状舌などの症状が

1967年に川崎富作博士が発見したことから川崎病と呼ばれています。全身の血管が炎症《えんしょう》を起こす病気で、6カ月～4才くらいまでの日本人の子ども、特に男の子に多く、年間1万人以上が発病しています。原因は不明で予防法もまだ見つかっていません。

川崎病にかかると、突然39度前後の高熱が出て5日以上続きます。発熱して2～3日たったころに目が充血《じゅうけつ》したり、全身にさまざまな大きさの赤い発疹が現れます。手足が赤くなってむくんだりはれたりし、首のリンパ節もはれてきます。唇《くちびる》が真っ赤になって乾き、舌がはれ、イチゴのように赤くブツブツになることも。発熱から10～12日たったころに、手や足の指先の皮膚が膜《まく》のような感じでむけてきます。

また、血管に炎症が起こり、心臓の外側を流れる冠動脈《かんどうみゃく》の壁にこぶ（冠動脈瘤《りゅう》）ができ、血栓《けっせん》ができて血管が詰まってしまう合併症《がっぺいしょう》が起きることがあります。

治療とケア

入院して治療。退院後も定期的に検査を

気になる症状があるときは、一度受診していても再受診を。川崎病と診断がついた後は入院して治療します。病院では心臓エコー検査で冠動脈の経過を観察しながらアスピリンやガンマグロブリンを投与して血液をかたまりにくくし、冠動脈瘤ができるのを予防します。適切な治療を受ければ、3週間～1カ月ほどで退院できます。

現在では後遺症の検査法や治療法が確立されてきて、川崎病は以前ほど怖い病気ではなくなってきました。ただ退院後も心臓に異常がないか確認するために、定期的な検査が必要な場合もあるので、医師の指示に従ってください。

吐く・下痢する病気

先天性肥厚性幽門狭窄症《せんてんせいひこうせいゆうもんきょうさくしょう》

主な症状●嘔吐《おうと》・体重の増えが悪い

こんな病気・症状

胃の出口の筋肉が厚く、飲むたびに勢いよく吐く

胃から十二指腸へ続く部分を幽門といいます。この部分の筋肉が生まれつき厚いために幽門が狭く、飲んだ母乳やミルクが胃から十二指腸に流れにくくなって吐いてしまう病気です。母乳やミルクを噴水《ふんすい》のように大量に吐くので栄養不足になり、だんだんと体重が減ってきます。

症状が出るのは生後2～3週から1～2カ月の間で、約1000人に1人の割合で見られます。授乳のたびに噴水のように勢いよく吐き、初期には、吐いた後のきげんは悪くありません。すぐにおなかがすいて母乳やミルクを欲しがりますが、飲ませるとまた吐きます。そして、繰り返し大量に吐くので栄養が十分にとれず、体重が減り、しだいにやせてきます。水分をとれずに脱水状態となり、ぐったりしてきたり、皮膚に張りがなくなってカサカサとしてくることもあります。

治療とケア

投薬や手術で狭くなっている部分を広げる

授乳のたびに勢いよく吐くときは受診を。脱水症状が見られる場合は、点滴《てんてき》で水分と栄養を補給します。

同時に厚くなっている幽門の筋肉を切開し、狭い部分を広げる手術をします。手術はできるだけ早期に行います。30分ほどで終わる簡単なもので、術後1週間程度で退院することができます。

軽症の場合は、硫酸《りゅうさん》アトロピンの投与で治ることもあります。

噴門弛緩症《ふんもんしかんしょう》（胃食道逆流症《いしょくどうぎゃくりゅうしょう》）

主な症状●嘔吐《おうと》

こんな病気・症状

胃の入り口の締《し》まりがゆるいために吐く

胃の入り口の噴門部の締まりが悪く、飲んだ母乳やミルクが逆流し吐きます。元気で食欲もあり、便の状態もふつうです。まれに、吐いたものが気道に入り、肺炎や窒息《ちっそく》を起こすこともあります。

治療とケア

1才ごろまでには自然に治る

1才ごろまでには噴門部の筋肉が発達し、自然に治ります。それまでは一度にたくさん飲ませず、少量ずつ回数を増やして飲ませます。授乳後はゲップを出させ、しばらくたて抱きにして母乳やミルクの逆流を防ぎます。

腸重積症《ちょうじゅうせきしょう》

主な症状●腹痛・嘔吐《おうと》・血便《けつべん》

こんな病気・症状

腸の一部が重なり合って吐き気や血便が出る

腸の中に腸の一部がもぐり込んで詰まってしまう病気です。もぐり込んだ腸は締めつけられて血液が流れなくなり、壊《え》死《し》します。治療が遅れると腹膜炎《ふくまくえん》などを起こして命にかかわるため、早期に発見して治療することが大切です。

原因はよくわかっていませんが、ウイルスに感染してかぜをひいたり下痢《げり》を起こしたりしたときに、腸管の壁にあるリンパ節がはれて正常に動かなくなるためと考えられています。3～9カ月の体格のいい男の赤ちゃんに多く見られます。

元気に遊んでいた赤ちゃんが、突然火

がついたように泣きだします。そして激しく泣いたかと思うと泣きやむことを、10～30分おきに繰り返します。

顔色が青白くなって吐くことがあります。また、トマトケチャップやイチゴゼリーのような、粘液《ねんえき》と血液が混ざったドロリとした血便《けつべん》（粘血便《ねんけつべん》）が出ることがあります。ただし血便は、病院で浣腸《かんちょう》をするまで見られないこともあります。

治療とケア

早期に発見し、高圧浣腸で治療

もぐり込んだ小腸の血流が悪くなり、腸が壊死するおそれがあるため、大至急病院へ。発病して24時間以内なら、薄い浣腸剤や空気を肛門から高圧浣腸で入れることにより、もぐり込んだ腸を元に戻します。処置後1日ようすを見て、再び腸がもぐり込むことがなければ退院できます。発症後24時間以上たっていて、腸が壊死している場合は、その部分を切除して健康な腸と腸をつなぎ合わせる手術をします。

腸重積を繰り返すときは、腸にポリープなどができている場合があるので、検査を受けてください。結果を見て、必要なら手術を行います。

急性嘔吐・下痢症（胃腸炎）

きゅうせいおうと・げりしょう（いちょうえん）

主な症状●嘔吐・下痢

こんな病気・症状

胃腸が下痢・嘔吐を伴う炎症を起こす

胃や腸が急性の炎症《えんしょう》を起こす病気の総称で、ほとんどの場合、胃腸に感染《かんせん》するウイルスや細菌が原因です。中でもロタウイルス腸炎は重症になりやすいので、注意が必要です。

食欲がなくなり、腹痛、下痢、嘔吐などが見られます。便は水っぽく、粘液《ねんえき》や血液が混じることも。ウイルスの種類によっては、頭痛、発熱、せきといったかぜ症状を伴う場合もあります。

治療とケア

症状に合わせた薬を処方

原因や症状に合わせて、抗生《こうせい》物質や下痢止め、吐き気止めなどが処方されます。脱水症状を防ぐため、水分補給を十分に。

ロタウイルス腸炎（白色便性下痢症・冬季下痢症）

ロタウイルスちょうえん（はくしょくべんせいげりしょう・とうきげりしょう）

主な症状●嘔吐《おうと》・下痢《げり》

こんな病気・症状

ロタウイルスの感染で、嘔吐の後に激しい下痢が続く

ロタウイルスが原因の腸炎です。便を介して口から感染《かんせん》します。下痢便の色が白いことから白色便性下痢症ともいわれ、寒い季節に多いので冬季下痢症とも呼ばれます。ただ最近は、冬に特有の病気ではなくなってきています。2才ごろまでの子がかかりやすく、乳幼児の下痢の代表的なものです。

たいていは激しい嘔吐から始まり、やや遅れて激しい下痢が続きます。発熱やせき、鼻水などのかぜ症状を伴うこともありますが、かぜの兆候《ちょうこう》は特にないまま始まることも少なくありません。

嘔吐は1～2日で治まりますが、下痢は徐々に激しさを増し、多いときには1日に10回以上も出ることがあります。さらに便が白っぽく、お米のとぎ汁のような水様便《すいようべん》になり酸っぱいにおいがします。腹痛のため、赤ちゃんは非常に不きげんになります。ひどい下痢は3～4日続きますが、徐々に回復し、1週間ほどするともとのうんちの状態に戻っていきます。

嘔吐や下痢の症状が激しいため、体内の水分が不足して脱水状態になることがあるので、注意が必要です。

治療とケア

嘔吐や下痢が始まったら早めに病院へ

ふつうの下痢と違って進行が早く症状が重いので、嘔吐や下痢が始まったら早めに小児科を受診しましょう。医師にはうんちの形状や回数、においなどを伝え

吐く・下痢する病気

ますが、下痢便のついたおむつを持参するとより診断がつきやすくなります。

ただしロタウイルスに効く特効薬はないので、病院では吐き気止めや下痢を緩和《かんわ》する薬などが処方《しょほう》され、家庭で適切なケアをしながら回復を待ちます。

おしっこの回数や量が減った、唇《くちびる》や肌が乾いてカサカサしている、泣き声が弱弱しくぐったりしてきた、などのようすが見られるときは、脱水を起こしているおそれがあります。大至急、受診を。

脱水の予防に水分補給をこまめに

嘔吐や下痢によって体内の水分が急速に失われるので、脱水が起こらないようにすることがケアのポイントです。吐き気が強いときは、スプーンやスポイトなどで少量ずつこまめに水分を与えます。飲ませるものは湯ざまし、麦茶、赤ちゃん用イオン飲料などがいいでしょう。かんきつ系のジュースや乳製品は、嘔吐を誘発するので飲ませないように。

下痢がひどくなると、さらに水分補給が重要です。下痢で体内から出て行く以上の水分を補う必要があります。冷たすぎる飲み物はおなかを刺激するので、室温程度のものを与えてください。

おしりをケアしてただれを予防

下痢がひどくなるとおしりがただれるので、おしり対策も大切です。うんちでおしりが汚れたら、お湯でしぼったガーゼでやさしくふき取った後で、洗面器におしりを入れて洗ったり、シャワーで汚れをさっと流します。その後、少しの間おしりを乾かしてから新しいおむつをつけるようにすると、おむつかぶれの予防になります。

食中毒《しょくちゅうどく》

主な症状●下痢《げり》・嘔吐《おうと》・発熱

こんな病気・症状

細菌がついた食品から感染《かんせん》し、胃腸炎を起こす

細菌に汚染された食品や調理器具、調理する人の手から感染して起こる急性の胃腸炎です。主に生の肉や魚介などについた細菌、鮮度の落ちた食品が原因です。

原因となる細菌によって発症までの時間や症状の程度が違いますが、どの細菌に感染した場合も、腹痛、下痢、嘔吐などの症状を起こします。便に血が混じったり、発熱することもあります。

食中毒を起こす主な原因菌は、サルモネラ菌、キャンピロバクター菌、ブドウ球菌、病原性大腸菌O-157など。症状はそれぞれ異なります。

サルモネラ腸炎…サルモネラ菌が原因。ゴキブリやハエによって菌がついたり、イヌやネコ、ペットのミドリガメなどのふん尿の中にいる菌がついた肉や魚、生卵、市販の加工食品などから感染。発症までの時間は8~48時間。激しい下痢を起こし、嘔吐や発熱、腹痛を伴います。

キャンピロバクター腸炎…キャンピロバクター菌が原因。十分に加熱されていない肉、卵、ソーセージ、練り製品、ペットのふんなどから感染します。発症までの時間は3~5日間。血液の混じった下痢、腹痛、発熱、嘔吐が主な症状です。

ブドウ球菌食中毒…ブドウ球菌が原因。化膿《かのう》した傷のある手指で調理されたおにぎりやサンドイッチなどの食べ物、練り製品から感染。発症までの時間は1~6時間。主な症状は嘔吐や下痢、腹痛です。

病原性大腸菌食中毒…O-157などの病原性大腸菌が原因。加熱が十分ではない肉や生野菜などから感染します。発症までの時間は3~9日間。激しい腹痛、真

っ赤な血便《けつべん》が特徴。菌が出すベロ毒素で血小板が減少し、貧血や腎《じん》機能の低下、けいれんなどが起きることもあります。
　また最近では、小型球形ウイルス（ノロウイルス・SRSV）による食中毒も増えています。原因になる食品は生カキや魚介類で、冬に多いのが特徴。突然吐き気を催し、嘔吐や下痢が1～2日ほど続きます。吐いたものや便中のウイルスで二次感染を起こすこともあります。

治療とケア

食中毒が疑われるときは、受診を

　嘔吐を繰り返し、激しい下痢が続くときは、すぐに受診します。特に顔色が青ざめてぐったりしたときは、至急受診を。血便が出たときは、おむつを持参します。
　原因菌に有効な抗生《こうせい》物質などを投与して治療します。入院が必要な場合もあります。自宅で看護する場合、下痢や嘔吐がある間は水分補給を心がけましょう。

まんせいのにゅうじげりしょう

慢性の乳児下痢症

主な症状●下痢

こんな病気・症状

下痢が続いて体重が減少する

　かぜなど何らかの原因で急性の下痢を起こした後、下痢がよくならず、2週間以上続く状態をさします。慢性的に下痢が続くときは、主に、乳糖《にゅうとう》不《ふ》耐性《たいせい》下痢症とアレルギー性の下痢症が考えられます。
乳糖不耐性下痢症…乳糖を分解する消化酵素《こうそ》のラクターゼがまったくないか不足していることが原因の下痢症です。腸内で乳糖を分解することができないため、ミルクや牛乳、乳製品などをとるとうまく消化・吸収できずに下痢や嘔吐を起こします。先天的なものは少なく、下痢が長引いて腸の粘膜《ねんまく》が炎症を起こしたことによる後天的《こうてんてき》なものがほとんどです。
アレルギー性の下痢症…アレルギー体質の子どもが、特定の食品を食べたときに消化管がアレルギー反応を起こして下痢をします。腹痛、嘔吐、じんましん、湿《しっ》疹《しん》、喘息《ぜんそく》といったアレルギー症状が同時に現れることもあります。

治療とケア

下痢が続くときは受診して、症状に合った治療を

　下痢がなかなか治らず、体重の減少が見られるときは、受診して原因を調べてもらうといいでしょう。
　乳糖不耐性下痢症の場合は、下痢がよくなるまで乳糖分解酵素《こうそ》剤を服用したり、乳糖の入っていない特殊なミルクなどに切り替え、離乳食でも乳製品を避けるようにします。
　下痢の原因が特定の食品によるアレルギーと考えられる場合は、病院で血液検査をしてアレルギーの原因食品をつきとめ、医師の指導のもとで食事療法を行います。

アセトンけっせいおうとしょう（しゅうきせいおうとしょう）

アセトン血性嘔吐症（周期性嘔吐症）

主な症状●嘔吐《おうと》・腹痛・アセトン臭《しゅう》

こんな病気・症状

よく遊んだ翌日などに嘔吐や腹痛を起こす

　疲れや空腹などで体のバランスが崩れ、嘔吐や腹痛を起こします。消耗《しょうもう》したエネルギーを補うために皮下脂肪を分解した結果、代謝物《たいしゃぶつ》のケトン体が増えることが原因とされます。
　よく遊んだ翌日などにぐったりして食欲がなくなり、嘔吐を繰り返します。息や尿に酸っぱいにおい（アセトン臭）がするのも特徴です。

治療とケア

安静にして疲れをやわらげる

　安静にし、疲れをやわらげることが大切です。嘔吐がひどく脱水症のおそれがある場合は、点滴《てんてき》をします。似た症状を持つ病気はほかにもあるので、受診して診断を受けましょう。

せき・鼻水が出る病気

百日ぜき《ひゃくにちぜき》

主な症状●せき

こんな病気・症状

「コンコン」「ヒュー」と、特有のせき発作が続く

特有の発作的なせきが出るのが特徴です。原因は百日ぜき菌で、せきやくしゃみなどから感染《かんせん》します。生後すぐの赤ちゃんでもかかります。

6～20日の潜伏《せんぷく》期間の後、くしゃみやせきなどかぜのような症状が現れます。発熱はほとんどありません。しだいにせきがひどくなり、特に夜になるとせき込むようになります。このような症状が1～2週間続き、やがて「コンコン、コンコン」と立て続けに数十回のせきをした後、「ヒュー」と息を吸い込む「レプリーゼ」という特有の発作が始まります。1回の発作は2～3分で、1日に数十回の発作が起きます。病名のとおり、100日ぐらいせきが続く赤ちゃんもいます。発作のない間はわりと元気なのも特徴です。

月齢の低い赤ちゃんの場合、激しいせきの後に息を吸い込むことができなくなり、呼吸が止まることがあります。全身に酸素が行き渡らなくなり、唇《くちびる》やつめが紫色になるチアノーゼを起こしたり、けいれんを起こしたり、死亡することも。百日ぜき菌が肺に及ぶと百日ぜき肺炎を合《がっ》併《ぺい》することもあります。

治療とケア

診断がついたら、抗生《こうせい》物質で治療

早めの治療が肝心。かかり始めに治療を始めれば、その後の症状が軽くすみます。百日ぜきと診断がつけば、抗生物質で治療します。

せきで体力を消耗《しょうもう》するので、家では静かに過ごしましょう。空気が乾燥しているとせきが出やすいので、加湿器などを使って室内を加湿します。

せきが激しく飲めなかったり食べられなかったりするときは、少しずつ数回に分けてあげるといいでしょう。水分も十分に補給します。酸味のある飲み物や甘い飲み物は、せきを誘発するので控えます。

百日ぜきを予防する三種混合（DPT）ワクチンは、生後3カ月から受けられます。百日ぜきは月齢が低いほど重症になり、命にかかわることもあるので、できるだけ早めに受けましょう。

急性喉頭炎《きゅうせいこうとうえん》（仮性《かせい》クループ）

主な症状●発熱・せき

こんな病気・症状

のどがむくんで遠ぼえのようなせきが出る

のど（喉頭）にウイルスや細菌が感染して炎症《えんしょう》が起きます。発熱とともに、のどの粘膜《ねんまく》がむくんで気道が狭くなり、声がかれてイヌの遠ぼえのような特有のせきが出ます。息を吸い込むときにヒューという音がします。ひどくなると呼吸困難を起こし、唇《くちびる》やつめが紫色になるチアノーゼが見られます。

治療とケア

薬を使ってのどの炎症を抑える

ステロイド剤や血管収縮剤《しゅうしゅくざい》でのどの炎症を抑えます。抗生《こうせい》物質を使うことも。せき込むときは加湿し、水分を飲ませてあげましょう。重症の場合は入院して酸素吸入を行います。

急性気管支炎《きゅうせいきかんしえん》

主な症状●発熱・せき・たん

こんな病気・症状

気管支に炎症《えんしょう》が及び、せきが悪化する

鼻やのどについたウイルスや細菌が、気管支の粘膜《ねんまく》で炎症を起こし、発熱と激しいせきが長く続くのが特徴。多くはかぜをこじらせたことが原因です。

6カ月未満の赤ちゃんでは炎症がさらに進み、気管支の奥にある細《さい》気管支が炎症を起こす細気管支炎という重い病気になることもあります。

発熱、鼻水、軽いせきなどのかぜ症状から始まり、コンコンという乾いた感じのせきから、ゴボゴボというたんがからんだような湿った感じのせきに変わります。せきのために眠れなかったり、せき込んで吐くことも。食欲が落ちてきげんが悪く、重症になると呼吸困難を起こすこともあります。

治療とケア

室内の乾燥に注意して安静に過ごして

抗生物質を主体に、せき止め薬やたんを出しやすくする薬、解熱剤《げねつざい》などが処方されます。医師の指示どおりに薬を飲ませ、安静を心がければ1週間ぐらいで熱は下がり、症状が軽くなります。しかし、気管支の粘膜が荒れているため、完全にせきが止まるまでには、2～3週間はかかるでしょう。

せきが出ているときは加湿器を使ったり、室内に洗濯物を干すなどして、室内の空気が乾燥しないように注意しましょう。せき込んでいたら抱き上げるなどして上体を起こし、背中を軽くたたいてあげると少しラクになります。せきやたんを出しやすくするので、水分補給もこまめに行ってください。

細気管支炎《さいきかんしえん》

主な症状●発熱・せき・呼吸困難

こんな病気・症状

細気管支にウイルスが感染《かんせん》。呼吸困難も

6カ月未満の赤ちゃんに多く、苦しそうな呼吸が特徴です。気管支が枝《えだ》分かれして細くなった細気管支にウイルスが感染。かぜをこじらせて起こることが多く、RSウイルスが主な原因です。

最初は熱や鼻水などのかぜ症状から始まり、「ヒューヒュー」「ゼーゼー」という呼吸をするようになります。重症になると呼吸のたびにみぞおちのあたりがへこみ、呼吸困難を起こして、命にかかわることもあります。

治療とケア

至急病院へ。入院して治療

病気の進行が早いため、呼吸が苦しそうなようすが見られたら、至急病院へ。多くは入院して治療します。酸素吸入を行ったり、抗生物質を投与したりします。

肺炎《はいえん》

主な症状●発熱・せき

こんな病気・症状

さまざまな病原体が肺で炎症《えんしょう》を起こす

ウイルスや細菌などが肺に侵入して炎症を起こす病気です。多くはかぜや気管《きかん》支炎《しえん》をこじらせたことによって発症します。低月齢の赤ちゃんは、抵抗力が弱いため重症になりがちで、注意が必要です。

原因となる病原体によってウイルス性肺炎、細菌性肺炎、マイコプラズマ肺炎などがあります。共通して見られる症状は発熱とせきですが、症状の程度や回復までの期間は病原体によって異なります。

細菌性肺炎…かぜや気管支炎をこじらせたときに、細菌に感染して炎症を起こします。黄色《おうしょく》ブドウ球菌性肺炎と肺炎球菌性肺炎が代表的です。重症になりやすく、

高熱が続いてぐったりし、呼吸困難を起こすこともあります。

ウイルス性肺炎…ウイルスに感染して起こります。肺炎の中でいちばん多いものです。かぜを起こすウイルスがウイルス性肺炎の原因にもなります。せきがひどく、高熱が出ますが、細菌性肺炎に比べると症状が軽く、かかっても比較的元気なことが少なくありません。

マイコプラズマ肺炎…マイコプラズマという微生物が原因の肺炎です。熱、せきが続きますが、全身の症状は比較的軽いのが特徴です。赤ちゃんには少なく、学童期の子どもに比較的多く見られます。

クラミジア肺炎…ママがクラミジアに感《かん》染《せん》していると、分娩《ぶんべん》時に産道で感染することがあります。せきがひどく、目やにが出ます。

膿胸《のうきょう》…細菌性肺炎が悪化し、肺を包んでいる胸膜に炎症が起こってうみがたまります。せきが出て熱が下がらず、顔色が青白くなって、呼吸困難や唇《くちびる》やつめが紫色になるチアノーゼを起こします。

嚥下《えんげ》性肺炎…食べ物や異物が気管から肺に入って起きる肺炎。かぜ症状がないのに、急にせき込んで止まらなくなります。

治療とケア

気になるようすがあるときは、早めに受診を

高熱が続く、呼吸が速い、きげんが悪い、顔色がよくない、などの気になるようすがあるときは早めに病院へ。肺炎と診断がつけば、ほとんどの場合は入院して治療します。抗生《こうせい》物質を投与するほか、症状によっては酸素吸入、点滴《てんてき》による水分や栄養の補給を行います。

嚥下性肺炎の場合は、肺に入った異物を内視鏡《ないしきょう》などを使って取り除きます。

入院する期間は症状の程度によって異なります。細菌性肺炎では1カ月以上の入院が必要になる場合もあります。

主にウイルス性の肺炎で症状が軽いときは自宅で療養《りょうよう》することも。抗生物質が処方《しょほう》されたら、指示どおりにきちんと飲ませましょう。そのほかのケアは、基本的にかぜのときと同じです。安静にして水分補給に努め、適度な加湿を心がけます。

乳幼児突然死症候群（SIDS）

乳幼児突然死症候群（SIDS）とは、元気だった赤ちゃんが眠っている間に突然亡くなる病気です。窒息《ちっそく》死ではなく、SIDSという病気が原因の突然死で、日本では4000人に1人の割合で起こっており、1才未満の死亡原因の第3位になっています。

近年、眠っている間の「無呼吸」と「覚醒《かくせい》反応の低下」がこの病気に大きくかかわっていることがわかってきました。

睡眠中に無呼吸状態になって呼吸が数秒間止まるのは珍しいことではありませんが、ふつうは元に戻ろうとする覚醒反応が起こり、脳の中枢《ちゅうすう》神経が刺激されて呼吸が再開されます。ところがSIDSになる赤ちゃんの場合、覚醒反応に関係する脳の部分にわずかな成熟の遅れが見られるというのです。しかし、その遅れは表面的な異常としては現れないので、残念ながらSIDSを引き起こす前兆を見つけることはまだできません。

ただ、SIDSを防ぐためにできることは、いくつかあります。

1 うつぶせ寝はやめよう

うつぶせ寝の赤ちゃんのほうが、あおむけ寝よりSIDSになる確率が高いことがわかっています。赤ちゃんはできるだけあおむけの体勢で寝かせてください。

2 敷きぶとんはかためめに。顔の周りにものを置かない

あおむけに寝かせていても、いつのまにかうつぶせ寝をしている赤ちゃんも。うつぶせでも危なくないよう、かための敷きぶとんを使ったり、赤ちゃんの顔の周りにぬいぐるみやタオル、ビニール袋などを置かないように気をつけて。

3 なるべく母乳で育てよう

母乳の赤ちゃんのほうがSIDSの発生率が低いという統計があります。これは、母乳のほうが赤ちゃんとの接触時間が比較的長いために、SIDSの発生が低く抑えられるからと考えられています。

4 赤ちゃんのそばでは禁煙を徹底

タバコの中のニコチンが、呼吸中枢や覚醒反応に悪影響を及ぼすことがわかっています。赤ちゃんのいる部屋でのタバコは、絶対に“No!”です。

小児結核《しょうにけっかく》

主な症状●発熱・せき・食欲不振

こんな病気・症状

結核菌に感染《かんせん》し、発熱やせきが長引く

結核菌が鼻や口から肺に入って感染します。肺や気管支《きかんし》が炎症《えんしょう》を起こし、発熱やせき、きげんが悪い、食欲不振などの症状が現れます。両親や祖父母など家族からうつるケースが大半です。

赤ちゃんの場合は、はっきりした症状が出ないこともあるために見逃されやすく、病気の進行が早いので重症化しがちです。また、結核菌がリンパ液や血液の流れにのって全身に広がると粟粒《ぞくりゅう》結核になって、呼吸困難や唇《くちびる》が紫色になるチアノーゼ、高熱などの症状を引き起こします。結核菌が脳に入ると結核性髄膜炎《ずいまくえん》となって意識障害や手足のまひを引き起こし、後遺症《こういしょう》を残したり命にかかわったりすることもあります。

治療とケア

かかったら入院して治療。BCGで予防を

家族のだれかに長引くせきや微熱があるときは、家族全員で検査を受けてください。家族の中に結核患者がいた場合や、赤ちゃんが結核に感染していた場合は、入院して抗結核薬を投与して治療します。

小児結核はBCGの普及により、今では発症率の少ない病気になりました。しかし発症例は低年齢化していて、近年もっとも多くかかるのは0才児です。予防接種は生後6カ月までには受けておきましょう。

急性副鼻腔炎《きゅうせいふくびくうえん》

主な症状●発熱・鼻水

こんな病気・症状

副鼻腔に炎症《えんしょう》が起き、黄色い鼻水が出る

かぜをひいた後などに、鼻腔から副鼻腔の粘膜《ねんまく》が細菌によって炎症を起こします。発熱の後、薄いサラサラした鼻水が黄色くドロドロしてきて、絶え間なく出たり、鼻詰まりを起こしたりします。

治療とケア

耳鼻科でたまった鼻水を出してもらう

耳鼻科を受診して治療します。鼻の穴から副鼻腔に針を入れ、鼻水を出して洗浄してから抗生物質の薬を注入します。家庭では、市販の鼻水吸い取り器などでママがこまめに鼻水を取ってあげましょう。

急性鼻炎《きゅうせいびえん》

主な症状●鼻水・発熱

こんな病気・症状

鼻の粘膜《ねんまく》の炎症《えんしょう》でくしゃみや鼻水が

いわゆる「鼻かぜ」で、ウイルスの感染《かんせん》から鼻の粘膜が炎症を起こした状態です。くしゃみ、鼻水、鼻詰まりがあり、発熱することも。鼻をズーズーと鳴らして呼吸をしたり、鼻詰まりのために母乳やミルクを飲みにくいようすも見られます。

治療とケア

鼻水を吸い取り、鼻詰まりを予防

鼻水をためないことが第一です。鼻詰まりを起こさないよう、鼻水吸い取り器などを使って鼻水を出してあげましょう。母乳やミルクが飲めないほど鼻が詰まっていたら、耳鼻科を受診し、鼻水を吸い取ってもらいます。

けいれんが起きる病気

熱性《ねっせい》けいれん

主な症状●発熱・ひきつけ

こんな病気・症状

高熱が出る時に脳が興奮する

発熱に伴い、多くは熱の上がり際に起きるけいれんです。生後6カ月～6才、中でも3才代までの乳幼児に多く見られます。15人に1人ほどの割合で起きるといわれ、珍しい病気ではありません。

乳幼児の脳は未成熟なため、高熱が出ることで脳細胞が興奮して体がけいれんを起こすと考えられています。遺伝や体質がかかわっているともいわれており、パパやママ、きょうだいなどが熱性けいれんを起こした経験があると、赤ちゃんも起こす可能性が高くなります。

熱の上がり際に体が硬直《こうちょく》してひきつける

かぜ、突発性発疹症《とっぱつせいほっしんしょう》、尿路感染症《にょうろかんせんしょう》などで高熱が出るときに、前ぶれもなく突然体をけいれんさせます。目が白目になり、歯を食いしばり、体が硬直します。また、手足を体にひきつけ、ガクガクと震わせたり、手足が突っ張るようにかたくなったりすることもあります。けいれんを起こしている間は意識がなくなります。

単純な熱性けいれんであれば、2～3分から長くても5分以内に自然に治まります。治まった後は、ほとんどの場合眠ってしまいます。目覚めた後は、何もなかったかのようにケロッとしていることが多いようです。起きてから泣きだすこともありますが、意識が戻り、手足にまひがなければまず安心です。

治療とケア

ようすを観察し、治まったら受診を

赤ちゃんを平らな場所に寝かせてから、衣類のボタンをはずします。

その後は、積極的にすることは特にありません。ひきつけているときのようすをよく観察してください。それが、熱による単純なひきつけかほかの病気かを診断する際に役立つからです。

熱によるひきつけの場合は特に心配はありませんが、脳の病気に伴うひきつけの場合もあるため、初めてひきつけたときは必ず受診します。ひきつけが5分以内で治まり、ひと眠りした後に吐いたりぐったりするなどの変わったようすがなければ、通常の診察時間内に受診して、ひきつけた原因を調べてもらいましょう。夜中や休日なら、翌日でもかまいません。

一方、5分以上けいれんが続いている、1日に2回以上ひきつけた、意識が戻ら

けいれんのケア

赤ちゃんがけいれんを起こすと、ママは気が動転しがちですが、まずは落ち着きましょう。

1. 赤ちゃんを平らな場所に寝かせます。
2. ひきつけて硬直した体を締めつけないよう、衣類のボタンやズボンのサスペンダーをはずします。
3. 吐いた場合に備え、顔は横に向けます。
4. 赤ちゃんのようすをよく観察します。観察のポイントは、顔色、目の位置はどこか、手足は左右対称か、呼吸の状態などです。ひきつけが何分間続いたかも計ります。
5. 意識が戻ったら、熱も測っておきます。

経過を記録して受診のときに医師に伝えるといいでしょう。

強く抱きしめたり、揺さぶったり、大声で名前をよんだりするのは禁物。口の中に指やものを入れるのも、窒息《ちっそく》の危険があるので控えます。

ない、ひきつけた後、手足にまひがあるなどの場合は、至急病院へ。

なお、熱性けいれんを起こしやすい場合は、抗けいれん剤が処方されます。熱が出たタイミングで抗けいれん剤を使用すると、けいれんを防ぐことができます。

ふんぬけいれん（なきいりひきつけ）

憤怒けいれん（泣き入りひきつけ）

主な症状●ひきつけ

こんな病気・症状

激しく泣いているときに突然けいれんを起こす

激しく泣いている赤ちゃんが突然息を止めて手足を突っ張り、けいれんを起こします。激しく泣くことで息継ぎができず、脳に酸素が行かなくなるのが原因と考えられています。

泣き叫んで急に呼吸が止まり、顔が青白くなり唇《くちびる》が紫色になるチアノーゼを起こします。体を反らせ、手足をかたく突っ張りピクピクさせることもあります。しかし、1分ほどで治まりふつうの状態に戻ります。

治療とケア

抱っこなどで激しく泣く前に落ち着かせて

念のため受診し、脳の病気ではないことを確認してもらいます。泣いたときは、激しく泣く前に抱っこなどで落ち着かせましょう。

てんかん

主な症状●ひきつけ

こんな病気・症状

熱がないのに突然ひきつけを繰り返す

熱がないのに突然意識を失ったり、ひきつけを起こす発作を繰り返します。脳の神経細胞の一部が、刺激に対して興奮しやすい性質を持っているためと考えられています。脳の外傷や脳炎、髄膜炎《ずいまくえん》、新《しん》生児仮死《せいじかし》などが原因で起きることもありますが、原因のわからないものも多く見られます。

てんかんにはいくつかのタイプがあります。赤ちゃんや幼児に比較的多いのは、主に次のようなてんかんです。

点頭《てんとう》てんかん…ウエスト症候群とも呼ばれます。生後数カ月〜1才前後の赤ちゃんに多く、目覚めたときや眠くなってきたときに手足を急に突っ張ったり、首をカクンカクンと前に倒して両手をパッと開く動作を十数秒〜数十秒間隔で繰り返します。

小児良性てんかん…主に夜間、突然片側の口の端をピクピクさせたり、手足をバタバタさせる発作が見られます。治りやすいてんかんです。

小児欠伸《しょうにけっしん》てんかん…5〜8才くらいの子どもに多く見られるてんかんです。突然意識がなくなり、一瞬動作が止まる発作が起こります。発作は数秒〜数十秒続き、治まった後は何ごともなかったように発作前の動作を続けます。治療によって治りやすいてんかんです。

治療とケア

検査の後、症状に合わせた治療を

てんかんの発作が起こったら、ひきつけのケアをしてようすを見ます。症状が治まって目覚めたら病院へ連れて行き、早めに治療を始めましょう。

病院では、脳波、CT（コンピュータ断層撮影法《だんそうさつえいほう》）、MRI（磁気共鳴映像法《じききょうめいえいぞうほう》）など、さまざまな検査をします。そのうえでどんなタイプのてんかんか、原因は何かなどを調べ、症状に合った治療を行います。

てんかんの治療には、抗てんかん薬が有効です。薬を毎日服用することで、脳の神経細胞の一部が興奮するエネルギーを抑え、発作が起こらないようにします。治療は何年間かにわたることもあり、発作がなくなってからも2〜3年は薬を服用することが必要になります。医師と二人三脚で気長に治していくことが大切です。最近では治療法の進歩で、経過が順調なケースも多く見られます。

アレルギー性の病気

アトピーせいひふえん
アトピー性皮膚炎

主な症状●湿疹《しっしん》・かゆみ・乾燥肌

こんな病気・症状

皮膚が乾燥し、さまざまなものが肌を刺激

アレルギー性の皮膚炎で、皮膚の乾燥とかゆみのある湿疹が慢性的に続きます。発症する時期は早い場合で生後2～3カ月ごろ。月齢が低い場合はいったん乳児湿疹と診断され、その後の経過でアトピー性皮膚炎と診断されることもあります。

アトピー性皮膚炎を発症する赤ちゃんの肌は乾燥しやすく、バリア機能が弱くなっています。健康な肌にはなんでもない刺激にも反応し、炎症《えんしょう》やかゆみが起きます。体質の上に、肌の乾燥、汗や汚れによる刺激などが加わり、アトピー性皮膚炎が発症すると考えられています。

かゆみのある湿疹ができ、よくなったり悪くなったり

症状の現れ方や経過はさまざまですが、まず顔や頭にかゆみを伴う湿疹ができ、しだいにおなかや背中などへ広がって慢性的に続くパターンが多く見られます。皮膚が乾燥し白っぽく粉《こ》を吹いたように見える、赤く小さな湿疹ができる、肌がただれてジクジクする、皮膚がかたくゴワゴワしてくるなどの症状が見られることもあります。いずれの場合もかゆみを伴い、かきむしってさらに悪化します。よくなったり悪くなったりを繰り返すのが特徴です。

治療とケア

処方されたぬり薬を指示どおりに使う

かゆみのある湿疹がなかなか治らないなど、アトピー性皮膚炎が疑われる場合は、小児科か皮膚科を受診します。治療にはぬり薬が処方されます。よく使われるのはステロイド外用薬と非ステロイド外用薬、保湿薬です。かゆみ止めの飲み薬が処方されることもあります。医師の説明をよく聞き、指示どおりに使いましょう。

身の回りの環境整備も大切

日常生活のケアも大切。ダニやハウスダストなども肌を刺激する要因になるため、部屋の掃除をこまめにします。天気のいい日は寝具を日光に当て、取り込んだら掃除機をかけてダニの死骸《しがい》やほこり

ステロイド外用薬

ステロイド外用薬は皮膚の炎症やかゆみを抑えるのに効果的な薬です。ステロイドというのは、炭素原子の環《わ》が４つ結合したステロイド核を持つ有機化合物の総称です。アトピー性皮膚炎などの治療に用いられるステロイド外用薬は、このステロイド核を持つ副腎《ふくじん》皮質《ひしつ》ホルモン（化学的に合成されたもの）が含まれているため、一般に「ステロイド剤」とか「ステロイド軟膏《なんこう》」と呼ばれています。

ステロイド外用薬は、副作用が怖いから使いたくないという声がよく聞かれます。その副作用としては、皮膚が薄くなって血管が目だつようになる、毛が濃くなるなどがありますが、医師は副作用も考慮して薬を処方していますから、指示どおりに使いましょう。副作用を怖がってステロイド外用薬を使わないと、発疹をかきこわして症状を悪化させてしまいかねませんし、皮膚の炎症が長引き、赤ちゃんがつらい思いをするだけです。それよりは一定期間ステロイド外用薬を使い、炎症を抑えて症状を改善し、きれいな肌にしてあげたほうがいいのです。

ぬるときは、患部に薬をのせるようにします。湿疹ができているところは、皮膚が傷ついてデコボコしている状態ですから、少し多めに厚くぬります。薄くのばしたり、力を入れてぬり込む必要はありません。

を吸い取ります。おふろ上がりにはローションやクリームをぬるなど、こまめなスキンケアを心がけて肌の乾燥を防いでください。

アトピー性皮膚炎は、完治までにある程度の時間がかかります。赤ちゃんのようすをよく観察し、症状に合わせてきめ細かくケアすることが必要です。

しょくもつアレルギー

食物アレルギー

主な症状●じんましん・湿疹《しっしん》・下痢《げり》・嘔吐《おうと》

こんな病気・症状

特定の食品に反応してアレルギー症状が

特定の食品を食べたり飲んだりすることによって起きるアレルギー反応です。赤ちゃんに食物アレルギーが多いのは、腸管や消化機能が未発達で、免疫《めんえき》機能も不十分なためです。どんな食品でもアレルゲンになる可能性がありますが、特に多いのは三大アレルゲンといわれている卵・牛乳・小麦です。

アレルギーの原因となるものを食べた後、かゆみを伴う湿疹や、じんましんに似た発疹が見られます。吐き気、嘔吐、下痢が起きることもあります。そのほかにも、口の周りや口腔内のかゆみ、鼻水、喘《ぜん》息《そく》など現れる症状はさまざまです。

原因となる食品をとってから反応が出るまでの時間もそれぞれ違い、食べた直後に症状が出る場合もあれば、1日以上たってから起きる場合もあります。

まれにアナフィラキシー・ショックと呼ばれる激しいアレルギー症状を起こすこともあるので、注意が必要です。

治療とケア

医師の指示に従ってアレルゲンの除去を行う

アレルゲンとなる食品を食べないようにする除去食療法が治療の基本です。除去食療法には、その食品がわずかでも含まれる食品をいっさい食べない完全除去と、少量なら食べてもいい不完全除去の2種類があり、どちらを選ぶかは医師の指示に従います。

日々成長していく赤ちゃんの体にとって、バランスよく栄養をとることはとても大切です。アレルゲンが疑われる食品があっても、ママの判断だけで特定の食品を制限してはいけません。除去食は、必ず医師の指導に従ってください。

きかんしぜんそく

気管支喘息

主な症状●せき・喘鳴《ぜんめい》・呼吸困難

こんな病気・症状

激しいせきや呼吸困難などの発作を起こす

気管支が炎症《えんしょう》を起こして狭くなり、うまく呼吸ができなくなる病気です。発作が起きると激しくせき込んだり、ゼーゼーと苦しそうな呼吸をし、息を吐くときに「ヒューヒュー」と笛のような呼吸音が聞こえます。

ほとんどの気管支喘息は、アレルギー反応によって起こります。ストレスやかぜ、汚れた空気やタバコの煙、激しく動いたり笑ったりすることによって発作が誘発されることも。重症になると、喘息の発作で呼吸困難から酸素欠乏を起こし、命にかかわることもあります。

気管支喘息の発作は、夜間や明け方に多く起きがちです。また、発作が治まったように見えても気管支が敏感になっているので、ちょっとした刺激でまた発作を起こしてしまいます。発作が長引いたり、顔色が悪かったり、唇《くちびる》が紫色になる

アナフィラキシー

食品を食べるなどアレルゲンと接触した直後に起きる急激なアレルギー反応がアナフィラキシーです。アナフィラキシーを起こすと、唇《くちびる》のはれ、じんましんや湿疹《しっしん》、下痢《げり》、嘔吐《おうと》などが見られ、さらにのどがはれて気道が狭くなり、呼吸困難や意識障害が起きてショック状態になり、死亡することもあります。

アナフィラキシーを起こしたときは、至急受診します。

チアノーゼが見られるときは夜間でも急いで受診しましょう。

治療とケア

薬やケアで発作を抑える

喘息発作が見られたら病院で検査を受け、アレルギーの原因を突き止めておきましょう。治療には、主に気道の炎症を取る薬と、狭くなった気管支を広げる薬（気管支拡張剤《きかんしかくちょうざい》）の2種類が使われます。処方された薬は指示どおりに使い、発作を予防し抑えることが大切です。

発作が起きたときは、寝ているより上体を起こしていたほうが呼吸がラクです。たて抱きにしたり、敷きぶとんの下にクッションなどを入れて上半身を起こしぎみにしたり、ふとんに寄り掛かるようにして座らせたりするといいでしょう。衣類をゆるめたり、たんが切れやすくなるようにこまめに水分を補給するのも、せきを鎮めるのに効果的です。

じんましん

主な症状●発疹《ほっしん》・かゆみ

こんな病気・症状

かゆみのある発疹が現れ、短時間で消える

皮膚の一部にかゆみのある赤い発疹が出ます。発疹は大小いろいろで、表面が平らで全体的に盛り上がっています。皮膚だけでなく、口の中やのどなど全身どこにでもできます。発疹が出る部位や消えるまでの時間、かゆみの程度はさまざまですが、ほとんどの場合、数時間から数日で消え、あとも残りません。1週間以内に治まるものを急性じんましん、1カ月以上繰り返すものを慢性《まんせい》じんましんと呼んでいます。

赤ちゃんの場合、食物アレルギーの初期症状としてじんましんがよく見られますが、原因は多種多様で、飲み薬、日光、汗、気温の変化や、皮膚をひっかいたりこすったりする物理的な刺激などが原因となることもあります。

治療とケア

家でようすを見て、かゆみが強いときは受診を

自然に治ることがほとんどです。症状が軽ければ、家でようすを見ていてもいいでしょう。じんましんのできているところに、ぬれタオルなどを当てて冷やすとかゆみが治まることもあります。

病院では、抗ヒスタミン剤の飲み薬が処方されます。服用すると症状は治まりますが、よくなったからといってママの判断で薬をやめてはいけません。原因が食物アレルギーであることがわかっていて、なおかつアレルゲンが特定できる場合は、医師の指示のもとで除去食療法を行うこともあります。

アレルギーせいびえん

アレルギー性鼻炎

主な症状●鼻水・鼻詰まり・くしゃみ

こんな病気・症状

アレルギー反応によって鼻水、鼻詰まりが続く

アレルギー反応によって鼻の粘膜《ねんまく》で炎《えん》症《しょう》が起き、鼻水や鼻のかゆみ、鼻詰まりなどが見られます。透明で、水のようにサラサラした鼻水がいつまでも続いたり、

赤ちゃんの花粉症

アレルギー性鼻炎やアレルギー性結膜炎《けつまくえん》で、花粉がアレルゲンの場合を花粉症といいます。花粉症は、春や秋などアレルゲンとなる植物の花粉の飛ぶ季節だけ症状が出るのが特徴です。アレルゲンとしてもっとも多いのは、春先に飛ぶスギ花粉です。

以前は花粉症は赤ちゃんにはほとんど見られませんでした。しかし最近では、1才前後から発症するケースも増えてきています。

ただし、アレルギー反応が起きるのは、アレルゲンが2度目以降に体内に入ったときです。たとえばスギ花粉のアレルギーなら、ふつうは、赤ちゃんが2度目の春を迎えるまで発症することはありません。

くしゃみが出たり、鼻が詰まったりします。赤ちゃんは口呼吸が苦手なので、鼻詰まりがひどいと呼吸しにくくなってきげんが悪くなったり、息苦しさのためによく眠れなくなったりします。

主な原因は、ダニやハウスダストです。ほかにもペットの毛やふけ、花粉などがアレルゲンとなることがあります。

ただし、赤ちゃんの場合、アレルギー性かどうかを確認するのは難しく、はっきりと診断がつけられるのは2才を過ぎたころからです。

治療とケア

生活環境を整え、アレルゲンを取り除く

病院では、症状をやわらげるために抗アレルギー剤や抗ヒスタミン剤の飲み薬や点鼻《てんび》薬が処方されます。

薬による治療とともに大切なのは、生活環境を整えることです。主なアレルゲンとなるダニやほこりといったハウスダストを取り除くため、掃除や換気をこまめに行い、天気がいい日はふとんを日光に当てましょう。取り込んだふとんには念入りに掃除機をかけてください。

アレルギーせいけつまくえん

アレルギー性結膜炎

主な症状●目の充血《じゅうけつ》・かゆみ・まぶたのはれ

こんな病気・症状

目の結膜にアレルゲンが接触。目のかゆみ、充血などが続く

眼球の表面とまぶたの裏側を覆《おお》っている結膜にアレルゲンがつき、アレルギー反応による炎症《えんしょう》が起きます。アレルゲンは赤ちゃんによって異なりますが、主にダニやハウスダスト、ペットの毛やふけ、花粉などです。ウイルスや細菌に感染して起こるものではないので、人にうつす心配はありません。

ただし赤ちゃんの場合、結膜炎の症状があってもアレルギー性かどうかを確認するのは難しく、はっきりと診断がつくのは2才を過ぎたころからです。

目のかゆみ、充血、まぶたのはれ、目やになどの症状が現れます。目をこすったために雑菌が入り、黄色っぽい目やにが出ることもあります。かゆみのためにまばたきの回数が増えたり、目をこする動作が多くなることも。

また、赤ちゃんによっては鼻水や鼻詰まりなど、ほかのアレルギー症状を伴うこともあります。目を強くこすったために角膜《かくまく》に傷がついてしまい、視力に影響が出てしまうこともあるので、症状が見られたら早めに眼科か小児科を受診しましょう。

治療とケア

抗アレルギー剤の点眼薬で症状を抑える

抗アレルギー剤の点眼薬でかゆみなどの症状を抑えます。赤ちゃんの場合、点眼薬を使ってもすぐにこすってしまって効果が薄いため、かゆみ止めの飲み薬が同時に処方《しょほう》されることもあります。

汚れた手で目をこすると雑菌が入りやすくなります。時々流水で赤ちゃんの手を洗って清潔を保つように心がけ、つめも切っておきましょう。目やにが出ていたら、湿らせたコットンやガーゼでそっとふき取ってあげるといいでしょう。

アレルギーの検査

アレルギー性疾患で受診すると、原因物質（アレルゲン）を特定するための検査を受けることがあります。よく行われるのは、血液中のIgEという抗体《こうたい》の有無を調べる検査（IgE CAT RAST）です。ある物質に対するIgEの数値が高ければ、それがアレルゲンである可能性が考えられます。

もうひとつは、皮膚テスト。卵白や花粉などのアレルゲンを薄めた溶液を皮膚につけ、反応を見ます（プリックテスト）。溶液をしみこませたパッチ（布の小片）を皮膚にはる場合もあります。 ただし、検査は万能ではありません。検査結果は診断の重要な参考にはなるものの、その物質がアレルギー反応の原因とは限らない場合もあります。

皮膚の病気

ふだんから皮膚の状態をチェックして

赤ちゃんの肌は薄くて機能も未発達です。そのため外部からの刺激に弱く、さまざまなトラブルを起こしやすいものです。皮膚のカサカサや湿疹《しっしん》など、皮膚のトラブルは目で確認できます。着替えや入浴など、赤ちゃんのお世話をするときに皮膚の状態をよく見ることを習慣にしましょう。

発疹《ほっしん》などの皮膚のトラブルを起こしていたときは、ママの判断で手もとにあるぬり薬をぬらないようにします。病気に合わない薬だった場合、症状が悪化することがあるからです。

ほかにも皮膚トラブルがないか、全身をチェックすることも忘れてはいけません。また、はしかや水ぼうそうなどのように、皮膚以外に症状が現れる病気もあるので、熱やせき、鼻水などを伴っていないかどうかもよく観察してください。

症状があるときは早めに皮膚科を受診して、正しい診断・治療を受けることが大切です。医師には「いつから」「どの部分に」「どんな」トラブルが起きているかを具体的に伝えましょう。

乳児湿疹《にゅうじしっしん》

主な症状●湿疹・かさつき・かゆみ

こんな病気・症状

顔にできる赤い湿疹

生後間もなくから1才ごろまでにできる湿疹を総称して乳児湿疹と呼びます。生まれたばかりの赤ちゃんは、皮脂《ひし》の分泌が過剰で湿疹ができやすい一方、2～3カ月を過ぎると、今度は肌の乾燥による湿疹が増えます。ほおや口の周り、あご、頭などに赤い湿疹ができます。ジュクジュクしたり、かゆみを伴ったり、小さな水疱《すいほう》やうみを持ったポツポツが交じることもあります。

治療とケア

石けんで顔を洗い、清潔に

入浴の際にベビー用の石けんでよく洗うのがケアの基本です。肌を清潔にすれば、3～4週間で治ります。かゆみから皮膚をかきこわさないよう、つめはいつも短く切っておきます。ケアを続けても治らないときは、受診します。

新生児にきび《しんせいじにきび》（しんせいじざそう）（新生児痤瘡）

主な症状●ただれ・湿疹《しっしん》

こんな病気・症状

皮脂《ひし》の多い部分に湿疹が

生後1週間ごろから、顔の皮脂の分泌が多い部分にできるにきびのような湿疹です。皮脂が毛穴に詰まったところに細菌が感染して、発疹《ほっしん》ができます。赤くなったり、うみを持ったり、皮脂が詰まって毛穴が黒くなることもあります。

治療とケア

清潔を心がけることが肝心

いつも清潔にしておくことがケアのポイント。入浴時はベビー用の石けんでよく洗いましょう。ひどくうんでジクジクしたり、炎症《えんしょう》が広がるときは病院へ。症状によって、軟膏《なんこう》が処方《しょほう》されます。

乳児脂漏性湿疹《にゅうじしろうせいしっしん》

主な症状●湿疹

こんな病気・症状

かさぶた状の湿疹ができる

頭やまゆ毛、髪の生え際などにできる、黄色っぽいかさぶた状の湿疹。生まれたばかりの赤ちゃんは皮脂《ひし》の分泌が多く、汚れと混ざってかたまり、かさぶたのようになって皮膚にこびりつきます。悪化すると炎症《えんしょう》を起こしてただれてきます。

治療とケア

ふやかしてから洗って取る

入浴前にベビーオイルをぬって30分くらいおき、ふやかしてから取ります。ほとんどの場合は、皮脂の過剰な分泌が治まる生後3～4カ月になると自然に見られなくなります。

あせも（汗疹）（かんしん）

主な症状●発疹《ほっしん》・かゆみ

こんな病気・症状

汗をかきやすいところに発疹が

汗の出口が汗やあかでふさがれ、外に出せなくなった汗が皮膚の中にたまって炎症《えんしょう》を起こしたものです。頭や額、首やわきの下、背中やおむつが当たる下腹部など、汗をかきやすかったりくびれたりしている部分に、ポツポツと細かい発疹ができます。

治療とケア

汗のケアをこまめに

汗をかいたらこまめにふき取り、発疹をかきこわさないようにしてようすを見ます。発疹の数が多い、あせもが広い範囲にわたってできている、かゆくてかきむしっているときなどは小児科か皮膚科を受診しましょう。症状によっては弱いステロイドのぬり薬が処方されることもあります。

接触性皮膚炎《せっしょくせいひふえん》

主な症状●かゆみ・湿疹《しっしん》

こんな病気・症状

よだれや汗が刺激に

皮膚にふれたものが原因で、肌にかゆみのある炎症《えんしょう》が起きます。多いのは、よだれや汗、おしっこ、果汁などの刺激。ブツブツや水疱《すいほう》が出ることもあります。原因になる物質にふれた部分だけに症状が出るのが特徴です。

治療とケア

清潔にしてぬり薬で治療

患部を洗って清潔にし、炎症を抑える薬をぬります。軽いときは市販薬でもかまいませんが、かゆみが強い、うみを持つ、範囲が広いなどの場合は受診を。

おむつかぶれ

主な症状●ただれ・湿疹《しっしん》

こんな病気・症状

うんちやおしっこが皮膚を刺激

おむつを当てている部分がうんちやおしっこの刺激で炎症《えんしょう》を起こし、赤いポツポツができたりただれて真っ赤になったりします。ひどくなると水疱《すいほう》ができて皮がむけ、皮膚がジクジクします。おむつの中が蒸《む》れやすい夏、下痢《げり》が続いたときなどは、おむつかぶれができやすく悪化しやすいもの。特に低月齢の赤ちゃんは炎症を起こしやすいので注意して。

治療とケア

いつもおしりをきれいに

おしりを清潔に保つことがいちばんです。こまめにおむつを替え、うんちやおしっこのたびに座浴《ざよく》やシャワーで汚れを洗い流し、やわらかいタオルでそっとふいてよく乾かします。ただれがひどかったり、皮がむけているところがある場合は受診を。また、ケアをしているのに症状が長引くときは、皮膚カンジダ症の可能性もあるので受診してください。

皮膚カンジダ症《ひふカンジダしょう》

主な症状●ただれ・湿疹《しっしん》

こんな病気・症状

おしりやまたがカビに感染《かんせん》

カンジダ菌というカビの一種が原因。おしりやまたに赤い小さな湿疹がたくさんできて赤くただれます。おむつかぶれと似ていますが、おむつがふれていない部分にも炎症《えんしょう》が起きます。おむつが直接当たっていないくびれの奥までただれているようなら、皮膚カンジダ症の可能性が高いでしょう。

治療とケア

抗真菌剤《こうしんきんざい》入りの軟膏《なんこう》で治療

顕微鏡《けんびきょう》検査でカンジダ菌の有無を調べ、菌が見つかれば抗真菌剤入りの軟膏で治療します。医師の指示どおりに薬を使えば、ふつうは1～2週間でよくなります。

いぼ(尋常性疣贅)(じんじょうせいゆうぜい)

主な症状●いぼ・痛み

こんな病気・症状

手や足の裏にいぼが

ヒト乳頭腫《にゅうとうしゅ》ウイルスに感染《かんせん》し、直径2㎜くらいの盛り上がったボツボツが手の指や足の裏にできます。表面がザラザラしていてかたく、押すと痛みを感じることも。触るとほかの部位にうつり、数が増えていきます。人にもうつります。

治療とケア

凍らせてから取り除く

液体窒素《ちっそ》を綿棒につけ、いぼを凍らせて取り除きます。一度では取りきれないので、何回かに分けて行います。

水いぼ《みずいぼ》(伝染性軟属腫)(でんせんせいなんぞくしゅ)

主な症状●いぼ

こんな病気・症状

体のあちこちにいぼができる

伝染性軟属腫ウイルスが原因で、白色や透明のいぼが首やわきの下、胴体《どうたい》、ひじ、ひざの裏側などにできます。半球状《はんきゅうじょう》に盛り上がり、真ん中が少しへこんでいるのが特徴です。炎症《えんしょう》を起こしてジュクジュクしてくることもあります。

いぼの中にはウイルスを含む白いしんがあります。いぼがつぶれると、体のほかの部分にウイルスがつき、いぼが増えていきます。ほかの人にもうつす可能性があるので注意が必要です。

治療とケア

抗体《こうたい》ができるのを待つ

抗体ができれば自然に治ります。抗体ができるまでには半年～1年かかるため、その間にいぼが増えたり炎症を起こしたりすることがあり、積極的に取る方法もありますが、自然に治るのを待つのが基本です。

虫刺され《むしさされ》

主な症状●かゆみ・はれ・痛み

こんな病気・症状

虫に刺されて赤くはれる

虫に刺されたところがかゆみや痛みを伴って赤くはれたり、熱を持ったり、発《ほっ》疹《しん》や水疱《すいほう》ができたりします。かきこわしたところに細菌が感染《かんせん》して化膿《かのう》したり、とびひになることもあります。また、ハチに刺されて、意識障害を伴う重いアナフィラキシーを起こすことがあるので、注意が必要です。

治療とケア

原因の虫に応じてケアを

ハチに刺されたときは、とげ抜きやテープで皮膚に残っている針を取り、血液とともに毒を押し出したり、毒を吸い出すといいでしょう。その後患部を流水で洗って冷やし、かゆみ止めの軟膏《なんこう》かステロイド入りの軟膏をぬります。痛みやはれがひどいときは、受診しましょう。

ハチ(特にスズメバチ)に刺された後に顔色が悪くなったり呼吸困難を起こしたりしたときは、一刻を争います。大至急、病院へ行ってください。

そのほかの虫の場合は、患部を石けんで洗い、流水で冷やしてから市販のかゆみ止めをぬります。はれが引かなかったり、かゆみがひどいときには病院へ。

日焼け《ひやけ》

主な症状●皮膚が赤くなる・水ぶくれ

こんな病気・症状

紫外線で赤みや水ぶくれに

日光の紫外線によって、肌の内部のメラニン（黒色色素）が増える現象です。赤ちゃんは皮膚が薄く、少しの紫外線でも皮膚の機能がこわれるおそれがあります。また、過度に日焼けをすると免疫《めんえき》機能に支障をきたし感染症《かんせんしょう》にかかりやすくなったり、将来皮膚がんを発症する危険性が高くなるとも考えられています。

皮膚が赤くなり、ヒリヒリとした痛みが出てきます。その後、色素が沈着して皮膚が浅黒く変色し皮膚がむけてきます。ひどい日焼けの場合は痛みやほてりを感じたり、やけどのような水ぶくれや発疹《ほっしん》、むくみが起き、発熱や嘔吐《おうと》などの全身症状を伴うこともあります。

治療とケア

赤くなったら冷やして保湿を

日焼けをさせないことが大切です。外で遊ぶときは日陰を選び、帽子をかぶらせたりベビー用の日焼け止めクリームやローションをぬったりして紫外線をガードしましょう。

肌が赤くなったりヒリヒリするほどの日焼けをしたら、ぬれタオルなどを当てて冷やしてからベビー用のローションなどをぬってください。

あざ

主な症状●皮膚の色の異常・皮膚の盛り上がり

こんな病気・症状

色素細胞や先天異常が原因

あざ（母斑《ぼはん》）とは、皮膚の色素細胞や血管の先天的な異常で皮膚に色がついたように見えるものです。痛みやかゆみはなくほとんどは健康に影響しませんが、あざの種類によっては悪性化する可能性も。大きくなるなど急激な変化がないかどうか、つねに観察することが必要です。

青いあざ

蒙古斑《もうこはん》…生まれたときから腰やおしりに見られる平らな青灰色のあざで、形、大きさ、数、色の濃さなどはさまざまです。日本人の赤ちゃんのほぼ全員に見られますが、5～6才ごろまでには自然に消えます。特に治療はしないのがふつうです。

異所性蒙古斑《いしょせいもうこはん》…手足や肩、胸、顔など、腰やおしり以外にできる蒙古斑です。ほとんどは自然に消えますが、色が濃く、成長しても消えにくいものもあります。部位によっては早い時期にレーザー治療を行うことがあるので、気になるときは医師に相談を。

太田母斑《おおたぼはん》…青色と褐色《かっしょく》が入りまじったあざで、生後数カ月ごろから額《ひたい》やこめかみ、目の周り、白目などに現れます。男児より女児に多く見られ、多くは顔の片側のみに現れますが、まれに両側にできることもあります。悪性化することはありませんが、自然に消えることもありません。気になる場合は早めにレーザー治療を行います。

赤いあざ

サーモンパッチ…境目《さかいめ》のはっきりしない、平らでピンク色のあざです。額の中央、上まぶた、鼻の下、上唇《うわくちびる》など、顔の中心近くに出るのが特徴です。顔にできているため目立ちますが、1才半ごろまでに自然に消える場合がほとんどです。

海綿状血管腫《かいめんじょうけっかんしゅ》…生まれたときから見られる盛り上がったあざで、色はふつうの皮膚と同じか青紫がかっています。血管の奇形による血管腫のひとつで、中に血液を含んでいます。押すとスポンジのようにやわらかくプクプクとした感触があります。自然に小さくなることはないので、早めに皮膚科を受診してください。

イチゴ状血管腫《じょうけっかんしゅ》…生後数日～1カ月ごろに体に赤い斑点《はんてん》が現れ、急速に大きく盛り上がります。イチゴのように赤く表面がブツブツしています。1才過ぎごろか

皮膚の病気

ら赤みが少しずつ消え、6〜7才ごろまでには自然になくなります。ただ、治った後の皮膚にしわが残ったり、大きなものだと完全に消えなかったりすることもあるので、気になるときは医師に相談してください。目の周りや口の周り、陰部《いんぶ》などにできたときは治療が必要です。早い段階で皮膚科の受診を。

単純性血管腫《たんじゅんせいけっかんしゅ》（ポートワインステイン）…境目のはっきりした平らな赤いあざです。大きさはさまざまで、顔を中心に体中どこにでも見られます。あざが大きくなったり、悪性化したりすることはありませんが、自然に消えることもありません。気になる場合は早めのレーザー治療で色を薄くすることができます。額《ひたい》から目の周りにかけて顔の片側半分に大きく広がっている場合は、緑内障《りょくないしょう》やてんかんを引き起こす病気の可能性もあるので、早めに専門医を受診しましょう。

ウンナ母斑《ぼはん》…うなじから後頭部に生じる赤いあざです。消えにくく、約半数が大人になっても残りますが、後頭部の髪で隠れる場所で美容的にもあまり問題にならないため、ほとんどの場合、特に治療することはありません。

茶色いあざ

扁平母斑《へんぺいぼはん》…平らで盛り上がりのない褐色のあざです。形、大きさ、色の濃さはさまざまで、体中どこにでも見られます。生まれたときからある場合と、後からできる場合があります。いずれも悪性化することはありませんが、自然に消えることもありません。気になるときはレーザー治療を行いますが、治療しても再発するケースもあります。あざの大きさや形、濃度はさまざまです。成長するまで気がつかないほど色が薄いものもあります。

カフェオレ斑《はん》…境界がはっきりした楕円《だえん》形《けい》で平らな褐色のあざです。ほとんどの場合生まれたときからできていますが、生後まもなくできるケースもあります。大きさは直径0.2〜20㎝とさまざまです。このあざが体に6個以上あると、レックリングハウゼン病（神経線維腫《しんけいせんいしゅ》）という遺《い》伝疾患《でんしっかん》の可能性があるので、早めに皮膚科を受診してください。

脂腺母斑《しせんぼはん》…表面が平らか軽く盛り上がった黄色っぽいあざです。ほとんどが頭部に発生し、あざのある部分には髪の毛が生えません。思春期以降しだいに盛り上がり、髪の毛を洗ったときなどに出血することも。色も濃くなり、褐色になります。将来がん化する可能性があるとも考えられており、早めに手術で切除する場合もあります。

黒いあざ

色素性母斑《しきそせいぼはん》…一般に黒あざと呼ばれ、もっともよく見られるあざで、ほくろもこの一種です。多くは生まれつきで、母斑細胞というメラニン色素を作る細胞が増加してできるために黒褐色や黒色をしています。扁平《へんぺい》のもの、平らに盛り上がった形をしているもの、半球状に盛り上がっているもの、毛の生えているものなど表面の状態や形、大きさはさまざまです。体の半分を占めるほど大きなものもありますが、そうした巨大なものは悪性化することがあります。一方、直径5〜6㎜以内のほくろ程度のものなら心配のないことがほとんどですが、急に大きくなったり、色や形が変わったり、傷つけていないのに炎症《えんしょう》を起こして赤くなったり、出血やかゆみ、痛みなどの症状が見られたら、皮膚がんや悪性黒色腫《あくせいこくしょくしゅ》に変化する前ぶれの場合もあります。すぐに皮膚科を受診してください。

白いあざ

白斑《はくはん》（白斑性母斑《はくはんせいぼはん》）…生まれつき、ある限られた部位の皮膚の色が体のほかの部分よりも白くなったもので、脱色素性母斑《だっしょくそせいぼはん》とも呼ばれます。何らかの原因で色素細胞が破壊されたり、減少したり、メラニン色素が作られなかったためにその部分の皮膚が白くなったものと考えられています。多くは体や手足に見られ、顔に見られるケースは比較的少なめです。白い部分が広がってくるときは、ほかの病気も考えられます。よく経過を観察し、症状に変化があるようなら病院へ。

目・耳・口の病気

ふだんのようすに気をつけ、気になるときは受診を

赤ちゃんは目が未発達な状態で生まれ、ものを見ることの積み重ねで視力を獲得していきます。視機能が正常に発達するためには、眼球の位置が正常で遠視・近視・乱視などの屈折《くっせつ》異常《いじょう》がなく、視力が左右等しいことが大切です。赤ちゃんは見え方がおかしくても言葉で訴えることができませんが、ものを見るときの目つきやようすがおかしいと感じたときは、早めに眼科を受診してください。

また、耳も発達の途中で、ウイルスや細菌の感染《かんせん》を防ぐ機能が万全ではありません。そのため、中耳炎《ちゅうじえん》のような病気にかかりやすく、滲出性中耳炎《しんしゅつせいちゅうじえん》など慢性化しやすい病気もあります。

口は消化器の入り口であり、口腔粘膜《こうくうねんまく》のようすで全身の健康状態がわかるだけでなく、病気の始まりがわかる場所としても重要な役割を果たしています。赤ちゃんのぐあいが悪いときは、口内炎《こうないえん》ができていないか、赤くはれたりしていないかなど、口の中のチェックも忘れずに。

せんてんせいびるいかんへいそく（なみだめ）
先天性鼻涙管閉塞（涙目）
主な症状●涙目・目やに

こんな病気・症状
涙目や目やにが続く
目がしらから鼻への涙の通り道である鼻涙管に薄い膜が残っていて、涙が鼻に抜けない病気。涙目で、目やにがたまります。たまった涙に細菌が感染《かんせん》し、涙嚢《るいのう》炎《えん》を起こすことも。

治療とケア
眼科で洗浄やマッサージを
眼科を受診して、抗生《こうせい》物質の点眼や、涙嚢の洗浄やマッサージをしてようすを見ます。治らないときは、ブジーという細い針金を通して膜を破る手術を行います。

しょうもうないはんしょう（さかさまつげ）
睫毛内反症（逆さまつげ）
主な症状●目やに・充血《じゅうけつ》・涙目

こんな病気・症状
まつげが角膜《かくまく》を刺激する
赤ちゃんのまぶたは水分や脂肪が多くはれぼったいため、まつげが内側を向き、角膜を刺激。目が充血し、涙目になったり、目やにが出たりします。

治療とケア
気になるときは眼科へ
成長とともに目のはれぼったさがなくなると自然に治ります。目やにや充血がひどかったり、目をしきりにこするときは眼科へ。点眼薬が処方《しょほう》されます。

しゃし
斜視
主な症状●目の向きがおかしい

こんな病気・症状
黒目が寄って、視力障害も
黒目が内側や外側に寄っている状態。内側に寄っている内斜視《ないしゃし》、外側を向いている外斜視《がいしゃし》、片目が上か下にずれる上下《じょうげ》斜視《しゃし》があり、視力の発達に影響が出ます。

治療とケア
両眼視の練習や手術で治療
両目で見る練習や、斜視のほうで見る機能矯正《きのうきょうせい》のほか、症状によっては手術を行います。

じゃくし
弱視
主な症状●視力が発達しない

こんな病気・症状
視力が発達しない

目の病気が原因で、視力が発達しません。よく転んだりつまずくことがあり、近くを見るときに頭を傾けたり、異常に近づいてものを見たりします。

治療とケア

めがねや矯正《きょうせい》で視力を回復

原因を調べ、めがねをかけたり、弱視のほうの目でものを見させる矯正法などで視力を回復させます。早期治療が大事なので、疑わしい場合は早めに受診を。

せんてんはくないしょう

先天白内障

主な症状●視力が発達しない

こんな病気・症状

水晶体《すいしょうたい》が濁《にご》り、視力に障害

生まれつき水晶体が白く濁り、ものを目で追わなかったり、眼球が揺れるように動く状態が見られます。目つきがおかしいことで気がつくこともあります。妊娠初期のママの風疹感染《ふうしんかんせん》や遺伝でも発症しますが、原因不明の場合もあります。

治療とケア

手術の後、めがねなどで矯正

重症の場合は、早めに水晶体の濁りを取る手術をし、めがねやコンタクトレンズで矯正します。軽症の場合は定期的に検査を受けるだけでいい場合もあります。

せんてんりょくないしょう

先天緑内障

主な症状●視力が発達しない

こんな病気・症状

眼圧《がんあつ》が高く、視力が低下

眼圧が異常に高くなって視力が低下。転んだり、ものを見るときに異常に近づいたりします。進行すると黒目が大きくなり、黒目が白く濁《にご》ります。

治療とケア

早期発見・早期治療が大切

手術で治療します。手遅れになると失明のおそれもあるため、早めに発見することが大切。気になるときは早めに眼科を受診します。

くっせついじょう［えんし・きんし・らんし］

屈折異常［遠視・近視・乱視］

主な症状●ものが見にくい

こんな病気・症状

目の構造の異常で見え方に影響

網膜《もうまく》の上に正しく像を結べず、ものが見えにくい状態です。遠視・近視・乱視があり、いずれの場合も、ものを見るときの姿勢がおかしい、目つきがおかしい、つまずいたり転びやすいなどの症状を伴います。

遠視…遠くも近くもよく見えません。視力が発達しないため、弱視や調節性内斜《ちょうせつせいないしゃ》視《し》の原因になることもあります。

近視…近くははっきり見えますが、遠くはぼんやりとしています。

乱視…ものがだぶって見え、目が疲れやすく弱視の原因になることがあります。

治療とケア

めがねで視力を矯正

めがねで矯正《きょうせい》して目を使う訓練をしながら、視力をつけていきます。強い近視や左右の視力の差が著しい場合は、6才ごろから矯正を行います。

がんけんかすい

眼瞼下垂

主な症状●まぶたが上がらない

こんな病気・症状

まぶたが上がらない

まぶたを引き上げる筋肉（眼瞼挙筋《きょきん》）が弱く、上まぶたが垂れ下がったままの状態です。片方の目だけに起こる場合と、両目に起こる場合があります。

治療とケア

早めに手術をする場合も

まぶたが瞳孔《どうこう》にかかっている場合は、視力の発達が損なわれるおそれが。早めに手術をして治します。

けつまくえん

結膜炎

主な症状●目やに・充血《じゅうけつ》

こんな病気・症状

目の結膜が炎症《えんしょう》を起こす

上下のまぶたの裏側と目の表面を覆《おお》っている結膜が炎症を起こすのが結膜炎です。充血、目やに、涙目などが現れます。

細菌性結膜炎…黄色っぽい目やにがたくさん出ますが、比較的軽症で短期間で治ります。

ウイルス性結膜炎…涙がたくさん出て目が真っ赤に充血し、まぶたがはれ上がるなど激しい症状が出るのが特徴。完治までに時間がかかります。

アレルギー性の慢性結膜炎…かゆみと涙が出るのが特徴です。赤ちゃんには少なく、4～5才になってから見られます。

治療とケア

指示どおりに目薬を使用

細菌性の場合は、抗生《こうせい》物質の入った点眼薬で治療します。ウイルス性の場合は、抗生物質とステロイド薬の点眼薬を併用《へいよう》します。アレルギー性の場合は、かゆみ止めやアレルギーが起こりにくくなる成分の入った点眼薬を使います。

目やには湿らせたコットンやガーゼでふき取ってください。

きゅうせいがいじえん

急性外耳炎

主な症状●発熱・耳だれ

こんな病気・症状

耳を痛がり耳だれが出る

耳の入り口から鼓膜《こまく》までの外耳道《がいじどう》が炎《えん》症《しょう》を起こします。耳を痛がったり耳だれが出ます。ひどくなるとおできのようにはれたり、血の混ざったうみが出ることも。原因は湿疹《しっしん》や細菌感染《かんせん》です。まれに、真菌《しんきん》というカビの一種が原因の場合もあります。

治療とケア

耳鼻科を受診し、薬で治療

耳鼻科で耳の中を洗浄してもらいます。症状に応じて抗生《こうせい》物質やステロイドの入った軟膏《なんこう》や飲み薬が処方されるので、指示どおりに使いましょう。

きゅうせいちゅうじえん

急性中耳炎

主な症状●発熱・耳だれ

こんな病気・症状

中耳に細菌が感染《かんせん》する

鼓膜《こまく》の内側の中耳が細菌に感染して炎《えん》症《しょう》が起きます。かぜなどでのどや鼻の粘《ねん》膜《まく》についた細菌が、耳管《じかん》を通って中耳に入るのが主な原因。発熱、せき、鼻水などのかぜ症状の後、高熱が出てきげんが悪くなり、耳に手をやったり耳を痛がったりします。症状が進むと中耳にうみがたまり、鼓膜が破れて耳だれが出ます。

治療とケア

抗生《こうせい》物質で治療

小児科か耳鼻科を受診し、抗生物質の飲み薬や点耳薬《てんじやく》で炎症《えんしょう》を抑えます。痛みが強いときは、鎮痛解熱剤《ちんつうげねつざい》が処方《しょほう》されることも。うみが中耳の中にたまったままで痛みが激しいときは、鼓膜《こまく》を切開してうみを出します。その後、きちんと治療すれば、鼓膜は自然に再生します。

まんせいちゅうじえん

慢性中耳炎

主な症状●耳が聞こえにくい

こんな病気・症状

耳の聞こえが悪くなる

急性中耳炎が治りきらず、鼓膜《こまく》がやぶれたままになり、中耳が細菌に感染《かんせん》して慢性化した状態です。耳が聞こえにくくなり、呼んでも反応がないといったようすが見られます。

治療とケア

よくならなければ、手術も

抗生《こうせい》物質による治療を続けます。よく

ならない場合は、8～10才くらいまで待って手術をします。

しんしゅつせいちゅうじえん

滲出性中耳炎

主な症状●耳が聞こえにくい

こんな病気・症状

耳に滲出液がたまる

鼓膜《こまく》の内側に滲出液がたまり、聞こえが悪くなります。後ろから呼んでも振り向かなかったり、テレビに近づいて見るようになります。耳だれや痛み、発熱はなく、発見が遅れることもあります。

治療とケア

鼓膜を切開し、滲出液を出す

抗生物質の服用や、鼓膜を切開して滲出液を出す処置をします。切開した鼓膜に直径2㎜ほどのチューブを入れて固定する手術を行う場合もあります。

なんちょう

難聴

主な症状●耳の聞こえが悪い

こんな病気・症状

聞こえが悪く、音に反応しない

耳の聞こえが悪くなる症状で、大きな音にも反応しない、後ろから呼んでも振り向かなかったり、テレビのボリュームを上げたがるなどのようすが見られます。遺伝的な影響、ママの妊娠中の感染症《かんせん》、低体重で生まれた場合などに難聴になる確率が高くなります。中耳炎やおたふくかぜなどが原因のこともあります。

治療とケア

早めに受診し、訓練を

聞こえがおかしいときは早めに耳鼻科へ。原因である耳の病気を治療すれば治る場合もありますし、早期に言葉の訓練を始めることが大切です。

がこうそう

鵞口瘡

主な症状●口の中が白い

こんな病気・症状

口の中に白いカビがつく

口の中がカンジダというカビに感染《かんせん》し、ほおの内側や舌の表面にミルクのかすのような白い斑点《はんてん》ができます。ひどくなると痛みのために母乳やミルクを飲みたがらなくなります。哺乳びんの乳首などを介して粘膜《ねんまく》に感染し、発症します。

治療とケア

菌に効く薬で治療

口腔内用《こうくうない》の抗真菌薬《こうしんきんやく》をぬります。シロップが処方されることもあります。また、予防として、哺乳びんや乳首は定期的に消毒しましょう。

ちずじょうぜつ

地図状舌

主な症状●舌がまだら

こんな病気・症状

舌がまだら模様になる

舌の表面に炎症《えんしょう》が起き、地図のような赤と白のまだら模様ができます。発熱の後や体力が弱っているときなどに見られますが、原因はよくわかっていません。

治療とケア

ようすを見ているうちに治る

治療の必要は特にありません。2～3週間続くこともありますが、しばらくすれば自然に消えます。

こうないえん

口内炎

主な症状●口の中の炎症《えんしょう》

こんな病気・症状

口の中の炎症で食欲減退

口の中の粘膜《ねんまく》に炎症ができます。赤ちゃんによく見られるのは、アフタ性口内炎とヘルペス性口内炎です。

アフタ性口内炎…口の中に米粒大の白い潰瘍《かいよう》ができます。飲んだり食べたりするとしみて痛がります。はっきりとした原因はわかっていません。

ヘルペス性口内炎…ヘルペスウイルスの初感染《かんせん》が原因。38～40度の高熱が出て、口の中や歯ぐきに強い痛みのある潰瘍や水疱《すいほう》ができます。歯ぐきのはれや出血も。

治療とケア

脱水予防に水分を補給

アフタ性口内炎は、ほとんどの場合自然に治ります。潰瘍がひどいときは口腔《こうくう》用の軟膏《なんこう》をぬります。ヘルペス性口内炎も自然に回復するのを待ちますが、症状が重い場合は抗ウイルス剤を服用します。どちらの場合も、脱水予防のためにこまめに水分を飲ませましょう。

先天歯《せんてんし》

主な症状●先天的な歯

こんな病気・症状

生まれたときから歯が

生まれたときに歯が生えています。また、生後1カ月くらいまでに生える歯を新生児歯といいます。これらの歯は表面のエナメル質が薄く、歯の付け根ももろく、多くは自然に抜けてしまいます。

治療とケア

不都合があるときは受診を

ようすを見ていてかまいませんが、授乳時に乳首を傷つけたり、歯の先端が舌に当たって潰瘍《かいよう》を作るときは、削ることもあります。歯科で相談してください。

上皮真珠《じょうひしんじゅ》

主な症状●歯ぐきに白いもの

こんな病気・症状

歯ぐきの表面に白い粒が

生後2～3カ月の赤ちゃんの歯ぐきに、白い粟《あわ》粒大の粒《つぶ》が出てきます。触るとやわらかい感触があります。あごの中で歯が作られる過程で、組織の残りが歯ぐきの表面に出てきたものです。

治療とケア

自然になくなるのを待つ

乳歯が生えるころには自然となくなります。母乳やミルクを飲むときに妨げになったり、舌を傷つけるようなら受診を。

上唇小帯強直症《じょうしんしょうたいきょうちょくしょう》

主な症状●上唇に筋

こんな病気・症状

上唇小帯が残っている

上唇と歯ぐきの間の筋を上唇小帯といいますが、通常は永久歯が生えるころには縮んで細くなります。そのままの形で残ってしまうのが上唇小帯強直症です。歯ブラシが当たって傷つけたり、歯の間にすき間ができたりします。

治療とケア

歯並びに影響するなら手術を

永久歯が生えそろうまでようすを見ます。何もせずようすを見ていていいことがほとんどです。気になるときは、小児歯科で相談を。

むし歯《むしば》

主な症状●歯が変色

こんな病気・症状

口の中の細菌が歯を溶かす

口の中のミュータンス菌によって歯のエナメル質や象牙質《ぞうげしつ》が溶かされた状態です。初期のむし歯は表面が白く濁ったり茶色に変色します。進行すると象牙質まで穴が開き、食べ物をかむと痛みがひどくなります。さらに進行すると、神経まで到達して永久歯のもとの芽にも影響が出ます。

治療とケア

口の中をチェックし、治療を

こまめに口の中のチェックを。歯の色が濁っているならむし歯の初期段階です。早めに小児歯科を受診しましょう。

泌尿器・性器 おしりの病気

細菌による感染《かんせん》や生まれつきの形態《けいたい》不全《ふぜん》が多い器官

泌尿器《ひにょうき》とは腎臓《じんぞう》と尿路のことをさします。腎臓は左右にひとつずつあり、血液から不必要な物質を取り出して尿を作ります。それを体の外に排出する通り道が尿管、膀胱《ぼうこう》、尿道の尿路です。

尿路は、大腸菌などの細菌が侵入しやすく、感染症が起きやすい器官です。尿道口から侵入した細菌は、尿路のあらゆる場所や腎臓に達して炎症を起こします。この細菌感染から腎炎《じんえん》などの病気が引き起こされることもあります。泌尿器が病気にかかると、血尿やたんぱく尿、排尿量の変化など、尿に異常が見られます。

そのほか、生まれつき泌尿器の形態に異常があり、尿が逆流しやすかったり流れにくかったりするために、感染症にかかりやすいというケースもあります。

性器の病気も、先天的な形態不全が目立ちます。出生時に発見されることがほとんどですが、軽症だと見過ごされる場合が。また、性器は細菌に感染しやすいので、ふだんから清潔を心がけましょう。

じんえん［きゅうせいじんえん・まんせいじんえん］

腎炎 ［急性腎炎・慢性腎炎］

主な症状●むくみ・血尿・高血圧

こんな病気・症状

尿を作る機能が低下

腎臓の糸球体《しきゅうたい》が炎症《えんしょう》を起こして腎機能が低下。血液のろ過がうまくいかなくなります。急性と慢性の場合があります。

急性腎炎（急性糸球体腎炎）…ほとんどは溶連菌《ようれんきん》が原因。かぜからくる扁桃炎《へんとうえん》や喉《こう》頭炎《とうえん》などの2～3週間後に症状が出ます。顔がむくみ、尿量が減少。血尿やたんぱく尿が出ます。

慢性腎炎（慢性糸球体腎炎）…急性腎炎の慢性化のほか、免疫《めんえき》反応の異常から炎症を起こす場合もあります。特に症状がないまま、何年も経過、病気が進行します。血尿、たんぱく尿が見られ、高血圧になることも。

治療とケア

安静を第一に食事療法も

急性腎炎で初めて発症したときは、ほとんどが入院して治療します。安静と保温、食事療法が基本で、退院後も療養が必要です。慢性腎炎の場合は症状にもよりますが、基本的に減塩、低たんぱくを心がけ、体を疲れさせない心がけが必要になります。

ネフローゼしょうこうぐん

ネフローゼ症候群

主な症状●むくみ・尿量減少・体重増加

こんな病気・症状

たんぱく質が尿へもれ出す

腎臓《じんぞう》の糸球体《しきゅうたい》に障害が起こり、尿に大量のたんぱくが出て、血液中のたんぱくが足りなくなります。尿の量が減り、顔や足がむくんだり、男の子だと陰嚢《いんのう》が水風船のようにふくれることがあります。症状が進むと、おなかもふくれ、体重が増えます。

治療とケア

食事療法やステロイドで治療

入院して治療します。安静にして減塩など食事療法やステロイドを投与。ふつうに生活できるまで治りますが、再発しやすいので食生活などに気を配る必要も。

れっこう

裂肛

主な症状●出血

こんな病気・症状

肛門《こうもん》が切れて出血する

うんちがかたく排便のときに強くいきむために、肛門が切れて出血したり、切れた部分の粘膜《ねんまく》がはみ出てきます。

治療とケア

繊維《せんい》を含む食品などで排便を

便秘にならないよう食物繊維の豊富な食品を与えたり、おなかのマッサージで排便を促します。頻繁《ひんぱん》に肛門が切れるようなら小児科を受診しましょう。

鼠径ヘルニア

そけいヘルニア

主な症状●鼠径部のふくらみ

こんな病気・症状

足の付け根から腸が飛び出す

激しく泣いたりしたときに、足の付け根の鼠径部と腸の境目にある腹膜《ふくまく》のすき間から腸が飛び出す病気です。女の子では卵巣《らんそう》が飛び出したり、男の子では飛び出した腸が陰嚢《いんのう》にまで入り込むことがあります。ふくらみが暗赤色になったり、痛がって大泣きしたり、押しても元に戻らないときは、飛び出した腸や卵巣が根元で締めつけられる嵌頓《かんとん》ヘルニアの疑いがあります。至急病院へ行ってください。

治療とケア

繰り返すようなら手術も

赤ちゃんが元気なら生後3カ月ごろまではそのままようすを見ます。その後も頻繁《ひんぱん》に繰り返すようなら手術を行います。手術は、15～20分ですみ、翌日には退院できます。

臍ヘルニア

さいヘルニア

主な症状●おへそが大きい

こんな病気・症状

腸が飛び出し、出べそに

おへその皮膚の下へ腸の一部が飛び出す病気で、いわゆる出べそです。激しく泣くなどしておなかに腹圧《ふくあつ》がかかったときに飛び出ることが多く、大きいものでは直径5㎝以上になることもあります。

治療とケア

自然に治るのを待つ

小児科か小児外科を受診します。腹筋が発達すると自然に治る場合がほとんどです。2才ごろまでには目立たなくなることが多いでしょう。

亀頭包皮炎

きとうほうひえん

主な症状●はれ・排尿痛

こんな病気・症状

おちんちんの先がはれる

おちんちんの先端が亀頭、亀頭を包んでいる皮が包皮です。この亀頭と包皮の間に恥垢《ちこう》がたまり、細菌に感染《かんせん》して炎症《えんしょう》が起きる病気です。亀頭と包皮が赤くはれてかゆみがあり、排尿時に痛みを伴います。炎症が進むと化膿《かのう》して黄色いうみが出たり、尿に血が混じって赤みを帯びることもあります。

治療とケア

抗生《こうせい》物質で治療

放置すると尿路感染症《にょうろかんせんしょう》を起こすこともあるので、早めに小児科へ。包皮を広げて消毒し、抗生物質を塗布します。炎症がひどい場合は抗生物質の内服も。

陰嚢水腫

いんのうすいしゅ

主な症状●陰嚢のはれ

こんな病気・症状

陰嚢が腹水《ふくすい》でふくらむ

陰嚢に腹水（分泌液）がたまり、ふくらみます。痛みやかゆみはなく、手で触るとプヨプヨした感触です。ヘルニアや睾丸腫瘍《こうがんしゅよう》と症状が似ているので、勝手に判断はせず、早めに受診しましょう。

治療とケア

腹水が吸収されるのを待つ

陰嚢にたまった腹水が自然に体内に吸収されるのを待ちます。極端に大きくふくらんだ場合や、3才に近くなっても水腫《すいしゅ》が小さくならない場合は、腹水がたまらないようにする簡単な手術を行います。

泌尿器・性器・おしりの病気

ていりゅうこうがん（ていりゅうせいそう）

停留睾丸（停留精巣）

主な症状●睾丸に触れない

こんな病気・症状

陰嚢《いんのう》に睾丸がおさまらない

陰嚢を触っても睾丸の手ごたえがなく、鼠径部《そけいぶ》に丸いしこりがあります。放置しておくと、大人になったときに精子を作る能力が低下したり、悪性腫瘍《しゅよう》の原因になることもあります。

治療とケア

下りてこなければ手術も

1才ごろまでは、自然に睾丸が下りてくるのを待ちます。1才になっても下りてこなければ、手術をします。

ほうけい

包茎

主な症状●性器が皮に包まれている

こんな病気・症状

亀頭《きとう》が包皮で覆《おお》われている

赤ちゃんのおちんちんは先端部分の亀頭が包皮に覆われています。おちんちんの包皮を指で押し下げると亀頭が見えるのが仮性包茎で、亀頭が出ないのが真性包茎です。真性包茎では亀頭と包皮の間に恥垢《ちこう》がたまり、細菌感染を起こしやすくなります。尿が出にくくかったり横に飛び散ったりすることも。

治療とケア

真性包茎では手術も

仮性包茎の場合は、成長するにしたがい包皮が自然にむけてくるので、何もしなくてもかまいません。真性包茎で亀頭包皮炎などを繰り返すような場合は、外科手術を行うこともあります。

がいいんぶちつえん

外陰部膣炎

主な症状●炎症・かゆみ・排尿痛

こんな病気・症状

外陰部が炎症《えんしょう》を起こす

女の子の外陰部《がいいんぶ》や膣《ちつ》に大腸菌やブドウ球菌などの細菌が感染《かんせん》し、赤くはれてかゆみを伴います。炎症が進むと、おむつや下着ににおいのある黄色いおりものがつき、排尿時にしみて痛がります。悪化すると、小陰唇《しょういんしん》が癒着《ゆちゃく》する陰唇癒着症を起こすこともあります。

治療とケア

清潔にして抗生《こうせい》物質で治療

痛みやおりものが見られるときは受診し、抗生物質入りの軟膏《なんこう》で治療します。症状がひどい場合は、飲み薬が処方されることもあります。

こうもんしゅういのうよう・にゅうじじろう

肛門周囲膿瘍・乳児痔瘻

主な症状●肛門のはれ・うみ

こんな病気・症状

肛門周辺におできができる

下痢《げり》を繰り返したりして傷ついた肛門の周りの粘膜《ねんまく》が細菌感染《かんせん》を起こし、おできができます。赤くはれ上がり、強い痛みがあります。繰り返すとうみの通り道ができ、肛門の内側から外側にトンネルのような穴が開く乳児痔瘻になります。

治療とケア

切開してうみを出す

はれがひどく、うみの出口がないときは切開してうみを出します。乳児痔瘻を何度も繰り返すときは、症状のある部位を切除する手術をします。

骨・関節・筋肉 の病気

発達途上なので、回復も早い

赤ちゃんの骨の特徴は、成長を続けているという点です。また骨の表面を覆《おお》う骨膜《こつまく》が厚く丈夫で、骨の質もやわらかく弾力性があります。そのため、大人よりも骨折しにくく、骨折した場合でも、早く回復します。赤ちゃんの骨の病気の多くは先天性のものですが、矯正《きょうせい》や手術で治るものもたくさんあります。

関節も発達途上で、関節周りの組織がやわらかくはずれやすくなっています。物理的な力が過剰《かじょう》に加わると、関節や関節周りの組織が損傷《そんしょう》しやすいのです。そのほか関節の病気には、先天性のものや炎症が起きる感染《かんせん》性のものがあります。

筋肉に関しては、生まれたばかりの赤ちゃんの骨格筋は弱く、全体的にやわらかくグニャリとしていますが、成長するにしたがい筋力がついて、自分で自分の体を支えられるようになっていきます。先天的な筋肉の病気がある場合は、首すわりが遅い、お座りができないなどの運動障害が現れます。

筋性斜頸《きんせいしゃけい》

主な症状●しこり・向きぐせ

こんな病気・症状

同じほうばかり向く

耳の後ろから鎖骨《さこつ》に向かって走る胸鎖《きょうさ》乳突筋《にゅうとつきん》にしこりができます。そのため筋肉が引っ張られ、しこりがないほうばかり向きます。難産など出産時のトラブルが原因とされています。

治療とケア

自然に消えるのを待つ

1才ごろまでに自然に消える場合がほとんどです。1才半を過ぎてもしこりが残っている場合は、手術が必要となります。

先天性股関節脱臼《せんてんせいこかんせつだっきゅう》

主な症状●足の開きが悪い

こんな病気・症状

股関節が骨盤《こつばん》からはずれる

大腿骨《だいたいこつ》の先端が骨盤におさまらず、はずれた状態です。程度によって、脱臼《だっきゅう》、亜脱臼、臼蓋《きゅうがい》形成不全などがあります。あおむけでひざを開くと、股関節から音がしたり、またの開きが左右で違っています。左右の足の長さも違います。

治療とケア

治療用のベルトで治療

早めに治療を始めれば、ほとんどが治ります。軽度なら、またの部分を厚くしたおむつで自然な足の開きを保ち、股関節が発育して治ることも。治らなければ治療用の装具をつけたり、牽引《けんいん》などの治療や手術を行います。

O脚・X脚《オーきゃく・エックスきゃく》

主な症状●足の形がおかしい

こんな病気・症状

ひざやくるぶしが開いている

両足をそろえて立ったとき、両ひざが大人の指で3本分以上あいている状態がO脚、ひざがついて左右のくるぶしが3本分以上あいている状態がX脚です。

生まれてから3才ごろまではO脚がふつうです。その後、徐々にX脚になり、小学校入学ごろまでにまっすぐになります。O脚もX脚も、基本的に心配のない症状です。

治療とケア

目だたなくなるのを待つ

基本的に治療の必要はありません。骨の発育異常などでO脚になっている場合は、病気の治療をするほか、矯正《きょうせい》のための装具を装着する治療を行うことも。

先天性内反足《せんてんせいないはんそく》・内転足《ないてんそく》

主な症状●足の変形

こんな病気・症状

足の裏が地面につかない

生まれつき骨や靭帯《じんたい》に異常があり、両足または片足の足首から下が変形しています。先天性内反足はくるぶしの先が内側に曲がり、立たせたときに足の裏が床につきません。内転足は足の先端だけが内側に歪曲《わんきょく》しています。

治療とケア

矯正《きょうせい》用のギプスなどで治療

先天性内反足は、矯正用のギプスなどの装具をつけて固定し矯正します。手術を行うこともあります。内転足は、自然に治ることが多いのですが、変形の程度によっては装具で矯正します。

小児外反扁平足《しょうにがいはんへんぺいそく》

主な症状●足が外側に向く

こんな病気・症状

足が外側に向き、転びやすい

土ふまずがなく足の裏が平らで、外側を向いています。筋肉が未成熟なことと足の関節がやわらかいことが原因です。長く歩くと疲れやすく、骨に負担がかかり痛むことがあります。転びやすいのも特徴です。

治療とケア

自然に治ることがほとんど

歩行に問題がない場合は、自然に治る場合がほとんど。変形が強い場合は、矯正用装具で治療することもあります。

ばね指《ばねゆび》

主な症状●指が曲がっている

こんな病気・症状

指の関節を伸ばせない

手の指の関節が曲がっていて伸ばせません。無理に伸ばそうとすると関節が鳴ったり、手を離すと指がばねのように元に戻ります。親指に多く見られます。

治療とケア

矯正《きょうせい》装具で治療することも

軽い場合は自然に治りますが、矯正装具で治療することも。治らない場合は、5～6才になってから手術を行います。

肘内障《ちゅうないしょう》

主な症状●腕の痛み・腕が動かない

こんな病気・症状

腕を動かせなくなる

手を急に引っ張られたときなどに、ひじの骨が靭帯《じんたい》からはずれかかり、腕全体がダラリとした状態になります。激しい痛みが生じます。2才前後に多く見られます。

治療とケア

受診して骨を戻す

小児科か整形外科で、はずれかけている骨を戻します。一度なると繰り返しやすくなるので、腕を強く引っ張ったり、手を持ってぶら下げることは控えましょう。

漏斗胸《ろうときょう》

主な症状●胸のへこみ

こんな病気・症状

胸郭《きょうかく》が変形してへこんでいる

胸郭（胸椎《きょうつい》、肋骨《ろっこつ》、胸骨）が生まれつき内側にへこんでいて、漏斗のような形をしています。へこみが極端に大きいと、まれに心臓や肺を圧迫することも。

治療とケア

気になる場合は手術も

心臓や呼吸に支障がある場合や外見上の問題が大きい場合は、手術を行います。

小児がん・その他の病気

早期治療で回復が期待できる子どものがん

人間の細胞は、規則正しく分裂・増殖を繰り返しています。このメカニズムに狂いが生じて、際限なく分裂・増殖を繰り返した細胞によって作り出された腫瘍《しゅよう》が「がん」です。がんは、周囲の健康な細胞や組織を破壊しながら増殖し、血管やリンパ管を通って体中に広がります。そしてあらゆる臓器をむしばみます。

小児のがんの特徴は、胎児のころの未成熟な細胞から発生するもの、脳腫瘍《のうしゅよう》や横紋筋肉腫《おうもんきんにくしゅ》のような肉腫、そして血液のがんである白血病や悪性リンパ腫の発症頻度が高いという点です。

また、子どものがんは進行が極めて早く転移しやすいのも特徴。しかし、化学療法、放射線療法の効果が期待できるので、大人のがんと比べて治癒率は比較にならないほど高く、7～8割は治ります。

がんの克服には、早期の発見と早期の治療が不可欠です。原因不明の体調不良や発熱、しこりなどがあれば、早めに受診してください。

急性白血病《きゅうせいはっけつびょう》

主な症状●微熱・貧血・出血

こんな病気・症状

白血球細胞が悪性化

骨髄《こつずい》で白血球細胞が悪性化して異常に増殖し、血液が正常に作られなくなります。食欲が落ちて顔色が悪くなり、疲れやすくなります。微熱が続き、悪化すると貧血、皮下出血、鼻血、歯ぐきからの出血、むくみ、リンパ節、肝臓、腎臓《じんぞう》のはれ、関節のはれや痛みが起きます。

治療とケア

化学療法や骨髄移植で治療

抗がん剤投与といった化学療法のほか、重症の場合は骨髄移植や末梢血管《まっしょうけっかん》細胞移植が行われます。

脳腫瘍《のうしゅよう》

主な症状●頭痛・嘔吐《おうと》・まひ

こんな病気・症状

脳のさまざまな箇所に腫瘍が

脳にできる腫瘍で、発生部位はさまざまです。部位により頭痛や吐き気、ふらつきや歩行障害、眼球の揺れ、顔面神経まひ、眼球運動障害、眼底のはれ、半身まひなどが見られます。

治療とケア

腫瘍のタイプに応じて治療

手術で腫瘍を取り除きます。手術が難しい場合や手術で取りきれない場合は、抗がん剤による化学療法、放射線療法、免疫療法などを行います。

ウイルムス腫瘍《ウイルムスしゅよう》

主な症状●腹部のしこり・血尿・嘔吐《おうと》・発熱

こんな病気・症状

腎臓《じんぞう》にできる悪性の腫瘍

腎芽腫《じんがしゅ》とも呼ばれる腎臓にできる悪性の腫瘍で、1～4才ぐらいで発病する場合がほとんどです。片側の腎臓だけにできることが多く、早期に発見できれば腎臓の摘出《てきしゅつ》だけで完治することもあります。腹部のしこりで気がつきます。腹痛、血尿、吐き気のほか、食欲低下、体重減少、下痢《げり》、便秘、発熱や高血圧といった症状も見られます。

治療とケア

腫瘍を小さくして摘出

腫瘍が腎臓の片側だけにある場合は、手術で摘出します。化学療法で腫瘍を小さくしてから、病気の腎臓の摘出手術を行います。

小児がん・その他の病気

神経芽細胞腫《しんけいがさいぼうしゅ》

主な症状●腹部のしこり・食欲不振・腹痛

こんな病気・症状

交感神経のがん

交感神経細胞にできるがんで、副腎《ふくじん》や背骨の両側に沿っている交感神経節に腫瘍《しゅよう》が発生します。早期に発見できれば完治も期待できます。食欲不振、腹痛、腹部のしこりが見られます。悪化すると呼吸困難、下痢《げり》や嘔吐《おうと》、頻尿《ひんにょう》、足のまひなどが現れます。

治療とケア

早期の摘出《てきしゅつ》手術が有効

早期に発見できれば、がん細胞の摘出手術だけで治癒することも。症状に合わせて化学療法、放射線療法も行われます。

網膜芽細胞腫《もうまくがさいぼうしゅ》

主な症状●瞳が光る・斜視《しゃし》・視力障害

こんな病気・症状

網膜の腫瘍《しゅよう》で、視力低下も

目の網膜に腫瘍ができます。ほとんどの場合、3才ごろまでに発病します。進行すると脳や骨に転移します。腫瘍が白いために瞳孔《どうこう》（黒目の部分）が光って見えるのが特徴です。斜視、視力低下、充血《じゅうけつ》などの症状が現れることも。脳に転移すると、頭痛や嘔吐《おうと》が見られます。

治療とケア

治療法を組み合わせて治療

最近では化学療法、放射線療法を組み合わせ、眼球を摘出《てきしゅつ》せずに視力保持を図る治療法が行われています。

悪性リンパ腫《あくせいリンパしゅ》

主な症状●しこり・便秘・腹痛

こんな病気・症状

リンパ節の悪性腫瘍《しゅよう》

全身のリンパ節、リンパ組織に悪性腫瘍細胞が分散してできます。症状は発生した部位で異なり、リンパ節にできるとしこりができ、発熱し倦怠感《けんたいかん》や体重減少が見られます。腹部だと便秘、腹痛、おなかの張り、胸部だと息苦しくなる、ものが飲み込みにくくなるといった症状が現れます。

治療とケア

化学療法が中心

病気に効果がある抗がん剤による化学療法を行うほか、リンパ腫の種類によっては放射線療法を併用することもあります。

紫斑病《しはんびょう》

［アレルギー性紫斑病《アレルギーせいしはんびょう》・血小板減少性紫斑病《けっしょうばんげんしょうせいしはんびょう》］

主な症状●紫斑・出血

こんな病気・症状

出血しやすく、紫斑ができる

出血しやすく、打撲《だぼく》などで内出血を起こし、青紫色のあざ（紫斑）ができる病気です。よく見られるのは次の2つです。

アレルギー性紫斑病（血管性紫斑病）…細菌感染、アレルギー性の原因により、皮膚、関節、消化器、腎臓《じんぞう》の血管が炎症《えんしょう》を起こし、内出血する病気です。関節にはれや痛みが、消化管に変化があると腹部の痛みも伴います。

血小板減少性紫斑病…血小板に対する抗体が作られ、血小板がこわされて出血します。鼻血や歯ぐきからの出血、便や尿に血が混じることも。血小板の減少が進むにつれ、血が止まりにくくなります。

治療とケア

必要なら抗生物質の投与も

アレルギー性紫斑病は1カ月ほどで自然に快方へ。細菌感染には抗生物質を、腹痛にはステロイド剤を用います。血小板減少性紫斑病も自然に治ることも。出血が激しい場合は、大量ガンマグロブリン療法やステロイド剤の使用も。

ひんけつ
［てつけつぼうせいひんけつ・ようけつせいひんけつ・さいせいふりょうせいひんけつ］

貧血［鉄欠乏性貧血・溶血性貧血・再生不良性貧血］

主な症状●顔色が悪い・食欲不振

こんな病気・症状

血液中の赤血球が減少する

赤血球が減る病気で、顔色が悪く食欲がなくなります。いくつかのタイプがあり、子どもに多いのは鉄欠乏性貧血です。

鉄欠乏性貧血…離乳食が順調に進まなかったり、偏食《へんしょく》が原因で鉄分が不足すると起こります。ヘモグロビンが合成されず、酸素不足になって体の活動が低下。動悸《どうき》やめまいを起こすこともあり、感染症《かんせんしょう》にかかりやすくなります。まぶたの裏や唇《くちびる》やつめなどが白っぽくなるのも特徴です。

溶血性貧血…赤血球が早くこわれてしまう病気です。原因は赤血球の先天的な異常と、免疫抗体《めんえきこうたい》や血流の後天的な異常があります。重症の場合は脾臓《ひぞう》がはれます。

再生不良性貧血…骨髄《こつずい》の異常で赤血球、白血球、血小板が減少することで起きる貧血です。血小板の減少で鼻血や歯ぐきからの出血が止まらなくなったり、白血球の減少のため感染症になりやすく、発熱を伴うことも。

治療とケア

原因に応じた治療を行う

鉄欠乏性貧血の場合は鉄分を補給し、食事療法も行います。溶血性貧血の場合は葉酸《ようさん》や鉄分の補給、ステロイド療法、副《ふく》腎皮質《じんひしつ》ホルモンや免疫抑制剤《めんえきよくせいざい》などで治療し、溶血性貧血の特別なものは、手術も行われます。再生不良性貧血では、多くの場合輸血を行い、副腎皮質ホルモンや抗生《こうせい》物質を投与。薬でよくならないときは骨髄移植《こつずいいしょく》を行う場合もあります。

のうせいまひ

脳性まひ

主な症状●まひ・筋緊張

こんな病気・症状

脳の障害でまひや知的障害が

脳の障害でまひや筋肉の緊張が強くなる病気です。原因は早産、新生児仮死、中《ちゅう》枢神経系《すうしんけいけい》の先天異常のほか、高血圧症候群、頭蓋《ずがい》内出血、新生児期の髄膜炎《ずいまくえん》、脳炎などの後遺症があげられます。

運動機能の発達の遅れ、全身または半身まひなどの運動障害が見られます。片まひ（半身のまひ）の場合は、症状が軽いと見過ごしてしまい、歩き始めるころになって気がつくケースもあります。手足の緊張が強く、体がかたくなったり、異常に反り返ったり、意志に反して手足が激しく動くこともあります。知的障害や言語障害を伴う場合も見られます。

治療とケア

専門機関で発達を促す訓練を

症状により、筋肉の硬直を緩和《かんわ》する筋《きん》弛緩剤《しかんざい》や、抗けいれん剤などを用います。軽い場合は、成長に従ってまひが目だたなくなり、歩くこともできるようになります。重い場合は、早期に専門機関で発達を促す訓練を受けることが大切です。

すいとうしょう

水頭症

主な症状●頭囲が大きい

こんな病気・症状

髄液《ずいえき》がたまり頭が大きくなる

脳に髄液がたまり、頭が異常に大きくなります。脳の成長が妨げられ、首すわりなどに遅れが出ることも。けいれんや嘔吐《おうと》、知的障害が起きる場合もあります。

治療とケア

チューブで髄液の通り道を作る

脳からおなかへ細いチューブを通し、髄液を流すバイパスを作ります。髄膜炎《ずいまくえん》や頭蓋内腫瘍《ずがいないしゅよう》などの病気が原因の場合は、根本的な治療が必要です。

新生児の病気

環境の変化に伴う病気や生まれつきの病気が多い時期

生後28日までの赤ちゃんを「新生児」と呼びます。それまではママの胎盤《たいばん》を通して呼吸をしていましたが、生まれてからは自分で呼吸をしなければなりません。また、血液の循環も胎児型から大人と同じ型になり、栄養も自力で母乳やミルクを吸って消化・吸収する消化管栄養になります。

新生児期は、胎内生活から胎外生活に適応する移行期です。そのうえ、肝臓をはじめとする体の機能も未熟。そのために生まれたばかりの時期は黄疸《おうだん》が続くなど、特有の変化が見られます。

新生児期に見られる病気の多くは、このような環境の変化にうまく適応できないために起きます。また、この時期に生まれつきの病気が見つかることもあります。そうした病気は、ママと病院に入院している間に発見されて治療が始まりますが、退院後に病気がわかる場合も。気になるようすがあるときは、すぐに病院へ行きましょう。

新生児黄疸《しんせいじおうだん》

主な症状●黄疸

こんな病気・症状

皮膚や白目が黄色に

黄疸は、血液中の赤血球がこわれたときに出るビリルビンが増加することによって起こります。通常は、肝臓で分解されて排泄されていきますが、生まれたばかりの赤ちゃんは肝臓の働きが未熟なため、ビリルビンの処理や排泄がうまくいかずに皮膚や粘膜《ねんまく》にたまってしまい、黄疸が出やすくなります。

生後2～3日目から皮膚や白目の部分が黄色くなり、4～5日目ころにピークをむかえ、その後徐々に消えていきます。ほとんどの場合、症状は黄疸だけで赤ちゃんは元気です。

母乳を飲んでいる赤ちゃんは、母乳中に含まれる女性ホルモンなどの影響で黄疸が長引くことがあり、これを母乳性黄疸と呼びます。母乳性黄疸では皮膚の色や便の色が黄色くなる状態が1～2カ月ほど続きますが、その後自然に治ります。

治療とケア

ほとんどは自然に治る

ほとんどの場合は治療は不要です。母乳性黄疸でも、黄疸以外に異常がなければ母乳をやめたり特に治療したりする必要はありません。

ただし、生後24時間以内に黄疸症状が現れた場合や、黄疸の症状が強く血液検査の結果総ビリルビン値が高い場合、白目の部分の黄色みがどんどん強くなる場合は、血液型不適合や溶血性疾患《ようけつせいしっかん》などの疑いも。医師の診察を受けましょう。

新生児メレナ《しんせいじメレナ》

主な症状●吐血《とけつ》・血便

こんな病気・症状

ビタミンKの不足が原因

消化管から出血し、血を吐いたり血便が出たりする病気です。生後2～3日から1週間までの間に真っ赤な血を吐きます。コーヒーかすのような黒っぽい血のこともあります。同時に真っ赤な便や、黒っぽく粘り気のあるタール便が出ることもあります。主な原因はビタミンKの不足と考えられています。

一方、生まれたばかりの赤ちゃんが出生の際に飲み込んだ母体の血液を便中に排泄することがあります。これを新生児仮性メレナと呼んでいます。

治療とケア

健診でビタミンK_2を投与

新生児はビタミンKの蓄えが少なく、

母乳に含まれる量も少ないので、病院では出生当日と退院時、1カ月健診時にビタミンK2シロップを投与します。その効果もあって、新生児メレナは最近ではあまり見られない病気になりました。ごくまれに発症してしまい、出血がひどいときには輸血を行います。

なお、新生児仮性メレナの場合は、治療の必要はありません。

さいえん・さいしゅういえん

臍炎・臍周囲炎

主な症状●おへそのはれ

こんな病気・症状

へその緒《お》のあとがジクジク

へその緒が生後1週間～10日で乾いて自然に取れた後、おへそや周辺が細菌に感染し、炎症《えんしょう》を起こして赤くはれます。ジクジクと湿っていたり、うみや出血が見られることがあります。

治療とケア

おへそを消毒して乾かす

おへそが乾燥するまでは、おふろ上がりなどに綿棒にアルコールをつけ消毒して乾かします。乾燥の妨げになるので、おむつでおへそを完全に覆《おお》わないように気をつけましょう。炎症がひどくなった場合は菌が全身に回ることがあるので、早めに受診を。病院では抗生《こうせい》物質を投与したり、切開してうみを出します。

さいにくげしゅ

臍肉芽腫

主な症状●いぼ

こんな病気・症状

へその緒のあとにいぼが

へその緒が取れた後に一部が残って増殖し、肉芽《にくげ》組織《そしき》が増殖します。おへその中に赤いいぼのようなものができ、滲出《しんしゅつ》液《えき》が出てジクジクし、出血することもあります。大きさは米粒の半分ほどからおへそいっぱいのものまでさまざまです。

治療とケア

肉芽を取り、根気よくケア

炎症《えんしょう》を起こす心配があるので、早めに受診を。臍肉芽腫が飛び出している場合は糸で縛って自然に取れるのを待ちます。薬で焼いて取ることもあります。家では沐浴《もくよく》後におへそを消毒し、きれいに乾くまで根気よくケアします。

さんりゅう

産瘤

主な症状●むくみ

こんな病気・症状

分娩時に頭が圧迫される

分娩時に、産道で頭が圧迫され、そこに体液がたまってむくみが生じます。頭の上のほうが全体に盛り上がり、プヨプヨした感触があります。分娩に時間がかかった場合、むくみがひどくなり、こぶのようになってしまうこともあります。

治療とケア

2～3日で自然に治る

2～3日で自然に体に吸収されます。特に治療は行いません。

ずけつしゅ

頭血腫

主な症状●こぶ

こんな病気・症状

出生時に頭にこぶが

頭の一部が半球状にふくらみ、ゴムまりのような感触がします。大きさはピンポン玉から野球ボール大までさまざま。分娩時に頭が産道で圧迫され、血管が破れたりして頭の骨とその上の皮膚との間に血液や滲出液《しんしゅつえき》がたまってできるもので、病気ではありません。

治療とケア

自然に治るので大丈夫

特別な治療は必要ありません。血液や滲出液が体に吸収されるか、はれた部分がかたくなり骨の一部になることで、自然にはれが引いて治ります。

PART
11

ママの心の悩み解決セラピー

子育てがつらい、自分の将来が不安、
夫が育児に非協力的、
などママならではの悩みがあります。
そんなとき、赤ちゃんとの暮らしをもっと楽しめるよう、
ママの気持ちがフッと軽くなるようなアドバイスです。

育児についての悩み

初めての育児のとまどいをスッキリ!

子育てにストレスを感じたとき、どうしたらいいのでしょうか。

今は、昔と比べて子どもを育てにくい環境

昔は同居するおじいちゃん、おばあちゃんだけでなく、近所の人たちも子育てをするママを助けてくれたものですが、現代では近所付き合いも減り、人間関係が希薄になりつつあります。そんな中、「夫とふたりだけでがんばって育てなくてはいけない」という状況に、プレッシャーを感じるママが増えています。さらに、子どもが生まれるころのパパはちょうど働き盛り。連日パパの帰宅が遅く、ママがほとんどひとりで子育てしなくてはいけない家庭も少なくないはずです。これでは、ママの悩みや不安がますます強くなるのも当然です。

また子育ては、そもそも自分の思うようにいかないものです。そんな状況をママはもどかしく感じることもあるでしょう。子育てはこうあらねばいけないという気持ちが強いと、育児にストレスを感じてしまい、子育てを楽しむ余裕がなくなってしまいます。

相談相手は身近な人だけではありません

子育てに悩んだとき、あなたはだれに相談しますか？　まずは身近な家族に相談する人が多いでしょう。でもパパは仕事で忙しくてなかなか相談できない、実母や義母などには話しづらい、という声がよく聞かれます。身近に頼れる人がいないときは、保健所や児童相談所など、公的な機関に相談してみてください。子育てに関する電話相談室もたくさんあります。これらの場所では、子育ての専門家が適切なアドバイスをしてくれます。

たとえ問題が解決しないとしても、だれかに悩みを聞いてもらえるだけで気持ちが軽くなるものです。だからひとりで悩まずに、困ったときはSOSを出してみましょう。

赤ちゃんは日々成長しています。たとえば夜泣きでも、永遠に続くということはありません。また、泣くことが赤ちゃんのコミュニケーションの手段だと思えると、少し気が楽になります。

《育児の》悩みスッキリ! 3カ条

1. 自分ひとりで抱えこまないで、家族や専門家に悩みを打ち明けてみましょう
2. 赤ちゃんは日々成長します。今の悩みがずっと続くわけではないことを忘れずに
3. 赤ちゃんにも自己主張や個性があると考えるようにしてみましょう

PART11指導／臨床心理士 環太平洋大学次世代教育学部乳幼児教育学科准教授 今泉岳雄先生

こんなときどうする？ 育児の悩み Q&A

育児についての悩み

Q 何をしても泣きやみません。理由がわからず途方にくれてしまい、私まで泣きたくなります

A 無理に泣きやませなくても大丈夫です

赤ちゃんも人間ですから、なんとなく泣きたいときもあるでしょう。授乳やおむつ替えをしても泣くときは、なんとしても泣きやませようと思わず、赤ちゃんを抱っこし、声をかけながら付き合ってあげてください。ゆったりした気持ちで接すれば、赤ちゃんにもその気持ちが伝わり、いつのまにか泣きやみます。

Q 自分の育児の仕方でいいのか、自信が持てません。間違っていたらどうしよう…と不安になります

A 「育児には正解がない」と考え自分に自信を持ちましょう

子育ては、正解のない問題を、一つひとつ手探りで解いていくようなもの。間違っていたことに気づいたら、その時点ですぐに改善すれば大丈夫です。子どもをよく見てうまくいっていないと感じたら、親子でいっしょに乗り越えていけばいいのです。この試行錯誤が、親子の絆《きずな》を深めていきます。

Q 子どもの成長が気になります。ついついほかの子と比べてしまい、「うちの子はおとっているの？」と心配になります

A 比べるなら、自分の子の「以前」と比べましょう

成長が気になるなら、まずは健診をしっかり受けて、自分の子どもの発達の状況を把握しましょう。小児科医や保健師さんが相談にのってくれ、何か問題があればきちんとサポートもしてくれます。赤ちゃんは一人ひとり発達に幅があるもの。ほかの子と比べるのではなく、その子なりの発達を見てあげてください。

Q 寝てくれない、食べてくれない、何でもイヤイヤ。全然言うことを聞かなくてイライラします

A 必然性のあることをするのが赤ちゃんです

赤ちゃんはママに反抗しているわけではなく、次の発達に必要なことを一生懸命しているだけだということを忘れないでください。たとえば、おむつを替えるときに寝返りしてしまうのも、寝返りがうまくなってハイハイへ進む準備をしているのだとわかっていれば、「赤ちゃんは思いどおりにならないもの」と割り切れてイライラせずにすみます。

ママ100人に聞きました

赤ちゃんのお世話の中で、特にどんなとき悩みやストレスを感じますか？

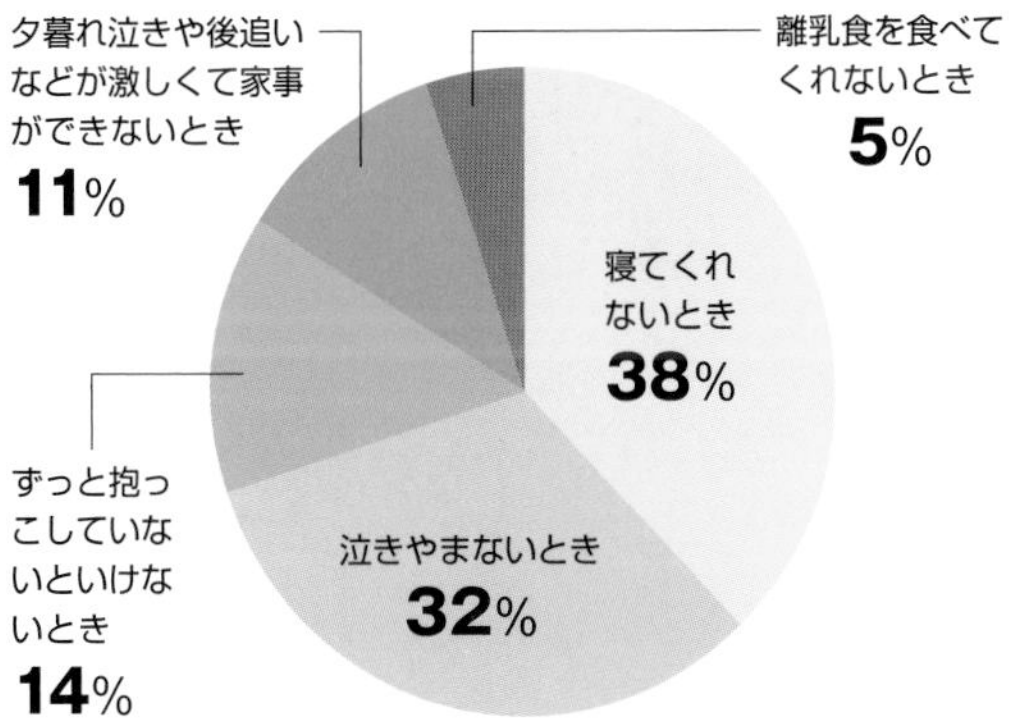

ママたちの悩みは、「寝てくれない」「泣きやまない」に集中。特に夜泣きが始まる7カ月前後のママたちは、その両方に悩んでいるようです。

パパ、親、ママ友とのお付き合いの悩みをスッキリ!

周りの人との関係についての悩み

赤ちゃん誕生で、パパや両親、義父母との関係が変化。ママ友との関係など、新たな悩みも出てくるようです。

男性は女性に比べて、親になった実感が薄いのです

おなかの中に赤ちゃんが宿ったときから、少しずつ心の準備を重ねてきた女性に比べ、男性はパパになった実感がなかなかわきにくいものです。出産後、赤ちゃんがママの実家でしばらく過ごしていたならなおさらのこと。スタートから出遅れたパパはどうしていいかわからず、ますます育児に参加しづらくなってしまいます。また、ママと赤ちゃんの絆《きずな》が深まっていくにつれ、疎外感を感じるパパもいるかもしれません。

パパのそんな状況も理解しつつ、「赤ちゃんはふたりの子ども」という意識をパパに持ってもらいましょう。すべて自分でやってしまわず、少しずつでも赤ちゃんのお世話を任せて、うまくパパを育児に巻き込んでいきましょう。赤ちゃんにふれる時間が長くなるほど、父親の自覚も強まります。パパによき理解者になってもらうことができれば、もっと育児は楽しくなります。

子どもを介して周りとの人間関係に変化が

赤ちゃんが生まれたら、急に義父母や両親が育児に口を出してきて、関係がうまくいかなくなったという悩みをよく聞きます。何か言われると自分の信念も揺れるのは当然です。自分の考えと違うことを言われたときは、「はぁそうですか、なるほど」と受け流し、後でじっくり考えてやっぱり自分の考え方が正しいと思ったら、さりげなく自分のペースで育児をするというような距離の取り方も大事です。

ママ友との付き合いも同様です。ママ友といっても、同じくらいの年齢の子どもがいるという共通点以外はそれぞれの家庭によって生活の背景も違いますし、考え方の違いが出てくるのは当然のことです。大きなトラブルを避けたいなら、ほどよい距離感を持って付き合うことも大切。自分だけ仲間外れにされるのが怖いからと周りに合わせるばかりではなく、時には「今日は用事があって」と離れる時間も必要です。

《周りの人との関係の》
悩みスッキリ! 3カ条

1. 気持ちを思いやりながら、時にはお世話を任せて、パパを育児に巻き込みましょう
2. じぃじ・ばぁばの意見は、時には聞き流すくらいの余裕を持ちましょう
3. ママ友とは、ほどよい距離感を持って付き合うことも大切です

周りの人との関係についての悩み

こんなときどうする? 周りの人との関係の悩みQ&A

Q パパは休日にひとりで外出。家にいたとしても育児を手伝ってくれません。ふたりの子どもなのに!

A 自分の気持ちを素直に伝えましょう

「あなたが~してくれない」という言葉でパパを責めるより、「パパといっしょに育児できないと寂しい」など、自分の気持ちを素直に話したほうがパパの心に響きます。責めたくなってしまったときは、深呼吸してみましょう。それでも感情的になってしまうときは、メールや手紙で伝えるのも効果的です。

Q 義母がやたらと育児に口を出し、困っています。聞こえないふりをしてるけど、内心ではムッとしています

A 自分のスタイルを作ってしまいましょう

義母にいろいろ言われるのがイヤな人は多いでしょう。早く自分のスタイルを作ってしまい、「うちのお嫁さんはこういう人なんだ」と思わせてしまいましょう。いいお嫁さんになろうと思うから余計に相手の期待が増し、いろいろと言われるのです。同居の場合は、子どもの用事を作って外に出かけ、少し距離を作るのも手です。

Q 頼りにできると思った実母と意見が合わずにイライラ。義母と違って遠慮がない分、ぶつかることもしばしばです

A 直接言うよりも、手紙を書いてみると冷静になれます

自分のお母さんだと、お互いにどうしても遠慮がなくなってしまいます。面と向かって話すとつい言い合いになってしまうなら、手紙を書いてみましょう。手紙だと冷静に自分の伝えたいことを書くことができます。うまくコミュニケーションをとって、いちばんの相談相手になってもらえるといいですね。

Q 子どもの遊び相手を見つけてあげたいけど、公園や児童館のママ友の輪に入るのが苦手です

A 公園や児童館以外にも友だち作りのチャンスが

自分から声をかけてほかのママの輪に入るのが苦手なら、自治体の行っている子育てサロンや、リーダーのいる育児グループに参加する方法もあります。リーダーが上手に場を作ってくれるので安心です。幼稚園や保育園に通うようになると、行事などで頻繁《ひんぱん》に顔を合わせる機会ができるので友だちもできます。

ママ100人に聞きました

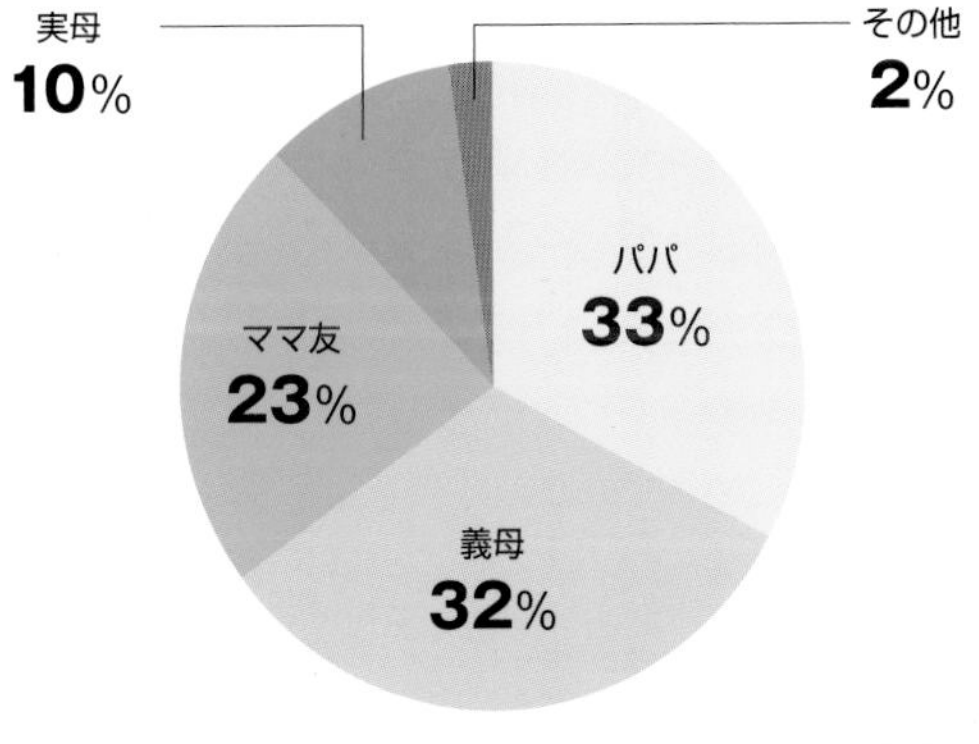

だれとの関係にいちばんストレスを感じますか?

パパ、義母と答えたママからは、「パパが育児を手伝わない」、「義母と子育てに対する考え方が違う」といった声が。味方になってくれるはずのママ友や実母との関係に悩むママも。

今と将来の自分自身への不安をスッキリ!

自分についての悩み

いいママでいたいけど、自分自身のことも大事にしたい。そんな気持ちがつのります。

仕事をがんばっていたママほど、育児へのストレスが

初めての育児はわからないことだらけなので、どうしても構えてしまいがち。がんばり屋でまじめな人、出産前に仕事をバリバリこなしていた人ほど、うまくいかない子育てにストレスを感じ、あせったり、イライラしたりしてしまうようです。

でも育児は仕事と違って、がんばっただけの見返りがすぐ目に見える形で出るものでも、自分のペースでできるものでもありません。また、「絶対にこれが正しい」という正解がないものです。完璧を目指そうと思って自分を追いつめなくていいのです。ほどほどに力を抜いて、「60%くらいできれば合格」くらいに思い、うまくできたら自分をほめてください。そうすれば心にゆとりを持って赤ちゃんに接することができるでしょう。

育児がたいへんな時期は家事だってがんばりすぎなくていいんです。赤ちゃんに手がかかる時期は、たった1~2年ほど。その間は、ゆったりした気持ちで赤ちゃんに接することだけを考えて過ごしてみましょう。

自分自身も大切にしたいと思うのは、自然なこと

わが子がいくらかわいくても、だれだって自分だけのための時間が欲しいと思うものです。「子どもがいるから」と何もかもあきらめる必要はありません。パパの休日には赤ちゃんをお願いし、ひとりでヘアサロンやショッピング、英会話スクールにでも出かけていいのです。

パパが期待できないなら、保育園の一時保育や実家、ファミリーサポートセンター、託児付きのイベントなどの可能性を探ってみましょう。早朝や子どもが寝た後に時間を作る方法もあります。リフレッシュする時間を持って、「また育児をがんばろう!」と思えればしめたもの。気持ちが前向きだと、育児もどんどん楽しくなってきます。ママが笑顔でいると、子どもだってニコニコです。

ママもひとりの人間。自分の可能性を捨ててしまわず、いつまでも輝いていられるのはすてきなことです。自分自身の今と将来を大切にしましょう。

《自分についての》悩みスッキリ! 3カ条

1. 100%を目指すのではなく、60%でいいと思えるようになるとラクです
2. 自分のための時間を持てると、子育てに余裕が出てきます
3. たまには、がんばっている自分をほめて、甘やかしてあげましょう

PART 12

ワーキングママのための基礎知識

働くママたちの子育て環境は
少しずつよくなってきているといいますが、
現実はまだまだハード。
子どもを持っても働きたいと思っているママのための
知っておきたいお役立ち情報です。

ママが仕事を始めるまでの5ステップ

仕事を開始するまでの流れ

「赤ちゃんが生まれたけど働きたい」そんなママに。今から知っておきたい大事なこと。

子どもがいても仕事をしたいママが増加中

育休明けに職場復帰の予定がある、あるいは退職したけれどいつかは働きたいと思っている……。そんなママが増えつつあります。「自分で収入を得て自立していたい」「社会とつながっていたい」など理由はさまざま。職場に復帰、あるいは新たに仕事を開始するためには、まず、どんなことから始めたらいいのでしょうか。(育休後に職場復帰する方は、❷以降を見てください。)

❶自分に合った仕事を探す　今の自分(年齢、状況、希望)に合う仕事は、どんな職業なのか?

❷子どもの預け先を探す　働くためには、子どもを預ける必要があります。今すぐ?　どこに預けるのか?

❸生活リズムの改善　仕事と家庭との時間のやりくりが大事になります。規則正しい生活リズムに。

❹周囲のサポートをあおぐ　「ママが働く」ことをパパや親、会社などに理解してもらうことが大事です。

❺家事のやりくりを考える　家事や子どものお世話など、効率よくこなすには?

ステップ1 自分に合った仕事を探す

ママになった自分にできる仕事を探して

まずは、「なぜ働くのか?」をしっかり考えてみてください。「経済的な理由」「好きな仕事だから」「育児から離れた時間も欲しいから」「社会人として成長したいから」など。理由によって働くスタイルが変わってくるはずです。

産後の仕事探しは「新たな自分探し」でもあります。子どもがいる自分にできることは何か?　今後どんな人生を歩んで行きたいのか?　独身時代のように自由にならないこともありますが、今のあなただからこそできる、そんな仕事もあるはず。あせらず探してみてください。

ステップ2 子どもの預け先を探す

低年齢での保育園入園は厳しい。数時間保育なら実家派も

働くママの子どもは、保育園に預けられるケースが一般的です。とはいえ、いまだに待機児童が多く、特に低年齢での保育園入園は厳しいのが現実。また、子どもがまだ0〜1才代の場合は、実家にお願いしているケースも多いようです。子どもが2才、3才と成長するにつれ、保育園派が増えていきます。

預け先としては、認可保育所、認証保育所、無認可保育所、保育ママ、実母・義母、ベビーシッターなどがあります。預ける親にとっても預けられる子どもにとっても安心できる、そして、経済的にも納得がいくところを見つけるようにしましょう。

(このような預け先の内容については260〜261ページを見てください。)

仕事を開始するまでの流れ

ステップ3 生活リズムの改善

親子で規則正しく！早寝早起きを心がけて

ママが仕事を開始し、子どもが保育園に通うようになると、一気に時間に追われる生活になります。出社、昼休み、退社、帰宅後の子どものお世話に家事。赤ちゃんもママも、夜ふかしや朝寝坊は早いうちに正しておいて。また、保育園では指定の持ち物があります。直前で慌てないように、入園が決まったらすぐに準備を始めておくと安心です。

	0才児	1才児
AM 6:00	順次登園　視診・検温	順次登園　視診
8:00	遊び　ミルク	遊び　牛乳
10:00	離乳食　着替え 午睡	給食　着替え 午睡
PM 0:00		
2:00	目覚め　検温（離乳食） 遊び	目覚め　おやつ
4:00	ミルク　遊び 順次降園	遊び 順次降園

実際は、3才くらいになればみんなで同じプログラムをこなすようになりますが、0〜1才クラスでは、生活リズムを作っている最中のため、上記は参考程度のプログラムになっています。基本はベビーのペースに合わせた無理のないスケジュールで過ごします。（東京都のある園での例）

ステップ4 周囲のサポートをあおぐ

ひとりで抱えずにSOSを出せる環境を

ひとりで仕事と育児を両立させようとしても、必ず無理がきたりストレスがたまってしまいます。まずは働き始める前にパパときちんと話し合い、家事や育児の分担を考えて。親やママ友なども頼りになる存在です。また、会社の上司ともコミュニケーションを密に取り、環境を整えましょう。

パパ●いちばん頼れる人です。自分ひとりの問題にせず、夫婦でしっかり話し合い、自分の思いを伝えておきましょう。困ったときには素直に相談する。助けてくれたら感謝する。その繰り返しできっとよい両立環境が整うはずです。

親・親戚●近くに住んでいるならサポートをお願いしておきましょう。いざというときに頼れる存在です。そのためにも、ふだんからいい関係を築いておきたいものです。

会社●直属の上司に、自分の家庭状況を説明しておきましょう。また、職場のスタッフにも迷惑をかけるかもしれない旨を伝えておくと安心です。ただし、働けるときにはしっかり働いてフォローを。

その他●お互いに助け合えるママ友や、世話好きな近所の方などと仲よくなっておきましょう。また、自治体によっては、時間が間に合わないときの送迎や二次保育をしてくれるファミリーサポートなどの支援システムがあります。

ステップ5 家事のやりくりを考える

カンペキを求めない。できるときにできることを

仕事以外の限られた時間の中で、家事と育児をしなくてはいけないのです。家事はカンペキを求めたらキリがありません。どっちが先？　と悩んだときは、ぜひ子どもとのふれ合いタイムを優先してください。そのためにも家事タイムを軽減する工夫をすることも賢い選択です。

食事●土日に買い出しした食材を使いやすく下ごしらえしてフリージングしておくのもおすすめです。また、事前に食材を注文しておくと届けてくれる生協などの個人宅配も強い味方に。後片づけでは、食器洗い乾燥機が便利です。

洗濯・掃除●家族3人分の洗濯量はかなりのものです。また昼間に外干しできないことが多いので、大型の洗濯乾燥機が便利です。掃除は昼間が留守のため、以前より家の中が汚れないからササッと簡単にすむようになるという声も聞かれました。

その他●家事とは別に、親戚や友だち付き合いがあったり、保育園で、行事や指定の持ち物の準備などが発生することも。無理をしないでできることから、臨機応変に対応を。

どこに預ける？　納得のいく預け先情報をチェック

子どもの預け先選び

働くことになると、子どもを預けなくてはなりません。安心して子どもをまかせられる場所はどこなのでしょうか？

※預け先のデータなどは、東京都のある自治体での例を紹介しています。詳しい内容は自治体ごとに違います。必ず自分の住む自治体で内容を確認のうえ、利用してください。

働くママの多くが利用するのが保育園です

母親が専業主婦の場合や、母親の代わりに世話をしてくれる大人（祖父母など）がいる場合、子どもは3才くらいまで自宅で過ごし、その後幼稚園に入園することが多いようです。一方、母親が働く家では保育園を利用します。園によっては生後43日から預かってくれるところも。そして、小学校入学まで保育園を利用する家庭がほとんどです。つまり、保育園は子どもが幼少期を長く過ごす場所。納得のいく園を選ぶことが大切です。また、保育園以外にも子どもの預け場所はあります。

ママ100人に聞きました

子どもの預け先はどこ？

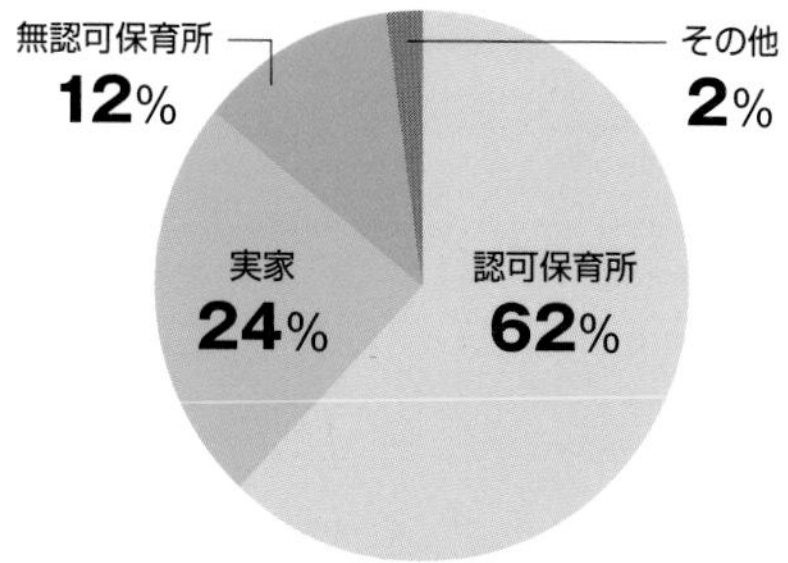

多くの人が認可保育所を利用しています。子どもがまだ小さい場合、実家を頼っている人も多いようです。

＊認可保育所

認可保育所では、各自治体が入園の受付や選考を行います。市区町村が運営している園と民間が運営している園がありますが、いずれも施設内容や人員配置などが児童福祉法によって定められた基準に沿って運営されています。入園の選考基準は条例等で定められた指数で優先順位が決まります。また、保育料は一律で、各家庭の所得によって決定します。

DATA

■**申込先**：自治体（市区町村の役所）
■**保育日時**：月〜土　11時間保育が基本で、7時〜18時くらいのところが多い（延長時間は格差あり）
■**保育料**：自治体によって決定され、どの園も一律。各家庭の前年度所得によって決定。おおむね月0〜6万円程度（延長保育料金は別途）

4月入園の場合のスケジュール（例）

●**受付**　1月10日ごろまで

（用意するもの）
①保育所入園申込書
②父母の状況を証明する書類（就労証明書や病気の診断書など）
③父母の税資料（入園する前年分の源泉徴収票、または確定申告書の本人控コピー）
④入園を希望する子どもの母子健康手帳

●**選考**　2月中旬ごろ

●**内定**　2月25日ごろ
自治体から文書で連絡がいきます。

●**面接と健康診断**
入園が内定した保育所で行われます。

●**入園**　4月1日より

※東京都のある自治体の例です。お住まいの各自治体で確認をしてください。

子どもの預け先選び

＊認証保育所など

都道府県や市区町村が基準を定めて認証し、補助金を出して運営している保育所があります。さまざまなニーズに合わせ、通勤に便利な立地の駅前保育所や、一時保育などを実施している園など、その形や内容はさまざまです。

人員配置は認可保育所と同様で、施設基準が認可保育所に準じています。保育料は自由設定ですが、上限が定められています。直接園に申し込み、空きがあれば入園できます。

DATA
■**申込先**：各保育所
■**保育日時**：各園が決定するが、24時間保育はない（目安は7時～22時）
■**保育料**：各園が決定するが、上限あり（3才未満8万円未満、3才以上7万7000円未満）。毎月の保育料以外に、入園料やおやつ代などが別途のところも

＊無認可保育所

国や自治体が認証・認定していないため、保育内容や設備などは個々の運営にまかされたものとなります。料金設定も自由です。ベビーホテルとしての施設や、英語教育や個性的な園を目指して無認可で運営しているところなどさまざまです。実際に訪問して自分の目でしっかり見極めることが大切です。

DATA
■**申込先**：各保育所
■**保育日時**：各園が決定（24時間保育を実施のところも）
■**保育料**：各園が決定。毎月の保育料以外に、入園料やおやつ代などが別途

＊保育ママ（家庭福祉員）

自治体によりますが、保育ママの自宅で生後43日から2～3才くらいまでの子どもを2～3人保育する制度で、家庭的な保育が期待できます。保育士や教員、助産師などの資格を持っている方や、育児経験のある健康な方たちが保育ママをやっています。自治体に申し込むと保育ママを紹介してくれます。料金は一律。

DATA
■**申込先**：自治体（市区町村の役所）
■**保育日時**：月～土　8時～17時
■**保育料**：月2万3000円程度（延長は別途）
■**備考**：生後43日～2・3才未満

＊実母・義母

親の協力度によりますが、可能ならば最も安心して預けられる場所です。親とはいえ当たり前と思わず、感謝の気持ちを忘れないことが大切です。

＊その他

●事業所内保育施設

最近増えつつあるのが、保護者の勤務する企業や病院などの事業所が運営し、職場内またはそのすぐ近くにある保育施設。ただし大企業などの場合が多く、一般企業ではまだ少ないのが現状です。

●ベビーシッター

自宅で子どもの世話をしてくれるベビーシッター。料金レベルが高いため、一般家庭での通常利用は少ないようです。

●ファミリーサポートなど

子どもを預けないと求職活動できない場合、利用できる保育サービスがあります。会員登録すると利用できるファミリーサポートや、人生経験豊かな会員が子育ての手伝いをしてくれるシルバー人材センターなどです。

また、時間保育といって、時間予約で託児を行ってくれるところも。どれも1時間1000円程度が相場のようです。まずは、各自治体に問い合わせて調べてみるといいでしょう。

●託児所

同じように仕事を探すための一時保育としてならば、短時間だけ私営の託児所を利用してもよいでしょう。保育園の中には、一時保育を行っているところもあります。

最新版
はじめての育児

INDEX

さくいん

←右から左へ読みます
50音順に並んでいます。

あ

か

2008年7月4日　第1刷発行
2010年11月4日　第10刷発行

発行人　福本高宏

編集人　澤田優子

編集担当　姥　智子

発行所　株式会社学研パブリッシング
〒141-8510　東京都品川区西五反田2-11-8

発売元　株式会社学研マーケティング
〒141-8510　東京都品川区西五反田2-11-8

印刷所　大日本印刷株式会社

暮らしの実用シリーズ

最新版 はじめての育児

この本に関する各種のお問い合わせは次のところにお願いします。

編集内容については、
☎03-6431-1481（編集部直通）
在庫、不良品（落丁、乱丁）については
☎03-6431-1201（販売部直通）

それ以外のこの本に関するお問い合わせは下記まで。
学研お客様センター『最新版　はじめての育児』係
文書は
〒141-8510
東京都品川区西五反田2-11-8
電話は
☎03-6431-1002（学研お客様センター）